Katalog
der Sekundärliteratur
am Tibet-Institut Rikon/Zürich

Stand: 31. März 1981

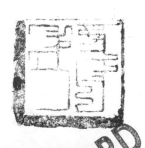

Die Druckkosten wurden grosszügig übernommen
von der
'Stiftung Schweizer Tibethilfe', Luzern

ISBN 3-7206-0005-X

Druck: Robert Hofmann,
CH-8048 Zürich

Den Herausgebern scheinen hinreichend Gründe vorzuliegen, die eine Publikation des vorliegenden Katalogs seinen offensichtlichen Unzulänglich-
keiten zum Trotz rechtfertigen oder doch einigermassen wünschbar erscheinen lassen: sowohl unmittelbar für die interne Benützung der Westlichen Bibliothek am Klösterlichen Tibet-Institut in Rikon/Zürich als
auch indirekt zur ersten Information für Dozenten und Studenten der
Tibetologie oder benachbarter Disziplinen, schliesslich für öffentliche
Bibliotheken, spezialisierte Buchhandlungen und auch für einen weiteren
Interessierten Kreis könnte dieser Katalog eine nützliche erste und orien-
tierende Bibliographie vorstellen, denn:

1. Dieser S y s t e m a t i s c h e   S a c h k a t a l o g weist aus-
schliesslich solche Titel nach, die in der Westlichen Abteilung unserer
Bibliotheken am Tibet-Institut Rikon vorhanden und damit auch wirklich
einsehbar und benützbar sind.

2. Er repräsentiert den Stand der noch jungen Fachbibliothek vom 31.
März 1973; zu gegebener Zeit sollen Nachträge erscheinen.

3. Die tibetischen Manuskripte, Blockdrucke und die modernen Editionen
tibetischer Texte, die am Tibet-Institut verwahrt werden, sollen gesondert in einem eigenen gedruckten Katalog demnächst vorgestellt werden.

4. Im Gegensatz zu Kleindrucksachen, dem sog. "non-book material" wie
etwa Einblattdrucken, Plänen, Prospekten, Kalendern, photographischem
Bildmaterial und den Mikrofilmen, wurden Manuskripte und Typoskripte in
westlichen Sprachen, ferner Filme, Schallplatten, Magnettonbänder und
geographische Karten mit aufgenommen in diesen Katalog.

5. Beim Konzipieren der zu Grunde liegenden systematischen Klassifizie-
rung haben sich die Herausgeber vornehmlich von Gesichtspunkten der Ein-
deutigkeit und der Zweckmässigkeit leiten lassen; so finden sich in
insgesamt 19 Hauptgruppen, die durch die Initialen A bis U (unter Weg-
lassung des Buchstabens O, der ja mit der Null verwechselt werden könnte,)
je mehrere Unterabteilungen, unter deren Titeln die respektive Literatur
aufgeführt wird. Eine Uebersicht über die Gesamtkonzeption folgt auf den
nächsten Seiten.

6. Jedem Titel ist eine kennzeichnende Signatur-Nummer beigeordnet. Arbeiten, die in Sammelwerken zu finden sind, tragen ausser dieser Indivi-
dualsignatur einen Hinweis "vide" mit der Signatur des Sammelwerks in
Klammern. Innerhalb der einzelnen Unterabteilungen ordnen sich die
Werke alphabetisch nach Autoren.

Die Herausgeber sind sich der Tatsache, dass dieser Katalog zwangsläufig
nur eine gar unvollständige Bibliographie der westlichen Sekundärliteratur über Tibet und Tibetisches abgeben konnte, vollauf bewusst, und sie
müssen zudem befürchten, dass nicht wenige Fehler und Missverständnisse
den praktischen Wert des Werkchens noch schmälern werden. Sie hoffen,
auf die gütige Nachsicht des Benützers zählen zu dürfen.

Rikon/Zürich, Ostern 1973   *Thomas Hürsch/Peter Lindegger*

Es liegt im Wesen gedruckter Bibliothekskataloge, dass sie nie à jour
sein können: sind sie schon am Erscheinungstag überholt, wie weit erst
nach Jahren.

Der letzte Katalog der Sekundärliteratur am Tibet-Institut Rikon/Zürich
erschien als Faszikel 4 in der Reihe OPUSCULA TIBETANA im Mai 1973 und
wies den Bibliotheksstand vom 31. März jenes Jahres aus; im Juni 1974
war zudem als Supplementfaszikel 4a ein Autorenregister gesondert pu-
bliziert worden. Jener Katalog von 1973 führte 1'469 Titel der damals
knapp vierjährigen Institutsbibliothek.

Heute, acht Jahre später, umfasst der auf den Stand vom 31. März 1981
gebrachte Katalog 3'988 Titel. Das Klassifikationssystem ist dasslebe
geblieben; es findet sich auf den nachfolgenden 7 Seiten. Das Autorenregister indessen schliesst sich nun dem systematischen Sachkatalog
unmittelbar an und ist durch hellblaues Papier kenntlich gemacht. Für
die allgemeinen leitenden Prinzipien und Kriterien sei an dieser Stelle
auf das umseitige Vorwort zur Ausgabe von 1973 verwiesen.

Die Stiftung Schweizer Tibethilfe Luzern hat in grosszügiger Weise den
Druck der vorliegenden Publikation finanziert. Im Namen des Stiftungs-
rates des Klösterlichen Tibet-Instituts Rikon sprechen ihr die beiden
Herausgeber dafür den herzlichsten Dank aus.

Auch mit dieser jüngsten Edition des Sachkatalogs verknüpfen sich die-
selben Befürchtungen und Hoffnungen wie früher schon: es möchten nicht
allzu viele Fehler und Missverständnisse den praktischen Wert dieses
Werkchens schmälern. Die beiden Kompilatoren bitten vertrauensvoll um
die gütige Nachsicht des Benützers.

Rikon/Zürich, im März 1981   Die Herausgeber

A. Geographie/Geologie

B. Paläontologie/Prähistorie/Archäologie / Historiographie

C. Moderne/Historie/Politica/Exil

D. Exploration/Expeditions-Rapporte
(cf. auch Q Exterritorial)

E. Ethnographie/Kulturelle Anthropologie/Soziologie/ Kulturhistorie/Realia

F. Medizin/Pharmakologie/Arithmetik/Astronomie/ Astrologie/Botanik/Zoologie et sim.

G. Ikonographie

H. Linguistik/Philologie/Phonetik /Orthographie/ Typographie

J. Versiones
(Tib. Originaltexte in westl. Sprachen)

K. Musicalia/Epik/Mysterienspiele/Tanz/Spiel

L. Tib.-buddh. Religionshistorie/Mythologie/Ritualistik

M. Dalai-Lama/Panchen Rinpoche

N. Generelle Buddhologie/Komparatist. Religionshistorie

P. Bibliothecaria/Editionswesen

Q. Exterritoria/Periphere Regionen Tibets

R. Belletristik/Curiosa

S. Periodica/Serien/Kompendien/Enzyklopädien/ Festschriften

T. Magnettonbänder

U. Film

A. Geographie/Geologie

A 1. Historische Geographie Zentralasiens

BERTHELOT, André
A 1 - 2

L'Asie Ancienne centrale et sud-orient-
ale d'après Ptolémée (mit 24 Karten)
Payot, Paris   1930

COEDÈS, Georges
A 1 - 6 / Sep.

Textes d'auteurs grecs et latins relatifs à l'Extrême-Orient (depuis le IVe
siècle av. J.-C. jusqu'au XIVe siècle)
Ernest Leroux, Paris   1910

DAUNICHT, Hubert
A 1 - 1.1 f.

Der Osten nach der Erdkarte Al-Huwar-
izmis (Beitr. z. hist. Geogr. u. Gesch.
Bd. 4, 1. u. 2. Teil: Der Norden des
festländischen Ostasiens und Nord- u.
Mittelasien)
Bonn   1970

HERRMANN, Albert
A 1 - 3

Die alten Seidenstrassen zwischen China
und Syrien (Beitr. z. alten Geogr. Asiens)
Berlin   1910

idem
A 1 - 4

Das Land der Seide und Tibet im Lichte
der Antike
unveränd. photomech. Nachdr. d. Ed. von
Leipzig 1938
Meridiam Publishing Co.,
Amsterdam   1968

PETECH, Luciano
A 1 - 5 / Sep.

Il Tibet nella Geografia Musulmana
aus: Atti della Academia Nazionale dei
Lincei, Anno CCCXLIV, Serie ottava,
Vol. II, 1947
Ed. G. Bardi, Roma   1947

PTOLEMAIOS
A 1 - 8

Geographie 6, 9 - 21
Ostiran und Zentralasien
Teil 1: Griechischer Text neu herausgege-
ben u. ins Deutsche übertragen von Italo
Ronca mit der lateinischen Uebersetzung
des Jacobus Angelus, einer neuen engli-
schen Uebersetzung und textkritischen
Noten
Istituto Italiano per il Medio ed
Estremo Oriente, Roma   1971

STEIN, R.A.　　　　　Mi-ñag et Si-hia
A 1 - 7 (vide E 3 - 24 /　Géographie historique et légendes
　　Sep.)　　　　　ancestrales
　　　　　　　　in: Bulletin de l'Ecole Française
　　　　　　　　d'Extrême-Orient, tome XLIV (1947 - 1950),
　　　　　　　　Fasc. 1, pg. 223 ff.
　　　　　　　　Imprimerie Nationale, Paris　　　　1951

A 2. *Generelle Geographie, Geologie, Tektonik u. Topographie Zentralasiens*

KEANE, A.H.　　　　Asia
A 2 - 1.1 f.　　　　Vol. I: Northern and Eastern Asia
　　　　　　　　Vol. II: Southern and Western Asia
　　　　　　　　aus: Stanford's Compendium of Geography
　　　　　　　　and Travel
　　　　　　　　E. Stanford, London　　　　　1896

SCHMALER, Max　　　Die Entwicklung der Ansichten über den
A 2 - 3 / Sep.　　　Gebirgsbau Zentralasiens
　　　　　　　　Dissertation
　　　　　　　　Phil. Fakultät der Universität
　　　　　　　　Leipzig　　　　　　　　1904

A 3. *Spezielle Geographie, Geologie, Tektonik, Topographie, Hydrographie, Glaziologie,*
Klimatologie und Ortsnamenkunde Tibets u. s. peripheren Regionen

---

ARDUSSI, John A.　　　The Quest for the Brahmaputra River
A 3 - 17 (vide S 1 - 42)　and its Course according to Tibetan
　　　　　　　　Sources
　　　　　　　　in: The Tibet Journal, Vol. II, No. 1,
　　　　　　　　Spring 1977
　　　　　　　　Library of Tibetan Works and Archives
　　　　　　　　Dharamsala　　　　　　　1977

AUCT. INCERT.　　　Im Tal des Elefantenquellflusses
A 3 - 18 (vide S 5 - 4)　in: China im Bild, No. 4, 1978, pg. 22 ff.
　　　　　　　　China im Bild, Peking　　　　1978

BAILEY, F.M.　　　　The Spelling of Tibetan Place Names
A 3 - 2 / Sep.　　　in: The Geographical Journal, Vol. XCVII,
　　　　　　　　No. 2, Febr. 1941
　　　　　　　　Royal Geographical Society, London　1941

BURRARD, R.E.　　　Geography and Geology of the Himalaya
A 3 - 12　　　　　Mountains and Tibet
　　　　　　　　Manager of Publications,
　　　　　　　　New Delhi　　　　　　　1933

COMPL. AUCT.
A 3 - 19 / Sep.

Wissenschaftliche Untersuchung des
Qinghai-Tibet-Hochlands
in: China im Bild, No. 9 (1980), pg. 1 ff.
Beijing   1980

CUNNINGHAM, Alexander
A 3 - 14 (vide Q 3 - 46)

Trans-Tibetan Range
in: Ladak, Chap. III, pg. 45 ff.
Sagar Publications
New Delhi   1970

ELSNER, Georg von
A 3 - 21 (vide D 4 - 118.9)

Barometrische Höhenmessungen und meteoro-
logische Beobachtungen
(Wissenschaftliche Ergebnisse der Expe-
dition Filchner nach China und Tibet,
1903 - 1905, Bd 9)
Ernst Siegfried Mittler u. Sohn,
Berlin   1908

GREGORY, J.W. /
GREGORY, C.J.
A 3 - 3 / Sep.

The Alps of Chinese Tibet and their Geo-
graphical Relations
in: The Geographical Journal, Vol. LXI,
No. 2, March 1923, pg. 153 ff.
Royal Geographical Society, London   1923

HÄNISCH, Erich (ed.)
A 3 - 11 (vide S 4 - 16)

Eine Chinesische Beschreibung von Tibet
vermutlich von J. Klaproth (in franz.)
in: Southern Tibet, Vol. IX, Part IV,
pg. 3 ff.
Lithogr. Institute of the General Staff
of the Swedish Army
Stockholm   1922

HEDIN, Sven
A 3 - 10 (vide S 4 - 14)

Hydrography, Orography and Geomorphology
of Tibet
in: Southern Tibet, Vol. VII, pg. 493 ff.
Lithogr. Institute of the General Staff
of the Swedish Army
Stockholm   1922

HODGSON, B.H.
A 3 - 7 (vide S 4 - 4)

On the Physical Geography of the Himalayas
in: Hodgson, B.H. "Essays on Nepal and
Tibet", Part II, pg. 1 ff.
Philo Press (Reprint), Amsterdam   1972

JHINGRAN, A.G. (Ed.)
A 3 - 15.1 f.

Himalayan Geology
Vol. I + II
Wadia Institute of Himalayan Geology
Delhi   1971/1972

KARAN, Pradyumna P.
A 3 - 8 (vide S 1 - 3)

Geographic Regions of the Himalayas
in: Bulletin of Tibetology, Vol. II, No. 2,
pg. 5 ff.
Namgyal Institute of Tibetology,
Gangtok   1966

12

KOLMAŠ, Josef   Cangpo - Brahmaputra nebo Iravadi?
A 3 - 9 / Sep.   (Tsangpo - Brahmaputra oder Irawadi?)
                                 in: Novi Orient, Jg. 28 (1973), Nr. 5,
                                 pg. 136 ff.
                                 Verlag der Tschechoslowakischen Akademie
                                 der Wissenschaften
                                 Prag   1973

MARGERIE, Emmanuel M. de   L'oeuvre de Sven Hedin et l'orographie
A 3 - 13   du Tibet
                                 (Extrait du 'Bulletin de Géographie',
                                 1928)
                                 Imprimerie Nationale, Paris   1929

NORIN, Erik   Geological Explorations in Western Tibet
A 3 - 1   Reports from the Sino-Swedish Expedition,
                                 Publ. 29
                                 Stockholm   1946

SCHWEINFURTH, Ulrich /   Exploration in the Eastern Himalayas and
SCHWEINFURTH-MARBY, Heidrun   the River Gorge Country of Southeastern
A 3 - 16   Tibet
                                 (Francis Kingdon Ward 1885 - 1958)
                                 An annotated bibliography with a map
                                 (1:1'000'000)
                                 Franz Steiner, Wiesbaden   1975

STRACHEY, Sir Richard   Narrative of a Journey to the Lakes
A 3 - 5 / Sep.   RAKASTAL and MANASAROWAR in Western Tibet,
                                 undertaken in September 1848
                                 in: The Geographical Journal for Febr.,
                                 March and April 1900
                                 Royal Geographical Society, London 1900

WALKER, J.M.   On the weather and climate of Tibet
A 3 - 20 (vide S 1 - 42)   in: The Tibet Journal, Vol. II (1977),
                                 No. 3, pg. 44 ff., Library of Tibetan
                                 Works & Archives, Dharamsala   1977

WEGENER, Georg   Tibet und die englische Expedition
A 3 - 6   mit 2 Karten und 8 Vollbildern
                                 Gebauer-Schwetschke Druckerei u. Verlag,
                                 Halle an der Saale   1904

WYLIE, T.V.   A Place-Name Index to George N. Roerich's
A 3 - 4 / Sep.   Translation of the Blue Annals
                                 Serie Orientale Roma XV,
                                 Istituto Italiano per il Medio ed Estremo
                                 Oriente, Roma   1957

A 4. *Monographien zu einzelnen Regionen Tibets / tibet. geogr. Opera*

COMPL. AUCT. A 4 - 7 / Sep.	Im Qangtang ist Niemand Daheim Eine Forschungsreise ins nördliche Tibet in: Das Tier, No. 7 (1978), pg. 24 Hallwag, Bern und Stuttgart 1978
FILCHNER, Wilhelm A 4 - 4 (vide D 4 - 11)	Nga-tschu-ka Zwei Kapitel in: "Filchner 'Ein Forscher- leben'", pg. 209 ff. Verlag Brockhaus, Wiesbaden 1950
HACKMANN, H. A 4 - 8 (vide Q 1 - 24)	Vom Omi bis Bhamo Wanderungen an den Grenzen von China, Tibet und Birma Ill. von Alfr. Wessner Gebauer-Schwetschke, Halle a/S. 1905
LEGENDRE, A.F. A 4 - 1	Massif Sino-Thibétain Provinces du Setchouen, du Yunnan et Marches Thibétaines (Etudes géologiques) E. Larose, Paris 1916
NYMAN, Lars-Erik A 4 - 6 / Sep.	Tawang - A case study of British frontier policy in the Himalayas in. Journal of Asian History, No. 2, Vol. X (1976), pg. 151 ff. Otto Harrassowitz, Wiesbaden 1976
PRANAVANANDA, Swami A 4 - 3	Kailās - Mānasarōvar S.P. League, Ltd., Calcutta 1949
ROCK, J.F. A 4 - 2	The AMNYE MA-CHHEN Range and adjacent regions Serie Orientale Roma, Vol. XII Istituto Italiano per il Medio ed Estremo Oriente, Roma 1956
TUCCI, Giuseppe A 4 - 10 / Sep.	Un principato indipendente nel cuore del Tibet: Sachia in: Asiatica, Vol. VI (1940), No 6, pg. 353 ff., Roma 1940
WYLIE, Turrell V. A 4 - 5 (vide J 4 - 2)	The Geography of Tibet according to the 'Dzam-gLing rGyas-bSHad' (um 1800) Text and English translation Istituto Italiano per il Medio ed Estremo Oriente, Roma 1962

14

A 5. Mineralogie, Petrographie, Stratigraphie, prakt. Geologie (Lagerstätten von Erzen, Mineralien, Kohlen, Asphalten, Erdöl u. Salzen), Bergbau

AUCT. INCERT. A 5 - 1 (vide S 5 - 4)	Ein Kohlenbergwerk auf dem "Dach der Welt" (illustr. chin. Reportage über den Berg- bau auf tib. Gebiet) in: China im Bild, No. 6, 1971, pg. 24 f. Peking 1971
DENG Wang-ming A 5 - 3 / Sep.	Vulkane auf dem Hochland von Quangtang (Changt'ang) in: China im Bild, No. 1, 1978 Peking 1978
TSCHANG-LU, Dscheng A 5 - 2 / Sep.	Studien über unterirdische Wärmequellen in Tibet in: China im Bild, 1975 Peking 1975
WARD, F. Kingdon A 5 - 4 / Sep.	The glaciation of Chinese Tibet in: The Geographical Journal, Vol. LIX (1922), No 1, January, pg. 363 ff. London 1922

A 6. Hydrographie, Hydrologie, Mineralquellen

AUCT. INCERT. A 6 - 2 (vide S 5 - 4)	Das geothermische Versuchskraftwerk Yangbadjing in: China im Bild, No. 7 (1978), pg. 44 China im Bild, Peking 1978
BERGHAUS, Heinrich A 6 - 1 (vide S 4 - 5)	Bemerkungen über die Geographie des Burramputer und des Sanpu (sic!) in: 'Asia' v. H. Berghaus (i. Anhang z. Abschn. über Assam) 2. Lieferung, pg. 168 ff. Justus Perthes, Gotha 1832

A 7. *Karten, Atlanten, Tabellen, Pläne et sim.*

AMUNDSON, Edward A 7 - 50, 1 - 2	Sketch maps of part of South Western China illustrating the journey of 1898 - 99 Scale: 1 : 500'000 in: The Geographical Journal, Vol. XV and Vol. XVI, No 6 (June 1900), London 1900
AUCT. INCERT. A 7 - 23	Die Zentral-Kathedrale 'Ramoche' in Lhasa (Graph. Darstellung) (Kopie) Dharamsala ca. 1972
BELL, Sir Charles A 7 - 7	Tibet and Adjacent Countries compiliert vom Survey of India 1919, revidiert 1938 in: Grammar of Colloquial Tibetan Dehra Dun (?) / Alipore 1938
BONIN, C.E. A 7 - 49	Itinéraire de Yun-nan-fou à Tchen-tou-fou, 1895 Echelle: 1 : 1'750'000 du: Bulletin de la Société de Géographie, 7eme serie, tome XIX (1898) Paris 1898
BYSTRÖM, A.H. A 7 - 37 / Sep.	Hedins Reise durch die Kewir bis nach Afghanistan und Belutschistan Gezeichnet von Oberstlieutenant A.H. Byström, Massstab 1 : 1'900'000 F.A. Brockhaus' Geogr.-artist. Anstalt Leipzig o.J.
CHI-YUN, Chang A 7 - 31	Atlas of the Republic of China in 5 Volumes Vol. II: Hsitsang (Tibet), Sinkiang and Mongolia National War College, Taiwan 1960

COMPL. AUCT.
A 7 - 12.1 ff.
	India and adjacent countries
	3 Karten im Massstab 1 : 1'000'000
	Blatt No. 70: Parts of Tibet and Eastern
	      Turkestan
	Blatt No. 76: Tibet (Region Ed Dzong)
	Blatt No. 100: China (Region Kiatingfu)
	Survey of India, Dehra Dun (?) 1906 /
	        1920 u. 1922

COMPL. AUCT. A 7 - 16	Karte der Religionen und Missionen der Erde (Massstab 1 : 23'000'000) Ed. Evangelischer Missionsverlag, Stuttg. Kümmerly & Frey, Bern 1965

DAVIES, H.R.
A 7 - 44

Map of Yün-nan
Scale: 1 : 1'267'200
aus: Davies, H.R.: Yün-nan, the link
between India and the Yangtze,
University Press, Cambridge   1909

DONNER, Wolf
A 7 - 24 (vide Q 4 - 65)

Nepal
Farb. Faltkarte und 122 Kartenskizzen
in: Donner, W.: Nepal. Raum, Mensch und
Wirtschaft
Otto Harrassowitz, Wiesbaden   1972

FERGUSSON, W.N.
A 7 - 42

Part of the Province of Se-chuan
from a plane table sketch
map, scale: 1 : 1'000'000
from: The Geographical Journal,
Vol. XXXII (1908), No 6, Dec., pg. 648
London   1908

FILCHNER, Wilhelm
A 7 - 4

Karte von Ost-Tibet (Massstab 1 : 2'500'000)
aus: Filchner, W. 'Quer durch Ost-Tibet'
E.S. Mittler & Sohn, Berlin   1925

idem
A 7 - 40

Uebersichtskarte zu Dr. W. Filchners
Reiseweg in China und Tibet
Massstab: 1 : 7'500'000
Brockhaus, Leipzig   o.J.

idem
A 7 - 53 (vide D 4 - 118.3)

Karte der chinesischen Provinz Kan-su
(Wissenschaftliche Ergebnisse der Expe-
dition Filchner nach China und Tibet,
1903 - 1905, Bd 3)
Ernst Siegfried Mittler & Sohn,
Berlin   1910

idem
A 7 - 54 (vide D 4 -
          118.4-5)

Ergänzungsbände zum Kartenwerk Nordost-
Tibet
Bd 4: Text; Bd 5: Bilder und Karten
(Wissenschaftliche Ergebnisse der Expe-
dition Filchner nach China und Tibet,
1903 - 1905, Bde 4 u. 5)
Ernst Siegfried Mittler u. Sohn
Berlin   1913

idem
A 7 - 55 (vide D 4 - 118.6)

Ergänzungsband zum Kartenwerk Han-kiang
und Ts'in-ling
(Wissenschaftliche Ergebnisse der Expe-
dition Filchner nach China und Tibet,
1903 - 1905, Bd 6)
Ernst Siegfried Mittler u. Sohn,
Berlin   1910

FORREST, George
A 7 - 43

<u>Sketch map of the upper Salween</u>
to illustrate the journey of George
Forrest
Scale: 1 : 750'000
from: The Geographical Journal, Vol. XXXII
(1908), Sept., No 3, pg. 328
London   1908

FRANCKE, A.H.
A 7 - 41

<u>Map showing Dr. A.H. Francke's Route</u>
<u>through the Indo-Tibetan Borderland</u> (Ladakh)
aus: Francke, A.H.: Antiquities of Indian
Tibet, Vol. I, Reprint
S. Chand, New Delhi   1972

HARRER, Heinrich
A 7 - 22

<u>Area of Inner City Lhasa</u> (Plan)
(Massstab: 1 : 1'220)
aufgenommen im Auftrag der tib. Regierung,
1947/48 (Photokopie)   1973

HASSENSTEIN, B./
SCHMIDT, C.
A 7 - 47.1-2

<u>Carl Futterer's Routen-Aufnahme vom</u>
<u>Küke-Nur durch Nordost-Tibet bis Min-</u>
<u>Tschôu vom 11. 8. bis 20.11.1898</u>
Blatt 1 und 2; Massstab: 1 : 500'000
aus: Hassenstein, B./Schmidt, C.:
Holderers und Futterers Expedition in
Central Asien, 1898 - 99, Sektion II
Justus Perthes, Gotha   1903

HEDIN, Sven
A 7 - 1

<u>Central Asia Atlas</u>
Publ. d. Sino-Schwedischen Expedition
No. 47, I.1
Statens Etnografiska Museum
Stockholm   1966

idem
A 7 - 2

<u>West-Tibet und Ladakh (Kara-Korum)</u>
aus: Hedin, S. 'Transhimalaja', Bd. I
Massstab: 1 : 3'000'000
E.A. Brockhaus, Leipzig   1912 - 1917

idem
A 7 - 3

<u>Tsang-po - Tal</u>
Massstab: 1 : 1'500'000
aus: Hedin, S. 'Transhimalaja", Bd. II
E.A. Brockhaus, Leipzig   1912 - 1917

idem
A 7 - 25

<u>Southern Tibet - Atlas of Tibetan Panoramas</u>
Lithogr. Institute of the General Staff of
the Swedish Army, Stockholm   1917

idem
A 7 - 26.1 f.

<u>Southern Tibet - Maps</u>
Vol. I + II
Lithogr. Institute of the General Staff of
the Swedish Army, Stockholm   o.J.

HEDIN, Sven A 7 - 32	Sketch-map showing the main routes of the Sino-Swedish expedition 1927 - 35 in Eastern, China Proper, Mongolie and Tibet Scale: 1 : 4'000'000 aus: Hedin, Sven: History of the expedition in Asia 1927 - 35, part III A.B. Kartografiska Institutet Stockholm 1944
HERRMANN, Albert A 7 - 10	An Historical Atlas of China Djymbatan N.V., Amsterdam 1966
HUMMEL, Siegbert A 7 - 11	Namenkarte von Tibet Verlag Ejnar Munksgaard Kopenhagen ca. 1930
INDIA, Government of (Ministry of External Affairs) A 7 - 20	Atlas of the Northern Frontier of India New Delhi 1960
KARAN, Pradyumna A 7 - 13	Kingdom of Sikkim (Massstab: 1 : 150'000) The Association of American Geographers Washington 1969
idem A 7 - 14	The Kingdom of Bhutan Massstab: 1 : 253'440 University of Kentucky 1967
KAULBACK, Ronald A 7 - 27 (vide D 4 - 84)	The route from Myikyina to Shikathang The Lohit Valley route from Shikathang to Sadiya The Salween & Tsangpo Basins, South- Eastern Tibet 3 maps aus: Kaulback, R.: Salween - Expedition into South Eastern Tibet Hodder and Stoughton, London o.J.
KESSLER, Peter A 7 - 51	Ladakh Detailkarte I/1; Massstab: 1 : 250'000 (Beiträge zur geographischen Verbreitung des tibetisch-mongolischen Buddhismus in Gegenwart und Geschichte Tibet-Institut, Rikon 1980
KOBLET, Rudolf (ed.) A 7 - 19	Uebersichtsplan von Lhasa (1 : 15'000) nach d. Aufn. v. Hch. Harrer u. P. Auf- schnaiter i. Auftr. d. tib. Regierung in den Jahren 1947/48 (Kopie) Zürich 1965

KOZLOV, P.K.
A 7 - 21 (vide D 4 - 80)

Karte der Reisewege von V.I. Roborovskij
und P.K. Kozlov durch Zentralasien in den
1893 - 1895
aus: Kozlov, P.K.: Russkij putesestvennik
v central'noj azii, nach pg. 370
Geographischer Staatsverlag
Moskau   1949

KREITNER, Gustav
A 7 - 45

Karte von China und Ost-Tibet mit besonderer Berücksichtigung der Graf Széchenyischen Route in den Jahren 1878-1880
Massstab: 1 : 8'000'000
in: Kreitner, Gustav: Im fernen Osten,
Alfred Hölder, Wien   1881

idem
A 7 - 46

Uebersichtskarte der Reise der Graf
Széchenyischen Expedition in Ost- und
Central-Asien in den Jahren 1878 - 1880
Massstab: 1 : 30'000'000
in: Kreitner, Gustav: Im fernen Osten,
Alfred Hölder, Wien   1881

LEGENDRE, A.F.
A 7   52

Itinéraires de la Mission Legendre dans
l'Ouest Chinois, 1910 - 1911
Société de Géographie, Paris   (1913)

MEYER, Kartographisches
Institut (ed.)
A 7 - 15

Meyers Neuer Geographischer Handatlas
Bibliographisches Institut
Mannheim   1966

MITCHEL, J./
IGGULDEN, H.A.
A 7 - 38 / Sep.

Skeleton Map of Sikhim
Scale 1 inch: 4 miles
Survey of India Offices, Calcutta   1892

d'OLLONE, Vicomte
A 7 - 48

Itinéraire général de la mission d'Ollone
en Chine Occidentale, Tibet N.E. et
Mongolie, 1906 - 1909
Echelle: 1 : 7'500'000
Société de Géographique, Paris   (1911)

PEKING, Map Publishing
Society (Ed.)
A 7 - 29

Map of China (1 : 4'000'000)
19th edition (1st edition 1957)
Map Publishing Society, Peking   1971

PETER, F.A.
A 7 - 30 / Sep.

Bibliography for a map of Gonpas
(i.e. Monasteries and Shrines in Ladakh
and neighbouring territories)
Männedorf   1974

idem
A 7 - 36 (vide S 1 - 42)

Glossary of place names in Western Tibet
in: The Tibet Journal, Vol. II, No. 2,
Summer 1977
Library of Tibetan Works and Archives
Dharamsala   1977
(auch in: Ethnologische Zeitschrift,
II, 1975, pg. 5 ff., sub Ziffer S 1 - 8)

SANDBERG, Graham
A 7 - 33 (vide D 3 - 35)

Plan of City of Lhasa
aus: Sandberg, G.: The Exploration of
Tibet: its History and Particulars (reprint)
Cosmo Publications, Delhi   1973

SCHWEINFURTH, Ulrich /
SCHWEINFURTH-MARBY, Heidrun
A 7 - 35 (vide A 3 - 16)

Exploration in the Eastern Himalayas and
the River Gorge Country of Southeastern
Tibet
(Francis Kingdon Ward, 1885 - 1958)
An annotated bibliography with a map
(1 : 1'000'000)
Franz Steiner, Wiesbaden   1975

SPULER, Bertold
A 7 - 18 (vide B 3 - 3)

Archäologische und kulturhistorische
Karten Mittelasiens (Nrn. I - VI)
in: 'Handbuch d. Orientalistik', 5. Ab-
schnitt: "Geschichte Mittelasiens"
E.J. Brill, Leiden/Köln   1966

SURVEY OF INDIA (ed.)
A 7 - 17.1

Tsangpo (Massstab: 1 : 1'000'000)
Ref.-No. Hind 5000, Sheet N.H. - 45
s.l. (evtl. Dehra Dun ?) 1. Aufl.   1945

idem
A 7 - 17.2

Lhasa (Massstab: 1 : 1'000'000)
Ref.-No. Hind 5000, Sheet N.H - 46
s.l. (evtl. Dehra Dun ?) 2. Aufl.   1946

idem
A 7 - 34

Map of Sikkim
Survey of India, Calcutta

TAFEL, Albert
A 7 - 8

Nord-China und Ost-Tibet (1 : 3'000'000)
aus: Tafel, A. 'Meine Tibetreise'
Union Deutsche Verlagsgesellschaft
Stuttgart/Berlin/Leipzig   1914

TEICHMAN, Eric
A 7 - 39

Part of Kam or Eastern Tibet
(in: Teichman, E.: Travels in Eastern
Tibet) Massstab: 1 : 1'000'000
Royal Geographical Society,
Cambridge   1922

TUCCI, Giuseppe
A 7 - 28 (vide G 4 - 42.3)

Karte des Nyang-Tales mit Gyantse
in: Tucci, G.: Indo-Tibetica, Vol. IV:
Gyantse ed i suoi monasteri
Reale Accademia d'Italia, Roma   1941

UNITED STATES' AIR FORCE
Aeronautical Chart and
Information Center
A 7 - 9

Operational Navigation Chart (ONC)
Massstab: 1 : 1'000'000
Teile G6, G7, G8, G9, H8, H9, H10
(tib. Region)
St. Louis/Missouri   1969

UNITED STATES' ARMY
TOPOGRAPHIC COMMAND
A 7 - 17.3

Ye-Lu-su Hu (i.e. Oestl. Chang-Tang)
Massstab: 1 : 1'000'000
Ref.-No. NI 46, Series 1301, Ed. 3-TPC
Washington (?)   1971

UNITED STATES' ARMY TOPOGRAPHIC COMMAND A 7 - 17.4	Chikhitei Tsho (i.e. Mittleres Chang-Tang) Massstab: 1 : 1'000'000 Ref.-No. NI 45, Series 1301, Ed. 3-PTC Washington 1966
idem A 7 - 17.5	Pangong Tso (i.e. Westl. Chang-Tang) Massstab: 1 : 1'000'000 Ref.-No. NI 44, AMS 1301, 3rd edition Washington 1962
idem A 7 - 17.6	Manasarowar Massstab: 1 : 1'000'000 Ref.-No. NH 44, Series 1301, Ed. 6-TPC Washington 1966
WADDELL, L.A. A 7 - 5	Map of Route to Lhasa (Reproduktion) The Oxford Geographical Institute Oxford ca. 1906
idem A 7 - 6.1	Plan of Lhasa (Reproduktion) mit zugehörigem Index (A 7 - 6.2) The Oxford Geographical Institute ca. 1906

A 8. Varia

HERRMANN, Albert A 8 - 2 (vide S 4 - 15)	Chinesische Umschreibungen von älteren geographischen Namen in: Southern Tibet, Vol. VIII, pg. 435 ff. Lithogr. Institute of the General Staff of the Swedish Army, Stockholm 1922
idem A 8 - 1 (vide S 4 - 15)	Die Westländer in der chinesischen Kartographie in: Southern Tibet, Vol. VIII, pg. 91 ff. Lithogr. Institute of the General Staff of the Swedish Army, Stockholm 1922
SCHEIDL, Leopold A 8 - 3	Beiträge zur Geographie Japans I Octopus Verlag, Wien 1974

22

B. Paläontologie/Prähistorie/Archäologie/Historiographie

B 1. Paläontologie Zentralasiens u. Tibets

nihil

B 2. Prähistorie Zentralasiens u. Tibets

AUFSCHNAITER, Peter B 2 - 6 / Sep.	Prehistoric sites discovered in inhabited regions of Tibet in: East and West, year VII, No. 1, April 1956, pg. 74 ff. Istituto Italiano per il Medio ed Estremo Oriente, Roma 1956
BUSSAGLI, Mario B 2 - 11 (vide G 4 - 134 / Sep.)	Bronze objects collected by Prof. G. Tucci in Tibet A short survey of religious and magic symbolism in: Artibus Asiae, Vol. XII, 4 (1949), pg. 331 ff., Ascona siehe auch: Tucci, G.: On some bronze objects discovered in Western Tibet; in: Opera Minora, Bd 2, pg. 349 ff., Ascona Signatur: G 4 - 41 (vide S 4 - 1.2)
HUMMEL, Siegbert B 2 - 3	Die Steinreihen des tibetischen Megalithikums und die Gesar-Sage in: Anthropos, Vol. 60, 1965, pg. 833 ff. Paulusverlag, Freiburg/Schweiz 1965
idem B 2 - 10	Die Steinreihen des tibetischen Megalithikums und die Ge-sar-Sage in: Anthropos, Vol. CX (1965), pg. 833 - 838, Wien 1965
JETTMAR, Karl B 2 - 7 / Sep.	Archäologische Spuren von Indogermanen in Zentralasien in: Paideuma - Mitt. zur Kulturkunde, Vol. V, Heft 5, S. 236 ff. Baumberger Verlagshaus, Bamberg 1952
KESSLER, Peter B 2 - 5 / Sep.	Zur Urgeschichte und Archäologie Tibets P. Kessler, Wiesendangen 1973

MACDONALD, A.W. B 2 - 9 / Sep.	Une Note sur les Mégalithes Tibétains in: Journal Asiatique, vol. CCXLI (1953) pg. 63 - 76 Paul Geuthner, Paris 1953
OLSCHAK, Blanche Chr. B 2 - 1 / Sep.	Archaic Tibeto-indian Relations An essay on Tibetan Prehistory Reprint from the Indo-Asian Studies, II pg. 129 - 148 (ed. Lokesh Chandra) International Academy of Indian Culture, New Delhi 1965
RICHARDSON, Hugh E. B 2 - 2 (vide S 1 - 1)	Early Burial Grounds in Tibet and Tibetan Decorative Art of the VIIIth and IXth Centuries in: Central Asiatic Journal, Vol. VIII, No. 2, pg. 73 ff. Mouton, The Hague / O. Harrassowitz, Wiesbaden 1963
TUCCI, Giuseppe B 2 - 4 (vide S 4 - 1.2)	Preistoria Tibetana in: Opera Minora, Vol. II, pg. 467 ff. G. Bardi, Roma 1971
WALSH, E.H.C. B 2 - 10 / Sep.	A cup-mark inscription in the Chumbi Valley in: Memoirs of the Asiatic Society of Bengal, Vol. I (1906), No 13, pg. 271 ff. The Asiatic Society, Calcutta 1906

B 3. Generelle Historie u. Archäologie Zentralasiens u. tib. Regionen

ALBAUM, L.I. / Brentjes, B. B 3 - 5	Wächter des Goldes Zur Geschichte und Kultur mittelasiatischer Völker vor dem Islam VEB Deutscher Verlag der Wissenschaften, Berlin 1972
ALTHEIM, Franz / STIEHL, Ruth B 3 - 6	Geschichte Mittelasiens im Altertum Walter de Gruyter, Berlin 1970
ARRIANUS Flavius B 3 - 4	Alexanders des Grossen Siegeszug durch Asien (Anabasis Alexandrou) übersetzt v. Wilh. Capelle Artemis Verlag, Zürich 1950
BOYLE, John Andrew (transl.) B 3 - 14 (vide Q 7 - 47)	The Successors of Genghis Khan translated from the Persian of Rashīd Al-Dīn Columbia University Press, New York 1971

24

CAPON, Edmund   Art and Archaeology in China
B 3 - 22 (vide G 1 - 23)   MIT Press, Cambridge   1977

COMPL. AUCT.   Geschichte Asiens
B 3 - 11   F. Bruckmann, München   1950

FRANCKE, A.H.   A History of Ladakh
B 3 - 18 (vide Q 3 - 95)   Sterling Publishers, New Delhi   1977

FRUMKIN, Grégoire   Archeology in Soviet Central Asia
B 3 - 17   Handbuch der Orientalistik, Abt. VII,
                       Bd III, 1. Abschnitt
                       E.J. Brill, Leiden/Köln   1970

GROOT, J.J.M. de   Chinesische Urkunden zur Geschichte
B 3 - 16.1 f.   Asiens
                       Teil 1: Die Hunnen der vorchristlichen
                             Zeit
                       Teil 2: Die Westlande Chinas in der vor-
                             christlichen Zeit
                       Walter de Gruyter, Berlin   1921/1926

GROUSSET, René   L'Empire des Steppes - Attila,
B 3 - 12   Gengis-Khan, Tamerlan
                       Payot, Paris   1969

idem   Die Steppenvölker - Attila / Dschingis-
B 3 - 15   Khan / Tamerlan
                       Magnus Verlag, Essen   1975

GUPTA, S.P.   Archaeology of Soviet Central Asia,
B 3 - 29.1-2   and the Indian Borderlands
                       Vol. 1: Prehistory
                       Vol. 2: Protohistory
                       B.R. Publishing Corporation, Delhi   1979

HAMBLY, Gavin   Zentralasien
B 3 - 2   Bd. 16 in 'Fischers Weltgeschichte'
                       Fischer Bücherei, Frankfurt/M.   1966

HENTZE, Carl   Funde in Alt-China
B 3 - 26 (vide Q 2 - 61)   Das Weiterleben im ältesten China
                       Musterschmidt-Verlag, Göttingen   1967

HUMMEL, Siegbert   Die Tibetische Frühgeschichte und die
B 3 - 8 / Sep. 1   Etruskerfrage
                       in: Paideuma, Bd VI, Heft 6, pg. 307 ff.
                       Otto Harrassowitz, Wiesbaden   1957

KWANTEN, Luc   Imperial Nomads
B 3 - 27   A history of Central Asia, 500 - 1500
                       Leicester University Press   1979

MIRSKY, Jeannette
B 3 - 19 (vide D 5 - 31)

Sir Aurel Stein
Archeological Explorer
The University of Chicago Press
Chicago and London   1977

NICOLAS-Vandier, Mme
B 3 - 28.1-2

Bannières et peintures de Touen-Houang
Conservées au Musée Guimet
1: Catalogue descriptif
2: Planches
(Mission Paul Pelliot, Vol. XIV et XV)
Librairie Adrien-Maisonneuve,
Paris   1974/1976

PELLIOT, Paul
B 3 - 9 / Sep.

La Haute Asie
L'Edition Artistique, Paris   o.J.

PELLIOT, Paul /
BACOT, Jacques /
HACKIN, Joseph
B 3 - 7 / Sep.

Asie Centrale et Tibet - Missions
Pelliot et Bacot
in: Bulletin Archéologique du Musée
Guimet, Fasc. II
G. Van Oest, Paris/Bruxelles   1921

RAHULA, Sankrityayana
B 3 - 1

History of Central Asia
Bronze Age (2000 B.C.) to Chengiz Khan
(1227 A.D.)
New Age Publishers Private Ltd.,
Calcutta/New Delhi   1964

ROSSABI, Morris
B 3 - 13 (vide Q 2 - 38)

China and Inner Asia
(from 1368 to the Present Day)
Thames and Hudson, London   1975

RUDENKO, Sergei I.
B 3 - 23 (vide Q 9 - 8)

Frozen tombs of Siberia
The Pazyryk burials of Iron Age Horseman;
from the Russian transl. and edited by
M.W. Thompson
University of California Press
Berkeley   1970

SINOR, Denis
B 3 - 25 / Sep.

Notes on the historiography of
Inner Asia
in: Journal of Asian History,
part I: Vol. VII (1973), No 2, pg. 178 ff.
part II: Vol. IX (1975), No 2, pg. 155 ff.
Otto Harrassowitz, Wiesbaden   1973/1975

SPULER, Bertold
B 3 - 3

Geschichte Mittelasiens
aus: 'Handbuch der Orientalistik' 1. Abteilung "Der Nahe und der Mittlere Osten",
Bd. V, 5. Abschnitt
E.J. Brill, Leiden/Köln   1966

STEIN, Aurel
B 3 - 21 (vide Q 3 - 111)

On Alexander's Track to the Indus
Personal narrative of explorations on the
north-west frontier of India
Benjamin Blom, New York (2nd ed.)   1972

STEIN, M. Aurel   Ancient Khotan
B 3 - 24   Detailed report of archaeological ex-
                         plorations in Chinese Turkestan
                         Vol. I: Text; Vol. II: Plates with map
                         Hacker Art Books, New York   1975

TUCCI, Giuseppe   Tibet
B 3 - 10 (vide E 2 - 36) (in der Reihe: Archaedogia Mundi)
                         Nagel, Genf   1973

B 4. Generelle Historie Tibets: universalhist. Studien basierend auf tib. Materialien et al.

BACOT, Jacques   Introduction à l'Histoire du Tibet
B 4 - 2   Société Asiatique, Paris   1962

BELL, Sir Charles   Tibet - Past and Present
B 4 - 1   Clarendon Press, Oxford   1924

idem   Tibet - Einst und Jetzt
B 4 - 7   F.A. Brockhaus, Leipzig   1925

BOGOSLOVSKIJ, V.A.   Essai sur l'Histoire du Peuple Tibétain
B 4 - 11   ou La Naissance d'une Société de Classes
                         Librairie C. Klincksieck, Paris   1972

GATES, Rosalie P.   Early Tibetan History
B 4 - 12 (vide S 1 - 33) A Consideration of Selected Events in
                         Tibetan Politics and Religion Prior to
                         1800
                         in: The Tibet Society Bulletin, Vol. III
                         (1969), pg. 9 ff.
                         The Tibet Society, Bloomington   1969

HOFFMANN, Helmut   The History of Tibet
B 4 - 19 (vide S 4 - 22) in: Tibet - A Handbook
                         Indiana University Publications,
                         Bloomington   1975

idem   Tibetan Historical Sources
B 4 - 18 (vide S 4 - 22) in: Tibet - A Handbook
                         Indiana University Publications,
                         Bloomington   1975

idem   Tibetan Historiography and the approach
B 4 - 21 / Sep.   of the Tibetans in history
                         in: Journal of Asian History, Vol. IV
                         (1970), No 2, pg. 169 ff.
                         Otto Harrassowitz, Wiesbaden   1970

OLSCHAK, Blanche Chr.
B 4 - 6

Tibet: Erde der Götter
Vergessene Geschichte, Mythos und Saga
Rascher, Zürich/Stuttgart   1960

PATHAK, Suniti Kumar
B 4 - 16

The Indian Nītiśāstras in Tibet
Motilal Banarsidass, Delhi   1974

PELLIOT, Paul
B 4 - 3

Histoire Ancienne du Tibet
Librairie d'Amérique et d'Orient,
Paris   1961

PELLIOT, Paul /
BACOT, Jacques /
HACKIN, Joseph
B 4 - 15 (vide B 3 - 7 /
       Sep.)

Asie Centrale et Tibet - Missions
Pelliot et Bacot
in: Bulletin Archéologique du Musée
Guimet, Fasc. II
G. Van Oest, Paris/Bruxelles   1921

PETECH, Luciano
B 4 - 4 (vide B 3 - 3)

Tibet
IV. Kapitel im Bande 'Geschichte Mittelasiens' des Handbuchs der Orientalistik
(ed. Spuler, B.)
E.J. Brill, Leiden/Köln   1966

idem
B 4 - 22 (vide S 1 - 1)

Ya-Ts'E, Gu-Ge, Pu-Ran: A new study
in: Central Asiatic Journal, Vol. XXIV
(1980), No 1 - 2, pg. 85 ff.
Otto Harrassowitz, Wiesbaden   1980

idem
B 4 - 24 / Sep.

Tibet
in: Enciclopedia Universale dell'Arte,
Vol. XIII, Sp. 879 - 889
Istituto per la Collaborazione Culturale,
Roma   1965

PILARSKI, Laura
B 4 - 17

Tibet: Heart of Asia
The Bobbs-Merrill Company,
Indianapolis   1974

RICHARDSON, Hugh E.
B 4 - 9

Tibet: Geschichte und Schicksal
Titel d. engl. Originalausgabe: "Tibet
and its History" (Oxford Univ. Press '62)
Alfred Metzner Verlag,
Frankfurt/M. und Berlin   1964

R(O)ERICH, J.N.
B 4 - 13 (vide S 1 - 33)

Mongol-Tibetan Relations in the 13th
and 14th Centuries
in: The Tibet Society Bulletin, Vol. VI
(1973), pg. 40 ff.
The Tibet Society, Bloomington   1973

SCHUH, Dieter
B 4 - 23 (vide S 4 - 30)

Ergebnisse und Aspekte tibetischer Ur-
kundenforschung
in: Proceedings of the Csoma de Körös
Memorial Symposium, 24. - 30. 9.76,
pg. 411 ff.
Akadémiai Kiadó, Budapest   1978

SINHA, Nirmal Chandra   Tibet - Considerations on Inner Asian
B 4 - 8   History
                                   K.L. Mukhopadhyay, Calcutta   1967

SNELLGROVE, David L.   Brief Historical Survey of Tibet
B 4 - 10 (vide S 4 - 10 /   in: The Tibetan Tradition, pg. 5 ff.
      Sep.)   E.W. Wormald, London   1965

STOLL, Eva   Geschichte Tibets
B 4 - 5 (vide G 5 - 11)   in: Tibetische Kunst, Katalog d. Zürcher
                                   Ausstellung im Frühjahr 1969
                                   Nohl-Druck, Schaffhausen   1969

TAKLA, Phuntsog Tashi   Ancient Tibet
B 4 - 14 (vide S 1 - 33)   in: The Tibet Society Bulletin, Vol. VI
                                   (1973), pg. 12 ff.
                                   The Tibet Society, Bloomington   1973

THOMAS, F.W.   Tibetan Documents concerning Chinese
B 4 - 20   Turkestan
                                     Part I: The Ha-za; part II: The Sa-cu
                                   Region
                                   in: Journal of the Royal Asiatic Society,
                                   pg. 51 - 85 and pg. 807 - 44,
                                   London   1927

WOODVILLE, W.   Tibet. A geographical, ethnographical,
B 4 - 22 (vide D 3 - 45)   and historical sketch, derived from
                                   Chinese Sources
                                   in: Journal of the Royal Asiatic Society,
                                   Vol. XXIII (1891), January, pg. 1 - 133,
                                   185 - 291, London   1891

B 5. Tib. Chroniken, Annalen u. hist. Texte in westl. Versionen (cf. auch J Versiones!)

AOKI, Bunkyo   Study on Early Tibetan Chronicles
B 5 - 2   Regarding Discrepancies of Dates and
                                   their Adjustments
                                   Nippon Gakujutsu Shinkokai, Tokyo   1955

DHARAMSALA, Information   A Brief Genealogy of Tibetan Rulers
and Publicity Office of   Special Release on Occasion of the 2100th
H.H. the Dalai Lama   Anniversary of Tibet in 1973
B 5 - 5 / Sep.   Dharamsala/India   1973

HERMANNS, Matthias P.   Ueberlieferungen der Tibeter
B 5 - 6 / Sep.   Reprint from 'Monumenta Serica',
                                   Vol. XIII (1948)
                                   The Catholic University, Peiping   1948

| MYNAK, R. Tulku
B 5 - 4 (vide S 1 - 3) | An Invasion of North India after Harsha's Death
in: Bulletin of Tibetology, Vol. VI, No. 2, pg. 9 ff.
Namgyal Institute of Tibetology, Gangtok 1969 |

PETECH, Luciano
B 5 - 9 (vide Q 3 - 132)

A study on the chronicles of Ladakh
Thesis
Abetina (Sondrio), Italy 1937
in: (Supplement) The Indian Historical Quarterly, Vol. XV (1939), Calcutta 1939

RICHARDSON, Hugh E.
B 5 - 3 (vide S 1 - 3)

Further Fragments from Tun Huang
in: Bulletin of Tibetology, Vol. VI, No. 1, pg. 5 ff.
Namgyal Institute of Tibetology, Gangtok 1969

SAGASTER, Klaus
(Ed. and transl.)
B 5 - 7 (vide Q 7 - 55)

Die Weisse Geschichte (Cayan teüke)
Eine mongolische Quelle zur Lehre von den beiden Ordnungen Religion und Staat in Tibet und der Mongolei
Otto Harrassowitz, Wiesbaden 1976

TUCCI, Giuseppe
B 5 - 1

Deb t'er dmar po gsar ma
Tibetan Chronicles by bSod-nams Grags-pa in: Serie Orientale Roma XXIV, Vol. I, Istituto Italiano per il Medio ed Estremo Oriente, Roma 1971

WATSON, G.A.
B 5 - 8 (vide S 1 - 1)

The second propagation of Buddhism from Eastern Tibet according to the "Short Biography of Dgongs-Pa Rab-Gsal" by the third Thukvan blo-Bzang Chos-Kyi Nyi-ma (1757 - 1802)
in: Central Asiatic Journal, No. 22 (1978), pg. 263
Otto Harrassowitz, Wiesbaden 1978

B 6. Spezielle hist. Studien u. Probleme / Referenzen d. Autoren d. klass. Antike / Textus iuris veteres / Epigraphica

AALTO, Pentti /
PEKKANEN, Tuomo
B 6 - 28.1-2

Latin Sources on North-Eastern Eurasia
Part I and Part II
(Asiatische Forschungen, Bd 44 und 57)
Otto Harrassowitz, Wiesbaden 1975/1980

BECKWITH, Ch. I.
B 6 - 33 (vide S 1 - 1)

Tibet and the early medieval florissance in Eurasia
in: Central Asiatic Journal, Vol. XXI, No. 2, pg. 89 ff.
Otto Harrassowitz, Wiesbaden 1977

30

BHARATI, Agehananda
B 6 - 11 (vide S 1 - 33)

References to Tibet in Medieval Indian
Literary Documents
in: The Tibet Society Bulletin, Vol. III
(1969), pg. 46 ff.
The Tibet Society, Bloomington   1969

EBERHARD, Wolfram
B 6 - 35 (vide S 4 - 28)

Comments to A. Mostaert's Folklore Ordos
(Monumenta Serica, Monograph 11, 1947)
in: E'W': China und seine westlichen
Nachbarn, pg. 299 ff.
Wiss. Buchgesellschaft, Darmstadt   1978

EGGERMONT, P.H.L. /
HOFTIJZER, J.
B 6 - 29 / Sep.

The Moral Edicts of King Asoka
E.J. Brill, Leiden   1962

FRANCKE, A.H.
B 6 - 1

A History of Western Tibet
S.W. Partridge & Co., London   1907

idem
B 6 - 39 / Sep.

Remarks on a photograph, near Ating,
taken by Eric Upton, during a tour
in Zangskar in 1907
in: The Indian Antiquary, Vol. XXXVII
(1908), pg. 332 f., Bombay   1908

HIRTH, F.
B 6 - 41

China and the Roman Orient
Researches into their ancient and
medieval Relations as represented in
old Chinese Records
Ares Publishers Inc., Chicago   1975

HUMMEL, Siegbert
B 6 - 25 / Sep.

Zentralasien und die Etruskenfrage:
Anmerkungen
in: Rivista degli Studi Orientali,
Vol. XLVIII, 1974, pg. 251 - 257
Università di Roma, Scuola Orientale,
Roma   1974

KOLMAŠ, Josef
B 6 - 10 / Sep.

Four letters of po Chü-i to the Tibetan
authorities (808 - 810 A.D.)
in: Archiv Orientální, No. 34, Prag   1966

idem
B 6 - 12

Tibet and Imperial China
A Survey of Sino-Tibetan Relations up
to the End of the Manchu Dynasty in 1912
The Australian National University,
Centre of Oriental Studies.
Canberra   1967

KWANTEN, Luc
B 6 - 36 / Sep.

Chingis Kan's conquest of Tibet -
Myth or reality?
in: Journal of Asian History, Vol. VIII
(1974), No 1, Pg. 1 ff.
Otto Harrassowitz, Wiesbaden   1974

LI, Fang-Kueli   The Inscription of the Sino-Tibetan
B 6 - 38   Treaty of 821 - 822
                            in: T'oung Pao, Vol. XLIV (1956),
                            pg. 1 ff.
                            E.J. Brill, Leiden   1956

LINDEGGER, Peter   Griechische und römische Quellen zum
B 6 - 37.1   peripheren Tibet
                            Teil I: Frühe Zeugnisse bis Herodot
                            (Der fernere skythische Nordosten)
                            (Opuscula Tibetana, Fasc. 10)
                            Tibet-Institut, Rikon   1979

MEHRA, Parshotam   Tibetan Polity, 1904 - 1937
B 6 - 31 (vide M 1 - 13   The Conflict between the 13th Dalai Lama
                            and the 9th Panchen Lama
                            Otto Harrassowitz, Wiesbaden   1976

PEDERSEN, Christiane   Index to Zahiruddin Sino-Tibetan Relations
B 6 - 3.2   in the Seventeenth Century (vide B 6 - 3.1)
                            Serie Orientale Roma XL
                            Istituto Italiano per il Medio ed Estremo
                            Oriente, Roma   1971

PETECH, Luciano   China and Tibet in the Early 18th Century
B 6 - 2   History of the Establishment of Chinese
                            Protectorate in Tibet
                            E.J. Brill, Leiden   1950

PRAKASH, Buddha   Tibet, Kashmir and North India 647 - 747
B 6 - 20 (vide S 1 - 3)   in: Bulletin of Tibetology, Vol. VI,
                            No. 2, pg. 39 ff.
                            Namgyal Institute of Tibetology,
                            Gangtok   1969

PURI, Baij Nath   India in Classical Greek Writings
B 6 - 6   (mit Refernzen auf Tibet)
                            The New Order Book Comp., Ahmedbad   1963

RICHARDSON, Hugh E.   Ancient Historical Edicts at Lhasa and
B 6 - 8   The Mu TSung-KHri gTSug lDe brTSan-
                            Treaty of A.D. 821 - 822 from the
                            Inscription at Lhasa
                            Luzac & Co., London   1952

idem   Names and Titles in Early Tibetan Records
B 6 - 18 (vide S 1 - 3)   in: Bulletin of Tibetology, Vol. IV, No. 1,
                            pg. 5 ff. (vide auch pg. 35 ff.!)
                            Namgyal Institute of Tibetology,
                            Gangtok   1967

idem   A Tibetan Antiquarian in the XVIIIth
B 6 - 19 (vide S 1 - 3)   Century
                            in: Bulletin of Tibetology, Vol. IV,
                            No. 3, pg. 5 ff.
                            Namgyal Institute of Tibetology,
                            Gangtok   1967

RICHARDSON, Hugh E.
B 6 - 21 (vide S 1 - 3)

Ming-Si-Lie and the Fish-Bag
in: Bulletin of Tibetology, Vol. VII,
No. 1, pg. 5 ff.
Namgyal Institute of Tibetology,
Gangtok   1970

idem
B 6 - 22 / Sep.

The Smallpox Edict of 1794 at Lhasa
in: Journal of Oriental Studies, Vol. VI,
Nos. 1 - 2, 1961/1964, pg. 115 ff.
Hong Kong University Press
Hongkong (Reprint)   1967

idem
B 6 - 23 / Sep.

The Inscription at the Tomb of Khri Lde
Srong Brtsan
in: Journal of the Royal Asiatic Society,
pg. 29 ff., 1969
The Royal Asiatic Society, London   1969

idem
B 6 - 24 / Sep.

The rKong-po inscription
in: Journal of the Royal Asiatic Society,
pg. 30 ff., 1972
The Royal Asiatic Society, London   1972

idem
B 6 - 27

Ch'ing Dynasty Inscriptions at Lhasa
Istituto Italiano per il Medio ed
Estremo Oriente, Roma   1974

idem
B 6 - 32 (vide S 1 - 42)

Ministers of the Tibetan Kingdom
in: The Tibet Journal, Vol. II, No. 1,
Spring 1977
Library of Tibetan Works and Archives,
Dharamsala   1977

idem
B 6 - 34

A tibetan inscription from rgyal lha-khan;
and a note on tibetan chronology from
A.D. 841 to A.D. 1042
in: Journal of the Royal Asiatic Society,
pg. 57 - 78, London   1957

idem
B 6 - 40 / Sep.

The fifth Dalai Lama's decree appointing
Sangs-rgyas rgya-mtsho as regent
SA. from the 'Bulletin of the School
of Oriental and African Studies',
Vol. XLIII (1980), part 2, pg. 329 ff.
University of London, London   1980

SAGASTER, Klaus
(Ed. and transl.)
B 6 - 30 (vide Q 7 - 55)

Die Weisse Geschichte (Cayan teüke)
Eine mongolische Quelle zur Lehre von den
beiden Ordnungen Religion und Staat in
Tibet und der Mongolei
Otto Harrassowitz, Wiesbaden   1976

SAHNI, Daya Ram
B 6 - 42 / Sep.

References to the Bhottas or Bhauttas
in the Rājataranginī of Kashmir
Translations and notes on the Sanskrit
texts. Notes from the Tibetan records by
A.H. Francke
in: The Indian Antiquary, Vol. XXXVII
(1908), pg. 181 ff., Bombay/London   1908

SINHA, Nirmal Chandra
B 6 - 16 (vide S 1 - 3)

Historical Status of Tibet
in: Bulletin of Tibetology, Vol. I, No. 1,
pg. 25 ff.
Namgyal Institute of Tibetology,
Gangtok   1964

SPERLING, Elliot
B 6 - 43 (vide S 1 - 42)

A captivity in Ninth Century Tibet
in: The Tibet Journal, Vol. IV (1979),
No 4, pg. 17 ff.
Library of Tibetan Works and Archives,
Dharamsala   1979

TUCCI, Giuseppe
B 6 - 4 (vide G 4 - 1)

A Short History of Central Tibet from
the XIIIth to XVIIIth Century with
special regard to the Province of gTsaÅ
(m. Ang. d. tib. Quellen)
in: Tucci, G. 'Tibetan Painted Scrolls'
Vol. I
Libreria dello Stato, Roma   1949

idem
B 6 - 7

The Tombs of the Tibetan Kings
Serie Orientale Roma, Vol. I
Istituto Italiano per il Medio ed
Estremo Oriente, Roma   1950

idem
B 6 - 13 (vide S 4 - 1.2)

The validity of Tibetan historical tradition
in: Opera Minora, Vol. II v. Tucci, G.,
pg. 605 ff.
G. Bardi, Roma   1971

idem
B 6 - 15 (vide S 4 - 1.2)

The wives of Sron-btsan-sgam-po
in: Opera Minora, Vol. II v. Tucci, G.,
pg. 569 ff.
G. Bardi, Roma   1971

WATSON, William
B 6 - 26 / Sep.

Inner Asia and China in the Pre-Han
Period
School of Oriental and African Studies,
University of London   1969

WYLIE, Turrell V.
B 6 - 17 (vide S 1 - 3)

The Tibetan Tradition of Geography
in: Bulletin of Tibetology, Vol. II,
No. 1, pg. 17 ff.
Namgyal Institute of Tibetology,
Gangtok   1965

ZAHIRUDDIN, Ahmed
B 6 - 3.1

Sino-Tibetan Relations in the
Seventeenth Century
Serie Orientale Roma Vol. XL
(cf. Index hierzu: Pedersen, Christiane
unter Katalog-No. B 6 - 3.2!)
Istituto Italiano per il Medio ed
Estremo Oriente, Roma   1970

ZELINSKY, A.N. /
KUZNETSOV, B.I.
B 6 - 5 (vide S 1 - 33)

Tibetan Inscriptions near the Issyk-Kul
in: The Tibet Society Bulletin, Vol. VI
(1973), pg. 35 ff.
The Tibet Society, Bloomington   1973

B 7. Hist. Monographien, Biographien, Autobiographien, Genealogien et sim.

BOYLE, John Andrew
B 7 - 15

The Alexander Romance in Central Asia
in: Zentralasiatische Studien, Vol. IX
(1975), pg. 265 ff.
Otto Harrassowitz, Wiesbaden   1975

CHANDRA, Lokesh
B 7 - 4 (vide S 1 - 1)

The Life and the Works of Ḥjam-Dbyaṅs-
bzhad-pa
in: Central Asiatic Journal, Vol. VII,
No. 4, pg. 264 ff.
Mouton, The Hague / Harrassowitz,
Wiesbaden   1962

FENG, Han-Yi /
SURYOCK, J.K.
B 7 - 17 / Sep.

The historical origins of the Lolo
in: Harvard Journal of Asiatic Studies,
Vol. III (1938), No 1, pg. 103 ff.,
Cambridge, Mass.   1938

HAARH, Erik
B 7 - 3

The YAR-LUṄ Dynasty
A study with particular regard to the
contrubution by myths and legends to the
history of Ancient Tibet and the origin
and nature of its kings
G.E.C. Gad's Forlag, København   1969

KOLMAŠ, Josef
B 7 - 1

Tibet and Imperial China
A Survey of Sino-Tibetan Relations up to
the End of the Manchu Dynasty in 1912
Centre of Oriental Studies,
The Australian National University,
Canberra   1967

idem
B 7 - 2

A Genealogy of the Kings of Derge
sDe-dGe'i rGyal-Rabs
Academia, Prague   1968

KRAUSE, F.E.A.
B 7 - 13 (vide Q 7 - 56)

Chingis Han - Die Geschichte seines
Lebens nach den chinesischen Reichsannalen
Heidelberger Akten der von Portheim-
Stiftung
Carl Winter, Heidelberg   1922

KYCHANOV, E.I.
B 7 - 19 (vide S 4 - 30)

Tibetans and Tibetan Culture in the
Tangut State Hsi Hsia (982 - 1227)
in: Proceedings of the Csoma de Körös
Memorial Symposium, 24. - 30. 9.76,
pg. 205 ff.
Akadémiai Kiadó, Budapest   1978

LAMB, Alistair
B 7 - 16

Tibet in Anglo-Chinese Relations:
1767 - 1842
part I and II
in: Journal of the Royal Asiatic Society
London 1957, pg. 161 - 176 and
London 1958, pg. 26 - 43   1957/1958

LANGE, Kristina
B 7 - 14

Die Werke des Regenten Gana rgyud rgya
mc'o (1653 - 1705)
Eine philologisch-historische Studie zum
tibetischsprachigen Schrifttum
Akademie Verlag, Berlin   1976

eadem
B 7 - 20 (vide S 4 - 30)

Das Geschichtsbild des tibetischen Feudal-
staates (17. - 20. Jh.)
in: Proceedings of the Csoma de Körös
Memorial Symposium, 24. - 30. 9.76,
pg. 213 ff.
Akadémiai Kiadó, Budapest   1978

MAILLART, Ella
B 7 - 11 / Sep.

Le Tibet et la Chine
Royal Central Asian Society,
London   1959

MARKS, Thomas A.
B 7 - 18 (vide S 1 - 42)

Nanchao and Tibet in South-western
China and Central Asia
in: The Tibet Journal, Vol. III (1978),
No 4, pg. 3 ff., Library of Tibetan
Works & Archives, Dharamsala   1978

MO'ÎN, Mohammed
B 7 - 7 / Sep.

TOBBAT (Tibet)
Enzyklopädischer Artikel in "Loghat-
Nâma", Nr. 47, pg. 296 f.
Teherân   1959

PETECH, Luciano
B 7 - 5 (vide S 4 - 2)

bÇad-sgra dBañ-phyug rGyal-po, régent
du Tibet
in: Etudes Tibétaines, pg. 392 ff.
(siehe Abtlg. S)

RICHARDSON, Hugh E.
B 7 - 6 (vide S 4 - 2)

Who was Yum-brtan?
in: Etudes Tibétaines, pg. 433 ff.
(siehe Abtlg. S)

idem
B 7 - 8 (vide S 1 - 3)

How old was Srong brTsan sGam po?
in: Bulletin of Tibetology, Vol. II,
No. 1, pg. 5 ff.
Namgyal Institute of Tibetology,
Gangtok   1965

idem
B 7 - 9 / Sep. 1

The Growth of a Legend
(Legendenbildung um die chinesische
Besetzung von Lhasa im Jahr 670)
in: 'Asia Major', Vol. XVI, parts 1 + 2
Leipzig   1971

SCHLAGINTWEIT, Emil
B 7 - 10

Die Könige von Tibet
Von der Entstehung königlicher Macht
in Yarlung bis zum Erlöschen in Ladak
Verlag der K. Akademie, München   1866

SINHA, Nirmal Chandra
B 7 - 12 (vide S 1 - 38)

Man-chu-shih-li = An essey on polity
and religion in Inner Asia
in: Communications of the Alexander Csoma
de Körös Institute, Nos. 9 - 10,
pg. 73 ff.
Budapest   1975

TUCCI, Giuseppe
B 7 - 22 / Sep.

La Città Santa e le tombe dei re del
Tibet
in: Le Vie del Mondo, Vol. XII (1950),
No 2, pg. 157 ff., Roma   1950

URAY, G.
B 7 - 21 (vide S 4 - 30)

The Annals of the 'A-Ža Principality.
The problems of chronology and genre
of the Stein document, Tun-huang,
vol. 69, fol. 84
in: Proceedings of the Csoma de Körös
Memorial Symposium, 24. - 30. 9.1976,
pg. 541 ff.
Akadémiai Kiadó, Budapest   1978

B 8.   Hist. Atlanten u. Karten, chronologische Synoptiken et sim.
(cf. A Geographie!)

vide sub A 7!

B 9.   Varia

MACDONALD, Ariane B 9 - 2 / Sep.	<u>Histoire et Philologie Tibétaines</u> Annuaire 1969/70 de l'Ecole Pratique des Hautes Etudes Paris 1970
MASPERO, G. B 9 - 1	<u>Geschichte der morgenländischen Völker</u> <u>im Altertum</u> W. Engelmann, Leipzig 1877

C. Moderne/Historie/Politica/Exil

C 1. Generelle moderne Historie

BURMAN, Bina Roy C 1 - 6	Religion and Politics in Tibet Vikas Publishing, New Delhi	1979
COMPL. AUCT. C 1 - 2 (vide B 3 - 11)	Geschichte Asiens F. Bruckmann, München	1950
LOHIA, Rammanohar C 1 - 8 (vide Q 3 - 129)	India, China and Northern Frontiers Navahind, Hyderabad	1963
RAHUL, Ram C 1 - 7 (vide S 1 - 42)	Tibet: A Phoenix among nations in: The Tibet Journal, Vol. III (1978), No 1, pg. 6 ff. Library of Tibetan Works & Archives, Dharamsala	1978
RICHARDSON, Hugh E. C 1 - 1	Tibet and its History Oxford University Press, London	1962
ROSSABI, Morris C 1 - 5 (vide Q 2 - 38)	China and Inner Asia (From 1368 to the Present Day) Thames and Hudson, London	1975
SHAKABPA, Tsepon, W.D. C 1 - 4	Tibet - A Political History with a preface by Turrell Wylie Yale University Press New Haven and London	1967
TIEH - TSENG LI C 1 - 3	Tibet - Today and Yesterday 1st edition entitled: 'The Historical Status of Tibet' (King's Crown Press, Columbia University) Bookman Associates, New York	1960

C 2. Spezielle Probleme mod. Historie/Politik (temp. u. local limit.)

BELL, Charles C 2 - 22 / Sep.	China and Tibet Royal Central Asian Society, London	1948
CAROE, Sir Olaf C 2 - 6 / Sep.	Englishmen in Tibet From Bogle to Gould The Tibet Society of the United Kingdom, London	ca. 1963

CAROE, Sir Olaf
C 2 - 33 (vide S 1 - 42)

Tibet and the Dalai Lama
in: The Tibet Journal, Vol. II, No. 4,
Library of Tibetan Works & Archives,
Dharamsala   1977

idem
C 2 - 19 / Sep.

Tibet, the end of an era
Royal Central Asian Society,
London   o.J.

idem
C 2 - 40 (vide S 1 - 31)

Tibet under Communism
in: Newsletter of the Tibet Society
of the U.K., Spring 1977, pg. 21 ff.,
London   1977

CHAKRAVARTI, P.C.
C 2 - 4 (vide S 4 - 7)

India and the Tibetan Question
in: International Studies, Vol. 10,
No. 4, pg. 446 ff. (vide Abtlg. S)

CHHODAK, Tenzing
C 2 - 39 (vide S 1 - 42)

The 1901 proclamation H.H. Dalai
Lama XIII
in: The Tibet Journal, Vol. III (1978)
No 1, pg. 30 ff.
Library of Tibetan Works & Archives,
Dharamsala   1978

COMPL. AUCT.
C 2 - 35 (vide O 2 - 55)

China's struggle with Red Peril
World Anti-Communist League,
Republic of China, Taipei   1978

DALAI Lama XIV.
C 2 - 37 (vide S 1 - 23)

China and the future of Tibet
in: Tibetan Review, Vol. XIV, No 12
(1979), pg. 12 f.
Tibetan Review, New Delhi   1979

idem
C 2 - 41 / Sep.

Gedanken S.H. des XIV. Dalai Lama
Verein Tibeter Jugend Europa,
Zürich   1980

idem
C 2 - 43 (vide S 1 - 23)

Statement of His Holiness the Dalai
Lama on the 21st Anniversary of the
Tibetan National Uprising Day
in: Tibetan Review, Vol. XV (1980),
No 2 - 3, pg. 10 f.
Tibetan Review, New Delhi   1980

DAVID-NEEL, Alexandra
C 2 - 2

Altes Tibet - Neues China
F.A. Brockhaus, Wiesbaden   1955

DESHPANDE, G.P.
C 2 - 11 (vide S 4 - 7)

Towards Integration: Tibet since the
Revolution
in: International Studies, Vol. 10,
No. 4, pg. 511 ff. (vide Abtlg. S.)

DIMITRIYEV, B.
C 2 - 23 (vide S 1 - 38)

China's "National Minorities"
in: Communications of the Alexander
Csoma de Körös Institute, Nos. 9 - 10,
pg. 79 ff.
Budapest   1975

FILCHNER, Wilhelm
C 2 - 7

Sturm über Asien
Neufeld & Henius, Berlin   1924

FLEMING, Peter
C 2 - 8

Bayonets to Lhasa
The first full account of the British
Invasion of Tibet in 1904
Readers Union, Rupert Hart-Davis,
London   1962

GHOSH, Suchita
C 2 - 44 (vide S 1 - 42)

British Penetration of Intransigent
Tibet
in: The Tibet Journal, Vol. IV (1979),
No 1, pg. 7 ff., Library of Tibetan
Works & Archives, Dharamsala   1979

GIBBONS, Herbert Adams
C 2 - 27

The new Map of Asia
(1900 - 1919)
The Century Co., New York   1921

HOFFMANN, Helmut
C 2 - 30 (vide S 4 - 22)

The Present Political Framework of
Tibet
in: Tibet - A Handbook
Indiana University Publications,
Bloomington   1975

HOPKINSON, A.J.
C 2 - 21 / Sep.

The Position of Tibet
Royal Central Asian Society,
London   1950

JETLY, N.
C 2 - 12 (vide S 4 - 7)

Indian Opinion on the Tibetan Question
in: International Studies, Vol. 10, No. 4,
pg. 564 ff. (vide Abtlg. S)

LAMB, Alastair
C 2 - 16

Britain and Chinese Central Asia
(The Road to Lhasa 1767 to 1905)
Routledge and Kegan Paul,
London   1960

LATTIMORE, Owen
C 2 - 15

Studies in Frontier History
(Coll. Papers) 1928 - 1958
Mouton & Co., Paris/La Haye   1962

LOUIS, W. Roger
C 2 - 5

British Strategy in the Far East
1919 - 1939
Clarendon Press, Oxford   1971

MALHERBE, Jean-Paul
C 2 - 28

Tibet & Tibetains
Université de Toulouse,
Toulouse   1975

MEHRA, Parshotam
C 2 - 1

The Younghusband Expedition - An
Interpretation
Asia Publishing House, Bombay   1968

MILLIS, J.P.
C 2 - 20 / Sep.

Problems of the Assam-Tibet frontier
Royal Central Asian Society,
London   1950

NAND, Bidya
C 2 - 32

British India and Tibet
Oxford & IBH Publications,
New Delhi   1975

NORBU, Jamyang
C 2 - 42 (vide S 1 - 23)

There and back again
The controversy over the Tibet visit
in: Tibetan Review, Vol. XV (1980),
No 2 - 3, pg. 16 ff.
Tibetan Review, New Delhi   1980

RAHUL, Ram
C 2 - 17

Politics of Central Asia
Curzon Press, London and Dublin   1974

DOMODCH, Jürgen
C 2 - 18 (vide Q 2 - 33)

Die Aussenpolitik der Volksrepublik
China, 1949 - 1974
Globus Verlag, Wien   1974

RICHARDSON, Hugh E.
C 2 - 24 / Sep.

Tibet: Past and Present
A public lecture given at the University
of Saskatchewan
University of Saskatchewan,
Sascatoon, Canada   1967

idem
C 2 - 25 / Sep.

Tibet: Past and Present
Address given to the Royal Asian
Society on October 22, 1963
The Royal Asiatic Society, London ca. 1963

RONALDSHAY, The Earl of
C 2 - 26 (vide Q 9 - 2)

A Tibetan Episode
in: On the Outskirts of Empire in Asia,
Chapter XXVII, pg. 344 ff.
William Blackwood & Sons,
Edinburgh and London   1904

SAGASTER, Klaus
C 2 - 36 / Sep.

Die Institution der Dalai Lamas
und das Verhältnis zwischen Religion
und Politik in Tibet
in: Thiel, J.F. / Doutreloux, A. (Ed.):
Heil und Macht. - Approches du sacré.
pg. 120 ff.
Anthropos-Institut, St. Augustin   1975

SAMPHEL
C 2 - 38 (vide S 1 - 23)

Tibet and the Modern World
Tibet's failure at modernisation
(1904 - 1949)
in: Tibetan Review, Vol. XV (1980),
No 1, pg. 13 ff.
Tibetan Review, New Delhi   1980

SHEN, Ping-wen
C 2 - 34 (vide Q 2 - 54)

Chinese communist criminal acts in
persecution of religions
World Anti-Communist League,
Republic of China, Taipei   1978

SHRIVASTAVA, B.K.
C 2 - 13 (vide S 4 - 7)

American Public Opinion on the Tibetan
Question
in: International Studies, Vol. 10,
No. 4, pg. 584 ff. (vide Abtlg. S)

SNELLGROVE, David L.
C 2 - 10 (vide S 5 - 1)

The End of a Unique Civilisation
in: Shambhala, No. 1 (Jan. 1971),
pg. 3 ff.
Institute of Tibetan Studies, Tring/Engl.
Pandect Press Ltd., London   1971

SPERLING, Elliot
C 2 - 31

The Chinese Venture in K'am, 1904 - 1911,
and the Role of Chao Erh-feng
in: The Tibet Journal, Vol. I, No. 2,
Library of Tibetan Works and Archives,
Dharamsala   1976

VAIDYANATH, R.
C 2 - 14 (vide S 4 - 7)

The Soviet View of the Tibetan Situation
in: International Studies, Vol. 10, No. 4,
pg. 602 ff. (vide Abtlg. S)

VIRA, Raghu
C 2 - 29 (vide E 2 - 33)

Tibet - A Souvenir
edited by The Preparatory Bureau
Afro-Asian Convention on Tibet and
against Colonialism in Asia and Afric
New Delhi   1960

WOODMAN, Dorothy
C 2 - 3

Himalayan Frontiers
A Political Review of British, Chinese,
Indian and Russian Rivaleries
Barrie and Rockliff, London   1969

YOUNGHUSBAND, Sir Francis
C 2 - 9

India and Tibet
A history on the relations which have
subsisted between the two countries from
the time of Warren Hastings to 1910; with
a particular account of the mission to
Lhasa of 1904 (Reprint)
Oriental Publishers, New Delhi   1971

43

C 3.   Politologisches / Konstitution u. iur. Status Tibets / Textus iuris recentiores et sim.

AHMAD, Zahiruddin   The Historical Status of China in Tibet
C 3 - 29   in: The Tibet Journal, Vol. I, No. 1
                                     Library of Tibetan Works and Archives
                                     Dharamsala   1975

ANAND, R.P.   The Status of Tibet in International Law
C 3 - 14 (vide S 4 - 7)   in: International Studies, Vol. 10,
                                     No. 4, pg. 401 ff. (siehe Abtlg. S)

AUCT. INCERT.   Tibet and Freedom
C 3 - 6 / Sep.   Publication of the Tibet Society of
                                     the United Kingdom
                                     London   ca. 1961

AUCT. INCERT.   The Status of Tibet
C 3 - 9 / Sep.   A Brief Summary
                                     Bureau of H.H. the Dalai Lama,
                                     New Delhi   ca. 1966

AUCT. INCERT.   The Boundary Question between China
C 3 - 12   and Tibet
                                     A valuable record of the tripartite con-
                                     ference between China, Britain and Tibet,
                                     held in India, 1913 - 1914
                                     Peking   1940

COMPL. AUCT.   The Truth about Tibet
C 3 - 5 / Sep.   Publication of the Tibet Society of the
                                     United Kingdom
                                     London   ca. 1960

DALAI LAMA XIV.   Bod-kyi rTSa-KHrims / Constitution of
C 3 - 13   Tibet (tib. u. engl.)
                                     promulgated by H.H. the Dalai Lama XIV,
                                     Bureau of H.H. the Dalai Lama,
                                     New Delhi   1963

idem   The reality of the Tibetan Question
C 3 - 33 (vide S 1 - 53)   in: Tibet News Review, Vol. I (1980),
                                     No 1, pg. 9 ff., London   1980

GELDER, Stuart and Roma   Long March to Freedom
C 3 - 3   Hutchinson & Co., London   1962

HAMBURG, Institut für   Das Abkommen von Simla
Asienkunde (Ed.)   in: China Aktuell, Jg. 1, Nr. 6 (1972),
C 3 - 25 (vide S 1 - 39)   pg. 26 ff., Hamburg   1972

44

HUTHHEESING, Raja　　　　　Tibet fights for Freedom
C 3 - 1　　　　　　　　　　Orient Longmans, Pr. Ltd.,
　　　　　　　　　　　　　　s.l. (India)　　　　　　　　1960

INTERNATIONAL COMMISSION　Tibet and the Chinese People's Republic
OF JURISTS　　　　　　　　A Report to the International Commission
C 3 - 17　　　　　　　　　of Jurists by its Legal Inquiry Committee
　　　　　　　　　　　　　　on Tibet
　　　　　　　　　　　　　　Geneva　　　　　　　　　　1960

idem　　　　　　　　　　　The Question of Tibet and the Rule of Law
C 3 - 27　　　　　　　　　Geneva　　　　　　　　　　1959

KOLMAŠ, Josef　　　　　　První ústava v dějinách Tibetu a co jí
C 3 - 10 / Sep.　　　　　předcházelo
　　　　　　　　　　　　　　(Zur ersten Verfassung Tibets)
　　　　　　　　　　　　　　in: Nový Orient, Vol. 25, No. 4, Apr. '70
　　　　　　　　　　　　　　Oriental Institute, Prague　　1970

LONDON, Tibet Society (Ed.) Tibet and Freedom
C 3 - 26 / Sep.　　　　　The Tibet Society of the U.K.
　　　　　　　　　　　　　　London　　　　　　　　　　o.J.

MARTIN, Helmut　　　　　　Europa-Reise des Dalai Lama - Verhandlungen
C 3 - 31 (vide S 1 - 39)　über seine Rückkehr in die Volksrepublik?
　　　　　　　　　　　　　　in: China aktuell, Nov. 1973, pg. 719 f.
　　　　　　　　　　　　　　Institut für Asienkunde, Hamburg　1973

McCLOUD, M. David　　　　Tibetan Perspective (ad chin. Occup.)
C 3 - 23 (vide S 1 - 33)　in: The Tibet Society Bulletin,
　　　　　　　　　　　　　　Vol. II (1958), pg. 23 ff.
　　　　　　　　　　　　　　The Tibet Society, Bloomington　1968

MEHRA, Parshotam　　　　　Lu Hsing-chi, the Simla Conference
C 3 - 30 (vide S 4 - 24)　and after
　　　　　　　　　　　　　　in: Etudes tibétaines/Actes du XXIX.
　　　　　　　　　　　　　　Congrès international des Orientalistes,
　　　　　　　　　　　　　　Paris, Juillet 1973
　　　　　　　　　　　　　　L'Asiathèque, Paris　　　　1976

idem　　　　　　　　　　　The Mongol-Tibetan Treaty of
C 3 - 32 / Sep.　　　　　January 11, 1913
　　　　　　　　　　　　　　in: Journal of Asian History, Vol. III
　　　　　　　　　　　　　　(1969), No 1, pg. 1 ff.
　　　　　　　　　　　　　　Otto Harrassowitz, Wiesbaden　1969

MORAES, Frank　　　　　　The Revolt in Tibet
C 3 - 11　　　　　　　　　The Macmillan Company, New York　1960

MURTY, T.S.　　　　　　　India's Himalayan Frontier
C 3 - 15 (vide S 4 - 7)　in: International Studies, Vol. 10,
　　　　　　　　　　　　　　No. 4, pg. 464 ff. (vide Abtlg. S)

NORBU, Jamyang
C 3 - 35 (vide S 1 - 23)

An 'Illustration' of Dharamsala's
New China Policy
in: Tibetan Review, Vol. XV (1980),
No 5, pg. 19 ff., New Delhi   1980

PARDESI, Ghanshyam
C 3 - 28 (vide S 1 - 42)

Some Observations on the Draft
Constitution of Tibet
in: Tibet Journal, Vol. I, No 1
Library of Tibetan Works and Archives
Dharamsala   1975

POCHHAMMER, Wilh. von
C 3 - 20

Die Auseinandersetzungen um Tibets Grenzen
Bd. XIV d. Schriften d. Inst. f.
Asienkunde, Hamburg
Alfred Metzner Verlag, Frankfurt/M. /
Berlin   1962

RAGHU, Vira
C 3 - 22

Tibet - A Souvenir
edited by The Preparatory Bureau Afro-
Asian Convention on Tibet and against
Colonialism in Asia and Africa, April
8 to 11, 1960
New Delhi   1960

RAHUL, Ram
C 3 - 21

The Government and Politics of Tibet
Foreword by The Dalai Lama
Vikas Publications, s.l. (India)   1969

RICHARDSON, Hugh E.
C 3 - 7 / Sep.

Tibet at the United Nations
The Tibet Society of the United Kingdom,
London   ca. 1962

idem
C 3 - 8 / Sep.

Tibet and Her Neighbours
Paper No. 2 of the Tibet Society Publi-
cations
The Tibet Society of the United Kingdom,
London   ca. 1961

SEN, Chanakya
C 3 - 2

Tibet Disappears
A Documentary History of Tibet's Inter-
national Status, the Great Rebellion and
Its Aftermath
Asia Publishing House, London   1960
(cf. Rezension: Kolmaš, J. sub P 3 - 2/Sep.)

SINHA, Nirmal Chandra
C 3 - 18 (vide S 1 - 3)

Was the Simla Convention not Signed?
in: Bulletin of Tibetology, Vol. III,
No. 1, pg. 33 ff.
Namgyal Institute of Tibetology,
Gangtok   1965

idem
C 3 - 19 (vide S 1 - 3)

Tibet's Status during the World War
in: Bulletin of Tibetology, Vol. II,
No. 2, pg. 31 ff.
Namgyal Institute of Tibetology,
Gangtok   1965

STRONG, Anna Louise   Entschleiertes Tibet
C 3 - 4   Rütten & Loening, Berlin   1961

WALT-van Praag, Michael   An international lawyer on Tibet's
C. Van   rights
C 3 - 34 (vide S 1 - 23)   in: Tibetan Review, Vol. XV (1980),
                             No 8, pg. 17 f., New Delhi   1980

C 4. Monographien zur chin. Okkupation Tibets

AHMAD, S.H.   China and Tibet, 1949 - 1959
C 4 - 27 (vide S 4 - 7)   in: International Studies, Vol. 10, No. 4,
                             pg. 542 ff. (vide Abtlg. S)

AUCT. INCERT.   Concerning the Question of Tibet
C 4 - 7)   Foreign Languages Press, Peking   1959

AUCT. INCERT.   Indien und die Gewaltpolitik Pekings
C 4 - 32 / Sep.   in Tibet
                             in: Neue Zürcher Zeitung, 17. 4.1959,
                             Zürich   1959

BARBER, Noel   From the Land of Lost Content
C 4 - 20   The Dalai Lama's Fight for Tibet
                             Collins, London   1969

BENZ, Ernst   Die politische Verschleierung der Annexion
C 4 - 42 / Sep.   Tibets
                             in: Buddhas Wiederkehr und die Zukunft
                             Asiens
                             Nymphenburger Verlagshandlung,
                             München   1963

BULL, G.T.   Am Tor der Gelben Götter
C 4 - 46   Krieg gegen die Seele
                             R. Brockhaus, Wuppertal   1961

CANDLIN, A.H. Stanton   Tibet at Bay
C 4 - 11   Monograph
                             American-Asian Educational Exchange
                             s.l.   1971

COMPL. AUCT.   Die chinesische Unterdrückung Tibets
C 4 - 16 / Sep.   Kundschaft der Rover-Rotte "Styx",
                             Zytröseli Basel, Abtlg. Schenkenberg,
                             2. Aufl., Basel   1964

COMPL. AUCT.   The Lhasa Uprising, March 1959
C 4 - 19 / Sep.   Special issue of "Tibetan Review" (with
                             many photographs)
                             Darjeeling   1969

CSIZMAS, Michael
C 4 - 10 / Sep.
Buddhismus und Kommunismus
in: "Der Klare Blick", 6. Jg., No. 6,
Schweiz. Ost-Institut, Bern   1965

DHARAMSALA, Information
& Publicity Office of HH
the Dalai Lama (Ed.)
C 4 - 38
Tibet under Chinese Communist Rule
A compilation of Refugee Statements
1958 - 1975
Information & Publicity Office of HH
the Dalai Lama, Dharamsala   1976

FORD, Robert
C 4 - 1
Gefangen in Tibet
Verlag Hch. Scheffler,
Frankfurt/M.   1958

FREUNDSCHAFT MIT CHINA
(Ed.)
C 4 - 44 / Sep.
Tibet, das Leben hat sich geändert
ropress, Zürich   1978

GELDER, Stuart u. Roma
C 4 - 15
The Timely Rain
Travels in new Tibet
Hutchinson of London   1964

iidem
C 4 - 28
Visum für Tibet
Eine Reise in das geheimnisvollste Land
der Erde (engl. Orig.-Titel "The Timely
Rain")
Econ-Verlag, Düsseldorf/Wien   1965

GINSBURGS, George /
MATHOS, Michael
C 4 - 4
Communist China and Tibet
The first dozen years
Martinus Nijhoff, Den Haag   1964

HAN, Suyin
C 4 - 37 / Sep.
When the PLA came to Tibet
o.O.   o.J.

INWYLER, Robert /
GOETSCHI, Arthur
C 4 - 14 / Sep.
Völkermord in Tibet
m. Geleitwort von Emil Wiederkehr,
Schweizer Tibethilfe,
Solothurn   1966

ITEN, Alois
C 4 - 35 / Sep.
Die Volksrepublik China und Tibet in den
50-er Jahren
Alois Iten, Wernetshausen   1975

KARAN, Pradyumna P.
C 4 - 39
The Changing Face of Tibet
The Impact of Chinese Communist Ideology
on the Landscape
The University Press of Kentucky,
Lexington   1976

idem
C 4 - 41 (vide S 4 - 24)
Impact of Ideology on the Landscape of
Tibet
in: Etudes Tibétaines/Actes du XXIX.
Congrès international des Orientalistes,
Paris, Juillet 1973
L'Asiathèque, Paris   1976

LING NAI-MIN
C 4 - 3
Tibetan Sourcebook
Politisches Quellenmaterial
Union Research Institute,
Hongkong   1964

NGAWANG THUBTOB
C 4 - 18
Tibet Today
Bureau of H.H. the Dalai Lama,
New Delhi   ca. 1966

NORBU, Dawa
C 4 - 36 (vide S 1 - 32)
The Tibetan Response to Chinese
"Liberation"
in: Asian Affairs. Vol. LXII, Part III,
October 1975, pg. 264 ff.
The Royal Society for Asian Affairs
London   1975

OCHSENBEIN, U.
C 4 - 21 / Sep.
Tibet (2. Teil)
Ein Traum geht zu Ende
in: Die Woche, Schweiz. Wochenillustr.
Nr. 35 v. Sept. 1971
Olten / Zürich   1971

OLSCHAK, Blanche Chr.
C 4 - 13 / Sep.
Tibet und Rotchina
in: 'Ost-Probleme', 12. Jg., No. 22,
pg. 688 ff.
Bonn   1960

PALJOR, Kunsang
C 4 - 40
Tibet - The Undying Flame
Information & Publicity Office of H.H.
the Dalai Lama, Dharamsala   1977

PATTERSON, George
C 4 - 17 / Sep.
Beyond the Forbidden Mountains
Bildbericht über Flucht und Exil der
Tibeter
in: The Geographical Magazine, Vol. XL,
No. 13, vom Mai 1968, pg. 1095 - 1108
New Science Publications Ltd.
London   1968

idem
C 4 - 5
Tibet in Revolt
Faber & Faber Ltd., London   1960

idem
C 4 - 6
Tragic Destiny
Faber & Faber Ltd., London   1959

idem
C 4 - 34
A Fool at Forty
Word Books, London   1970

idem
C 4 - 47
God's Fool
Faber & Faber, London   1956

PEISSEL, Michel
C 4 - 24
Cavaliers of Kham
The secret war in Tibet
W. Heinemann Ltd., London   1972

PEISSEL, Michel
C 4 - 25

Les Cavaliers du Kham
Guerre secrète au Tibet
Editions R. Laffont, Paris   1972

idem
C 4 - 31

Die Chinesen sind da!
Der Freiheitskampf der Khambas.
Deutsche Uebersetzung des Originals
"Cavaliers of Kham" (cf. Ziffer P 3 - 36 /
Sep.: Rezension)
Paul Zsolnay, Wien und Hamburg   1973

idem
C 4 - 30 /Sep.

Guerre secrète au Tibet
(Zeitungsinterview)
in: La Suisse, Nr. 366, 31.12.1972
La Suisse, Genève   1972

PEKING
C 4 - 45 / Sep.

Poster von Tibet
Rotchinesische Propaganda
China Publications Centre, Peking   o.J.

RICHARDSON, Hugh E.
C 4 - 33 / Sep.

Der Aufstand des stillen Volkes
in: Neue Zürcher Zeitung, 19. 4.1959
Zürich   1959

SAWHNY, R.
C 4 - 26 (vide S 4 - 7)

China's Control of Tibet and Its Impli-
cations for India's Defence
in: International Studies, Vol. 10,
No. 4, pg. 486 ff. (vide Abtlg. S)

SCHECTER, Jerrold L.
C 4 - 43 / Sep.

Official atheism has killed religion
in remote Tibet
o.O.   o.J.

SINHA, Nirmal Chandra
C 4 - 12 / Sep.

How Chinese was China's Tibet Region?
Interdoc, The Hague   1967

STRONG, Anna Louise
C 4 - 29

When Serfs Stood Up in Tibet
New World Press, Peking   1965

eadem
C 4 - 9.1

Tibetische Interviews
Verlag Neue Welt, Peking   1961

eadem
C 4 - 9.2

Tibetan Interviews
New World Press, Peking   1965

THOMAS, Lowell Jr.
C 4 - 23

The Silent War in Tibet
Secker & Warburg, London   1960

THUBTOB, Ngawang
C 4 - 22 / Sep.

Le Tibet d'aujourd'hui
(cf. Ziffer No. C 4 - 18 / Sep.: Engl.
Version)
Bureau de S.S. Le Dalai Lama,
New Delhi (?)   o.J.

WIEDERKEHR, Ernst (Ed.)   **Tibet ruft um Hilfe**
C 4 - 8   Dokumente und Tatsachenberichte über
die Unterdrückung Tibets und die rotchinesische Weltgefahr
Verita-Verlag, Solothurn   1960

WIGNALL, Sydney   **Gefangen im Roten Tibet**
C 4 - 2   Hans E. Günther Verlag,
Stuttgart   1961

C 5. Emigration / Asiat. Exil u. Diaspora

AUCT. INCERT.   **Dr. H. Islers 'Poliklinik' in Jomosom,**
C 5 - 29 (vide S 4 - 12 /   **Nepal**
Sep.)   ('Débrouillez-vous!')
in: Schweizerisches Rotes Kreuz, Heft
Nr. 8, Nov. 1961, pg. 13
Verlag Schweiz. Rotes Kreuz, Bern   1961

idem   **Eine Schweizer Aerztin für die Kinder-**
C 5 - 28 (vide S 4 - 12 /   **kolonie in Dharamsala**
Sep.)   in: Schweizerisches Rotes Kreuz, Heft
Nr. 8, Nov. 1961, pg. 18 ff.
Verlag Schweiz. Rotes Kreuz, Bern   1961

idem   **Tibetan Refugee Childrens Nursery School,**
C 5 - 24 / Sep.   **Dharamsala**
The Central Electric Press, Delhi   o.J.

idem   **Dharamsala - Little-Lhasa in India**
C 5 - 46 / Sep.   (Prospectus)
Information & Publicity Office of H.H.
the Dalai Lama, New Delhi   o.J.

COMPL. AUCT.   **Tibetan Refugee Children in India**
C 5 - 8   The story of their education
Ed. Tibetan Schools Society, New Delhi
Dharamsala   1964

COMPL. AUCT.   **Tibetans in Exile 1959 - 1969**
C 5 - 9   A report of ten years of rehabilitation
in India
Bureau of H.H. the Dalai Lama,
Dharamsala   1969

COMPL. AUCT.   **Tibetan Homes Foundation**
C 5 - 13.1 ff. / Sep.   Report 1966 - 1967, 1975 - 1977
Hyratt Press, Mussoorie   1968/1978

COMPL. AUCT.   **Report on the Tibetan Refugee Children's**
C 5 - 14 / Sep.   **Nursery in Dharamsala** (November 1962)
Dharamsala (printed at Umadevi?)   1962

COMPL. AUCT.
C 5 - 15 / Sep.

Report of the Tibetan Refugee Children's
Nursery in Dharamsala (from 1962 - 1964)
Nalanda Press, New Delhi   1964

COMPL. AUCT.
C 5 - 16 / Sep.

Rechenschaftsbericht des tibetischen
Office of Rehabilitation
s.l. (Indien)   o.J.

COMPL. AUCT.
C 5 - 21 / Sep.

Establishment of Namgyal Institute of
Tibetology
Documents and Speeches
Namgyal Institute of Tibetology,
Gangtok   1961

COMPL. AUCT.
C 5 - 35 / Sep.

The Plight of the Tibetan Monk Community
of Buxa Lama Ashram
Council of Cultural & Religious Affairs
of H.H. The Dalai Lama, Dharamsala   1968

CORLIN, Claes
C 5 - 37

The Nation in your Mind
(Continuity and Change among Tibetan
Refugees in Nepal)
University of Göteborg, Göteborg   1975

DEVOE, Dorsh Marie
C 5 - 42 (vide S 1 - 33)

The Dhondenling case: an essay on
Tibetan refugee life, with proposals
for change
in: Tibetan Review, Vol. XV (1980),
No 4, pg. 13 ff.
Tibetan Review, New Delhi   1980

DHARAMSALA, Tibetan
Kashag Office of H.H.
the Dalai Lama
C 5 - 43 / Sep.

Facts about the problem of Tibetan
Refugees in Bhutan
Tibetan Kashag Office of H.H. the
Dalai Lama, Dharamsala   1979

DOWNS, J.F.
C 5 - 30 (vide S 1 - 33)

Tibetan Research in Northern India
in: The Tibet Society Bulletin, Vol. II
(1968), pg. 29 ff.
The Tibet Society, Bloomington   1968

GEEM, Isabelle van
C 5 - 40

Crier avant de mourier
Editions Robert Lafont, Paris   1977

GROSS, Ernest
C 5 - 31 (vide S 1 - 33)

The Tibetan Refugee Problem
in: The Tibet Society Bulletin, Vol. III
(1969), pg. 37 ff.
The Tibet Society, Bloomington   1969

HAGEN, Toni
C 5 - 25 (vide S 4 - 12 /
        Sep.)

Erfahrungen im Umgang mit Tibetern
in: Schweizerisches Rotes Kreuz, Heft
Nr. 8, Nov. 1961, pg. 32 ff.
Verlag Schweiz. Rotes Kreuz, Bern   1961

HAGEN, Toni
C 5 - 26 (vide S 4 - 12)/
Sep.

Flüge für die Tibethilfe des Internat.
Komitees vom Roten Kreuz im Nepal-Himalaya
in: Schweizerisches Rotes Kreuz, Heft
Nr. 8, Nov. 1961, pg. 9 f.
Verlag Schweiz. Rotes Kreuz, Bern   1961

HIBBARD, George E.
C 5 - 33 (vide S 1 - 33)

The New Rhumtek Monastery of Sikkim
in: The Tibet Society Bulletin, Vol.
VI (1973), pg. 7 ff.
The Tibet Society, Bloomington   1973

HOHERMUTH, Martha
C 5 - 19/Sep.

Ein Volk verliert seine Heimat
Sonderheft der Zeitschrift "Werktätige
Jugend", 13. Jg., Heft 5/6, Dezember
St. Gallen   1964

KIPFER, Yvonne
C 5 - 27 (vide S 4 - 12/
Sep.)

Aus den ersten Tagebuchseiten eines Mit-
gliedes des Dhor-Patan-Teams
in: Schweizerisches Rotes Kreuz, Heft
Nr. 8, Nov. 1961, pg. 14 ff.
Verlag Schweiz. Rotes Kreuz, Bern   1961

KRULL, Germaine
C 5 - 7

Tibetans in India
Allied Publishers, New Delhi   1968

LANG-SIMS, Lois
C 5 - 17

The Presence of Tibet
The Cresset Press, London   1963

LEHMANN, Peter-Hannes
C 5 - 44 / Sep.

Die vergessenen Kinder
1200 tibetische Flüchtlingskinder im
Himalaja leiden Not
in: Stern, No 52 vom 20.12.1978,
pg. 8 ff., Hamburg   1978

LEWIS, C.G.
C 5 - 20

Tibetan Venture
Robert Hale, London   1967

LUDWAR, Gudrun
C 5 - 36 (vide E 5 - 11)

Die Sozialisation tibetischer Kinder im
sozio-kulturellen Wandel, dargestellt am
Beispiel der Exiltibetersiedlung Dhor
Patan (West Nepal)
Franz Steiner, Wiesbaden   1975

MAYS, James O.
C 5 - 32 (vide S 1 - 33)

Dilemma of the Dalai Lama
in: The Tibet Society Bulletin, Vol.
IV/1 (1970), pg. 35 ff.
The Tibet Society, Bloomington   1970

MURDOCH, Joyce
C 5 - 34 (vide S 4 - 17 /
Sep.)

Tibetans in Exile
in: The American Theosophist, Vol. LX,
No. 5, pg. 119
Wheaton, Illinois   1972

MURPHY, Dervla
C 5 - 4

Tibetan Foothold
John Murray, London   1966

NORBU, Thubten Jigme C 5 - 1	Tibet is my Country (as told to Heinrich Harrer) Rupert Hart-Davis, London	1960
idem C 5 - 2	Tibet, patrie perdu (raconté par Heinrich Harrer) Editions Albin Michel, Paris	1963
idem C 5 - 3	Tibet - Verlorene Heimat erzählt von Heinrich Harrer Ullstein, Wien/Berlin/Frankfurt a.M.	1960
OLSCHAK, Blanche Chr. C 5 - 18 / Sep.	Tibetans in Migration in: 'International Migration', Vol. V, Nos. 3/4, 1967, pg. 187 ff. Geneva	1967
PALJOR, Kunsang C 5 - 39 (vide C 4 - 40)	Tibet - The Undying Flame Information & Publicity Office of H.H. The Dalai Lama, Dharamsala	1977
PELLEGRINI, Lino/ RHO, Franco C 5 - 23 / Sep.	La Longue Marche de Bouddha (Exil der Tibeter) in: Atlas, No. 47, Mai 1970, pg. 28 ff. Paris	1970
PEMBA, Tsewang C 5 30	Tibet, l'an du dragon Récit d'histoire et de moeurs contem- poraines Le Toit du Monde, Paris	1975
REUTIMANN, Hans C 5 - 41 / Sep.	Bericht aus Dharamsala in: Zürichsee-Zeitung, 23.11.1979, pg. 9 - 11, Nr. 273, Stäfa	1979
SAAMELI, W. C 5 - 10 / Sep.	So leben unsere kleinen Patienten Schweizer Hilfe im Kinderdorf des Dalai Lama in: 'Schweizerisches Rotes Kreuz', No. 8, vom 15. Nov. 1971 Bern	1971
SAKLANI, Girija C 5 - 45 (vide S 1 - 42)	Tibetan refugees in India: A sociological study of an uprooted community in: The Tibet Journal, Vol. III (1978), No 4, pg. 41 ff., Library of Tibetan Works & Archives, Dharamsala	1978
SAUER, Maryam C 5 - 12 / Sep.	Wir helfen Tibet-Kindern Tibethilfe-Verlag, Solothurn	ca. 1962
VISCHER, Helen C 5 - 22 (vide S 4 - 6 / Sep.)	Augenschein im Kulutal in: 'Schweizerisches Rotes Kreuz', Heft No. 5, Juli 1972, pg. 7 ff. Bern	1972

WIEDERKEHR, Ernst (et compl. al. auct.) C 5 - 5	Die Leiden eines Volkes Tragödie Tibets und der tibetischen Flüchtlinge Veritas-Verlag, Solothurn	1961
WIEDERKEHR, Ernst (Ed.) C 5 - 6	Gebt den Tibetflüchtlingen eine Chance! Raeber Verlag, Luzern	1970
WOJNITZA, Ian C 5 - 11 / Sep.	Le Tibet en Exil La Tribune de Genève, Genève	1961

C 6. Exil i. Okzident u. s. spezif. Problematik

ANDERSSON, Jan C 6 - 28 (vide S 1 - 42)	The Dalai Lama and America in: The Tibet Journal, Vol. V (1980), No 1/2, pg. 48 ff. Library of Tibetan Works and Archives, Dharamsala	1980
idem C 6 - 32 (vide S 1 - 23)	Importance of the Dalai Lama's U.S. Visit in: Tibetan Review, Vol. XIV (1979), No 12, pg. 14 ff. Tibetan Review, New Delhi	1979
AUCT. INCERT. C 6 - 29 (vide S 1 - 42)	An American Press Converence with the Dalai Lama in: The Tibet Journal, Vol. V (1980), No 1/2, pg. 64 ff. Library of Tibetan Works and Archives, Dharamsala	1980
BRAUEN, Martin C 6 - 14.2 / Sep.	Die Tibeter stören nicht in: Tages-Anzeiger Magazin, No. 10, 1975 (Entgegnung auf: "Jede Minderheit stört durch ihr Anderssein", cf. Ziffer No. C 6 - 14.2) Tages-Anzeiger, Zürich	1975
BRECHBÜHLER, Monika C 6 - 22 / Sep.	Tibet - Vergessenes Land am Fuss des Himalayas Zwanzig Jahre im Exil in: Middle Earth, No 15, pg. 40 f. Irisiana-Verlag, Haldenwang	1979
COMPL. AUCT. C 6 - 12 / Sep.	Baugenossenschaft Tibeterheim Rüti ZH Rüti	1974
idem C 6 - 13.1 f. / Sep.	Tibetan Farm School, Talybont, Breconshire Talybont (England)	1973

DALAI LAMA XIV
C 6 - 25 (vide S 1 - 42)

The Dalai Lama Speaks
in: The Tibet Journal, Vol. V (1980),
No 1/2, pg. 5 ff.
Library of Tibetan Works and Archives,
Dharamsala   1980

DALE, Ernest
C 6 - 11 (vide S 1 - 33)

Tibetan Immigration into the United
States
in: The Tibet Society Bulletin, Vol. III
(1969), pg. 42 ff.
The Tibet Society, Bloomington   1969

HUBBARD, Stanley
C 6 - 1 / Sep.

From Tibet with Love
A Tibetan Child in a Swiss Family
in: CIBA Journal, No. 50, pg. 34 ff.
Basel   1969

KELSANG, Gyaltsen
C 6 - 7 (vide S 4 - 6 /
        Sep.)

Junges Tibet
in: 'Schweizerisches Rotes Kreuz',
Heft No. 5, Juli 1972, pg. 29
Bern   1972

KELZANG, Gelong Jampa

His Holiness: Europe 1979
in: The Tibet Journal, Vol. V (1980)
No 1/2, pg. 78 ff.
Library of Tibetan Works and Archives,
Dharamsala   1980

KONSTANZ, Universität
C 6 - 21 / Sep.

Junge Tibeter in der Schweiz
Zwischenbericht über Ergebnisse der Be-
fragung vom Sommer 1979, vorgelegt anläss-
lich der 10-Jahres-Feier des Vereins
Tibeter Jugend, verfasst und hg. vom ge-
meinsamen Projekt-Arbeitskreis
Tibeter-Jugend
Universität Zürich/Universität Konstanz
Konstanz/Zürich   März 1980

LINDEGGER, Peter
C 6 - 20 / Sep.

Integrationsprobleme tibetischer
Jugendlicher im Schweizer Asyl
(SA. aus: AWR-Bulletin, 18. Jg. (1980),
No 1)
Tibet-Institut, Rikon   1980

MARAZZI, Antonio
C 6 - 4

Problemi di acculturazione della com-
munità tibetana in Svizzera
in: Etnologia e Antropologia Culturale,
pg. 163 ff.
Franco Angeli, Milano   1973

MULLIN, Glenn H.
C 6 - 30 (vide S 1 - 42)

The U.S. Tour: A traditional perspective
in: The Tibet Journal, Vol. V (1980),
No 1/2, pg. 69 ff.
Library of Tibetan Works and Archives,
Dharamsala

NASHOLD, James
C 6 - 26 (vide S 1 - 42)

The Meeting of East and West:
The Dalai Lama's First Trip to the
United States
in: The Tibet Journal, Vol. V (1980),
No 1/2, pg. 34 ff.
Library of Tibetan Works and Archives,
Dharamsala   1980

idem
C 6 - 27 (vide S 1 - 42)

Interview with the Dalai Lama:
Wisdom, Love and Compassion are the
goals of all religions
in: The Tibet Journal, Vol. V (1980),
No 1/2, pg. 42 ff.
Library of Tibetan Works and Archives,
Dharamsala   1980

OLSCHAK, Blanche Christine
C 6 - 15 / Sep.

Tibeter in der Schweiz
Sonderdruck aus Westermanns Monatshefte,
Januar 1976
Westermann, Braunschweig   1976

OTT-MARTI, Anna Elisabeth
C 6 - 2 / Sep.

Tibeter in der Schweiz - Kulturelle Ver-
haltensweisen im Wandel
Diss. Zürich / Teildruck. (cf. C 6 - 3)
Eugen Rentsch, Erlenbach-Zürich   1971

eadem
C 6 - 3

Tibeter in der Schweiz - Kulturelle
Verhaltensweisen im Wandel
Eugen Rentsch Verlag, Erlenbach-
Zürich   1971

eadem
C 6 - 5 (vide S 4 - 6 /
        Sep.)

Tibetisches Flüchtlingslos
in: 'Schweizerisches Rotes Kreuz',
Heft No. 5, Juli 1972, pg. 6
Bern   1972

eadem
C 6 - 6 (vide S 4 - 6 /
        Sep.)

Religion, ein Schutz gegen Entwurzelung
in: 'Schweizerisches Rotes Kreuz',
Heft No. 5, Juli 1972, pg. 12 f.
Bern   1972

eadem
C 6 - 14.1 / Sep.

Jede Minderheit stört durch ihr Anderssein
in: Tages-Anzeiger Magazin, Nr. 4, 1975
(Entgegnung cf. Ziffer No. C 6 - 14.1:
Brauen, Martin: "Die Tibeter stören nicht")
Tages-Anzeiger, Zürich 1975

eadem
C 6 - 16 / Sep.

Problems of Tibetan Integration in Switzer-
land
Offprint aus 'Ethnologia Europaea', Vol.
IX, No. 1
Otto Schwarz, Göttingen   1976

OTT-MARTI, Anna Elisabeth
C 6 - 24

Die tibetische Minderheit
in: Die Entdeckung der Schweiz.
25 Jahre Helvetas, Jubiläumsschrift,
pg. 103 ff.
Z-Verlag, Basel   1980

PILARSKI, Laura
C 6 - 9 / Sep.

Little Tibet in Switzerland
Illustr. Artikel in: National Geographic
Magazine, Vol. CXXXIV, No. 5, pg. 711 ff.
National Geographic Society,
Washington   1968

REUTIMANN, Hans
C 6 - 18

Hoffnung und Realität
Gedanken zur Lage der Exiltibeter
in: R'H': Oestliche Ziele, pg. 235 ff.
Th. Gut, Stäfa   1979

RHO, Franco
C 6 - 8 / Sep.

Budda in Svizzera
in: 'Vie d'Italia e del Mondo', No. 8,
Agosto 1970, pg. 741 ff.
Touring Club Italiano, Milano   1970

RINGIER BILDERDIENST,
Zürich
C 6 - 10 / Sep.

Bildbericht von der Ankunft tibetischer
Flüchtlinge in der Schweiz am 1. Mai 1963
in: Das Schweizerische Rote Kreuz,
No. 5/6, 1. 7.1963
Schweiz. Rotes Kreuz, Bern   1963

SCHMIDT, Hans
C 6 - 19 / Sep.

Tibeter in der Schweiz
Angepasst und glücklich?
in: Der schweizerische Beobachter, Jg. 53,
No 20, 31.10.79, pg. 16 ff.
Verl.ges. Beobachter, Glattbrugg   1979

WYSER, Konrad
C 6 - 17

Die Integration tibetischer Flüchtlinge
in der Schweiz
Diplomarbeit aus dem Heilpädagogischen
Institut der Universität Fribourg
Konrad Wyser, Niedergösgen   1966

C 7. Biographien Exilierter

AMIPA, Sherab Gyaltsen
C 7 - 11 / Sep.

Der Juwelenspiegel
(Autobiographie)
Rikon   1977

BHUSETSHANG, Karchung
C 7 - 8 / Sep.

Meine tibetische Kindheit
in: Femina, Nr. 4 - 11, 1975
Femina, Zürich   1975

KHYONGLA Nawang Losang,
Rato
C 7 - 13

My life and lives
The story of a Tibetan incarnation.
Edited and with a foreword by
Joseph Campbell
E.P. Dutton, New York   1977

MANGEOT, Sylvain
C 7 - 9

The Adventures of a Manchurian
(The story of Lobsang Thondup)
William Collins Sons, London   1974

NORBU, Dawa
C 7 - 7

Red Star over Tibet
(Rezension cf. Ziffer No. P 3 - 50)
William Collins Sons, London   1974

NORBU, Jamyang
C 7 - 10

Horseman in the Snow
The story of Aten, an old Khampa warrior
Information Office, Central Tibetan
Secretariat, Dharamsala   1979

ROOKE, B.A. /
RINCHEN DAKPA
C 7 - 1

In Haste from Tibet
Robert Hale, London   1971

SIERKSMA, F.
C 7 - 4

Profiel van een incarnatie
Het leven en de conflicten van een
Tibetaanse geestelijke in Tibet en Europa
(cf. hierzu den krit. Kommentar von
Verwey, A.H.N. sub C 7 - 5, Sep.!)
G.A. Van Oorschot Uitgever,
Amsterdam   1964

TARING, Rinchen Dolma
C 7 - 2

Eine Tochter Tibets
Leben im Land der vertriebenen Götter
Marion von Schröder Verlag,
Hamburg/Düsseldorf   1972

eadem
C 7 - 3

Daughter of Tibet
John Murray, London   1970

VERWEY, A.H.N.
C 7 - 5 / Sep.

Aantekeningen bij "Profiel van een
incarnatie" (Typoskript)
(Krit. Kommentar u. Entgegnung zum Buch
von Sierksma, F.: C 7 - 4)

WALLACE, B. Alan (Ed.)
C 7 - 12 (vide L 6 - 36)

The Life and Teaching of Geshé Rabten
A Tibetan Lama's Search for Truth
transl. and edited by B. Alan Wallace
George Allen & Unwin, London   1980

WILHELM, Friedrich
C 7 - 6 (vide S 2 - 1.4)

The Curricula Vitae of Jamba Losang
Panglung and Yeshe Thondup Tsenshab
in: Zentralasiatische Studien, Bd. 4,
pg. 453 ff.
Otto Harrassowitz, Wiesbaden   1970

C 8. Einzelne Dokumente zu Exilfragen (Papiere, Akten, Pamphlete, Zeitschriften et sim.)

AESCHIMANN, Charles C 8 - 1.1 / Sep.	Bericht über die Aufnahme von Tibeter Pflegekindern in Schweizer Familien Typoscript Olten Nov. 1968
C 8 - 1.2 / Sep.	Nachtragsbericht (II) vom Juli 1972 Olten Juli 1972
C 8 - 1.3 / Sep.	Letzter Bericht von Ende 1978 Olten Nov. 1978
AUCT. INCERT. C 8 - 7 / Sep.	Tibetan National Library (A Project) Dharamsala 1968
AUCT. INCERT. (Verein Freundschaft mit China?) C 8 - 12.1 f. / Sep.	In Tibet sind Imperialismus und Sklaverei besiegt! (2-seitiges Flugblatt zum Besuch des Dalai Lama in Europa) deutsch und englisch Bern (?) 1973
BRAUEN, Martin C 8 - 27 (vide C 8 - 23 / Sep.)	Wer braucht den Verein in: Jugend im Exil, Festschrift zum 10-jährigen Bestehen des Vereins Tibeter Jugend in Europa, pg. 32 f. Verein Tibeter Jugend in Europa April 1980
BRAUNMANN, Randolph C 8 - 2.1 / Sep.	Lhasa, einsam und fern in: 'Schweizerisches Rotes Kreuz', Heft No. 8 (Nov.), Bern 1964
COMPL. AUCT. C 8 - 3 / Sep.	Herbstlager 1971 in Rikon Bericht über ein zweiwöchiges Herbst- lager von Tibeter Jugendlichen in Rikon (Text z.T. tibetisch) Rikon Okt. 1971
COMPL. AUCT. C 8 - 8.1 ff.	Presseberichte über die Tibeter in der Schweiz Vollständige Sammlung von Zeitungsaus- schnitten in mehreren Ordnern (ab Juni 1961), div. loc. 1961 ff.
COMPL. AUCT. C 8 - 9.1 ff.	Presseberichte über das Leben der Tibeter im Exil (excl. Schweiz; diesbezgl.: C 8 - 8.1 ff.) div. loc. ab 1961 ff.
COMPL. AUCT. C 8 - 20 / Sep.	Ein Tibetheft Schweiz. Rotes Kreuz, Bern 1961

COMPL. AUCT. C 8 - 10.1 ff.	<u>Presseberichte über S.H. des Dalai Lama</u> div. loc. 1973 ff.
La CROIX ROUGE SUISSE, Bern C 8 - 21 / Sep.	<u>Le Tibet, qu'en est-il?</u> in: La Croix Rouge Suisse, No. 4 (1978), pg. 12 ff. Bern 1978
DALAI LAMA XIV. C 8 - 13 / Sep.	<u>Statement of H.H. The Dalai Lama on the</u> <u>Occasion of the 15th Anniversary of the</u> <u>Tibetan National Uprising, 10. 3.1959</u> Dharamsala 1974
idem C 8 - 22 / Sep.	<u>Nouvelles Tibétaines</u> Exposition de la tragédie du Tibet annexé par les Chinois Dharamsala Juni 1978
DEUTSCHE TIBETHILFE (Tibetan Friendship Group) C 8 - 4 / Sep.	<u>Rundbriefe 1963 bis 1971</u> Hamburg 1963 - 1971
GYALTSEN, Kelsang/ GYALTAG, Gyaltsen C 8 - 23 / Sep.	<u>Jugend im Exil</u> Zehn Jahre Verein Tibeter Jugend in Europa, 27. 3.1970 - 7. 4.1980. Fest- schrift. Verein Tibeter Jugend in Europa, April 1980
HAGEN, Toni C 8 - 18 / Sep.	<u>Abzug aus dem Tagebuch von Toni Hagen</u> Aufenthalt in Indien und bei S.H. dem Dalai Lama o.O. 1960
HENGGELER, O. C 8 - 16 / Sep.	<u>La naturalisation des réfugiés tibétains</u> in: La Croix-Rouge, No. 2, 1. 3.1978 Croix-Rouge Suisse, Berne 1978
LANGTROE, Tenzing C 8 - 25 (vide C 8 - 23 / Sep.)	<u>Tibetan Youth Association of Europe</u> in: Jugend im Exil, Festschrift zum 10- jährigen Bestehen des Vereins Tibeter Jugend in Europa, pg. 33 f. Verein Tibeter Jugend in Europa, April 1980
LINDEGGER, Peter C 8 - 26 (vide C 8 - 23 / Sep.)	<u>Die Tibeter Jugend in ihrer Distanz zur</u> <u>Heimat</u> in Jugend im Exil, Festschrift zum 10- jährigen Bestehen des Vereins Tibeter Jugend in Europa, pg. 31 f. Verein Tibeter Jugend in Europa, April 1980
PATTERSON, George C 8 - 15 / Sep.	<u>The long journey home</u> (ad tib. Exil) in: Far Eastern Economic Review, 23. 4.1973 Hongkong 1973

PRÖHL, Grete
C 8 - 2.2 / Sep.

Vom Dach der Welt in die Schweiz
in: 'Schweizerisches Rotes Kreuz',
Heft No. 8 (Nov.)
Bern   1964

REINHARD, Margherite
C 8 - 2.3 / Sep.

Erfahrungen mit unseren Tibeterheimen
in: 'Schweizerisches Rotes Kreuz',
Heft No. 8 (Nov.)
Bern   1964

REUTIMANN, Hans
C 8 - 24 (vide C 8 - 23 /
Sep.)

Tibet-Frage: Ein schweizerischer Stand-
punkt. / Demokratische Form - tibetischer Inhalt
in: Jugend im Exil, Festschrift zum 10-
jährigen Bestehen des Vereins Tibeter
Jugend in Europa, pg. 30, 31
Verein Tibeter Jugend in Europa,
April 1980

SAKYA INSTITUTE FUND
C 8 - 6 / Sep.

Shri Sakya Institute
Illustr. Bericht
Dehra Dun / India   1972

SCHMUKER, Jürgen
C 8 - 19 / Sep.

Junge Tibeter in der Schweiz
Vorläufige Ergebnisse über die Bericht-
erstattung in schweizerischen Tageszei-
tungen, vorgelegt von Jürgen Schmuker zur
10-Jahres-Feier des Vereins Tibeter Jugend
Universität Konstanz,   Ostern 1980

SCHWEIZERISCHES ROTES
KREUZ
C 8 - 14 / Sep.

Warnungs-Rundschreiben an tibetische
Familien
Schweiz. Rotes Kreuz, Bern   1975

TENZIN, Geyche
C 8 - 11 / Sep.

The Translation of an Interview with
H.H. The Dalai Lama in Connection with
the Gyudto Monks' Trip to Europe
Office of H.H. The Dalai Lama,
Dharamsala   1973

TSCHANZ, Edith
C 8 - 5 (vide S 4 - 6 /
Sep.

Wie die Tibeter zu uns kamen
in 'Schweizerisches Rotes Kreuz', Heft
No. 5 (Juli), pg. 10 f.
Bern   1972

WERSTO, Thomas J.
C 8 - 28 (vide S 1 - 23)

Into the 1980s and beyond: Some policy
option considerations for Tibetans
in: Tibetan Review, Vol. XV (1980),
No 9, pg. 10 ff., New Delhi   1980

ZÜRICH, Zentralkomitee der
Zünfte
C 8 - 17 / Sep.

Tibet - ein vergessenes Land
in: Sechseläuten-Programm 1977
Zürich   1977

AUCT. INCERT. C 9 - 14 / Sep.	Zehn Jahre Klösterliches Tibet-Institut in: Schweizer Familie, No. 6, 8. 2.78 Regina Verlag AG, Zürich 1978
idem C 9 - 16 / Sep.	Tibet zu Gast in Winterthur Pressecommuniqué u. Prospekt anlässlich der Ausstellung vom 29. 3. - 6. 5.1978 Winterthur 1978
CLAVADETSCHER, Richard C 9 - 25 / Sep.	Das Kloster zum Rad der Lehre Erleben, ohne zu verstehen in: Schaffhauser Bock, 11. 9.1980, pg. 7, und Winterthurer Woche, 1980, pg. 3 Schaffhausen/Winterthur 1980
COMPL. AUCT. C 9 - 7.1 ff.	Presseberichte über das Tibet-Institut Rikon Sammlung von Zeitungs- und Zeitschriften- artikeln in Ordnern div. loc. ab 1967 ff.
DAUER, A.M. (et al. auct.) C 9 - 4 / Sep.	Zeremonie zur Gründung des Klösterlichen Tibet-Instituts Rikon (Schweiz) Kommentarheft zum gleichnamigen Film Institut für den Wissenschaftlichen Film, Göttingen 1971
ESCHMANN, E. C 9 - 22 / Sep.	Tibet-Institut (Wernetshauser Frauen unterwegs) in: "de Hinwiler", Febr. 1980, pg. 6 Forum Hinwil, Hinwil 1980
GEHRIG, Ursina C 9 - 15 / Sep.	Tibet im Tösstal in: Sonntag, 15. 2.78 Sonntag, Olten 1978
GRIEDER, Peter C 9 - 6.11 ff. / Sep.	Jahresberichte des Tibet-Instituts Rikon ab Berichtsjahre 1978/79 ff. Rikon/Zürich 1979 ff. (früher: 1968/69 - 1973/74: Lindegger, Peter; 1974/75 - 1977/78: Hürsch, Thomas)
HAGEN, Toni C 9 - 20 (vide C 8 - 18 / Sep.)	Abzug aus dem Tagebuch von Toni Hagen Aufenthalt in Indien und bei S.H. dem Dalai Lama o.O. 1960
idem C 9 - 26 / Sep.	Einige Dokumente zur Geschichte der Anfänge des Tibet-Instituts/Rikon (Gömpa) (Zeitungsartikel, Briefe, Arbeitsplan, Memorandum, Protokoll, Statuten) aus dem Jahre 1960

HIEGL, Notker
C 9 - 23 / Sep.

Tibetanisches Klosterleben
in: Maria Einsiedeln, Heft 11 (Okt. 79)
pg. 374 ff.
Einsiedeln   1979

HÜRSCH, Thomas
C 9 - 6.7 - 10 / Sep.

Jahresberichte des Tibet-Instituts Rikon
Berichtsjahre 1974/75 - 1977/78
Rikon/Zürich   1975 - 1978
(früher: 1968/69 - 1973/74: Lindegger,
Peter; ab 1978/79: Grieder, Peter)

KOLMAŠ, Josef
C 9 - 12 (vide S 1 - 37.13)

A Review of Opuscula Tibetana
in: Kailash, Vol. IV, No. 3, 1976
Kathmandu   1976

LINDEGGER-STAUFFER, Peter
C 9 - 1 / Sep.

Das Klösterliche Tibet-Institut in Rikon/
Zürich
Separatdruck aus: 'Asiatische Studien' /
'Etudes Asiatiques', 1971
Francke Verlag, Bern   1971

idem
c 9 - 6.1 - 6 / Sep.

Jahresberichte des Tibet-Instituts Rikon
Berichtsjahre 1968/69 - 1973/74
Rikon/Zürich   1969 - 1974
(ab 1974/75 - 1977/78: Hürsch, Thomas; ab
1978/79 ff.: Grieder, Peter)

LINDEGGER, Peter
C 9 - 18 / Sep.

Das Kloster in Rikon ZH
in: Zeitschrift für Religionsunterricht
und Lebenskunde, Nr. 4, 1.12.1975, pg. 24
Benziger, Einsiedeln   1975

idem
C 9 - 21

10 Jahre Klösterliches Tibet-Institut
Rikon/Zürich
Klösterliches Tibet-Institut, Rikon   1978

LING, Rinpoche (Yongzin)
C 9 - 2 / Sep.

Rede, gehalten aus Anlass der Eröffnung
des Tibet-Instituts Rikon am 28. Sept. 1968
(tib./engl./dtsch. Text); Typoscript
Rikon/Zürich   1968

MANN, Ulrich
C 9 - 9 (vide S 4 - 11 /
   Sep.)

Alt-Tibet in der Schweiz
(Besuch im Tibet-Institut Rikon)
in: Die Karawane, 14. Jg., Heft 1, 1973,
pg. 87 ff.
Karawane-Verlag, Ludwigsburg   1973

PRELLE, Reginald de
C 9 - 13 / Sep.

Une visite à l'Institut monastique
tibétain de Rikon
in: Revue générale, Janvier 1978
Bruxelles   1978

SCHWEIZERISCHES ROTES
KREUZ
C 9 - 19 / Sep.

Tschö-kor-gön, tibetisches Kulturzentrum
in der Schweiz
in: Schweiz. Rotes Kreuz, No. 18 (1978),
pg. 15
Schweiz. Rotes Kreuz, Bern   1978

TAIPEI, 'Zentralzeitung'   Aus chinesischer Sicht...
C 9 - 8 / Sep.   Deutsche Uebertragung eines Artikels
                            in der 'Zentralzeitung' von Taipei über
                            Tibeter in der Schweiz
                            in: Schweizerisches Rotes Kreuz, No. 3,
                            1. 4.73
                            Bern   1973

TRAUFFER, Roland Bernhard   Begegnung mit den Mönchen von Rikon
C 9 - 10 / Sep.   (25./26. 1.1973)
                            Institut für Missionswissenschaft der
                            Universität Fribourg
                            Fribourg   1973

TSCHANZ, Esther   Das Klösterliche Tibet-Institut
C 9 - 3 (vide S 4 - 6 /   in: 'Schweizerisches Rotes Kreuz',
        Sep.)   Heft. No. 5 (Juli), pg. 17 f.
                            Bern   1972

VERWEY, A.H.N.   Verslag van een verblijf in het Tibet-
C 9 - 5 / Sep.   Institut in Zwitserland in 1968
                            Typoscript
                            Leiden   1969

WITECKA, Thomas   Und du spürst irgendetwas passiert hier
C 9 - 24 / Sep.   und du weisst nicht was es ist oder doch?
                            (Bericht über das Naropa-Institut in Boul-
                            der, Colorado)
                            in: Middle Earth, Nr. 16, pg. 42 ff.,
                            Irisiana Verlag, Haldenwang   1980

ZÜRCHER, M.   Ein Stück Heimat für die Heimatlosen
C 9 - 11 / Sep.   (Illustrierte Beilage zum "Zürcher Ober-
                            länder")
                            Zürcher Oberländer, Wetzikon   1977

C 10. Rapporte zu Reformen in Tibet seit 1950 /mod. chin. Kommentare

AUCT. INCERT.   Befreite Leibeigene von Tibet schreiten
C 10 - 4 (vide S 5 - 4)   vorwärts
                            (Illustr. Reportage über das Einbringen
                            der Ernte in Tibet et alia)
                            in: 'China im Bild', No. 6, 1971, pg.
                            18 ff., Peking   1971

AUCT. INCERT.   Ali bietet ein neues Bild
C 10 - 5 (vide S 5 - 4)   (Illustr. Reportage über eine neue
                            Siedlung im nordtibet. Hochplateau)
                            in: 'China im Bild', No. 6, 1971,
                            pg. 26 ff.
                            Peking   1971

AUCT. INCERT.   Kraftwageneinheit auf dem "Dach der Welt"
C 10 - 6 (vide S 5 - 4)   in: 'China im Bild', No. 11, 1968,
                                pg. 32 ff.
                                Peking   1968

AUCT. INCERT.   Unbegrenzter Rundblick auf schroffem
C 10 - 7 (vide S 5 - 4)   Gipfel
                                (Wissenschaftl. Erforschung des Tschomo-
                                lungma-Gebiets)
                                in: 'China im Bild', No. 4, 1968,
                                pg. 34 ff.
                                Peking   1968

AUCT. INCERT.   Die Wollspinnerei und -weberei von
C 10 - 8 (vide S 5 - 4)   Lindschi
                                in: 'China im Bild', No. 11, 1971,
                                pg. 16 ff.
                                Peking   1971

AUCT. INCERT.   Leibeigene
C 10 - 9 (vide S 5 - 4)   Bildmaterial zu einem rotchines. Film
                                über tibet. Feudalverhältnisse
                                in: 'China im Bild', No. 1, 1965,
                                pg. 26 f.
                                Peking   1965

AUCT. INCERT.   Tibet's Tenth Year of Bumper Harvest
C 10 - 11 (vide S 5 - 5)   in: 'China Reconstructs', Vol. XVIII, 2
                                pg. 22 ff. (illustr.)
                                The China Welfare Institute,
                                Peking   1969

AUCT. INCERT.   The Hearts of the P.L.A. Men and the
C 10 - 12 (vide S 5 - 5)   Tibetan People Beat as One
                                in: 'China Reconstructs', Vol. XVIII, 5
                                pg. 46 ff. (illustr.)
                                The China Welfare Institute,
                                Peking   1969

AUCT. INCERT.   Bilder aus Tibet
C 10 - 15 / Sep.   (Mit Photos, von der Botschaft der Volks-
                                republik China in Bern zur Verfügung ge-
                                stellt)
                                in: Der Landbote, 8.12.1973
                                Winterthur   1973

AUCT. INCERT.   Erste Erfolge in der chinesischen Ent-
C 10 - 16 / Sep.   wicklungsarbeit in Tibet
                                in: Wirtschaftliche Mitteilungen der Schweiz.
                                Zentrale für Handelsforschung, No. 4,
                                23. 2.1972
                                Zürich und Lausanne   1972

AUCT. INCERT.   Tibet (von der Sklaverei zur Freiheit)
C 10 - 20 / Sep.   Freundschaft mit China
                                Zürich   1974

AUCT. INCERT. C 10 - 42	La colère des serfs Sculptures d'argile grandeur nature Editions en Langues Etrangères Pekin 1977
AUCT. INCERT. C 10 - 43 (vide S 1 - 23)	What the Second Delegation saw in Tibet in: Tibetan Review, Vol. XV (1980), No 9, pg. 4 ff., New Delhi 1980
AUCT. INCERT. C 10 - 46 / Sep.	Die erste Eisenbahnlinie auf dem Hoch- land von Qinghai-Tibet in: 'China im Bild', No 5 (1979), pg. 26 f. Beijing 1979
BARTKE, Wolfgang C 10 - 27 (vide S 1 - 39)	Das Revirement im Militärapparat (Die Militärbezirke Chinas, inklusive Tibet) in: China aktuell, Jg. 3, No. 1, Febr. 76, pg. 16 ff. Institut für Asienkunde, Hamburg 1976
idem C 10 - 25 (vide S 1 - 39)	Wiederaufbau der Massenorganisationen in: China aktuell, Jg. 3, No. 9, Oktober 1974, pg. 628 - 630 Institut für Asienkunde, Hamburg 1974
BRENDEL, Walter C 10 - 44 / Sep.	Lhasa öffnet seine Tore in: Zeit-Magazin, Nr. 46, 7. Nov. 1980, pg. 67 ff., Hamburg 1980
COMPL. AUCT. C 10 - 2 / Sep.	Grosse Veränderungen in Tibet Verlag für fremdsprachige Literatur Peking 1972
COMPL. AUCT. C 10 - 19 / Sep.	Great Changes in Tibet Foreign Languages Press Peking 1972
COMPL. AUCT. C 10 - 30	Rapporte zu Reformen in Tibet/Moderne chinesische Kommentare/Zeitungsaus- schnitte etc. div. loc. ab 1972 ff.
COMPL. AUCT. C 10 - 35	Tibet - das Leben hat sich geändert Freundschaft mit China Winterthur 1978
DHARAMSALA, Information and Publicity Office of H.H. the Dalai Lama C 10 - 29 / Sep.	A brief summary of present situation in Tibet Dharamsala 1975
DHONDUP, K. C 10 - 38 (vide S 1 - 23)	Controversy over the Tibetan Communist Movement - A personal view in: Tibetan Review, Vol. XV (1980), No 7, pg. 9 ff, New Delhi 1980

DROLGA, Jampa
C 10 - 10 (vide S 5 - 5)

Tibetan Workers are Maturing
in: 'China Reconstructs', Vol. XVIII, 1
pg. 10 ff.
The China Welfare Institute,
Peking   1969

HAMBURG, Institut für
Asienkunde (Ed.)
C 10 - 22 (vide S 1 - 39)

Kulturpolitik in Tibet
in: China aktuell, Jg. 3, No. 8,
September 1974, pg. 529
Hamburg   1974

idem
C 10 - 26 (vide S 1 - 39)

Strassensysteme zwischen Pakistan und
China
in: China aktuell, Jg. 4, 27. 3.1975,
pg. 104
Hamburg   1975

idem
C 10 - 23 (vide S 1 - 39)

Tibet in der Anti-Konfuzius-Kampagne
in: China aktuell, Jg. 3, No. 7,
August 1974, pg. 459 - 460
Hamburg   1974

idem
C 10 - 34 (vide S 1 - 39)

Mehr Han-Kader für Tibet
in: China aktuell, Jg. 8, Nr. 10, (1979),
pg. 1108 f.
Hamburg   1979

HAN, Suyin
C 10 - 32

Chinas Sonne über Lhasa - Das neue Tibet
unter Pekings Herrschaft
Scherz, Bern und München   1978

HOFFMANN, Helmut
C 10 - 33 (vide S 1 - 33)

Buddhism in Present Day Tibet
in: The Tibet Society Bulletin, Vol. IV,
No. 1 (1970), pg. 1 ff.
The Tibet Society, Bloomington   1970

KOLMAŠ, Josef
C 10 - 14

Tibetan Books and Newspapers
(Chinese Collection)
Otto Harrassowitz, Wiesbaden   1978

KUNTZE, Peter
C 10 - 18 / Sep.

Tibet ohne Maske
o.O.   o.J.

MULLENS, James
C 10 - 41 (vide S 1 - 23)

Airing the Tibetan Thought
in: Tibetan Review, Vol. XV (1980),
No 8, pg. 9 ff., New Delhi   1980

NORBU, Jamyang
C 10 - 39 (vide S 1 - 23)

Opium and Ideology
The unreal world of Tibetan Communism
in: Tibetan Review, Vol. XV (1980),
No 7, pg. 16 ff., New Delhi   1980

PATHAK, S.K.
C 10 - 31 (vide S 4 - 24)

Two decades of TAR (Tibet autonomous region)
in: Etudes tibétaines/Actes du XXIX.
Congrès international des Orientalistes,
Paris, Juillet 1973
L'Asiathèque, Paris   1976

PEKING, China im Bild (Ed.)
C 10 - 28 / Sep.

Auf Sumpfland neues Leben
in: China im Bild, No. 7, 1975, pg. 34 ff.
Verlag 'China im Bild', Peking   1975

PEKING, Verlag für
fremdsprachige Literatur
(Ed.)
C 10 - 21.1 ff.

Tibet Heute (deutsche Ausgabe)
Le Tibet Aujourd'hui (franz. Ausgabe)
Tibet today (engl. Ausgabe)
Peking   1974

RUGE, Gerd
C 10 - 36 / Sep.

Mao-Bilder statt Dämonen
in: GEO, No 12/Dez. 1977, pg. 92 ff.
Grunder + Jahr AG, Hamburg   1977

SCHIER, Peter
C 10 - 37 (vide S 1 - 39)

Pekings neue Politik für Tibet
Ein Modell für den künftigen Kurs gegen-
über den nationalen Minderheiten
in: China aktuell, Jg. IX (1980),
Juni, pg. 481 ff.
Institut für Asienkunde, Hamburg   1980

idem
C 10 - 40 (vide S 1 - 39)

In Tibet herrschen die Han - Kritik an
den Chinesen ist unerwünscht, und der
Dalai Lama bleibt lieber im Exil
in: China aktuell, Jg IX (1980), July,
pg. 579 ff.,
Institut für Asienkunde, Hamburg   1980

SENANAYAKE, R.D.
C 10 - 1 / Sep.

Tibet - Beispiel der friedliebenden
Politik der Volksrepublik China
Verlag kommunistischer Texte
Münster   1972

SIAO, Eva /
HAUSER, Harald
C 10 - 3

Sterne über Tibet
VEB F.A. Brockhaus, Leipzig   1961

TERZANI, Tiziano
C 10 - 45. 1 - 2 / Sep.

"Wie Hunde mit gebrochenen Gliedern"
Tibet nach 30 Jahren chinesischer
Besetzung
in: Der Spiegel, Jg. 34, Nr. 46 v. 10.11.
80, pg. 185 ff. u. Nr. 47 v. 17.11.80,
pg. 199 ff., Hamburg   1980

TSERING, Daba
C 10 - 13 (vide S 5 - 4)

Loblied auf die Heimat
in: 'China im Bild', Heft 2, pg. 16 f.
Peking   1973

WEGGEL, Oskar
C 10 - 24 (vide S 1 - 39)

Bhutan als Operationsbasis zur Schaffung
eines 'chinesischen Vietnam' in Tibet
in: China aktuell, Jg. 3, No. 7 (1974),
pg. 476 ff.
Institut für Asienkunde, Hamburg   1974

C II. Varia

DAROLLE, Raymond
C 11 - 5 / Sep.

Les voyages du Dalai Lama
in: Le Spectacle du Monde, No 210,
Septembre 1979, pg. 69 ff., Paris   1979

LUCHSINGER, Fred
C 11 - 2 (vide Q 2 - 46 /
Sep.

China 1976
Reisenotizen
Neue Zürcher Zeitung, Zürich   1976

REUTIMANN, Hans
C 11 - 3 / Sep.

Rückblick auf einen Besuch
(Europareise des Dalai Lama)
in: Zürichsee-Zeitung, 30.11.1973,
Stäfa   1973

YAP-DIANGCO, Robert T.
C 11 - 1

Controversial Political Issues
in Asia
Rex Book Store,
Manila, Philippines   1966

D. Exploration/Expeditions-Rapporte
(cf. auch Q Exterritorial)

D 1. Exploration in Antike u. Mittelalter

BUNIJATOV, Z.M. (ed.) D 1 - 3	Kitāb taḥlis al-aṯār va aǰā'ib al-malik al-qahhār von ʿAbd ar-Rašīd al-Bakūvī Textedition, Uebersetzung, Vorwort, Anmerkungen u. Anhänge von Bunijatov Verlag 'Nauka', Moskva 1971
DAINELLI, Giotto D 1 - 4	Marco Polo Unione Tipografico, Editrice Torinese, Torino 1941
FORMAN, Werner / BURLAND, Cottie A. D 1 - 5	Marco Polo - Mit den Augen der Entdecker Schroll, Wien/München 1970
LAUFER, Berthold D 1 - 6 / Sep.	Was Odoric of Pordenone ever in Tibet? in: T'oung Pao, Vol. XV (1914), pg. 405 ff. E.J. Brill, Leiden 1914
PELLIOT, Paul D 1 - 1	Notes on Marco Polo Vol. II, partim i. Kopie Imprimerie Nationale Adrien Maisonneuve, Paris 1963
POLO, Marco D 1 - 2	Von Venedig nach China Die grösste Reise des 13. Jahrhunderts Horst Erdmann Verlag, Tübingen 1972
idem D 1 - 7	Il libro di Marco Polo dette Milione Nella versione trecentesca dell'"ottimo" A cura di Daniele Ponchiroli, Giulio Einaudi editore, Torino 1979 seconda edizione
	(Vide auch sub A 1: Hist. Geographie Zentralasiens!)

D 2. Rapporte christl. Missionare

BULL, Geoffrey T. D 2 - 10	Tibetanische Erzählungen Christliche Verlagsanstalt Konstanz 1971
idem D 2 - 15 (vide C 4 - 46)	Am Tor der Gelben Götter Krieg gegen die Seele R. Brockhaus, Wuppertal 1961
DESGODINS, C.H. D 2 - 4	Le Thibet d'après la Correspondance des Missionnaires Librairie Catholique de l'Oeuvre de Saint-Paul, Paris 1885
DOGGETT, F. D 2 - 9 / Sep.	Tibet - Land der Zelte und Tempel Aufsatz, a.d. Engl. übersetzt in: 'Die Auslese' v. Febr. 1936, Heft 2, Luken & Luken, Berlin 1936
FILIPPI, Filippo de (Ed.) D 2 - 11	An Account of Tibet The Travels of Ippolito Desideri of Pistoia, 1712 - 1727 George Routledge & Sons, London 1932 Reprint: Taipei 1971
GRATUZE, Gaston D 2 - 7	Un Pionnier de la Mission Tibétaine Le Père Auguste Desgodins (vide D 2 - 4!) Apostolat des Editions, Paris 1969
HEYDE, Wilhelm D 2 - 8	50 Jahre unter Tibetern Johannes Kiefel-Verlag, Wuppertal-Barmen 1960
KIRCHNER, Athanasius D 2 - 16	China Illustrata In Latin and with english translation (Bibliotheca Himalayica, Series I, Vol. 24) Ratna Pustak Bhandar, Kathmandu 1979 re- print (1st publ. 1667) 1979
NARCISS, Georg A. (Ed.) D 2 - 14 (vide D 3 - 34)	Im Fernen Osten Forscher und Entdecker in Tibet, China, Japan und Korea Horst Erdmann, Tübingen/Basel 1978
PETECH, Luciano D 2 - 1.1 ff.	I Missionari Italiani nel Tibet e nel Nepal Reihe 'Il Nuovo Ramusio', Vol. II, Bde. 1 bis 7 Bde. 1 bis 4: Märkische Kapuziner Bde. 5 bis 7: Ippolito Desideri Libreria dello Stato, Roma 1952-56

PORDENONE, Odorico de
D 2 - 5

Konrad Steckels deutsche Uebertragung
der Reise nach China des Odorico de
Pordenone (mit lat. Originaltext)
Erich Schmidt Verlag, Berlin   1968

TOSCANO, Giuseppe M.
D 2 - 2

La prima Missione Cattolica nel Tibet
Istituto Missioni Esteri, Parma   1951

VAN TUYL, Charles D.
D 2 - 12 (vide S 1 - 33)

Account of the Journey of the Jesuit
Fathers Dorville and Grueber in 1661
from Peking through Tibet to Agra as
recorded in Athanasius Kircher's China
Illustrata
in: The Tibet Society Bulletin, Vol.
IV/1 (1970), pg. 4 ff.
The Tibet Society, Bloomington   1970

VITTOZ, Pierre
D 2 - 6

Goldene Dächer - Schwarze Zelte
Herrnhuter Mission unter Tibetern
Fried. Bahn Verlag, Konstanz   1958

WESSEL, C. (S.J.)
D 2 - 3

Early Jesuit Travellers in Central Asia
Martinus Nijhoff, Den Haag   1924

ZILINIA, Miloslav (Ed.)
D 2 - 13

Ippolito Desideri: Cesta do Tibetu
Odeon Publishers, Prag   1976

D 3. Summarische Dokumentation zur Explorationshistorie /andere Rapporte u. Kommentare

AMUNDSEN, Edward
D 3 - 40 / Sep.

A journey throgh South-West Sechuan
in: The Geographical Journal,
Vol. XV (1900), no 6, pg. 620 ff. and
Vol. XVI (1900), no 5, pg. 531 ff.
The Geographical Journal, London   1900

AUCT. INCERT.
D 3 - 24

Description du Thibet, de la Mantchourie
etc.
(Histoire religieuse et descriptive)
Martial Ardant Frères, Paris   o.J.

AUCT. INCERT.
D 3 - 43 / Sep.

Description de Soungnum, dans la partie
occidentale du Tibet
(Ecrite de la Chaîne de l'Himalaya)
in: Journal Asiatique, tom 1 (1822),
pg. 349 ff., Paris   1822

BAUMHAUER, Otto
D 3 - 21

Tibet und Zentralasien
Bd. 2 i.d. Reihe: 'Dokumente zur Ent-
deckungsgeschichte'
Einleitung von Ernst Schäfer
Henry Goverts Verlag, Stuttgart   1965

BERGHAUS, H.
D 3 - 25 (vide S 4 - 5.2)
Topographische Beschreibung von Turner's
Reiseweg durch Bhotan nach Teshu
Lumbu (sic!)
in: 'Asia', 2. Lieferung, 1. Abschnitt
§ 1 (pg. 1 - 19) und Anhang, pg. 168 ff.

BOGLE, George /
MANNING, Thomas
D 3 - 10
Narratives of the Mission of George
Bogle to Tibet and of the Journey of
Thomas Manning to Lhasa
ed. by Clents R. Markham (2nd ed.)
Trübner & Co., London   1879

BONIN, Charles Eudes
D 3 - 38 / Sep.
Note sur les résultats géographiques
de la Mission accomplie au Tibet et
en Mongolie en 1895 - 1896
in: Bulletin de la Société de Géographie,
7ème série, tome XIX (1898), pg. 389 ff.
Société de Géographie, Paris   1898

BONVALOT, Gabriel
D 3 - 16
L'Asie Inconnue - A travers le Tibet
Ernest Flammarion, Paris   ca. 1891

BRANDT, M. von
D 3 - 13
Aus dem Lande der Lebenden Buddhas
(Bibliothek denkwürdiger Reisen, Bd. III)
Gutenberg Verlag, Hamburg   1909

BRETON, M.
D 3 - 19 / Sep.
La Chine en Miniature
Teilkopie der Tibet betr. Stellen
Paris   1811

CAREY, William
D 3 - 30
Travel and Adventure in Tibet
Including the Diary of Miss Annie R.
Taylor's remerkable Journey from Tau-Chau
to Ta-Chien-Lu through the heart of the
Forbidden Land
Hodder and Stoughton, London   1902

DAS, Sarat Chandra
D 3 - 7
Journey to Lhasa and Central Tibet
John Murray, London   1902

idem
D 3 - 8
Journey to Lhasa and Central Tibet
Reprint nach der Originalausgabe von
1902 in der Reihe 'Bibliotheca Himalayica',
Serie I, Vol. 1
Manjusri Publishing House,
New Delhi   1970

FAZY, Robert
D 3 - 26 / Sep.
Essai d'une bibliographie raisonnée
de l'exploration tibétaine
in: Bulletin de la Société Suisse des
Amis de l'Extrême Orient, II, pg. 3 - 22
Genève   1940

GABORIEAU, M. (Ed.)
D 3 - 28
Récit d'un Voyageur Musulman au Tibet
Texte en Arabe et Traduction
C. Klincksieck, Paris   1973

GORDON, T.E. D 3 - 33	The Roof of the World Edmonston and Douglas, Edinburgh 1876 Ch'eng Wen Publishing Company, Taipei Reprint 1971
GRENARD, F. D 3 - 15	Tibet - The Country and Its Inhabitants Hutchinson & Co., London 1904
idem D 3 - 20	Le Tibet - Le Pays et les Habitants Librairie Armand Colin, Paris 1904
HAEK, D. D 3 - 36	Die neuesten Forschungsfahrten Forschungsreisen in Asien Globus Verlag, Berlin ca. 1911
HOLDICH, Thomas D 3 - 27	Tibet, the Mysterious (The Story of Exploration) Alston Rivers, London 1904
HUC, Régis Evariste (Père) D 3 - 2	Wanderungen durch die Mongolei nach Tibet, 1844 - 1846 Steingrüben Verlag, Stuttgart 1966
idem D 3 - 3	Cesta do Lhasy (Reise nach Lhasa) In tschechischer Sprache, übersetzt v. Vaclav Durych Vydalo Nakladatelstvi Mlada Fronta, Praha 1971
idem D 3 - 4.1/2	Souvevirs d'un Voyage dans le Thibet in 2 Vols. Tome I: La Tartarie / Tome II: Le Thibet Librairie Générale Française, Paris 1962
idem D 3 - 5	The Land of the Lamas Richard Clay & Sons, Ltd., London and Bungay o.J.
idem D 3 - 6	Découverte du Thibet 1854 - 1846 Editions Flammarion, Paris 1933
idem D 3 - 18 / Sep.	Reise nach Lhasa vor hundert Jahren in: 'Atlantis', XI. Jg., Heft No. 11 (Fortsetzung von Heft No. 10!) pg. 621 ff., übersetzt von Georg Richter Zürich 1939
JACQUEMONT, Victor D 3 - 42 (vide Q 3 - 128.1 f.)	Letters from India Describing a journey in the British Dominions of India, Tibet, Lahore, and Cashmere, 1828 - 1831 Introduction by John Rosselli two vols. Oxford University Press, Karachi 1979 (Reprint of the edition of 1834)

LANDOR, A. Henry Savage D 3 - 11	Auf verbotenen Wegen Reisen und Abenteuer in Tibet (mit zahlreichen Abbildungen) F.A. Brockhaus, Leipzig (2. Aufl.) 1898
idem D 3 - 23	Voyage d'un Anglais aux régions interdites Pays sacré des Lamas Hachette & Cie., Paris 1899
idem D 3 - 12	In the Forbidden Land William Heinemann, London 1899
LITTLEDALE, St. George R. D 3 - 39 / Sep.	A journey across Tibet, from North to South and West to Ladak in: The Geographical Journal, Vol. VII (1896), No 5, pg. 453 ff. The Royal Geographical Society, London May,1896
LIPTON, Barbara D 3 - 31 / Sep.	The Western Experience in Tibet, 1327 - 1950 The Newark Museum, Newarkt (N.J.) 1972
McGREGOR, John D 3 - 1	Tibet - A Chronicle of Exploration Routledge & Kegan Paul, London 1970
MULLER, H.C.A. D 3 - 29	Voorloopers en Navolgers van Marco Polo A.W. Sijthoff's Uitg., Leiden 1944
NARCISS, Georg A. (Ed.) D 3 - 34	Im Fernen Osten Forscher und Entdecker in Tibet, China, Japan und Korea Horst Erdmann, Tübingen/Basel 1978
RIJNHART, Susie Carson D 3 - 14	With the Tibetans in Tent and Temple Oliphant, Anderson & Ferrier, Edinburgh/London 1904
idem D 3 - 44	Wanderungen in Tibet (A. d. Amerikan. übers.) Calw, Stuttgart 1904
ROCKHILL, W. Woodville D 3 - 32	The Land of the Lamas (Notes of a Journey through China, Mongolia and Tibet) The Century Co., New York 1891 Ch'eng Wen Publ. Company, Taipei 1972 (Reprint)
idem D 3 - 50	Diary of a journey through Mongolia and Tibet in 1891 and 1892 Smithsonian Institution, Washington 1894

SANDBERG, Graham
D 3 - 35

The Exploration of Tibet
History and Particulars
Cosmo Publications, Delhi   reprint 1973

TAYLOR, Annie R.
D 3 - 17

Pioneering in Tibet
Morgan and Scott, London   1895

THOMSON, Thomas
D 3 - 37

Western Himalayas and Tibet
A narrative on Ladakh and mountains
of Northern India
Cosmos Publications, New Delhi   1978
(reprint of first edition 1852)

TROTTER, H.
D 3 - 47 / Sep.

Account of the Pundit's journey in
Great Tibet from Leh in Ladakh to Lhasa,
and of his return to India via Assam
in: Journal of the Royal Geographical
Society, Vol. XLVII (1877), pg. 86 - 136,
London   1877

TUCCI, Giuseppe
D 3 - 46 / Sep.

L'italia e l'esplorazione del Tibet
in: Asiatica, Vol. IV (1938), pg. 435 ff.
Roma   1938

idem
D 3 - 48

Le grandi vie di comunicazione Europa-Asia
Edizioni Radio Italiana, Torino   1958

idem
D 3 - 49 / Sep.

Tibet e Italia
in: Il Libro Italiano dell'Mondo
anno I (1940) XVIII, No 3, pg. 24 ff.,
Roma   1940

TURNER, Samuel
D 3 - 22

Gesandtschaftsreise an den Hof des Teshoo
Lama durch Bootan und einen Teil von Tibet
Bei Benjamin Gottlob Hoffmann,
Hamburg   1801

WOODCOCK, George
D 3 - 9

Into Tibet - The Early British Explorers
Faber and Faber, London   1971

WOODVILLE, W.
D 3 - 45

Tibet. A geographical, ethnographical,
and historical sketch, derived from
Chinese Sources
in: Journal of the Royal Asiatic Society,
Vol. XXIII (1891), January, pg. 1 - 133,
185 - 291
London   1891

D 4. Neuere Dokumente, publ. v. Expeditionen und Einzelreisenden im 20. Jh.

AUCT. INCERT.
D 4 - 83 (vide Q 1 - 30 /
        Sep.)

La Mission Pelliot en Asie Centrale
(Annales de la Société de Géographie
Commerciales)
Imprimerie d'Extrême-Orient,
Hanoi   1909

BACOT, Jacques
D 4 - 52

Le Tibet Récolté
Librairie Hachette, Paris   1912

idem
D 4 - 88

Dans les marches tibétaines
Plon-Nourrit, Paris   1909

BACOT, J. /
CHAVANNES, Ed.
D 4 - 116

Ethnographie des Mo-so, leurs religions,
leur langue et leur écriture. - /
Documents historiques et géographiques
relatifs à Li-kiang
(Collection de l'Institut Ethnographique
International de Paris)
E.J. Brill, Leiden   1913

BAILEY, F.M.
D 4 - 18

No Passport to Tibet
The Travel Book Club, London   1957

idem
D 4 - 19

China - Tibet - Assam
A Journey, 1911
Jonathan Cape, London   1945

idem
D 4 - 65 / Sep.

The Expedition to Tibet
Lose Blätter aus Vol. CLXXVII der No.
MLXXIII einer engl. Zeitschrift (evtl.
Royal Geographic Society?), pg. 429 ff.
William Blackwood & Sons, London   1905

BHANJA, Kamalesh
D 4 - 70

Mystic Tibet and The Himalaya
Gilbert & Co., Darjeeling   1948

BISTA, Dor Bahadur
D 4 - 102

Report from Lhasa
Sajha Prakashan, Kathmandu   1979

BORIN, Françoise
D 4 - 106

Le Tibet d'Alexandra David-Neel
Album
Librairie Plon, Paris   1979

BOSSHARD, W.
D 4 - 63 / Sep.

Im Lande der Lamas
Bilder aus West-Tibet (Ladakh) v.d.
Deutschen Zentralasien-Expedition
1927/28 von Dr. Trinkler/De Terra/
W. Bosshard
in: 'Atlantis' vom Mai 1929 (No. 5)
Ernst Wasmuth AG., Berlin/Wien/Zürich 1929

BOWER, Hamilton   Diary of a journey across Tibet
D 4 - 101   Ratna Pustak Bhandar, Kathmandu   1976

BYRON, Robert   First Russia then Tibet
D 4 - 90   Macmillan, London   1933

CANDLER, Edmund   The Unveiling Lhasa
D 4 - 39   Edward Arndold, London   1905

CHAPMAN, F. Spencer   Lhasa - The Holy City
D 4 - 32   with an introduction by Sir Charles Bell
                         Readers Union Ltd. / Chatto & Windus,
                         London   1940

CUTTING, Suydam   The Fire Ox and Other Years
D 4 - 35   An Account of the Travels in Tibet,
                         Nepal, Assam and other Far Eastern Lands,
                         Collins, London   1947

DAVID-NEEL, Alexandra   Mönche und Strauchritter
D 4 - 28   Eine Tibetfahrt auf Schleichwegen
                         F.A. Brockhaus, Leipzig   1933

eadem   Sous des Nuées d'Orage
D 4 - 29   Librairie Plong, Paris   1940

eadem   Voyage d'une Parisienne à Lhassa
D 4 - 30   Editions Gonthier (Paris)
                         Genève   1964

eadem   Lost in Tibetan Snows
D 4 - 58 / Sep.   A nearly fatal end to the search for a
                         river source in uncharted Wilderness
                         in: 'Asia Magazine', Vol. XXVI, No. 5,
                         New York   1926

eadem   A Woman's Daring Journey into Tibet
D 4 - 59 / Sep.   A Frenchwoman, as beggar-pilgrim, and
                         a Tibetan Lama, secretly heading for Lhasa
                         in: 'Asia Magazine', Vol. XXVI, No. 3,
                         New York   1926

eadem   Lhasa at Last
D 4 - 60 / Sep.   A relevation of hidden Mysteries and
                         Curious Customs at the Tibetan Capital
                         in: 'Asia Magazine', Vol XXVI, No. 7,
                         New York   1926

eadem   Behind the Veil of Tibet
D 4 - 61 / Sep.   Penetrating the inner life of super-
                         stitionruled families along the road to
                         Lhasa
                         in: 'Asia Magizine', Vol. XXVI, No. 4,
                         New York   1926

DAVID-NEEL, Alexandra D 4 - 64	Arjopa - Die erste Pilgerfahrt einer weissen Frau nach der verbotenen Stadt des Dalai Lama (mit vielen Abb.) F.A. Brockhaus, Leipzig 1928 (Rezension: cf. Fischer, K. sub P 3-11, vide S 1 - 27)
eadem D 4 - 104.1-2	Journal de voyage Lettres à son mari vol. I: 11. 8.1904 - 27.12.1917 vol. II: 14. 1.1918 - 3.12.1940 Plon, Paris 1975 - 1976
DUNCAN, Marion H. D 4 - 37	The Yangtze and the Yak Edwards Brothers, Inc. Ann Arbor/Mich. 1952
EASTON, John D 4 - 34	An Unfrequented Highway through Sikkim and Tibet to Chumolaori The Scholartis Press, London The University Press, Glasgow 1928
ENDERS, Gordon D 4 - 67	Foreign Devil An American Kim in modern Asia John Giffort Ltd., London 1945
idem D 4 - 97	Nowhere Else in the World Hurst & Blackett, London 1936
FERGUSSON, W.N. D 4 - 31	Adventure, Sport and Travel on the Tibetan Steppes Constable & Cie, Ltd,, London 1911
FILCHNER, Wilhelm D 4 - 7	Quer durch Ost-Tibet E.S. Mittler & Sohn, Berlin 1925
idem D 4 - 8	Om mani padme Hum China- und Tibetexpedition 2. Auflage F.A. Brockhaus, Leipzig 1929
idem D 4 - 9	Das Rätsel des Matschu Meine Tibet-Expedition Ernst Siegfried Mittler & Sohn, Berlin 1907
idem D 4 - 10	Bismillah! Vom Huang-ho zum Indus F.A. Brockhaus, Leipzig 1942
idem D 4 - 11	Ein Forscherleben Eberhard Brockhaus, Wiesbaden 1950
idem D 4 - 57 / Sep.	Wilhelm Filchner spricht über seine Reisen in Asien aus: 'Filmdokumente zur Zeitgeschichte' Institut für den Wissenschaftlichen Film, Göttingen 1968

FILCHNER, Wilhelm
D 4 - 118.1 - 10

Wissenschaftliche Ergebnisse der Expedition
Filchner nach China und Tibet, 1903 - 1905
Bde 1 - 10
Ernst Siegfried Mittler u. Sohn,
Berlin   1908 - 1913

FORMAN, Harrison
D 4 - 25

Through Forbidden Tibet
An Adventure into the Unknown
Jarrolds Publ. Ltd., London   1936

GOMPERTZ, M.L.A.
D 4 - 44

The Road to Lamaland
Impressions of a Journey to Western
Tibet
Hodder and Stoughton Ltd., London ca. 1925

HANBURY-TRACY, John
D 4 - 36

Black River of Tibet
The Travel Book Club, London 1940^2

HAYDEN, Sir Henry/
COSSON, César
D 4 - 41

Sport and Travel in the Highlands of Tibet
Richard Cobden-Sanderson,
London   1927

HEDIN, Sven (von)
D 4 - 1.1 ff.

Transhimalaja
3 Vols.
E.A. Brockhaus, Leipzig   1912/17

idem
D 4 - 2.1 f.

Im Herzen von Asien
2 Vols. (2. Aufl.)
10'000 km auf unbekannten Pfaden
F.A. Brockhaus, Leipzig   1910

idem
D 4 - 3.1 f.

Durch Asiens Wüsten
2 Vols.
F.A. Brockhaus, Leipzig   1923

idem
D 4 - 4

Abenteuer in Tibet
2. Aufl.
F.A. Brockhaus, Leipzig   1908

idem
D 4 - 5

Von Pol zu Pol
Rund um Asien
F.A. Brockhaus, Leipzig   1919

idem
D 4 - 6

Abenteuer in Tibet
Auszug aus: 'Im Herzen von Asien'
F.A. Brockhaus, Leipzig   1919

idem
D 4 - 68.1 f.

Tsangpo Lamas Wallfahrt
2 Vols.
Bd. I: Die Pilger
Bd. II: Die Nomaden
F.A. Brockhaus, Leipzig   1922

idem
D 4 - 75

Eroberungszüge in Tibet
F.A. Brockhaus, Leipzig   1940

HEDIN, Sven D 4 - 82.1 ff.	History of the Expedition in Asia, 1927 - 1935 (The Sino-Swedish Expedition) Parts I - IV (Part IV by F. Bergman, G. Bexell, B. Bohlin and G. Montell) The Sino-Swedish Expedition, Publication 23, Stockholm 1943 - 1945
HEIM, Arnold D 4 - 24	Minya Gongkar Forschungsreise ins Hochgebirge von chinesisch Tibet Verlag Hans Huber, Bern/Berlin 1933
HEIM, Arnold / GANSSER, August D 4 - 81	Thron der Götter Erlebnisse der ersten Schweizerischen Himalaya-Expedition Morgarten-Verlag, Zürich/Leipzig 1938
HUC, R.P. D 4 - 89	Tartarie et Thibet Inconnus Les Oeuvres Représentives, Paris 1932
IMHOF, Eduard D 4 - 85	Die Grossen Kalten Berge von Szetschuan Orell Füssli Verlag, Zürich 1974
JOHNSTON, R.F. D 4 - 105	From Peking to Mandalay a journey from North China to Burma through Tibetan Ssuch'uan and Yunnan John Murray, London 1908, reprint: Ch'eng Wen Publishing, Taipei 1972
KAULBACK, Ronald D 4 - 47	Tibetan Trek Hodder and Stoughton, London ca. 1935
idem D 4 - 84	Salween - Expedition into South Eastern Tibet Hodder and Stoughton, London o.J.
KAWAGUCHI, Ekai D 4 - 33	Three Years in Tibet Theosophical Publishing Society, Benares and London 1909
KOZLOW, P.K. D 4 - 43	Mongolei, Amdo und die Tote Stadt Chara-Choto Expeditions-Bericht d. Russ. Geograph. Gesellschaft 1907 - 1909 (a.d. Russ. übers.) mit Anhang und Karten Verlag Neufeld & Henius, Berlin 1925
idem D 4 - 80	Russkij Putesestvennik V Central'Noj Azii (Isbrannye trudy) Ein russischer Reisender in Zentralasien (Ausgewählte Werke) K stoletiu so dnja rozdenija (1863 - 1963) Zum hundertsten Geburtstag (1863 - 1963) Verlag der Akademie der Wissenschaften der UdSSR, Moskva 1963

LANDON, Perceval
D 4 - 22.1 f.

Lhasa
An account of the country and people
of Central Tibet and of the progress
of the mission sent there by the English
Government in the Year 1903 - 1904
2 Vols.
Hurst and Blackett Ltd., London   1905

LANDOR, A. Henry Savage
D 4 - 50

Everywhere
The Memoirs of an Explorer
T. Fisher Unwin Ltd., London   1924

idem
D 4 - 51

Tibet and Nepal
A. & C. Black, London   1905

idem
D 4 - 92 (vide D 5 - 22)

Der wilde Landor
Das Maler- und Forscherleben A.S.Savage
Landors
F.A. Brockhaus, Leipzig   1926

LEARNER, Frank Doggett
D 4 - 38

Rusty Hinges
The China Inland Mission
Purnell & Sons, Paulton and London   1933

LEGENDRE, A.F.
D 4 - 112

Au Yunnan et dans le Massif du Kin-Ho
Plon-Nourrit, Paris   1913

LESDAIN, Comte de
D 4 - 86

Voyage au Thibet par la Mongolie de
Pékin aux Indes
Librairie Plon, Paris   1908

MAILLART, Ella K.
D 4 - 100

Forbidden Journey
From Peking to Kashmir
Henry Holt, New York   1973

MARAINI, Fosco
D 4 - 17

Tibet secret
Ein Bericht über Tuccis Tibet-Expedition
Coll. 'Exploration'
B. Arthaud, Paris/Grenoble   1952

idem
D 4 - 55 / Sep.

Reisebilder aus Tibet
in: 'Atlantis', No. 1 (Jan.), 1950
Zürich   1950

McGOVERN, William M.
D 4 - 49

Als Kuli nach Lhasa
Eine heimliche Reise nach Tibet
August Scherl GmbH., Berlin   ca. 1924

MELE, Pietro Francesco
D 4 - 91

Tibet
Oxford & IBH Publishing, Calcutta   1975

MERRICK, Henrietta S.
D 4 - 46

Spoken in Tibet
mit 29 Illustr.
G.P. Putnam's Sons, New York/London   1933

MIGOT, André
D 4 - 53

Tibetan Marches
Translated from the French by
P. Fleming
The Travel Book Club, London   ca. 1950

idem
D 4 - 99

Vor den Toren Tibets
(Franz. Originaltitel: Caravane vers
Bouddha)
Scherz & Goverts, Stuttgart   1954

idem
D 4 - 111

Au Tibet sur les traces du Bouddha
Préface de R.A. Stein
Editions du Rocher, Paris   1978

MILLINGTON, Powell
D 4 - 40

To Lhasa at Last
Smith, Elder & Co., London   1905

NEAME, Sir Philip
D 4 - 62 / Sep.

Die Hauptstadt von Tibet
Ein Besuch in Lhasa
in: 'Atlantis', Heft No. 1 (Jan.)
Zürich   1950

d'OLLONE, (Le Commandant)
D 4 - 54

Les Derniers Barbares:
Chine - Tibet - Mongolie
Pierre Lafitte & Co., Paris   1911

PALLIS, Marco
D 4 - 66

The Way and the Mountain
Peter Owen Ltd., London   1960

PRANAVANANDA, Swami
D 4 - 72

Exploration in Tibet
University of Calcutta   1950

RAYFIELD, Donald
D 4 - 95

Lhasa war sein Traum
Die Entdeckungsreisen von Nikolai
Prschewalskij in Zentralasien
F.A. Brockhaus, Wiesbaden   1977

RIENCOURT, Amaury de
D 4 - 71

Lost World - Tibet: Key to Asia
Victor Gollancz Ltd., London   1950

ROCK, Joseph F.
D 4 - 108

The glories of the Minya Konka
Magnificent snow peaks of the China-
Tibetan border are
in: The National Geographic Magazine,
Vol. LVIII (Oct. 1930), No 4, pg. 385 ff.
Washington   October 1930

idem
D 4 - 109

Seeking the mountains of mystery
An expedition on the China-Tibet frontier
to the unexplored Amnyi Machen Range...
in: The National Geographic Magazine,
Vol. LVII (Febr. 1930), No 2, pg. 131 ff.
Washington   February 1930

ROCK, Joseph F.
D 4 - 110

The Land of the Yellow Lama
National Geographic Society explorer
visits the strange kingdom of Muli,
beyond the Likian snow range of Yünnan
Province, China
in: The National Geographic Magazine,
Vol. LXVII (April 1925), No 4, pg. 447 ff.
Washington   April 1925

idem
D 4 - 114.1 - 2

The ancient Na-khi Kingdom of Southwest
China (Yünnan)
2 vols, with 256 plates
(Harvard Yenching-Institute, Monograph
Series, VIII + IX)
Harvard University Press, Cambridge, Mass.
                                        1947

idem
D 4 - 120 / Sep.

The Land of the Tebbus
(Nordosttibet, Amdo)
in: The Geographical Journal, Vol. LXXXI
(1933), No 2, February, pg. 108 ff.
London   1933

ROCKHILL, W.W.
D 4 - 103

Notes on Tibet
Asian Publication Services
New Delhi   1977

ROERICH, George N.
D 4 - 42

Trails to Inmost Asia
Five Years of Exploration with the
Roerich Central Asian Expedition
Yale University Press, New Haven   1931

idem
D 4 - 87

Sur les pistes de l'Asie Centrale
(cf. Ziffer No. D 4 - 42: Engl. Version)
Librairie Orientaliste Paul Geuthner,
Paris   1933

R(O)ERICH, J.N.
D 4 - 77 (vide S 4 - 3)

Trails to Inmost Asia
in: Rerich, J.N. 'Izbrannye trudy',
pg. 35 ff.
(vide Abtlg. S)

RONALDSHAY, Earl of
D 4 - 48

Lands of the Thunderbolt
Sikkhim, Chumbi & Bhutan
Constable and Company Ltd., London   1931

RUGE, Gerd
D 4 - 93 / Sep.

Das Tibet der Chinesen
in: Die Welt, Nr. 248 - 252, 1976
Hamburg   1976

RYDER, C.H.D.
D 4 - 113 / Sep.

Dr. Sven Hedin's Expedition in Tibet
in: The Teographical Journal, Vol. XXXII
(1908), Dec., No 6, pg. 585 ff.
London   1908

SCHÄFER, Ernst D 4 - 12	Geheimnis Tibet Erster Bericht der Deutschen Tibet-Expe- dition 1938/39 Verlag F. Bruckmann, München 1943
idem D 4 - 13	Unbekanntes Tibet Durch die Wildnisse Osttibets zum Dach der Erde; Tibetexpedition 1934/36 Verlag von Paul Parey, Berlin 1937
idem D 4 - 14	Dach der Erde Tibetexpedition 1934/36 Verlag von Paul Parey, Berlin 1938
idem D 4 - 15	Fest der weissen Schleier Eine Forscherfahrt nach Lhasa, der heiligen Stadt Tibets Wilhelm Goldmann, München 1954
idem D 4 - 16	Über den Himalaya ins Land der Götter Auf Forscherfahrt von Indien nach Tibet Wilhelm Goldmann, München 1954
idem D 4 - 56 / Sep.	Lhasa, die Stadt der Götter in: 'Atlantis', Heft No. 10 Zürich ca. 1962
idem D 4 - 73	Berge, Buddhas und Bären Forschung und Jagd in geheimnisvollem Tibet Verlag Paul Parey, Berlin 1933
idem D 4 - 74	Tibet ruft Forschung und Jagd in den Hochgebirgen Osttibets; Expedition 1931/32 Verlag Paul Parey, Berlin 1942
idem D 4 - 78	Unter Räubern in Tibet Gefahren und Freuden eines Forscherlebens Wilhelm Goldmann, München 1954
SCHARY, Edwin G. D 4 - 45	In Search of the Mahatmas of Tibet With illustrations and maps Travel Book Club, London o.J.
SCHÄTZ, Jos. Jul. D 4 - 107	Heiliger Himalaya Menschen und Berge; Götter, Geister und Dämonen F. Bruckmann, München 1952
SÍS, Vladimír / VANIŠ, Joseph D 4 - 26	Der Weg nach Lhasa Bilder aus Tibet Artia-Verlag, Prag 1956

SIŠ, Vladimír /   Země Zastaveného Času
VANIŠ, Joseph   (in tschechischer Sprache; Bild- und
D 4 - 27   Textband)
                          Mladá fronta, Praha   1959

STARR, Lilian A.   Tales of Tirah and Lesser Tibet
D 4 - 69   Hodder and Stoughton, London   ca. 1923

STRASSER, Roland   Mongolen, Lamas und Dämonen
D 4 - 95 (vide Q 7 - 60) Reiseberichte aus Tibet und der Mongolei
                          Deutsche Buchgemeinschaft, Berlin   1932

TAFEL, Albert   Meine Tibetreise
D 4 - 23.1 f.   2 Vols.
                          Eine Studienfahrt durch das nordwestl.
                          China und durch die Innere Mongolei in
                          das östl. Tibet
                          Union Deutsche Verlagsgesellschaft,
                          Stuttgart/Berlin/Leipzig   1914

TEICHMAN, Eric   Travels of a Consular Officer in
D 4 - 115   Eastern Tibet
                          with big map
                          Cambridge University Press,
                          Cambridge   1922

TICHY, Herbert   Zum Heiligsten Berg der Welt
D 4 - 21   Auf Landstrassen und Pilgerpfaden in
                          Afghanistan, Indien und Tibet
                          Buchgemeinschaft Donauland, Wien   1953

TUCCI, Giuseppe   Nel Tibet Centrale: Relazione prelimin-
D 4 - 76 (vide S 2 - 1.2) ale della spedizione 1939
                          in: Opera Minora, Vol. II, von Tucci, G.
                          pg. 363 ff.
                          Giovanni Bardi, Roma   1971

idem   To Lhasa and beyond
D 4 - 79   Libreria dello Stato, Roma   1956

idem   Tibet Ignoto
D 4 - 98   Newton Compton, Roma   1978

idem   Recent Italian explorations in Tibet
D 4 - 119 / Sep.   in: New Asia, Vol. I (1939), No 1,
                          pg. 10 ff., Calcutta   1939

idem   L'ultima mia spedizione sull'Imalaya
D 4 - 121 / Sep.   in: Nuova Antologia, anno LXVIII (1933)
                          - XI, Fasc. 1460, pg. 245 ff., Roma 1933

TUNG, Rosemary Jones   A portrait of lost Tibet
D 4 - 122   Photographs by Ilya Tolstoy and
                          Brooke Dolan
                          Thames and Hudson, London   1980

WADDELL, L. Austine	Lhasa and its Myteries	
D 4 - 20	with 155 illustrations and maps	
	Methuen & Co., London	1905

WARD, F. Kingdon	The Mystery Rivers of Tibet	
D 4 - 94	Seeley Service, London	1923

D 5. Biographien u. Autobiographien v. Exploratoren / Miscellanea

BETHLENFALVY, Géza	Alexander Csoma de Körös in Ladakh	
D 5 - 37 (vide S 4 - 30)	in: Proceedings of the Csoma de Körös Memorial Symposium, 24. - 30. 9.1976, pg. 7 ff.	
	Akadémiai Kiod6, Budapest	1978

DAS, Sarat Chandra	Autobiography	
D 5 - 23	Indian Studies Past & Present, Calcutta	1969

DAVID-NEEL, Alexandra	Le Sortilège du Mystère	
D 5 - 2	Faits étranges et gens bizarres rencontrés au long de mes routes d'Orient et d'Occident	
	Librairie Plon, Paris	1972

eadem	Journal de voyage	
D 5 - 33 (vide D - 104.1-2)	Lettres à son mari	
	vol. I: 11. 8. 1904 - 27.12.1917	
	vol. II: 14. 1. 1918 3.12.1940	
	Plon, Paris	1975 - 1976

DENYS, Jeanne	A. David-Neel au Tibet	
D 5 - 3	(Une supercherie dévoilée)	
	La Pensée Universelle, Paris	1972

DUKA, Theodore	Life and Works of Alexander Csoma de Körös	
D 5 - 17	Manjusri Publishing House, New Delhi	1972

HEDIN, Sven	General Prschewalskij in Innerasien	
D 5 - 25	F.A. Brockhaus, Leipzig	1928

idem	Mein Leben als Entdecker	
D 5 - 19	F.A. Brockhaus, Leipzig	1942

HETENYI, Ernest	Alexander Csoma de Koros	
D 5 - 8 (vide S 1 - 3)	in: Bulletin of Tibetology, Vol. IX, No. 1, pg. 34 ff.	
	Namgyal Institute of Tibetology, Gangtok	1972

HUNT, John
D 5 - 20 / Sep.

In Memoriam
Royal Central Asian Society,
London   o.J.

HYER, Paul
D 5 - 36 (vide S 1 - 42)

Narita Yaseteru: First Japanese to
enter Tibet
in: The Tibet Journal, Vol. IV (1979),
No 3, pg. 12 ff., Library of Tibetan
Works & Archives, Dharamsala   1979

KOLMAŠ, Josef
D 5 - 9 / Sep.

Gonbožab Cebekovič Cybikov a jeho
tibetský cestopis (Tibet-Reisender, 1873 -
1930)
illustr. Art. in: 'Novy Orient', 2/1973,
pg. 58 ff.
Orientalisches Institut d. tschechoslowakischen Akademie der Wissenschaften
Praha   1973

idem
D 5 - 13 / Sep.

Prvni Evropané ve Lhasa (1661)
(Die ersten Europäer in Lhasa, 1661)
in: Novi Orient, Jg. 27 (1972), Nr. 6,
pg. 180 ff.
Verlag der Tschechoslowakischen Akademie
der Wissenschaften, Prag   1972

idem
D 5 - 14 / Sep.

Körösi Csoma Sándor
(in tschechisch)
in: Novi Orient, Jg. 27 (1972), Nr. 3,
pg. 69 ff.
Verlag der Tschechoslowakischen Akademie
der Wissenschaften, Prag   1972

KVAERNE, Per
D 5 - 18

A Norwegian Traveller in Tibet
The Sörensen and the Tibetan Collection
at the Oslo University Library,
Manjusri Publishing House,
New Delhi   1973

LANDOR, A.S. Savage
D 5 - 22

Der wilde Landor
Das Maler- und Forscherleben A.S.
Savage Landors
F.A. Brockhaus, Leipzig   1926

LANSBURY, Edgar
D 5 - 26 (vide S 1 - 37.2)

The Art of Nicholas Roerich
in: Kailash - A Journal of Himalayan
Studies, Vol. II, 1974
Kathmandu   1974

LINNÉ, S.
D 5 - 30 / Sep.

Sven Hedin and the Ethnographical Museum
of Sweden, Stockholm
Auszug aus 'Ethnos', 1965
The Ethnographical Museum of Sweden,
Stockholm   1965

LOUP, Robert
D 5 - 32

Märtyrer in Tibet
Leben und Sterben von P. Maurice Tornay,
Chorherr vom Grossen St. Bernhard
Paulusverlag, Freiburg   1959

MEHRA, Parshotam
D 5 - 7 (vide S 1 - 3)

Beginnings of the Lhasa Expedition:
Younghusband's Own Words
in: Bulletin of Tibetology, Vol. IV,
No. 3, pg. 9 ff.
Namgyal Institute of Tibetology,
Gangtok   1967

MILLER, Luree
D 5 - 28

On Top of the World - Five Women
Explorers in Tibet
Paddington Press, Frome   1976

MIRSKY, Jeannette
D 5 - 31

Sir Aurel Stein
Archeological Explorer
The University of Chicago Press,
Chicago and London   1977

MONTELL, Gösta
D 5 - 29 / Sep.

Sven Hedin - The Explorer
Auszug aus 'Ethnos', 1965
The Ethnographical Museum of Sweden,
Stockholm   1965

NORWICK, Braham
D 5 - 24

Alexandra David-Neel's Adventures in
Tibet - Fact or Fiction?
in: The Tibet Journal, Vol. I, No 3 u. 4
Library of Tibetan Works and Archives,
Dharamsala   1976

PEYRONNET, Marie-Madeleine
D 5 - 16

Dix Ans avec Alexandra David-Neel
Librairie Plon, Paris   1973

POTT, Peter H.
D 5 - 10 (vide G 5 - 4)

In Memoriam Johan van Manen
in: 'Introduction to the Tibetan
Collection of the National Museum of
Ethnology, Leiden', pg. 133 ff.
E.J. Brill, Leiden   1951

RAYFIELD, Donald
D 5 - 21

The Dream of Lhasa
The Life of Nikolay Przhevalsky,
s. Rez. v. Stewart, J.M., P 3 - 57
Paul Elek, London   1976

ROCK, Joseph F.
D 5 - 34

Experiences of a lone geographer
An American agricultural explorer makes
his way through brigand-infested Central
China en route to the Amne Machin Range,
Tibet
in: The National Geographic Magazine,
Vol. XLVIII (Sept. 1925), pg. 331 ff.
Washington   1925

ROSS, D.E. D 5 - 6 (vide S 1 - 5.2)	Körösi Csoma Sandor (in engl. Sprache) in: 'Körösi Csoma - Archivum' Vol. II, pg. 333 ff. (siehe Abtlg. S!)
SCHMIDT, Jozsef D 5 - 5 (vide S 1 - 5.1)	Körösi Csoma Sandor (in ungarischer Sprache) in: 'Körösi Csoma - Archivum' Vol. I, pg. 3 ff. (vide Abtlg. S!)
SEAVER, George D 5 - 11	Francis Younghusband Explorer and Mystic John Murray, London 1952
SWINSON, Arthur D 5 - 12	Beyond the Frontiers The Biography of Colonel F.M. Bailey, Explorer and Secret Agent Hutchinson, London 1971
TUCCI, Giuseppe D 5 - 4 (vide S 4 - 1.2)	Alessandro Csöma de Körös in: Opera Minora, Vol. II, pg. 419 ff. Giovanni Bardi, Roma 1971
idem D 5 - 38 / Sep.	Marco Polo Conferenza tenuta nella "Sala degli Orazi e Curiazi" in Campidoglio all'apertura delle celebrazioni Poliane il 3 febbraio 1954 Istituto Italiano per il Medio ed Estremo Oriente, Roma 1954
idem D 5 - 38 a / Sep.	Marco Polo Speech delivered in Rome, on the Capitol, at the opening of the celebrations of the seventh centenary of the birth of Marco Polo in: East and West, Year V, No 1 (1954), pg. 1 ff. Istituto Italiano per il Medio ed Estremo Oriente, Roma 1954
ULLMANN, James R. D 5 - 1	Man of Everest The Autobiography of Tenzing The Reprint Society, London 1955
idem D 5 - 15 / Sep.	Tenzing of Everest (abridged ed.) Oxford University Press, London 1966[3]
WALTENDORF, K.R. D 5 - 35	Die Lust am grossen Abenteuer Heinrich Harrer als Mensch und Forscher Pinguin Verlag, Innsbruck 1974

D 6. *Alpinismus*
(incl. physiol. Adaptation b. Hypoxämie et sim.)

AUCT. INCERT. D 6 - 6 / Sep.	These men fought against Everest - and lost in: 'The Sunday Times Magazine' vom 28. Sept. 1969
COMPL. AUCT. D 6 - 8	Kingdom of Adventure - Everest Collins, London 1948
COMPL. AUCT. D 6 - 17	Everest Ein Bildbericht der Schweizerischen Stiftung für Alpine Forschung Büchergilde Gutenberg, Zürich 1953
DYHRENFURTH, G.O. D 6 - 12	Dämon Himalaya Bericht von der internationalen Kara- koram-Expedition 1934 Benno Schwabe, Basel 1935
EGGLER, Albert D 6 - 2	The Everest-Lhotse Adventure (translated from: 'Gipfel über den Wolken', Bern 1956) George Allen & Unwin Ltd., London 1957
EISELIN, M. / FORRER, E. D 6 - 21	Die Besteigung des Dhaulagiri (Schweizerische Himalaya-Expedition 1960) in: Berge der Welt, pg. 128 ff. Schweiz. Stiftung für alpine Forschungen 1961
FLAIG, Walther D 6 - 11	Im Kampf um Tschomo-lungma, den Gipfel der Erde Franckh'sche Verlagsbuchhandlung, Stuttgart 1923
GROB, Ernst / SCHMADERER, Ludwig / PAIDAR, Herbert D 6 - 24	Zwischen Kantsch und Tibet Erstbesteigung des Tent-Peak, 7363 m, Bildertagebuch einer neuen Sikkim- Rundfahrt 1939 der "Drei im Himalaja" F. Bruckmann, München 1940
HILLARY, Edmund D 6 - 20 / Sep.	Beyond Everest in: The National Geographic Magazine, Vol. CVIII, No. 5, pg. 579 - 610, Nov. 1955 The National Geographic Society, Washington 1955
HILLARY, Louise D 6 - 18	High Time A family trek in the land of the Sherpas Hodder and Stoughton, London 1973

HOWARD-BURY, C.K. D 6 - 29	Mount Everest Die Erkundungsfahrt 1921 Benno Schwabe, Basel	1922
JACKSON, Monica / STARK, Elizabeth D 6 - 3	Tents in the Clouds The Travel Book Club, London	1957
LINK, Ulrich D 6 - 25	Nanga Parbat Berg des Schicksals im Himalaya Rudolf Rother, München	1953
McDONALD, David D 6 - 5	Touring in Sikkim and Tibet Mani Press, Kalimpong	1930
MESSNER, Reinhold D 6 - 23 / Sep.	Zum Höhepunkt Besteigung des Mount Everest in: Stern, 9.10.1980, pg. 40 ff. Hamburg	1980
MORRIS, James D 6 - 14	Coronation Everest Faber and Faber, London	1958
NORTON, E.F. D 6 - 13	Bis zur Spitze des Mount Everest Die Besteigung 1924 Verlag Benno Schwabe, Basel	1926
ROCH, André D 6 - 26	Karakoram Himalaya Bezwingung von Siebentausendern Rascher, Zürich	1947
RUTTLEDGE, Hugh D 6 - 1	Everest 1933 Foreword by Sir Francis Younghusband Dodder and Stoughton, London	1938
SCHÖPFER, R. D 6 - 4	Schweizer im Himalaja herausgegeben von der Schweizer Stiftung für ausseralpine Forschungen, Amstutz und Herdeg, Zürich	1940
SCHWEIZERISCHE Stiftung für alpine Forschung (Ed.) D 6 - 27	Himalaya Schweizerische Expedition 1947 (Annelies) Lohner - (Alfred) Suter Interverlag, Zürich	1948
SENFT, Willi / KATSCHNER, Bert D 6 - 28 (vide Q 6 - 37)	Bhutan, Ladakh, Sikkim Bergwandern im tibetischen Kulturkreis Stocker, Graz	1979
SKUHRA, Rudolf D 6 - 10	Sturm auf die Throne der Götter Himalaja-Expeditionen 1921 - 1948 Wiener Volksbuchverlag, Wien	1949
TOBIN, H.W. (Ed.) D 6 - 9	The Himalayan Journal Records of the Himalayan Club, Vol. XVII, Clarendon Press, Oxford	1952

VISSER, Ph. C.
D 6 - 16

Durch Asiens Hochgebirge
Himalaya / Karakorum / Aghil / K'un-Lun
Huber, Frauenfeld und Leipzig   1935

WARD, M.
D 6 - 7 / Sep.

Wir stiegen auf das Dach der Welt
in: 'Organorama', Nr. 6/4, pg. 13 ff.
N.V. Organon, Oss/Niederlande   1970
(cf hierzu auch Ziffer Q "Exterritoria"!)

YOUNGHUSBAND, Francis
D 6 - 15

The Epic of Mount Everest
Edward Arnold, London   1931

idem
D 6 - 15.a

Der Heldengesang vom Mount Everest
A. d. Engl. übersetzt von W. Rickmer
Rickmers
Benno Schwabe, Basel   1928

idem
D 6 - 22

Everest: The Challenge
Thomas Nelson, London   1941

D 7. *Varia*

BOECK, Kurt
D 7 - 2

Himalaya - Lieder und Bilder
Selbstverlag des Verfassers
Auslieferung: Verlag H. Haessel,
Leipzig   1927

HODGSON, B.H.
D 7   1 (vide D 4   4)

On the Colonization of the Himalaya by
Europeans
in: Hodgson, B.H. 'Essays on Nepal and
Tibet', part II, pg. 83 ff.

LEGGE, James (transl.)
D 7 - 3 (vide Q 10 - 13)

The Travels of FA-HIEN
A Record of Buddhist Kingdoms
Oriental Publishers,
Delhi   reprint 1972

E. Ethnographie/Kulturelle Anthropologie/Soziologie/ Kulturhistorie/Realia

E 1. Gen. Ethnographie, Kulturhistorie u. kulturelle Anthropologie Zentralasiens u. d. Himalaya-Region

---

ATKINSON, E.T. E 1 - 15	Religion in the Himalayas Cosmo Publications, Delhi reprint 1976
BACOT, J. / CHAVANNES, Ed. E 1 - 23 (vide D 4 - 116)	Ethnographie des Mo-so, leurs religions, leur langue et leur écriture. - / Documents historiques et géographiques relatifs à Li-kiang (Collection de l'Institut Ethnographique International de Paris) E.J. Brill, Leiden 1913
BUSCHAN, Georg E 1 - 3	Die Sitten der Völker Vol. II: Asien / Afrika Union Deutsche Verlagsanstalt, Stuttgart o.J.
EBERHARD, Wolfram E 1 - 16 (vide Q 2 - 56)	China und seine westlichen Nachbarn Beiträge zur mittelalterlichen und neueren Geschichte Zentralasiens Wiss. Buchgesellschaft, Darmstadt 1978
idem E 1 - 18 (vide S 4 - 28)	Der Prozess der Staatenbildung bei mittel- asiatischen Nomadenvölkern in: E'W': China und seine westlichen Nach- barn, pg. 267 ff. Wiss. Buchgesellschaft, Darmstadt 1978
idem E 1 - 19 (vide S 4 - 28)	Die Kultur der alten zentral- und west- asiatischen Völker nach chinesischen Quellen in: E'W': China und seine westlichen Nach- barn, pg. 186 ff. Wiss. Buchgesellschaft, Darmstadt 1978
idem E 1 - 20 (vide Q 2 - 57)	Kultur und Siedlung der Randvölker Chinas (Supplément zu "T'oung Pao", Vol. XXXVI) E.J. Brill, Leiden 1979 (Nachdruck der Ausg. von 1942)
GEBSER, Jean E 1 - 17	Asienfibel zum Verständnis östlicher Wesensart Ullstein, Frankfurt a.M. 1962

GUHA, Amalendu (Ed.)   Central Asia
E 1 - 5   Movement of peoples and ideas from
                        times historic to modern
                        Indian Council for Cultural Relations,
                        New Delhi   1970

HELLWALD, Friedrich von Centralasien - Landschaften und Völker
E 1 - 13   in Kaschgar, Turkestan, Kaschmir und Tibet
                         Otto Spamer, Leipzig   1875

HODGSON, B.H.   On the Aborigines of the Himalaya
E 1 - 9 (vide S 4 - 4) in: Hodgson, B.H. 'Essaya on Nepal and
                        Tibet', part II, pg. 29 ff.
                        (vide Abtlg. S!)

JOHRI, Sita Ram   Our Borderlands
E 1 - 22   (Travels from Leh to Lashio)
                        Himalaya Publications, Luchnow   1964

KARUTZ, Richard   Die Völker Nord- und Mittelasiens
E 1 - 4   mit 54 Taf. und erläuterndem Text
                        Franchkh'sche Verlagshandlung,
                        Stuttgart   1925

OSHANIN, L.V.   Antropological Composition of the
E 1 - 7   Population of Central Asia. and the
                        Ethnogenesis of its Peoples: I
                        (Russian Translation Series of the
                        Peabody Museum)
                        The Peabody Museum of Archaeology
                        and Ethnology, Harvard University
                        Cambridge, Massachusetts   1964

RATHJENS, C. / TROLL, C. / Vergleichende Kulturgeographie der
UHLIG, H. (Ed.)   Hochgebirge des Südlichen Asien
E 1 - 11 (vide Q 3 - 33 Erdwissenschaftliche Forschung Bd V
                        Franz Steiner, Wiesbaden   1973

RAUNIG, Walter   Bernstein - Weihrauch - Seide
E 1 - 2   Waren und Wege der antiken Welt
                        Verlag Anton Schroll, Wien   1971

SAMOLIN, William   Historical Ethnography of the Tarim
E 1 - 21 / Sep.   Basin before the Turks
                        in: Alaeologia, Vol. IV (1955), No 1,
                        pg. 33 ff.
                        The Paleological Ass. of Japan, Osaka 1955

SCHAEFER, Albert (Ed.) Die Kulturen der Asiatischen Grossreiche
E 1 - 14   und Russlands
                        W. Kohlhammer, Stuttgart   1963

SIIGER, Halfdan　　　　　Ethnological Field-Research in Chitral,
E 1 - 10 / Sep.　　　　　Sikkim, Assam
　　　　　　　　　　　　(from the Third Danish Expedition to
　　　　　　　　　　　　Central Asia)
　　　　　　　　　　　　Kommission Ejnar Munksgaard,
　　　　　　　　　　　　København　　　　　　　　　1956

SINOR, Denis　　　　　　Inner Asia
E 1 - 1　　　　　　　　History - Civilization - Languages
　　　　　　　　　　　　A Syllabus
　　　　　　　　　　　　Indiana University, Bloomington　　1969

TUCCI, Giuseppe　　　　　Earth in India and Tibet
E 1 - 8 (vide S 4 - 1.2)　in: Opera Minora, Vol. II, pg. 533 ff.
　　　　　　　　　　　　Giovanni Bardi, Roma　　　　1971

WATSON, William　　　　Cultural Frontiers in Ancient East Asia
E 1 - 6　　　　　　　　Edinburgh University Press　　1971

WOO, T.L. / MORANT, G.M.　A Preliminary Classification of Asiatic
E 1 - 12 / Sep.　　　　　Races based on Cranial Measurements
　　　　　　　　　　　　in: Biometrika, Vol. XXIV (1932),
　　　　　　　　　　　　pg. 108 ff.
　　　　　　　　　　　　Cambridge　　　　　　　　　1932

E 2. Spezif. Ethnographie, Kulturhistorie u. kulturelle Anthropologie Tibets / phys. Anthropologie, Anthropometrie et sim.

BACOT, M. Jacques　　　Anthropologie du Tibet / Les Populations
E 2 - 24 / Sep.　　　　　du Tibet Sud-Oriental
　　　　　　　　　　　　in: 'Bulletin de la Société d'Anthropolo-
　　　　　　　　　　　　gie de Paris', 1908, tome 9, pg. 462 ff.
　　　　　　　　　　　　Paris　　　　　　　　　　1908

BELL, Sir Charles　　　The People of Tibet
E 2 - 17　　　　　　　Clarendon Press, Oxford (repr.)　1968

idem　　　　　　　　　Tibet - Past and Present
E 2 - 18 (vide B 4 - 1)　(1st ed. 1924, reprinted)
　　　　　　　　　　　　University Press, Oxford　　　1968

BENEDICT, Paul K.　　　Tibetan and Chinese Kinship Terms
E 2 - 57 (vide H 2 - 33)　in: Harvard Journal of Asiatic Studies,
　　　　　　　　　　　　Vol. VI (1941), pg. 313 ff.
　　　　　　　　　　　　Cambridge, Mass.　　　　　　1941

BRAUEN, Martin　　　　Impressionen aus Tibet
E 2 - 44　　　　　　　(Zur Ausstellung der Harrer-Sammlung im
　　　　　　　　　　　　Völkerkunde-Museum der Universität Zürich)
　　　　　　　　　　　　Pinguin-Verlag, Innsbruck
　　　　　　　　　　　　Umschau-Verlag, Frankfurt a.M.　1974

BÜCHI, Ernst C.
(et compl. al. auct.)
E 2 - 7

Anthropologie Tibétaine
Publ. hors série de l'école française
d'Extrême-Orient
Paris   1965

BÜCHI, Ernst C.
E 2 - 38 / Sep.

Die Pigmentierung der Tibetaner
in: Bulletin der Schweiz. Ges. für
Anthropologie und Ethnologie, Nr. 39,
S. 7 - 8, 1962/63
Bern   1963

idem
E 2 - 39/40 / Sep.

Zur Anthropologie der Tibetaner
I : Allgemeine Körperform
II: Grössen- und Formverhältnisse von
Kopf und Gesicht
in: Bulletin der Schweiz. Ges. für
Anthropologie und Ethnologie, 1958/59
Bern   1959

CARRASCO, Pedro
E 2 - 5

Land and Polity in Tibet
University of Washington Press,
Seattle   1959

COMBE, G.A.
E 2 - 54

A Tibetan on Tibet
Being the Travels and Observations of
Mr. Paul Sherap (Dorje Zödba) of Tachienlu;
with an Introductory Chapter on Buddhism
and a Concluding Chapter on the Devil
Dance
Ratna Pustak Bhandar, Katmandu   1975

COMPL. AUCT.
E 2 - 22 / Sep.

Tibet
Bericht einer Solothurner Gymnasialklasse
über ihre Studienwoche am Tibet-Institut
Rikon (Vervielfältigung)
Solothurn   1972

DAVID-NEEL, Alexandra
E 2 - 49

Leben in Tibet
Kulinarische und andere Traditionen aus
dem Lande des ewigen Schnees
Sphinx Verlag, Basel   1976

DELISLE, F.
E 2 - 25 / Sep.

Sur les Charactères Physiques des Populations du Tibet Sud-Oriental
in: 'Bulletin de la Société d'Anthropologie de Paris', 1908, tome 9, pg. 473 ff.
Paris   1908

GENNA, Giuseppe
E 2 - 41 / Sep.

Contributo all'antropologia del Tibet
in: Rivista di Antropologia, Vol. XLII
(1955), pg. 3 - 31
Istituto di Antropologia della Università
Roma   1955

GENNA, Giuseppe
E 2 - 43 / Sep.

Old skeletal remains from Tibet (Lhasa)
in: East and West, Vol. VII, No. 1,
pg. 89 ff.
Istituto Italiano per il Medio ed
Estremo Oriente, Roma   1956

HARRER, Heinrich
E 2 - 6

Sieben Jahre in Tibet
Mein Leben am Hofe des Dalai Lama
Ullstein Verlag,
Wien / Berlin / Frankfurt a.M.   1952

idem
E 2 - 6a

Sieben Jahre in Tibet
Mein Leben am Hofe des Dalai Lama
(gekürzte Ausgabe)
Ullstein, Wien   1957

idem
E 2 - 12

Seven Years in Tibet
translated from German by R. Graven
Rupert Hart-Davis, London   1953

idem
E 2 - 14

Sept Ans d'Aventures Au Tibet
Traduction de Henri Daussy
Arhaud, Paris   1953

idem
E 2 - 19

Meine Tibet-Bilder
Heering Verlag, Seebruck am Chiemsee   1960

idem
E 2 - 52 / Sep.

My Life in Forbidden Lhasa
in: The National Geographic Magazine,
Vol. CVIII, No. 1, July 1955
National Geographic Society,
Washington   1955

HOFFMANN, Helmut
E 2 - 50 (vide S 4 - 22)

Social and Economic Structures in
Traditional Tibet
in: Tibet - A Handbook, pg. 175 ff.
Indiana University Publications,
Bloomington   1975

JACKSON, David
E 2 - 53 (vide S 1 - 37.13)

A Survey of Tibetan Pigments
in: Kailash, Vol. IV, No. 3 (1976)
Kathmandu   1976

JETTMAR, Karl
E 2 - 34 / Sep.

Tibeter in Pakistan: Die Balti
in: Indo Asia, Jg. 20 (1978), No. 3,
pg. 246 ff.
Erdmann, Tübingen und Basel   1978

KOPP, Hans
E 2 - 29

Himalaya Shuttlecock
(Ein Reisebericht)
The Adventurers Club, London   o.J.

KUCHER, Walter
E 2 - 21 / Sep.

Tibet - Land, Volk, Geschichte, Kultur
a.d. Reihe: Ost-West-Begegnung, No. 4
Vorwort von Heinrich Harrer
Kommission Siebenberg-Verlag,
Frankenau/Hessen BRD   1959

KUMAR OF SIKKIM, Maharaj
E 2 - 26 (vide S 1 - 26)

Tibetology
in: 'The Maha Bodhi', Vol. 68, No. 12
pg. 366 ff.
The Maha Bodhi Society, Calcutta   1960

KUZNETCOV, D.I.
E 2 - 61 (vide S 1 - 42)

Influence of the Pamirs on Tibetan Culture
in: The Tibet Journal, Vol. III (1978),
No 3, pg. 35 ff., Library of Tibetan Works
& Archives, Dharamsala   1978

LAFUGIE
E 2 - 51 / Sep.

A Woman Paints the Tibetans
in: The National Geographic Magazine,
Vol. XCV, No. 5, May 1949
National Geographic Society,
Washington   1949

LAUFER, Bertold
E 2 - 9 / Sep.

Use of Human Skulls and Bones in Tibet
Field Museum of Natural History,
Chicago   1923

LE COQ, Albert von
E 2 - 55 (vide G 1 - 18)

Bilderatlas zur Kunst und Kulturgeschichte
Mittel-Asiens
Akademische Druck- und Verlagsanstalt
Graz   1977

LINDEGGER-STAUFFER, Peter
E 2 - 48.1,2 / Sep.

Tibet
(SJW Nr. 1250)
(cf. Ziffer No. E 2 - 48 / Sep: Italien.
Version)
Schweiz. Jugendschriftenwerk, Zürich   1973

McGOVERN, William M.
E 2 - 30

To Lhasa in Disguise
An Account of a secret Expedition through
Mysterious Tibet
Thornton Butterworth, London   1924

MANZ, Reinhard
E 2 - 23 / Sep.

Tibet
Kleine landeskundliche Gesamtdarstellung
Zofingen/Schweiz   1972

MARAZZI, Antonio
E 2 - 56

Il tetto del mondo
Fratelli Fabri Ed., Milano   1974

MEEGEN, Jacques van
E 2 - 8 / Sep.

Tibet - Een politiek-geografische Be-
schouwing (Kandidatsschrift; Typoskript)
Nijmegen / Niederlande   1971

MILLER, Beatrice Diamond
E 2 - 32 (vide S 1 - 33)

Voluntary Associations in Traditional Tibet -
Some Observations
in: The Tibet Society Bulletin, Vol. II
(1968), pg. 18 ff.
The Tibet Society, Bloomington   1968

MILLOUÉ, L. de
E 2 - 10

Bod-Youl ou Tibet
Le Paradis des Moines
E. Lerroux, Paris   1906

MORANT, G.M.
E 2 - 42

A First Study of the Tibetan Skull
in: Biometrika, Vol. XIV (1922 - 23),
pg. 193 ff.
Cambridge   1923

NORBU, Thubten Jigme /
TURNBULL, Colin M.
E 2 - 1

Mein Tibet
Geist und Seele einer sterbenden Kultur
F.A. Brockhaus, Wiesbaden   1971

iidem
E 2 - 28

Tibet - its History, Religion and People
Chatto and Windus, London   1969

PALLIS, Marco
E 2 - 31

Peaks and Lamas
Cassell, London   1946

PETER, Prinz von Griechen-
land und Dänemark
E 2 - 35

A Study of Polyandry
Mouton, The Hague   1963
(cf. Rezension: Hummel, S. sub P 3 - 49)

idem (et al.)
E 2 - 45

Anthropological Researches from the
3rd Danish Expedition to Central Asia
Physical Anthropological Observations
on 5'000 Tibetans
Munksgaard Publishers, Kopenhagen   1966

ROCKHILL, W.W.
E 2 - 27

Notes on the Ethnology of Tibet, based
on the Collections in the United States'
National Museum
Report Smithsonian Institute 1892 - 93,
pg. 669 ff.
Washington   1895

idem
E 2 - 59 (vide D 4 - 103)

Notes on Tibet
Asian Publication Services,
New Delhi   1977

RONGE, Veronika
E 2 - 58

Das tibetische Handwerkertum vor 1959
Franz Steiner, Wiesbaden   1978

SCHMIDT, I.J.
E 2 - 15

Forschungen im Gebiete der älteren
religiösen, politischen und literärischen
Bildungsgeschichte der Völker Mittelasiens,
vorzüglich der Mongolen und Tibeter
Karl Kray, St. Petersburg (orig. 1824)
repr., Leipzig   1972

SHEN, Tsung-lien /
LIU, Shen-chi
E 2 - 11

Tibet and the Tibetans
Stanford University Press   1953

SNELLGROVE, David /
RICHARDSON, Hugh E.
E 2 - 13

Tibet - A Cultural History
Weidenfeld and Nicolson, London   1968

STEIN, Rolf A.
E 2 - 4

La Civilisation Tibétaine
Collection 'Sigma',
Dunod, Paris   1962

idem
E 2 - 20

Tibetan Civilization
Faber and Faber Ltd., London   1972

TIWARI, S.C. /
CHATTOPADHYAY, P.K.
E 2 - 46 / Sep.

Finger Dermatoglyphics of the Tibetans
in: American Journal for Physical
Anthropology, Vol. XXVI, No. 3, pg.
289 - 296
Washington   1967

idem
E 2 - 47 / Sep.

Palmar Dermatoglyphics of Tibetans
in: Zeitschrift für Morphologische
Anthropologie, Vol. LIX, No. 2, pg.
146 - 157
Stuttgart   1967

TUCCI, Giuseppe
E 2 - 2

Tibet - Pays des Neiges
Editions Albin Michel, Paris   1969

idem
E 2 - 3

Tibet - Land of Snows
Photographs by Wim Swaan, Edwin Smith
and others; translated by E. Stapleton
Driver
Elek Books, London   1967
(cf. Rezension: Hummel, Siegbert: P 3 - 5 /
Sep.)

idem
E 2 - 16 (vide S 4 - 1.2)

Tibetan Notes
in: Opera Minora, Vol. II, pg. 471 ff.
Giovanni Bardi, Roma   1971

idem
E 2 - 37

The Ancient Civilization of Transhimalaya
Barrie & Jenkins, London   1973

idem
E 2 - 36

Tibet
(in der Reihe: Archaeologia Mundi)
Nagel, Genf   1973
(cf. Rezension: Hummel, S. sub P 3 - 52)

VIRA, Raghu E 2 - 33	Tibet - A Souvenir The Preparatory Bureau Afro-Asian Convention on Tibet and against Colonialism in Asia and Africa New Delhi 1960
WOODVILLE, W. E 2 - 60 (vide D 3 - 45)	Tibet. A geographical, ethnographical, and historical sketch, derived from Chinese Sources in: Journal of the Royal Asiatic Society, Vol. XXIII (1891), January, pg. 1 - 133, pg. 185 - 291, London 1891

E 3. Kulturhistorie u. Ethnographie spezif. Regionen Tibets

AZIZ, Barbara Nimri E 3 - 22	Tibetan Frontier Families - Reflections of Three Generations from D'ing-ri Vikas, Publishing House, New Delhi 1978
DAVID-NEEL, Alexandra E 3 - 8 / Sep.	The Robber Land of Po A Bandit-Infested Part of Tibet never before penetrated by a European in: 'Asia Magazine', Vol. XXVI, No. 6, New York 1926
DUNCAN, Marion H. E 3 - 11	Customs and Superstitions of Tibetans The Mitre Press, London 1964
FRANCKE, A.H. E 3 - 25	The Dards at Khalatse in Western Tibet in: Mémoirs of the Asiatic Society of Bengal, Vol. I (1906), No 19, pg. 413 ff. Calcutta 1905
FÜRER-HAIMENDORF, Christoph von E 3 - 14 (vide Q 4 - 69)	Himalayan Traders (Life in Highland Nepal) John Murray, London 1975
GERGAN, S.S. E 3 - 27 (vide S 1 - 42)	The Lo-sar of Ladakh, Spiti, Lahul, Khunnu and Western Tibet in: The Tibet Journal, Vol. III (1978), No 3, pg. 41 ff., Library of Tibetan Works and Archives, Dharamsala
GILL, M.S. E 3 - 17 (vide Q 3 - 49)	Himalayan Wonderland (Travels in Lahaul-Spiti) Vikas, Publishing House, New Delhi 1972
HERMANNS, Matthias P. E 3 - 1	Die Nomaden von Tibet Innerasiatische Hirtenkulturen, Ursprung und Entwicklung der Viehzucht Verlag Herold, Wien 1949

HERMANNS, Matthias P.   Die Familie der A-mdo - Tibeter
E 3 - 2   Verlag Karl Alber,
                         Freiburg i. Br. / München   1959

HODGSON, B.H.   On the Tribes of Northern Tibet and of
E 3 - 9 (vide S 4 - 4.2) Sifan
                         in: Hodgson, B.H. 'Essays on Nepal
                         and Tibet', part II, pg. 65 ff.

JEFFREY, J.H.   Khams or Eastern Tibet
E 3 - 19   (An account of Tibetan lore and religion)
                         Arthur H. Stockwell, Devon   1974

JEST, Corneille   Tarap, une vallée dans l'Himalaya
E 3 - 15 (vide Q 4 - 71) Editions du Seuil, Paris   1974

IWANOWSKI, Alexis   Die Mongolei
E 3 - 20 (vide Q 7 - 48 / Ethnographische Skizze (Dissertation)
        Sep.)   Universität Leipzig, Leipzig   1895

McDOUGAL, Charles   Structure and division in Kulunge Rai
E 3 - 13 (vide S 1 - 37) society
                         in: Kailash, Vol. I, No. 3 (1973),
                         pg. 205 ff.
                         Kathmandu   1973

REUILLY, J.   Déscription du Tibet
D 3 - 6 / Sep.   d'après la relation des lamas Tangoutes,
                         établis parmis les Mongols
                         Bossange, Masson et Besson, Paris   1808

RIBBACH, S.H.   Drogpa Namgyal
E 3 - 3   Ein Tibeterleben
                         Otto-Wilh. Barth-Verlag GmbH.,
                         München-Planegg   1940

ROBIN-Evans, Karyl   Sungods in Exile
E 3 - 26   Secrets of the Dzopa of Tibet
                         Edited by David Agamon
                         Neville Spearman, Suffolk   1978

ROCK, Joseph F.   The Life and Culture of the Na-khi Tribe
E 3 - 12   of the China-Tibet Borderland
                         Franz Steiner, Wiesbaden   1963

ROCKHILL, W. Woodville   The Land of the Lamas
E 3 - 16 (vide D 3 - 34) (Notes of a Journey through China,
                         Mongolia and Tibet)
                         The Century Co., New York   1891
                         Ch'eng Wen Publ. Company, Taipei   1972
                         (Reprint)

SHAW, R.B.   Stray Arians in Tibet
E 3 - 23   in: Journal of the Asiatic Society of
                         Bengal, Vol. XLVII, part I (1878), pg. 26 ff.
                         Calcutta   1878

SHERRING, Charles A.   Western Tibet and the Borderland
E 3 - 18 (vide Q 3 - 53)   Cosmo Publications, Delhi   1974

STEIN, R.A.   Mi-ñag et Si-hia
E 3 - 24 / Sep.   Géographie historique et légendes
                              ancestrales
                              in: Bulletin de l'Ecole Française
                              d'Extrême-Orient, tome XLIV (1947 - 1950),
                              Fasc. 1, pg. 223 ff.
                              Imperimerie Nationale, Paris   1951

TUCCI, Giuseppe   Himalayan Cīna
E 3 - 10 (vide S 4 - 2)   in: 'Etudes Tibétaines', pg. 548 ff.
                              (vide Abtlg. S!)

WEIGOLD, Hugo   Ein "lebender Gott", sein Gold und sein Ende
E 3 - 21 / Sep.   Der Priesterkönig von Muli, Südost-Tibet
                              Atlantis, Zürich   1935

E 4. *Generelle Soziologie Tibets / generelle Sozialstruktur*

DARGYAY, Eva   Grundherr und abhängiger Bauer in Tibet
E 4 - 8 (vide S 4 - 30)   Eine Analyse der Machtverhältnisse
                              in: Proceedings of the Csoma de Körös
                              Memorial Symposium, 24. - 30. 9.76,
                              pg. 65 ff.
                              Akadémiai Kiadó, Budapest   1978

DAVID-NEEL, Alexandra   Tibetische Frauen
E 4 - 3 / Sep.   in: 'Atlantis' Vol. VII (Jg.), Heft No. 1,
                              pg. 14 ff.
                              Zürich   1935

HERMANNS, Matthias P.   The Status of Woman in Tibet
E 4 - 1 / Sep.   in: 'Anthropological Quarterly' (for-
                              merly 'Primitive Man'), Vol. XXVI,
                              New Series Vol. I, No. 3
                              Washington   1953

idem   Polyandrie in Tibet
E 4 - 2 / Sep.   Separatdruck aus: 'Anthropos', Vol. XLVIII,
                              pg. 637 ff.
                              Paulus-Verlag, Freiburg/Schweiz   1953

RÓNA-TAS, A.   On a term of taxation in the Old-Tibetan
E 4 - 9 (vide S 4 - 30)   Royal Annals
                              in: Proceedings of the Csoma de Körös
                              Memorial Symposium, 24. - 30. 9.76,
                              pg. 357 ff.
                              Akadémiai Kiadó, Budapest   1978

SAKLANI, Girija   A hierarchical pattern of Tibetan Society
E 4 - 7 (vide S 1 - 42)   in: The Tibet Journal, Vol. III (1978),
                                No 4, pg. 27 ff., Library of Tibetan Works
                                & Archives, Dharamsala   1978

SAMUEL, Geoffrey   Religion in Tibetan Society: A new
E 4 - 5 (vide S 1 - 37.6)   approach
                                Part one: A structural model
                                Part two: The Sherpas of Nepal: A case
                                study
                                in: Kailash, Vol. VI (1978), No. 1, pg. 45 ff.
                                               and No. 2, pg. 99 ff.
                                Kathmandu   1978

SNELLGROVE, David L.   For a Sociology of Tibetan Speaking Regions
E 4 - 4 (vide S 1 - 1)   in: Central Asiatic Journal, Vol. XI,
                                No. 3, pg. 199 ff.
                                Moutton, The Hague / O. Harrassowitz,
                                Wiesbaden   1967

TUCCI, Giuseppe   Vita Nomade
E 4 - 10 / Sep.   Conferenza tenuta ai soci del Club
                                Campeggiatori Romani il 24 Maggio 1956
                                nel Teatro Atenco
                                Club Campeggiatori Romani, Roma   1956

VINDING, Michael   A preliminary report on kinship terminolo-
E 4 - 6 (vide S 1 - 37)   gies of the bodish section of Sino-Tibetan
                                speaking peoples
                                in: Kailash, Vol. VII (1979), No 3 - 4,
                                pg. 191 ff., Kathmandu   1979

E 5.   Soziolog. Monographien / soz. Organisation

AUCT. INCERT.   Bericht aus dem Reich der Frauen
E 5 - 15 / Sep.   Ladakh, Bhutan, Tibet u.a.
                                in: Annabelle, Jg. 42 (1979), No 17,
                                pg. 9 ff.
                                Annabelle, Zürich   23. 8.1979

COMPL. AUCT.   Study of the HL-A System and Other
E 5 - 9 / Sep.   Polymorphisms in the Tibetan Population
                                Munksgaard, Copenhagen   1972

EKVALL, Robert B.   Three Categories of Inmates within Tibetan
E 5 - 1 (vide S 1 - 1)   Monasteries: Status and Function
                                in: Central Asiatic Journal, Vol. V,
                                No. 3, pg. 206 ff.
                                Mouton, The Hague / Harrassowitz,
                                Wiesbaden   1960

EKVALL, Robert B.
E 5 - 4

Fields on the Hoof
Nexus of Tibetan Nomadic Pastoralism
Holt, Rinehart and Wilson
New York   1968

GAVRILOV, Michel
E 5 - 10 / Sep.

Les corps de métiers en Asie Centrale et
leurs status
Librairie Orientaliste Paul Geuthner,
Paris   1928

GOLDSTEIN, Melvyn C.
E 5 - 2 (vide S 1 - 1)

A Study of the Ldab Ldob
in: Central Asiatic Journal, Vol. IX,
No. 2,
Mouton, The Hague / O. Harrassowitz,
Wiesbaden   1964

idem
E 5 - 3 (vide S 1 - 1)

Taxation and the Structure of a Tibetan
Village
in: Central Asiatic Journal, Vol. XV,
No. 1
Mouton, The Hague / O. Harrassowitz,
Wiesbaden   1971

HUMMEL, Siegbert
E 5 - 5 (vide S 1 - 8)

mGar
(Eine mögliche Beziehung des Namens mGar
zum Beruf der Schmiede)
in: Ethnologische Zeitschrift Zürich,
Nr. 1 (1972), pg. 215 ff.
Herbert Lang, Bern   1972

LUDWAR, Gudrun
E 5 - 11

Die Sozialisation tibetischer Kinder im
soziokulturellen Wandel,
dargestellt am Beispiel der Exiltibetersiedlung Dhor Patan (West Nepal)
Franz Steiner, Wiesbaden   1975

MARAZZI, Antonio
E 5 - 14

Ristrutturazione del villaggio e della
vita monastica tra i profughi tibetani dell'
India meridionale
estratto di: L'Uomo, Vol. II, No 1 (1978)
Franco Angeli, Milano   1978

PETECH, Luciano
E 5 - 7

Aristocracy and Government in Tibet -
1728 - 1959
(Serie Orientale Roma, Vol. XLV)
Istituto Italiano per il Medio ed Estremo
Oriente, Roma   1973

PETER, Prinz von Griechen-
land und Dänemark
E 5 - 6 (vide E 2 - 35)

A Study of Polyandry
Mouton, The Hague   1963
cf. Rezension: Hummel, S. sub P 3 - 49)

idem
E 5 - 8 / Sep.

The Aristocracy of Central Tibet
A Provisional List of the Names of the
Noble Houses of Ü-Tsang
Tibet 'Mirror' Press, Kalimpong   1954

RAUBER-SCHWEIZER, Hanna
E 5 - 13

Der Schmied und sein Handwerk im
traditionellen Tibet
(Opuscula Tibetana, Fasc. 6)
Tibet-Institut, Rikon   1976
(cf. Rezension: Ronge, Veronika, sub
P 3 - 56)

SAMDONG, Rinpoche
E 5 - 12

The Social and Political Strata in
Buddhist Thought
in: The Tibet Journal, Vol. II, No. 1,
spring 1977
Library of Tibetan Works and Archives
Dharamsala   1977

TAUBE, Manfred
E 5 - 16 (vide S 4 - 30)

Einige Namen und Titel in tibetischen
Briefen der Berliner Turfan-Sammlung
in: Proceedings of the Csoma de Körös
Memorial Symposium, 24. - 30. 9.76,
pg. 487 ff.
Akadémiai Kiadó, Budapest   1978

E 6. Realia (gen. Sachkultur, Technologie Numismatik, Philatelie et sim.)

ARIS, Michael
E 6 - 8 (vide S 1 - 3)

Tibetan Technology and the West
in: Bulletin of Tibetology, Vol. VI, No.
1, pg. 15 ff.
Namgyal Institute of Tibetology,
Gangtok   1969

HARDERS-STEINHÄUSER, M. /
JAYME, G.
E 6 - 11 (vide E 3 - 12)

Untersuchung des Papiers acht verschiedener
alter Na-khi-Handschriften auf Rohstoff und
Herstellung
in: J.F. Rock: The Life and Culture of the
Na-khi Tribe, pg. 49 ff.
Franz Steiner, Wiesbaden   1963

HUMMEL, Siegbert
E 6 - 12

Profane und religiöse Gegenstände aus
Tibet und der lamaistischen Umwelt im
Linden-Museum
in: Tribus, Nr. 13, pg. 31 ff., Dezember
1964
Linden-Museum für Völkerkunde,
Stuttgart   1964

KALDHEN, Jampal
E 6 - 13 (vide S 1 - 42)

Interest Rates in Tibet
in: The Tibet Journal, Vol. I, No. 1,
July/Sept. 1975
Library of Tibetan Works and Archives
Dharamsala   1975

LEWIN, Louis
E 6 - 5 / Sep.

Fliegenpilz - Amanita muscaria Fries
aus 'Lehrbuch der Toxikologie'
Karl F. Haug Verlag, Ulm   o.J.

LINDEGGER, Peter
E 6 - 14 (vide H 2 - 32)

Onomasticon Tibetanum - Namen und Namen-
gebung der Tibeter
(Opuscula Tibetana, Fasc. 7)
Tibet-Institut, Rikon   1976

LIU, Yangwu
E 6 - 21 / Sep.

Die Achang-Nationalität und ihre Husa-
Schwerter
in: China im Bild, No 5 (1979), pg. 44 f.
Beijing   1979

MEISEZAHL, R.O.
E 6 - 4 / Sep.

Bemerkungen zu tibetischen Handschriften
des 17. - 19. Jahrhunderts, ergänzt durch
die mikroskopische Untersuchung im
Institut für Cellulosechemie der Techni-
schen Hochschule Darmstadt
in: 'Papiergeschichte', Jg. 8, Heft No. 2,
Darmstadt   1958

MENU, J.P. /
FAURE, J.
E 6 - 6 / Sep.

Fliegenpilz - Amanita muscaria Fries
aus: 'L'intoxication par les Champignons'
Masson & Cie., s. 1.   1967

MICHAEL / HENNIG
E 6 - 7 / Sep.

Fliegenpilz - Amanita muscaria Fries
aus: 'Handbuch für Pilzfreunde'
VEB Gustav Fischer Verlag, Jena   1968

MUSZYNSKI, Maurice
E 6 - 3 / Sep.

Varieties of the Tibetan 50 Tam Note
in: 'Bulletin of the International Bank-
note Society' of spring 1970, pg. 99 ff.
s.1.   1970

RAUBER-SCHWEIZER, Hanna
E 6 - 15 (vide E 5 - 13)

Der Schmied und sein Handwerk im traditionellen Tibet
(Opuscula Tibetana, Fasc. 6)
Tibet-Institut, Rikon   1976
(cf. Rezension: Ronge, Veronika,
sub P 3 - 56)

RONGE, Veronika
E 6 - 17 (vide S 2 - 1)

Tibetische Brettchenweberei
in: Zentralasiatische Studien, Vol. XII
(1978), pg. 237 ff.
Otto Harrassowitz, Wiesbaden   1978

ROTH, Hans
E 6 - 10 (vide S 3 - 3)

Zur Erfassung mongolischer und tibetischer
Sachkultur in europäischen Museen und
Sammlungen
in: Serta Tibeto-Mongolica, pg. 255 ff.
Otto Harrassowitz, Wiesbaden   1973

SCHMID, Toni
E 6 - 9 (vide S 4 - 9)

A Tibetan Passport from 1714
in: Contributions to Ethnography,
Linguistics and History of Religion, pg.
57 ff.
Statens Etnografiska Museum,
Stockholm   1954

SCHUH, Dieter
E 6 - 5 (vide S 2 - 1.8)

Ein Rechtsbrief des 7. Dalai Lama für den tibetischen Residenten am Stupa von Bodhnath
in: Zentralasiatische Studien, Vol. VIII (1974), pg. 423 ff.
Otto Harrassowitz, Wiesbaden   1974

SURKHANG, Wangchen
E 6 - 2 / Sep.

Tax Measurements and "lag'don"-Tax
Reprinted from 'Bulletin of Tibetology'
Vol. II, No. 1
Namgyal Institute of Tibetology, Gangtok   1966

TORRENS, Henry
E 6 - 16

Greek and Indo Scythian Kings
Indological Book House,
Delhi Varasani   1972

WADDELL, L.A.
E 6 - 19 / Sep.

Lamaist Graces before meat
in: Journal of the Royal Asiatic Society, Vol. XXVI (1894), pg. 265 ff.
London   1894

WALSH, E.H.
E 6 - 18

Examples of Tibetan Seals
in: Journal of the Royal Asiatic Society, part I: pg. 1 ff.
supplementary note: pg. 465 ff.
London   1915

WATERFALL, Arnold C.
E 6 - 1

The Postal History of Tibet
Robson Lowe Ltd., London   1965

WESTPHAL-HELLBUSCH, Sigrid/ SOLTKAHN, Gisela
E 6 - 20 (vide Q 10 - 38)

Mützen aus Zentralasien und Persien
(Veröff. des Museums für Völkerkunde Berlin, NF 32, Abt. Westasien II)
Museum für Völkerkunde, Berlin   1976

E 7. Pädagogik / Militaria / Jurisdiction / Administration / Tributsystem et sim.

DAGYAB, Loden Sherap
E 7 - 9 / Sep.

Die Verwaltung des Bezirkes Brag-g.yab (= Dagyab, Osttibet) durch die Brag-g.yab skyabs-mgon
aus: 'Heilen und Schenken'. Festschrift für Günther Klinge zum 70. Geburtstag, hg. von Herbert Franke und Walther Heissig, pg. 12 ff.
Otto Harrassowitz, Wiesbaden   1980

DEB, A.
E 7 - 4 (vide S 1 - 37)

Cooch Behar and Bhutan in the context of the Tibetan Trade
in: Kailash, Vol. I, No. 1 (1973), pg. 80 ff.
Kathmandu   1973

DORJEE, Tashi
E 7 - 5 (vide S 1 - 42)

Education in Tibet
in: The Tibet Journal, Vol. II, No. 4
(1977)
Library of Tibetan Works & Archives,
Dharamsala   1977

GOLDSTEIN, Melvyn C.
E 7 - 2 (vide S 1 - 1)

The Balance between Centralization and
Decentralization in the Traditional Tibetan
Political System
in: Central Asiatic Journal, Vol. XV,
No. 3, pg. 170 ff.
Otto Harrassowitz, Wiesbaden   1971

JAGCHID, Sechin
E 7 - 3 (vide S 1 - 1)

A Mongol Text Letter from a Tibetan Leader
to the Manchu Ministers
in: Central Asiatic Journal, Vol. XVII,
No. 2 - 4, pg. 150 ff.
Otto Harrassowitz, Wiesbaden   1973

KLAR, Helmut
E 7 - 7 / Sep.

Buddhistische Eltern und ihre Kinder
Octopus, Wien   1977

RICHARDSON, H.E.
E 7 - 6 / Sep.

Ministers of the Tibetan Kingdom
in: The Tibet Journal, Vol. II (1977),
No. 1, pg. 10 ff. (Separatum)
Dharamsala   1977

THONDUP, Ngawang
E 7 - 8 (vide S 4 - 24)

Rtze, Slob, Grwa - The peak academy
of Tibet
in: Etudes Tibétaines, pg. 75 ff.
L'Asiatèque, Paris   1976

WYLIE, Turrell V.
E 7 - 1 (vide S 1 - 1)

Tibetan Passports: Their Function and
Significance
in: Central Asiatic Journal, Vol. XII,
No. 2, pg. 149 ff.
Mouton, The Hague / Otto Harrassowitz
Wiesbaden   1968

E 8. Varia

BIRCHER, Ralph
E 8 - 5 (vide Q 3 - 59)

Hunsa: Das Volk, das keine Krankheit kennt
Hans Huber, Bern und Stuttgart   1952

HEUVELSMANN, Bernard
E 8 - 1 / Sep.

Von Schneemenschen, Waldmenschen und
Gorgonen (ref. z. Yeti)
a. d. Zeitschrift 'Panorama' der Firma
Sandoz, Basel   April 1962

HUNT, John
E 8 - 8 / Sep.

Unseen Yeti
in: The Geographical Magazine, Vol. LI,
No 9 (1979), pg. 629 ff.
The Geographical Magazine, London   1979

KERR, Alex
E 8 - 6 (vide S 1 - 37.15)

Imagination or Reality: Mysticism and
Explorers in Tibet
in: Kailash, Vol. V, No. 1 (1977),
pg. 67 ff.
Kathmandu   1977

MÜLLER, Klaus E.
E 8 - 2

Geschichte der Antiken Ethnographie und
Ethnologischen Theoriebildung
Von den Anfängen bis auf die Byzantini-
schen Historiographen, Teil I
Franz Steiner, Wiesbaden   1972

ROSSABI, Morris
E 8 - 9 / Sep.

The tea and horse trade with Inner Asia
during the Ming
in: Journal of Asian History, Vol. IV
(1970), No 2, pg. 136 ff.
Otto Harrassowitz, Wiesbaden   1970

VISCHER-FREY, Ruth
E 8 - 7 / Sep.

Chinesisches und "Barbarisches" im Spiegel
der 'Shanghai-Bildzeitung' 1884 - 1898
in: Neue Zürcher Zeitung, Nr. 254, 29.10.
1977
Neue Zürcher Zeitung, Zürich   1977

WALN, Nora
E 8 - 4 (vide U 7 - 46)

Sommer in der Mongolei
Wolfgang Krüger, Berlin   1936

WITHAM, P.E.
E 8 - 3 / Sep.

China Tea and the Trade Routes
Royal Central Asian Society, London   1947

ZHA, De
E 8 - 10 / Sep.

Das tibetische Neujahr
in: China im Bild, Nr. 6 (1979), pg. 1 ff.,
Beijing   1979

F. Medizin/Pharmakologie/Arithmetik/Astronomie/ Astrologie/Botanik/Zoologie et sim.

F 1. Medizinhistorisches

CSOMA DE KÖRÖS, Alexander F 1 - 6 / Sep.	Analysis of a Tibetan Medical Work in: Journal of the Asiatic Society of Bengal, Vol. IV (1835), No 37, pg. 1 ff., Calcutta 1835
EMMERICK, R.E. F 1 - 5 / Sep.	Sources of the Rgyud-Bźi in: Zeitschrift der Deutschen Morgen- ländischen Gesellschaft, Suppl. III, 2, pg. 1135 ff. Franz Steiner, Wiesbaden 1977
MÜLLER, Reinhold F.G. F 1 - 1	Die Krankheits- und Heilgottheiten des Lamaismus Eine medizingeschichtliche Studie in: Anthropos, Vol. XXII (1927), pg. 956 ff. Anthropos, St. Gabriel-Mödling 1927
OLSCHAK, Blanche Chr. F 1 - 2 / Sep.	The Art of Healing in Ancient Tibet in: Ciba Symposium, Vol. XII, No. 3 (1964) Ciba, Basel 1964
eadem F 1 - 3 / Sep.	Überlieferungen alt-indischer Heilkunst in: 'Repice SANDOZ', Vol. I, No. 8 Sandoz, Basel 1966
eadem F 1 - 4 / Sep.	Auf den Spuren uralten Heilwissens im Tibet Sonderabdruck aus 'Ciba Symposium' Vol. 12, Heft No. 3, pg. 129 ff. Basel 1964
PEZZI, Giuseppe F 1 - 7 / Sep.	L'Italia ed i rapporti medici con la Cina ed il Tibet durante i Sec. XVI e XVII in: Annali di Medicina Navale, Vol. LXXV (1970), Fasc. 1, pg. 41 ff. Roma 1970

113

F 2. Generelles ad tib. Medizin / med. Enzyklopädien

AUCT. INCERT. F 2 - 10 / Sep.	Bibliography of European Works on Tibetan Medicine o.O. o.J.
AUCT. INCERT. F 2 - 21 / Sep.	Medizinische Enzyklopädie (Die tibetische Medizin) in: China im Bild, No 1 (1979), pg. 48, Beijing 1979
BADMAEV, P.A. F 2 - 5	Ueber das System der Heilkunde in Tibet (in russischer Sprache) Lieferung I Nadeschda Skoropetschatnaja, Petersburg 1898
BADMAJEFF, Wladimir F 2 - 2 / Sep.	Tibetanische Medizin in: 'Atlantis', VII. Jg., Heft No. 1, pg. 35 ff. Zürich 1935
idem F 2 - 4 / Sep.	Chi Schara Badahan - Grundzüge der tibetanischen Medizin Johannes Baum Verlag, Pfullingen i. Wttb. o.J.
BURANG, Theodor (Pseud. f. Illion, Theodor) F 2 - 1	Tibetische Heilkunde Origo Verlag, Zürich 1957
DASH, Vaidya Bhagwan F 2 - 11	Tibetan Medicine with special reference to Yoga Sataka Library of Tibetan Works & Archives, Dharamsala 1976
DHARAMSALA, Tibetan Medical Centre F 2 - 16 / Sep.	Tibetan Medical Centre Centre for Tibetan Medicine and Astrology Tibetan Medical Centre, Dharamsala 1980
DONDEN, Yeshey F 2 - 8 (vide S 1 - 33)	Tibetan Medicine - A brief History in: The Tibet Society Bulletin, Vol. V (1972), pg. 7 ff. The Tibet Society, Bloomington 1972
DRAKTON, Jampa Gyaltsen F 2 - 17 (vide F 8 - 15 / S 1 - 23)	Astrology and the Tibetan art of healing Transl. & annotated by Tashi Tsering and Glenn H. Mullin in: Tibetan Review, Vol. XV (1980), No 2 - 3, pg. 12 ff. New Delhi 1980

FINCKH, Elisabeth F 2 - 3 / Sep.	Erfahrungsbericht über tibetische Medizin Sonderdruck aus: 'Abendländische Therapie und östliche Weisheit' Ernst Klett Verlag, Stuttgart ca. 1968
eadem F 2 - 9	Grundlagen Tibetischer Heilkunde Bd 1 Medizinische Literarische Verlagsgesell- schaft, Uelzen 1975 (cf. Rezension: Lindegger, P., sub P 3 - 53 / Sep.)
eadem F 2 - 9a	Foundations of Tibetan Medicine Vol. 1 Translated from German by Fredericka M. Houser Watkins, London & Dulverton 1978
HUMMEL, Siegbert F 2 - 19 / Sep.	Tibetische Heilkunde in: Literatur-Anzeiger der Schweizer Tibethilfe Luzern, No 3, pg. 15 ff. Luzern 1975
LALOU, Marcelle F 2 - 22 (vide J 8 - 4 / Sep.)	Texte médical tibétain in: Journal Asiatique, tome CCXXXIII (1941 - 42), pg. 209 ff., Imprimerie Nationale, Paris 1945
LANDOR, H.S. F 2 - 6 / Sep.	Tibetanische Heilkunst Angaben zur Medizin der Tibeter in: Landor, H.S.: Auf verbotenen Wegen, pg. 276 ff. (cf. sub Ziffer D 3 - 11) F.A. Brockhaus, Leipzig 1898
LAUFER, Heinrich F 2 - 14	Beiträge zur Kenntnis der Tibetischen Medicin Inaugural-Dissertation, Berlin 1900
MÜLLER, Reinhold F.G. F 2 - 23 (vide L 4 - 253 / Sep.)	Die Heilgötter des Lamaismus in: Archiv für Geschichte der Medizin, Bd XIX (1927), pg. 9 ff., Johann Ambrosius Barth, Leipzig 1927
MULLIS, Marie-Louise F 2 - 13 / Sep.	Metaphysische Medizin im fernen Osten, am Beispiel Tibet Separatum aus: Die Heilkunst, Jg. 92 (1979), Heft 3 Heilkunst-Verlag, München 1979
NORBU, Dawa (Ed.) F 2 - 12	An Introduction to Tibetan Medicine Tibetan Review, New Delhi 1976

RECHUNG Rinpoche   Tibetan Medicine
(Jampal Kunzang)   illustrated in original texts
F 2 - 7   University of California Press,
    Berkeley and Los Angeles   1973
    (cf. Rezension in 'Kailash', Vol. III,
    No. 1, 1975 sub P 3 - 55 vide S 1 - 37.7)

ROCHLIN, Sheldon   Tibetan Medicine
F 2 - 20 (vide U 2 - 33)   Farbfilm, Lichtton, 16 mm, Dauer: 40 Min.
    mit engl. Kommentar
    Dharamsala / London   1964/1965

VEITH, Ilza   Medizin in Tibet
F 2 - 15   Bayer, Leverkusen   ca. 1952

WALSH, E.H.C.   The Tibetan Anatomical System
F 2 - 18 / Sep.   in: Journal of the Royal Asiatic Society,
    pg. 1215 ff.
    London   1910

F 3. Medizinalphilosophie/med. Spekulation

DASH, Dhagwan   Ayurveda in Tibet
F 3 - 4 (vide S 1 - 42)   in: The Tibet Journal, Vol. I, No. 1,
    Library of Tibetan Works and Archives
    Dharamsala   1975

DÖNDEN, Yeshi (Ed.)   The Ambrosia Heart Tantra
F 3 - 5   The secret oral teaching on the eight
    branches of the science of healing
    tib. bDud-rtshi.snying.po.yan.lag.
    brgyad.pa.gsang.ba.man.ngag.gi.rgyud
    with annotations by Yeshi Dönden
    Volume 1 (transl. by Jhampa Kelsang)
    Library of Tibetan Works and Archives,
    Dharamsala   1977
    (Rezension: sub P 3 - 73 (vide S 1 - 23))

KORVIN-KRASINSKY von,   Die tibetische Medizinalphilosophie
Cyrill   Origo Verlag, Zürich (2. Aufl.)   1964
F 3 - 1

STABLEIN, William   Tantric Medicine and Ritual Blessings
F 3 - 3 (vide S 1 - 42)   in: The Tibet Journal, Vol. I, No. 3 & 4
    Library of Tibetan Works & Archives,
    Dharamsala   1976

WAYMAN, Alex   Buddhist Tantric Medicine Theory on
F 3 - 2 (vide S 1 - 37)   behalf of oneself and others
    in: Kailash, Vol. I (1973), No. 2,
    pg. 153 ff.
    Kathmandu   1973

F 4. Spezielle med. Probleme / Therapeut. Methoden

BURANG, Theodore F 4 - 11 (vide S 1 - 23)	About Cancer in: Tibetan Review, Vol. X, No 5/6 (1975), pg. 19 ff. Tibetan Review, New Delhi	1975
DASH, Vaidya Bhagwan F 4 - 9 (vide S 1 - 42)	Saffron in Ayurveda and Tibetan Medicine in: The Tibet Journal, Vol. I, No. 2 Library of Tibetan Works and Archives Dharamsala	1976
idem F 4 - 10 (vide S 1 - 37.11)	The Drug 'Terminalia Chebula' in Ayurveda and Tibetan Medical Literature in: Kailash, Vol. IV (1976), No. 1, pg. 5 ff. Kathmandu	1976
FILLIOZAT, Jean (Trad.) F 4 - 7 (vide J 8 - 3)	Fragments de Textes Koutchéens de Médecine et de Magie Adrien-Maisonneuve, Paris	1948
FLÜCK, H. / BUBB, W. Ph. F 4 - 2 / Sep.	Eine lamaistische Rezeptformel zur Be- handlung der chronischen Verstopfung in: 'Praxis', Vol. 59, pg. 1190 - 1193 Hallwag Verlag, Bern	1970
HERRMANN, Ferdinand F 4 - 5 / Sep.	Der Atem in Symbolik und Lebensübung Separatum a. d. Aerztezeitschrift 'Die Kapsel', hrgb. v. R. P. Scherer mit Abbildungen, Heft No. 18 Scherer GmbH., Eberbach/Baden	1965
OLSCHAK, Blanche Chr. F 4 - 4.1 f. / Sep.	Ein Zentrum tibetischer Heilkunde im Nordost-Punjab in: 'Recipe SANDOZ', Vol. I, No. 9 in deutscher und in englischer Edition Sandoz, Basel	1967
PÁLOS, Stephan F 4 - 1	Atem und Meditation Moderne chinesische Atemtherapie als Vorschule der Meditation "Theorie-Praxis Originaltexte" Otto Wilh. Barth Verlag, Weilheim	1968
STABLEIN, William F 4 - 8 (vide S 1 - 37)	A Medical-cultural system among the Tibetan and Newar Buddhists: Ceremonial Medicine in: Kailash, Vol. I, No. 3 (1973) pg. 193 ff. Kathmandu	1973

TARTHANG Tulku   Kum Nye Relaxation
F 4 - 12 (vide L 9 - 9.1 f.) Part 1: Theory, Preparation, Massage
                         Part 2: Movement, Exercises
                         Dharma Publishing, Emeryville   1978

TULAWATNA, K.   Die Hospitalpflege buddhistischer Mönche
F 4 - 3 / Sep.   in: 'Image Roche', No. 31, pg. 30
                         Roche, Basel   1970

UNKRIG, W.A.   Die Tollwut in der Heilkunde des Lamaismus
F 4 - 6 (vide S 4 - 9)   nach tibetisch-mongolischen Texten im
                         'Statens Etnografiska Museum' zu Stockholm
                         in: Contributions to Ethnography,
                         Linguistics and History of Religions
                         pg. 1 ff.
                         Statens Etnografiska Museum, Stockholm
                                            1954

F 5. Med. Ikonographie (u. Tafelwerke, Tabellen, Atlanten)

CHANDRA, Lokesh   Chart illustrating the surgical instruments
F 5 - 3   mentioned in the 22nd chapter of the bsad
                         rgyud or the second tantra of the Gyushi
                         (Rgyud bzhi), "The Four Medical Tantras"
                         International Academy of Indian Culture,
                         New Delhi   o.J.

HUARD, Pierre (Ed.)   La Médicine Tibétaine
F 5 - 1 / Sep.   Texte et douze planches (originaux en
                         couleurs);
                         Publication: 'Mémento Thérapeutique
                         Latéma'
                         Editions R. Dacosta, Paris   ca. 1966

LAUF, Detlef Ingo   gYu-THog-Pa und die Medizingottheiten in
F 5 - 2 / Sep.   Tibet
                         in: 'Sandoz Bulletin' Nr. 23, pg. II ff.
                         Sandoz, Basel   1971

MÜLLER, Reinhold   Ein Beitrag zur ärztlichen Graphik aus
F 5 - 4 / Sep.   Zentralasien (Turfan)
                         in: Archiv für Geschichte der Medizin,
                         Bd XV (1923), pg. 21 ff.,
                         Johann Ambrosius Barth, Leipzig   1923

Vide weitere Titel sub G 4!

F 6. Pharmakologie, Rezeptur, Toxikologie

BADMAJEFF, Wladimir F 6 - 5 / Sep.	Vokabular zur tibetischen Heilpflanzen- kunde (tib.-mongol.-lat.-russ.) 383 Nrn. auf 25 Blättern Kopie nach einem Manuskript o.J.
DEBEAUX, J.-O. F 6 - 2	Essai sur la Pharmacie et la Matière médicale des Chinois Baillière et Fils / Challamel Ainé, Paris 1865
HAMMERMAN, A.F. / SEMIČOV, B.W. F 6 - 4	Wörterbuch der tibetisch-lat.-russ. Bezeichnungen der Naturheilstoffe, die in der tibetischen Medizin angewendet werden Akademie der Wissenschaften der UdSSR, Sibirische Abtlg. (Burätisches Komb. Wissenschaftl. Forschungsinstitut) Ulan-Ude 1963
HÜBOTTER, Franz F 6 - 1	Chinesisch-tibetische Pharmakologie und Rezeptur Karl F. Haug Verlag, Ulm · 1957
KHUNDANOVA, Lydia F 6 - 6 / Sep.	Heilpflanzenatlas vom Dach der Welt in: Unesco-Kurier, Jg. 20, Nr. 7 (1979) pg. 20 ff. Hallwag, Bern 1979
REHMANN, J. F 6 - 3 / Sep.	Beschreibung einer Thibetanischen Hand- apotheke Ein Beytrag zur Kentniss der Arzneykunde des Orients F. Drechsler, St. Petersburg 1811
UNKRIG, Wilhelm A. F 6 - 7 / Sep.	Zur Terminologie der lamaistischen Medizin, besonders ihrer Arzneien in: Forschungen und Fortschritte, 12. Jg. (1936), Nr. 20/21, pg. 265 f., Berlin 1936

F 7. Astronomie

nihil

F 8. Astrologie / Divinatorische Praktiken / Kalendarium / Chronometrie et sim.

BACOT, M.J.
F 8 - 14 (vide J 2 - 107 /
    Sep.)

La table des présages signifiés par
l'éclair
Texte tibétain, publié et traduit par
M.J. Bacot
in: Journal Asiatique, 11ème Série,
tome 1 (1913), pg. 445 ff.
Imprimerie Nationale, Paris   1913

DRAKTON, Jampa Gyaltsen
F 8 - 15 (vide S 1 - 23)

Astrology and the Tibetan art of
healing
Transl. & annotated by Tashi Tsering
and Glenn H. Mullin
in: Tibetan Review, Vol. XV (1980),
No 2 - 3, pg. 12 ff. New Delhi   1980

HENNING, Edward
F 8 - 16 (vide S 1 - 53)

Fundamentals of the Tibetan Calendar
in: Tibet News Review, Vol. I (1980),
pg. 13 ff.
London   1980

HUMMEL, Siegbert
F 8 - 1 / Sep.

Kosmische Strukturpläne der Tibeter
in: 'Geographica Helvetica', Nö. I
Bern   1964

idem
F 8 - 7

Günstige und ungünstige Zeiten und Zeichen
nach dem Tibetischen des Chags-med-rin-po-che
in: Asian Folklore Studies, Vol. XXII (1963),
pg. 90 ff.
Society for Asian Folklore, Tokyo   1963

KOLMAŠ, Josef
F 8 - 5 / Sep.

Měřeni času u Tibet'anů
(Zeitrechnung in Tibet)
in: Novi Orient, Jg 27 (1972), Nr. 9,
pg. 269 ff.
Verlag der Tschechoslowak. Akademie der
Wissenschaften, Prag   1972

NEBESKY-WOJKOWITZ, René
F 8 - 13 / Sep.

Das tibetische Staatsorakel
in: Archiv für Völkerkunde, Bd III (1948),
pg. 136 ff.
Wilhelm Braumüller, Wien   1948

PELLIOT, M.P.
F 8 - 17 / Sep.

Le Cycle sexagénaire dans la chronologie
tibétaine
in: Journal Asiatique, 11ème Série,
tome 1 (1913), pg. 633 ff.
Imprimerie Nationale, Paris   1913

PETER, Prince of Greece
and Denmark
F 8 - 18 (vide S 4 - 30)

Tibetan Oracles in Dharamsala
in: Proceedings of the Csoma de Körös
Memorial Symposium, 24. - 30. 9.76,
pg. 327 ff.
Akadémiai Kiadó, Budapest   1978

SCHRÖTER, Julius Erich   Pasakakevali - Ein indisches Würfelorakel
F 8 - 10 / Sep.   Druck von R. Noske, Borna   1900

SCHUH, Dieter   Ueber die Möglichkeit der Identifizierung
F 8 - 2 (vide S 2 - 1.6)   tibetischer Jahresangaben anhand der
    sme-ba dgu
    in: Zentralasiatische Studien, Vol. VI,
    pg. 485 ff.
    Otto Harrassowitz, Wiesbaden   1972

idem   Die Darlegungen des 5. Dalai Lama Ñag-dbañ
F 8 - 8 (vide S 2 - 1.7)   blo-bzañ rgya-mtsho zur Kalkulation der
    neun sme-ba
    in: Zentralasiatische Studien, Vol. VII
    (1973), pg. 285 ff.
    Otto Harrassowitz, Wiesbaden   1973

idem   Der chinesische Steinkreis. Ein Beitrag
F 8 - 9 (vide S 2 - 1.7)   zur Kenntnis der Sino-tibetischen
    Divinationskalkulation
    in: Zentralasiatische Studien, Vol. VII
    (1973), pg. 353 ff.
    Otto Harrassowitz, Wiesbaden   1973

idem   Untersuchungen zur Geschichte der Tibeti-
F 8 - 6   schen Kalenderrechnung
    Franz Steiner, Wiesbaden   1973

SERRUYS, Henry   Mongol horoscope of the year 1914
F 8 - 11 (vide S 1 - 1)   in: Central Asiatic Journal, Vol. XVIII,
    No. 3, pg. 175 ff.
    Otto Harrassowitz, Wiesbaden   1974

SONAM WANGDI /   Astrological tradition of Tibet
PHILIP   Part I: History
    Part II: Almanac & Calendar
    in: Tibetan Review, Vol. XIV, No 10 (1979)
    pg. 18 ff. and Vol. XIV, No 12 (1979),
    pg. 8 ff.
    Tibetan Review, New Delhi   1979

VIDYABHUSANA, S. Chandra   Srid-pa Ho
F 8 - 4 / Sep.   A Tibeto-Chinese Tortoise Chart of
    Divination
    in: Memoirs of the Asiatic Society of
    Bengal, Vol. V, No. 1, pg. 1 - 11
    Calcutta   1918

VOGEL, Claus   On Tibetan Chronology
F 8 - 3 (vide S 1 - 1)   in: Central Asiatic Journal, Vol. IX,
    No. 3,
    Mouton, The Hague / O. Harrassowitz,
    Wiesbaden   1964

F 9. Mathematik, Arithmetik, Kalkulationstechniken et sim.

SCHUH, Dieter
F 9 - 1 (vide S 2 - 1.4)

Studien zur Geschichte der Mathematik
und Astronomie in Tibet
Teil I: Elementare Arithmetik
in: Zentralasiatische Studien, Vol. IV
pg. 81 ff.
Otto Harrassowitz, Wiesbaden   1970

F 10. Botanik / Zoologie (inkl. Kynologie) et sim.

AUCT. INCERT.
F 10 - 22 (vide S 5 - 4)

Im Tal des Elefantenquellflusses
in: China im Bild, No. 4, 1978, pg. 22 ff.
China im Bild, Peking   1978

AUCT. INCERT.
F 10 - 35 / Sep.

Schwarzhalsige Kraniche
in: China im Bild, No 11, pg. 21
Beijing

AUCT. INCERT.
F 10 - 37 / Sep.

Neuentdeckte, wilde Gerstensorte
in: China im Bild, No 11 (1978), pg. 30
Beijing   1978

AUCT. INCERT.
F 10 - 38 (vide B 1 - 1 /
            Sep.)

Die Cathaysia-Flora in Nordtibet
in: China im Bild, Nr. 5 (1978),
pg. 36 f., Beijing   1978

ATKINSON, Edwin T.
F 10 - 18

Fauna of the Himalayas
Cosmo Publications, Delhi   1974

BAILEY, F.M.
F 10 - 11 / Sep.

Shooting 'Takin' in Eastern Tibet
Lose Blätter a.d. Vol. CXCIII, No.
MCLXVIII (Febr.) einer englischen
Zeitschrift (evtl. Royal Geogr. Soc.)
('takin': Budorcas taxicolor)
William Blackwood & Sons, London   1913

BERG, Bengt
F 10 - 29

Der Lämmergeier im Himalaja
Dietrich Reimer / Ernst Vohsen,
Berlin   1931

BRUGUÉ, J.
F 10 - 6 / Sep.

Los pequeños perros del Tibet
(Tibet-Terrier)
Artikel a.e. unbekannten Zeitschrift
s.l.   o.J.

idem
F 10 - 6.1 f. / Sep.

Los pequeños perros del Tibet
(Tibet-Terrier)
mit Uebersetzung ins Deutsche
Artikel aus einer unbekannten span.
Fachzeitschrift
s.l.   o.J.

COMPL. AUCT.
F 10 - 16 (vide Q 4 - 63)

Bibliographie du Népal
Vol. III, Tome 2: Botanique
Centre National de la Recherche
Scientifique
Paris   1972

COMPL. AUCT.
F 10 - 34 (vide D 4 -
          118.10 I)

Wissenschaftliche Ergebnisse der Expedition
Filchner nach China und Tibet, 1903 - 1905
Band 10, 1. Teil:
1. Abschnitt: Zoologische Sammlungen
2. Abschnitt: Botanische Sammlungen
Ernst Siegfried Mittler und Sohn
Berlin   1908

COX, E.H.M.
F 10 - 14

Plant-Hunting in China
A History of Botanical Exploration in
China and the Tibetan Marches
Collins, London   1945

DANG, K.R.
F 10 - 36 / Sep.

Scheue Kiangs stürmen durch Klein-Tibet
in: Das Tier, Jg. 17, No 4 (1977),
pg. 4 ff., Hallwag, Bern   1977

EKVALL, Robert B.
F 10 - 4 / Sep.

Role of the Dog in Tibetan Nomadic
Society
in: Central Asiatic Journal, Vol. VIII,
No. 3, pg. 163 ff.
Mouton, The Hague / O. Harrassowitz,
Wiesbaden   1963

FLETCHER, Harold R.
F 10 - 33

A quest of flowers
The plant explorations of Frank Ludlow
and George Sherriff told from their
diaries and other occasional writings
Edinburgh University Press
Edinburgh   reprint 1976

GEORGE, St. George
F 10 - 17 (vide Q 9 - 1)

Russland: Wüsten und Berge
mit Photos von Lew Ustinow
Time-Life, Amsterdam   1974

HEIM, Arnold
F 10 - 25 / Sep.

Tibetdogge
in: Schweizer Hunde-Sport, Jg. 48,
Nr. 3 (1932), pg. 43 ff.
Zürich   1932

HODGSON, B.H.
F 10 - 31 / Sep.

Notice of two Marmots inhabiting respecti-
vely the plains of Tibet and the Himalayan
Slopes near to the Snows, and also a Rhino-
lophus of the central region of Nepal
in: Journal of the Asiatic Society of
Bengal, Vol. XII (1843), Part I, pg. 409 ff.
Calcutta   1843

KIAUTA-BRINK, M.A.J.E.
F 10 - 21.1 ff. / Sep.
Some Tibetan Expressions for "Dragonfly"
with special reference to the biological
features and demonology

KINLOCH, Alexander A.A.
F 10 - 12
Large Game Shooting in Thibet and
The North West
Harrison, London   1876

idem
F 10 - 13
Large Game Shooting in Thibet and
Northern India
W. Thacker & Co., London   1885

KULÖY, H.K. (Ed.)
F 10 - 19 (vide Q 5 - 17)
Some chapters about Flora and Fauna of
Himalayan regions
in: The Gazetteer of Sikhim
Mañjuśrī Publishing House, New Delhi   1972

LHALUNGPA (Ed.)
F 10 - 7 / Sep.
A Brief Account of Tibetan Dogs
The Apso Committee, Tibet House
New Delhi   1970

LIMPRICHT, W.
F 10 - ?
Botanische Reisen in den Hochgebirgen
Chinas und Ost-Tibets
Verlag des Repertoriums
Dahlem bei Berlin   1922

NGARI, D.Z. Tulku /
PRADHAN, B.B.
F 10 - 9 (vide S 1 - 3)
The Noble Flower
in: Bulletin of Tibetology, Vol. II,
No. 3, pg. 29 ff.
Namgyal Institute of Tibetology
Gangtok   1965

NICOLSON, Nigel
F 10 - 20 (vide Q 3 - 52)
Der Himalaya
Time-Life, Amsterdam   1975

NOUČ, Winfried
F 10 - 24
Tibetische Hunde
Aufzucht, Haltung, Pflege, Erziehung
Franckh'sche Verl.handlung
Stuttgart   1978

PANDE, Ramesh C.
F 10 - 5 / Sep.
Klein, aber Oho: ein Apso!
aus: 'Bunte Illustrierte', No. 51 vom
15. Dezember   1970

POOLE, Colin
F 10 - 28 (vide S 1 - 31)
The Tibetan Spaniel
in: Newsletter of the Tibet Society
of the U.K., Sept. 1975, pg. 11 f.
London, September   1975

RICHARDSON, Hugh E.
F 10 - 27 (vide S 1 - 31)
Birds in Tibet
in: Newsletter of the Tibet Society
of the U.K.,July 1975, pg. 12 f.
London, July   1975

SCHÄFER, Ernst
F 10 - 3 / Sep.

Das Land der lebenden Fossilien ist uns
heute versperrt
in: 'Das Tier', No. 8 (Aug.), pg. 18 ff.
Hallwag Verlag, Bern   1970

SCHALLER, George B.
F 10 - 32

Stones of Silence
Journeys in the Himalaya
The Viking Press, New York   1980

SCHRUFF, Sabine
F 10 - 15 / Sep.

Hunde, die Glück bringen (Lhasa Apso)
in: Kölner Stadt-Anzeiger, 31.10.1973
Köln   1973

SIBER, Max
F 10 - 26

Der Tibethund
Winterthur   1897

STEINER, M.
F 10 - 8 (vide S 2 - 1.3)

Botanische Untersuchungen des Inhalts
eines tibetischen mC'od-rten
in: Zentralasiatische Studien, Vol. III,
pg. 77 ff.
Otto Harrassowitz, Wiesbaden   1969

STREBEL, Richard
F 10 - 23

Die Tibetaner Dogge
in: Strebel, Richard: Die deutschen Hunde
und ihre Abstammung ... Bd 1, S. 183 -
204
Kern, München   1903

THAPA, J.K.
F 10 - 10 (vide S 1 - 3)

Primitive Maize with the Lepchas
in: Bulletin of Tibetology, Vol. III,
No. 1, pg. 29 ff.
Namgyal Institute of Tibetology
Gangtok   1966

VAURIE, Charles
F 10 - 1

Tibet and its Birds
H.F. & G. Witherby Ltd., London   1972

WYNYARD, Ann L.
F 10 - 30 (vide S 1 - 31)

Tibetan Dogs
in: The Tibet Society and Relief Fund
of the U.K., Summer 1980, pg. 11 f.
Tibet Society, London   1980

F 11. Chin. u. ind. Medizin

ACKERKNECHT, E.H.
F 11 - 4 / Sep.

Akupunktur - gestern, heute, morgen
aus: 'Schweizerische Aerztezeitung',
53. Jg., No. 33 (Aug.)
Gesellschaft der Schweizer Aerzte,
Bern   1972

CROIZIER, Ralph C.   Traditional Medicine in Modern China
F 11 - 5   Science, Nationalism and the Tensions
                            of Cultural Change
                            Harvard East Asian Series, 34,
                            Harvard University Press,
                            Cambridge   1968

DUKE, Marc   Akupunktur
F 11 - 7   (Chinas heilende Nadeln)
                            Suhrkamp, Frankfurt a.M.   1974

FAUBERT, André   Initiation à l'Acupuncture Traditionelle
F 11 - 6   Pierre Belfond, Paris   1974

HAMBURG, Institut für   Akupunktur - Ernüchterung
Asienkunde (Ed.)   in: China aktuell, Jg. 2, No. 2, März 1973,
F 11 - 9 (vide S 1 - 39)   pg. 50
                            Institut für Asienkunde, Hamburg   1973

PÁLOS, Stephan   Die Muskel-Meridiane
F 11 - 3 / Sep.   mit 12 Tafeln
                            Karl F.Haug Verlag, Heidelberg   1967

SCHALL, Paul   Der Arzt in der Chinesischen Kultur
F 11 - 1   J. Fink Verlag, Stuttgart   1965

WALLNÖFER, Heinrich   Der Arzt in der Indischen Kultur
F 11 - 2   J. Fink Verlag, Stuttgart   1966

WU, Wei-Ping   Akupunktur und Moxabrennen
F 11 - 8 / Sep.   in: Image, No. 12, pg. 30 - 32
                            Hoffmann-La Roche, Basel   o.J

F 12. Varia

GOULD, Sir Basil /   Medical Vocabulary
RICHARDSON, Hugh E.   English-Tibetan
F 12 - 2 / Sep.   Tibet Mirror Press, Kalimpong   1968

KANIA, Ireneusz   Médicine tibétaine dans les collections
F 12 - 5 (vide S 4 - 30)   du Musée Ethnographique de Cracovie
                            (Rapport préliminaire)
                            in: Proceedings of the Csoma de Körös
                            Memorial Symposium, 24. - 30. 9.76,
                            pg. 153 ff.
                            Akadémiai Kiadó, Budapest   1978

SCHÖNBERGER, Martin   Verborgener Schlüssel zum Leben
F 12 - 4   Weltformel I-GING im Genetischen Code
                            O.W. Barth, München / Bern   1973

MOYSE, Regolo
F 12 - 3 (vide D 4 - 79)

Remarks on Medicine and the State of
Health in Tibet
in: Tucci, G. 'To Lhasa and beyond'
pg. 163 ff.
Weitere Notizen 'On Medical Zoology'
ibidem pg. 172 ff.
Istituto Poligrafico dello Stato,
Roma   1956

TETHONG, T.C. /
TETHONG, Rakra
F 12 - 1 (vide K 2 - 2)

Behelfslexikon für die Verständigung
mit tibetischen Patienten (Schallplatte)
hrgb. v. Kinderdorf Pestalozzi, Trogen
Trogen, Schweiz   1965

G. Ikonographie

G 1. Generelle Ikonographie Asiens, Zentralasiens u. d. Himalaya-Region

---

ADAM, Leonhard G 1 - 7	Hochasiatische Kunst Verlag Strecker und Schröder, Stuttgart 1923
ALKMAAR, Stedelijk Museum G 1 - 63 / Sep.	Japanse Kunst Ausstellung 4. 3. - 9. 4.1967 (Katalog) Alkmaar 1967
AMSTERDAM, Stedelijk Museum G 1 - 55	Aziatische Kunst Katalog zur Ausstellung vom 5. Juli - 4. Oktober 1936 im Stedelijk Museum, Amsterdam Vereeniging van Vrienden der Aziatische Kunst, Amsterdam 1936
AMSTERDAM, Stedelijk Museum G 1 - 59 / Sep.	Tentoonstelling von Japanse Houtsneden Verzameling Ferd. Liettinck (Ausstellung vom 11. 7. - 19. 9.1948, Katalog) Stedelijk Museum, Amsterdam 1948
AMSTERDAM, Stedelijk Museum G 1 - 62	Tentoonstelling van Chineesche Kunst Exhibition of Chinese Art, 13. 9. - 18. 10.1925. Catalogue Society of Friends of Asiatic Art, Amsterdam 1925
BACHHOFER, Ludwig G 1 - 35	Chinesische Kunst (Jedermanns Bücherei, Abt. Bildende Kunst) Ferdinand Hirt, Breslau 1923
BHATTACHARYYA, Benoytosh G 1 - 13	The Indian Buddhist Iconography K.L. Mukhopadhyay, Calcutta 1968
BHATTACHARYA, Chhaya G 1 - 68	Art of Central Asia With special reference to wooden objects from the Northern Silk Route Agam Prakashan, New Delhi 1977
BINYON, Laurence G 1 - 37.1	Arte Cinese Istituto Italiano per il Medio ed Estremo Oriente, Roma 1938
idem G 1 - 37.2	Arte Orientale Istituto Italiano per il Medio ed Estremo Oriente, Roma 1939

BISHOP, C.W.
G 1 - 57 / Sep.
A pottery statue of a Lo-Han
in: The Museum Journal, Vol. V (1914),
No 3, pg. 129 ff.
University of Pennsylvania,
Philadelphia   Sept. 1914

idem
G 1 - 58 / Sep.
Two Chinese Bronze Vessels
in: The Museum Journal, Vol. IX (1918),
No 2, pg. 99 ff.
University of Pennsylvania,
Philadelphia   June 1918

idem
G 1 - 58 / Sep.
Recent Accessions of Chinese Sculpture
in: The Museum Journal, Vol. IX (1918)
No 2, pg. 123 ff.
University of Pennsylvania,
Philadelphia   June 1918

BLUETT & Sons
G 1 - 64 / Sep.
Ancient Chinese Bronzes
London   1938

BOSSERT, Helmuth Th.
G 1 - 12
Ornamente der Völker
(Aegypten, China, Japan, Siam, Tibet etc.)
Ernst Wasmuth, Tübingen   1956

BOULLAND, M.R., Collection
G 1 - 52
Objets d'Art et d'Ameublement, Céramique
de la Chine
Catalogue de vente. Expositions 30./
31. 3.1925
Paris   1925

BREUNINGER, E. (Ed.)
G 1 - 39
Chinesische Kunst
Linden-Museum für Völkerkunde
Ausstellung im Hause Breuninger,
Stuttgart, vom 9. 9. - 1.10.1966
Chantz'sche Druckerei, Stuttgart   1966

BRITISH MUSEUM, London
G 1 - 46 / Sep.
Guide to an Exhibition of Chinese
and Japanese Paintings
(fourth to nineteenth Century A.D.)
British Museum, London   1910

BURCHARD, Othon
G 1 - 36
La Petite Sculpture Chinoise
Traduction de Georges Taboulet
Les Editions G. Crès & Cie, Paris   1922

BUSSAGLI, Mario
G 1 - 2
Painting of Central Asia
Verlag Albert Skira, Geneva   1963

CAPON, Edmund
G 1 - 23
Art and Archaeology in China
MIT Press, Cambridge   1977

CHINA-Bohlken, Berlin
G 1 - 44 / Sep.
Ostasiatische Plastiken
Ausstellung
Berlin   o.J.

COMPL. AUCT. G 1 - 16.1,2 / Sep.	Buddhism in Afghanistan and Central Asia part 1 + 2 (Iconography of Religions XIII, 14) E.J. Brill, Leiden 1976
COMPL. AUCT. G 1 - 69	Handbuch der Formen- und Stilkunde Asiens A.d. Franzos. übers. von Eva Stoll und Klaus J. Brandt Office du Livre, Fribourg / Kohlhammer, Stuttgart 1979
COUCHOUD, Paul-Louis (Ed.) G 1 - 11 (vide L 8 - 9)	Mythologie Asiatique (Illustrée) Librairie de France, Paris 1928
DESMAZIÈRES, Collection A. G 1 - 17 / Sep.	Les Monochromes de la Chine Exposition Publique à l'Hôtel Drouot 17./18./19. 3.1924 Paris 1924
FILCHNER, Wilhelm G 1 - 73 (vide D 4 - 118.7)	Katalog der Ausbeute an ethnographischen Gegenständen aus China (Wissenschaftliche Ergebnisse der Expedition Filchner nach China und Tibet 1903 - 1905, Bd 7) Ernst Siegfried Mittler und Sohn, Berlin 1910
GENEVE, Musée d'Ethnographie G 1 - 67	Exposition des Arts appliqués de la Chine et du Japon Exposition du 20 juin au 15 septembre 1942. Catalogue Genève 1942
GOETZ, Hermann G 1 - 71 (vide Q 8 - 15)	Studies in the History and Art of Kashmir and the Indian Himalaya (Schriftenreihe des Südasien-Instituts der Universität Heidelberg, Bd 4) Otto Harrassowitz, Wiesbaden 1969
's-GRAVENHAGE, Gemeente Museum G 1 - 61 / Sep.	Chineesche Ceramiek (Ausstellung März - April 1932. Katalog) 's-Gravenhage 1932
GROSSE, Ernst G 1 - 29 / Sep.	Chinesische Kunstwerke in Japan und in China Sonderabdruck aus: Ostasiatische Zeitschrift, Jg. IV (1915), Heft 1/2 Oesterheld & Co., Berlin 1915
GRÜNWEDEL, Albert G 1 - 19	Die Teufel des Avesta - und ihre Beziehungen zur Ikonographie des Buddhismus Zentral-Asiens Otto Elsner, Berlin 1924

HALLEMA, Anne
G 1 - 34 / Sep.

Oud-Chineesche Kunst
Overdruk uit het Tijdschrift "Nederland"
o.O.   o.J.

HEBERLE, J.M.
G 1 - 50

Alt-China-Sammlung J.J. Wilgaard
Katalog zur Versteigerung zu Köln,
16. - 19. Dez. 1901
J.M. Heberle, Köln   1901

HSU, P.K.
G 1 - 22

The elite of paintings and calligraphy
relating to Buddhism in different dyna-
sties of China
China Cosmos Publishing House,
Taiwan   ca. 1976

JAEGER, F.
G 1 - 56 / Sep.

Ueber Chinesische Miaotse-Albums
SA. aus Ostasiatische Zeitschrift, Jg.
V, Heft 1/4, (1917)
Oesterheld, Berlin   1917

KØBENHAVN, Det Danske
Kunstindustriemuseum
G 1 - 38

Kinas Kunst
I Svensk og Dansk eje
København, April   1950

KÖLN, Kunsthaus Math.
Lempertz
G 1 - 65 / Sep.

Netsuke, Inro und andere Sagemono
Nach Werkstoff geordnet, mit Material-
proben und Vergleichsstücken
Ausstellung vom 15. 9. - 13.10.1962.
Kunsthaus Lempertz, Köln (Katalog)   1962

KRAIRIKSH, Piriya
G 1 - 70

Das Heilige Bildnis (The sacred Image)
Skulpturen aus Thailand (Katalog).
Ausstellung 1979 - 1980 im Museum für
Ostasiatische Kunst der Stadt Köln,
organisiert in Zusammenarbeit mit dem
Department of Fine Arts und dem National
Museum, Bangkok
Museen der Stadt Köln   1979

KU TENG
G 1 - 30 / Sep.

Chinesische Malkunsttheorie in der
T'ang- und Sungzeit
in: Ostasiatische Zeitschrift, NF,
Jg. 10, Heft 5, 1934
Verlag Walter de Gruyter, Berlin   1934

LECOQ, Albert von
G 1 - 18

Bilderatlas zur Kunst und Kulturgeschichte
Mittel-Asiens
Akademische Druck- und Verlagsanstalt,
Graz   1977

LEMPERTZ, Math., Kunsthaus
G 1 - 43 / Sep.

Ostasiatische Kunst
Aus Chinesisch-Japanischem Besitz,
Ausstellung vom 15. 9. - 13.10.1962
Köln   1962

LEPPICH, Editha
G 1 - 53

4000 Jahre Ostasiatischer Kunst
Ausstellung vom 6. Nov. - 6. Dez. 1962.
Ein Katalog-Brevier
Editha Leppich, Köln   1962

LEROI-Gourhan, André
G 1 - 33

Bestiaire du Bronze Chinois de Style
Tcheou
Les Editions d'Art et d'Histoire,
Paris   1936

LIEBERT, Gösta
G 1 - 15

Iconographic Dictionary of the Indian
Religions
(Hinduism-Buddhism-Jainism)
E.J. Brill, Leiden   1976

LIPPE, Aschwin
G 1 - 60 / Sep.

A Gift of Chinese Bronzes
in: Bulletin of the Metropolitan Museum
of Art, Vol. IX, No 4 (1950), pg. 97 ff.,
New York   December 1950

LOMMEL, Andreas
G 1 - 14

Kunst des Buddhismus
Aus der Sammlung des Staatl. Museums
für Völkerkunde in München
Atlantis Verlag, Zürich   1974

LONDON, Royal Academy of
Arts
G 1 - 41

Chinese Art
Catalogue of the International Exhibition,
1935 - 1936
William Clowes and Sons, Ltd.,
London   1935

LONDON, Victoria &
Albert Museum
G 1 - 47

The Salting Collection
Guide
London   1911

LONDON, Yamanaka & Co. Ltd.
G 1 - 42 / Sep.

Early Chinese Ceramic Art, Jades, etc.
Exhibition, July 1928
London   1928

MAK, A.
G 1 - 48

Art Chinois
28 planches appartenant au catalogue de
la Collection Deng-Tschu-Yen à Pékin;
Vente 2/3 Décembre 1924
Amsterdam   1924

MONOD-BRUHL, O.
G 1 - 9 / Sep.

Musée Guimet: Arts Asiatiques II
Introduction Générale aux Arts de la
Chine, de l'Asie Centrale et de l'Af-
ghanistan
Editions des Musées Nationaux,
Paris   1951

MULLER & Cie., Frederik
G 1 - 49

Art de l'Extrême Orient
Catalogue. Vente 11. - 13. Déc. 1923
à Amsterdam
Amsterdam   1923

MUSEUM voor Land- en
Volkenkunde, Rotterdam
G 1 - 45 / Sep.

Tentoonstelling
Kunstnijverheid in Modern China,
August - September - Oktober 1956
Rotterdam   1956

PAL, Pratapaditya
G 1 - 21 (vide Q 4 -
        84.1-2)

The Arts of Nepal
Part I: Sculpture, with 300 plates
Part II: Painting, with 220 plates
E.J. Brill, Leiden   1974, 1978

idem
G 1 - 24

Bronzes of Kashmir
with 120 illustrations
Akad. Druck- und Verlagsanstalt,
Graz   1975

PARIS, Musée Cernuschi
G 1 - 40

La Découverte de l'Asie
Exposition. Hommage à René Grousset
Paris   1954

RICE, Tamara Talbot
G 1 - 5

Ancient Arts of Central Asia
Thames and Hudson, London   1965

RIDLEY, Michael J.
G 1 - 10

Oriental Art of India, Nepal, Tibet
John Gifford, London   1970

ROEVER, J.W. de
G 1 - 26 / Sep.

Het verzamelen van Oost-Aziatische Kunst
Overdruk uit "Onze Aarde" (1936)
o.O.   Dezember 1936

ROWLAND, Benjamin
G 1 - 4

Zentralasien
Aus der Reihe: 'Kunst der Welt'
Holle Verlag, Baden-Baden   1970

SALMONY, Alfred
G 1 - 31 / Sep.

Snake-Types on Certain Early Chou Bronzes
SA. aus: Asiatische Studien, Vol. II
(1948), No 3/4, Zürich   1948

idem
G 1 - 51

Asiatische Kunst
Ausstellung der Vereinigung der Freunde
Ostasiatischer Kunst Köln, Oktober -
November 1926
Verlag J.P. Bachem, Köln   1926

SÁRKÖZI, Alice
G 1 - 72 (vide S 4 - 30)

A Thanka from Mongolia
in: Proceedings of the Csoma de Körös
Memorial Symposium, 24. - 30. 9.76,
pg. 393 ff.
Akadémiai Kiadó, Budapest   1978

SCHULEMANN, Werner /
HEISSIG, Walther
G 1 - 6

Die Kunst Zentralasiens als Ausdrucks-
form religiösen Denkens (et alia)
Westdeutscher Verlag, Köln   1967

SECKEL, Dietrich
G 1 - 3

Buddhistische Kunst Ostasiens
W. Kohlhammer, Stuttgart   1957

idem
G 1 - 54

Einführung in die Kunst Ostasiens
34 Interpretationen
Piper Verlag, München   1960

SINGH, Madanjeet
G 1 - 1

L'Art de l'Himalaya
(Ladakh / Lahaul et Spiti / Siwalik /
Nepal / Sikkim / Bhutan)
La peinture murale et la sculpture
Unesco-Band, Geneva (?)   1968

idem
G 1 - 8 / Sep.

Die Kunst im Himalaja
in: 'Unesco-Kurier', No. 2, 1969
Druck und Verlag Hallwag AG,
Bern   1969

STIPA, Johannes G.
G 1 - 25 / Sep.

Probleme des permischen Tierstils
in: Studia Orientalia 47, pg. 245 ff.
Helsinki   1977

UHLIG, Helmut
G 1 - 20

Das Bild des Buddha
Mit einem Vorwort von Herbert Härtel
Safari Verlag, Berlin   1979

VISSER, H.F.E.
G 1 - 27 / Sep.

Literatuur over vroege Chineesche bronzen
Overdruk uit "China", No 1, 2e Jg. (1927)
o.O.   Januari 1927

idem
G 1 - 32 / Sep.

Frühe Chinesische Kunst in der Sammlung
Hasler, Winterthur
SA aus: Asiatische Studien, Vol. XI
(1958)
Zürich   1958

VISSER, M.W. de
G 1 - 28.1 / Sep.

De Weefster en de Herder
Overgedrukt uit "Oude Kunst", No 2 (1917)
o.O.   November 1917

idem
G 1 - 28.2 / Sep.

Een Belangrijke vondst
Overgedrukt uit "Oude Kunst", No 12 (1919)
o.O.   September 1919

CHRISTINGER, Raymond
G 2 - 9 / Sep.

Tibet: Un Art serein et déchiré
in: 'Journal de Genève' No. 124 vom
31. Mai / 1. Juni 1969
Genève   1969

FILCHNER, Wilhelm
G 2 - 25 (vide D 4 -
118.8)

Katalog der Ausbeute an ethnographischen
Gegenständen aus Tibet
(Wissenschaftliche Ergebnisse der
Expedition Filchner nach China und Tibet,
1903 - 1905, Bd 8)
Ernst Siegfried Mittler und Sohn,
Berlin   1910

GONSAR, Tulku
G 2 - 20 / Sep.

A brief account of Tibetan Art
(Manuskript)
Rikon   1978

GORDON, Antoinette K.
G 2 - 1

The Iconography of Tibetan Lamaism
revised edition
Paragon Book Reprint Corp.,
New York   1967

HUMMEL, Siegbert
G 2 - 4

Geschichte der tibetischen Kunst
Otto Harrassowitz, Leipzig   1953

idem
G 2 - 5

Die lamaistische Kunst in der Umwelt
von Tibet
mit 110 Abb. und 1 Karte
Otto Harrassowitz, Leipzig   1955

idem
G 2 - 8

Elemente tibetischer Kunst
Otto Harrassowitz, Leipzig   1949

KARMAY, Heather
G 2 - 15

Early Sino-Tibetan Art
Aris and Phillips, Warminster   1975
(cf. Rezension: Hummel, S. sub P 3 - 59)

KRAMRISCH, Stella
G 2 - 16 / Sep.

The Art of Nepal and Tibet
Philadelphia Museum of Art,
Philadelphia   1960

LAUF, Detlef Ingo
G 2 - 2

Das Erbe Tibets
Wesen und Deutung der buddhistischen
Kunst von Tibet
Verlag Kümmerly & Frey, Bern   1972

idem
G 2 - 2.1 f.

L'Héritage du Tibet
(Titre original: Das Erbe Tibets)
Kümmerly & Frey, Berne   1973

LAUF, Detlef Ingo
G 2 - 22

Eine Ikonographie des tibetischen
Buddhismus
Akad. Druck- und Verlagsanstalt,
Graz   1979
(Rezension: siehe P 3 - 70 / Sep.)

LOMMEL, Andreas
G 2 - 14 (vide G 1 - 14)

Der Buddhismus in Tibet
in: Lommel, Andreas: Kunst des Buddhismus,
pg. 137 ff.
Atlantis Verlag, Zürich   1974

JISL / SÍS, Vladimír /
VANIŠ, Josef
G 2 - 7

Tibetische Kunst
Artia, Prag   1958

MALLMANN, Marie-Th. de
G 2 - 12 (vide S 1 - 41)

Arts du Tibet et des régions himâlayennes
in: Arts Asiatiques, Vol. XXI (1970),
pg. 71 ff.
A. Maisonneuve, Paris   1970

MARTIN, Heinz E.R.
G 2 - 18

Die Kunst Tibets
Wilhelm Heyne, München   1977

MÜNCHEN, Novaria Verlag
(Ed.)
G 2 - 19 / Sep.

Die Kunst Tibet
in: Weltreise, Vol. IX, Heft 154, 6. 3.73
Novaria Verlag, München   1973

NEVEN, Armand
G 2 - 21 / Sep.

Peinture Lamaique des 18e et 19e siècles
in: Jalons et Actualités des Arts, No. 19
(1975), pg. 7 ff.
Bruxelles   1975

NYINGMA Meditation Center
(Ed.)
G 2 - 13 / Sep.

Sacred Art of Tibet
Dharma Publishing, Berkeley   1974

OLSCHAK, Blanche Chr. /
WANGYAL, G. Thupten
G 2 - 10

Mystik und Kunst Alttibets
Hallwag Verlag
Bern und Stuttgart   1972
(cf. Rezension: Brauen, Martin
in 'Zürichsee-Zeitung', Stäfa ZH, No.
81 vom 6. 4.1973)

PAL, Pratapaditya
G 2 - 6

The Art of Tibet
with an essay by Eleanor Olson
The Asia Society, Inc., Boston   1969

PARPOLA, Asko
G 2 - 24 / Sep.

Yhteyden Ikonit (Verbindende Ikonen)
in: Finnische Bildzeitung 'Suomenkuva
Kuvalehti', Nr. 20 vom 16. 5.1980, pg.
32 ff.
Helsinki   1980

POTT, Pieter H. (et alii)
G 2 - 3

Burma, Korea, Tibet
In der Reihe: 'Kunst der Welt'
Holle Verlag GmbH., Baden-Baden   1964

TARTHANG TULKU G 2 - 23	Sacred Art of Tibet Introduction by Herbert V. Guenther Dharma Publishing, Emeryville 1974 (2nd ed.)
TRUNGPA, Chogyam G 2 - 17 (vide S 1 - 42)	The Tibetan Heritage of Buddhist Art in: The Tibet Journal, Vol. I, No. 2 Library of Tibetan Works and Archives Dharamsala 1976
TUCCI, Giuseppe G 2 - 26 / Sep.	L'Arte del Tibet in: La Civiltà dell'Oriente, Vol. IV (1962), pg. 905 ff. Edizioni Casini, Roma 1962
VIRA, Raghu / CHANDRA, Lokesh G 2 - 11	A New Tibeto-Mongol Pantheon Parts 2 / 4 / 7 / 8 / 16 / 17 / 18 / 19 / 20 International Academy of Indian Culture, New Delhi 1962 - 1969

G 3. Archäologische Ikonographie

BELENICKIJ, Aleksandr G 3 - 1	Zentralasien In der Reihe: 'Archaeologia Mundi' Nagel Verlag, München / Genève / Paris 1968
COMPL. AUCT. G 3 - 7.1.2 (vide G 1 - 16.1.2 / Sep.)	Buddhism in Afghanistan and Central Asia part I and II E.J. Brill, Leiden 1976
DASGUPTA, Tapan Kumar G 3 - 6	Der Vajra: eine vedische Waffe Franz Steiner, Wiesbaden 1975
PELLIOT, Paul G 3 - 5	Les Grottes de Touen-Houang Vol. IV - VI Paul Geuthner, Paris 1921/1924
SARKAR, H. G 3 - 4 (vide N 11 - 11)	Studies in Early Buddhist Architecture of India Munshiram Manoharial Publishers, Delhi 1966
SUN Zhijiang / HE Shiyao (Fotos) G 3 - 8 (vide Q 2 - 77 / Sep.)	Die Yungang-Grotten bei Datong in: China im Bild, No 4 (1979), pg. 30 ff. Beijing 1979
TUCCI, Giuseppe G 3 - 3 (vide E 2 - 36)	Tibet (in der Reihe: Archaeologia Mundi) Nagel, Genf 1973 (cf. Rezension: Hummel, S. sub P 3 - 52)

G 4. Spezif. ikonograph. Propleme / ikonograph. Monographien / zum Ritual-Instrumentarium / Stil

---

ADAM, Leonhard G 4 - 19	Buddhastatuen Ursprung und Formen der Buddhagestalt Verlag Strecker und Schröder, Stuttgart 1925
AUCT. INCERT. G 4 - 50	rGyan-Drug mC'og-gNyis (The Eight Great Masters) Namgyal Institute of Tibetology, Gangtok 1962
BELLARDI, Giorgio L. G 4 - 139 / Sep.	Buddhistische Kultstätten: Die Welt der tibetanischen Thangkas in: Schweizer Familie, Nr. 46, vom 12.11.1980, pg. 8 ff., Zürich 1980
BHATTACHARYYA, Dipak Chandra G 4 - 93	Tantric Buddhist Iconographic Sources Munshiram Manoharlal Publishers, New Delhi 1973
BISHOP, C.W. G 4 - 125 / Sep	Tibetan Sacred Art in: The Museum Journal, Vol. V (1914) No 4, pg. 189 ff. University of Pennsylvenia, Philadelphia December 1914
BRAUEN, Martin G 4 - 113 (vide Q 3 - 101 / Sep.)	Gemalte Zeichen innerer Erfahrung in: DU, No 1 (1980), pg. 55 ff, Conzett & Huber, Zürich 1980
BRYNER, Edna G 4 - 3	Thirteen Tibetan Tankas The Falcon's Wing Press, Indian Hills, Colorado 1956
BURAWAY, Robert (Galerie) G 4 - 140	Peintures de monastère de Ñor Arts Graphiques d'Aquitaine, Libourne 1978
BURCKHARDT, E. G 4 - 54 / Sep.	Das Yin-Yang-Symbol in: 'Image Roche', No. 51 Roche, Basel 1972
BUSSAGLI, Mario G 4 - 134 / Sep.	Bronze objects collected by Prof. G. Tucci in Tibet A short survey of religious and magic symbolism in: Artibus Asiae, Vol. XII, 4 (1949), pg. 331 ff., Ascona siehe auch: Tucci, G.: On some bronze objects discovered in Western Tibet; in: Opera Minora, Bd 2, pg. 349 ff., Ascona Signatur: G 4 - 41 (vide S 4 - 1.2)

CLARK, Walter Eugene   Two Lamaistic Pantheons
G 4 - 11   Text and Plates in One Volume (Reprint)
                              Paragon Book Reprint Corp.,
                              New York   1965

COMPL. AUCT.   Andachtsbild aus Osttibet
G 4 - 38 / Sep.   in: 'Der Schweiz. Beobachter', Titel-
                              bild von No. 9 vom 15. Mai 1971
                              Basel   1971

COOMARASWAMY, Ananda K.   Origin of the Buddha Image
G 4 - 89 / Sep.   in: Journal of Ancient Indian History,
                              Vol. II (1968/69) and Vol. III (1969/70)
                              Dept. of Ancient Indian History and
                              Culture, University of Calcutta   1970

COOPER, Rhonda   Faces of the Buddha
G 4 - 126 / Sep.   A guide to the Exhibition, Sept. 10 -
                              Nov. 13, 1977 in the Dayton Art Institute
                              s.l.   1977

DAGYAB, Loden Sherap   Tibetan Religious Art
G 4 - 110   Part I: Texts
                              Part II: Plates
                              Otto Harrassowitz, Wiesbaden   1977

DOUGLAS, Nik   Tibetan Tantric Charms and Amulets
G 4 - 128   230 examples reproduced from original
                              woodblocks
                              Dover Publications, New York   1978

DOWMAN, Keith (transl.)   The Nyingma Icons. A collection of line
G 4 - 100 (vide S 1 - 37.10) drawings of 94 deities and divinities
                              of Tibet
                              in: Kailash, Vol. III (1975), No. 4
                              Kathmandu   1975

ERACLE, Jean   L'Art des Thanka et le Bouddhisme
G 4 - 5   Tantrique
                              Musée d'Ethnographie, Genève   1970

idem   Une Thanka Tibétaine: La Roue de la
G 4 - 28 / Sep.   Vie
                              in: 'Bulletin annuelle du Musée et
                              Institut d'Ethnographie, Genève, 1963,
                              No. 6, pg. 9 ff. (illustr.)
                              Genève   1963

FERNALD, Helen E.   A Chinese Buddhist Sculpture
G 4 - 127.1 / Sep.   'Stele of the Departure', dated 17.10.523
                              in: Bulletin of the Royal Ontario
                              Museum of Archeaology, No 18 (1952),
                              pg. 4 ff.
                              University of Toronto, March   1952

FERNALD, Helen E.
G 4 - 127.2 / Sep.

Six bronze vessels from China
in: Bulletin of the Royal Ontario
Museum of Archaeology, No 23 (1955),
pg. 1 ff.
University of Toronto, May   1955

FISHER, Robert E.
G 4 - 106 (vide S 4 - 26)

Tibetan Art and the Chinese Tradition
in: Arts of Asia, Vol. V (1975), No. 6
Arts of Asia Publ., Hong Kong   1975

FISCHLE, Willy H.
C 4 - 135

Der Weg zur Mitte
Wandlungssymbole in tibetischen Thangkas
Belser Verlag, Stuttgart/Zürich   1980

FORMAN, Werner /
RINTSCHEN, Bjamba
G 4 - 8

Lamaistische Tanzmasken
Der Erlik-Tsam in der Mongolei
Koehler & Amelang, Leipzig   1967

GERASIMOVA, K.M.
G 4 - 117 (vide S 1 - 42)

Compositional structure in Tibetan
Iconography
in: The Tibet Journal, Vol. III (1978)
No 1, pg. 39 ff.
Library of Tibetan Works & Archives,
Dharamsala   1978

idem
G 4 - 136 (vide S 1 - 42)

Monuments of the aesthetic thought of
the Orient: The Tibetan Canon of
proportions (Treatises on Iconometry and
composition from Amdo) 18th Century
edited by B.V. Semichov, translated from
the Russian by Stanley Frye
in: The Tibet Journal, Vol IV (1979),
No 3, pg. 37 ff., Library of Tibetan
Works & Archives, Dharamsala   1979

GOIDSENHOVEN van, Jacques
G 4 - 10

Art Lamaique - Art des Dieux
Laconti SA., Bruxelles   1970

GOMBRICH, Richard F.
G 4 - 112 (vide S 4 - 27)

A Sinhalese cloth painting of the
Vessantara Jataka
in: Bechert, Heinz (Ed.): Buddhism in
Ceylon and studies on religious syn-
cretism in Buddhist countries, pg. 78 ff.
Vandenhoeck & Ruprecht, Göttingen   1978

GORDON, Antoinette K.
G 4 - 47

Tibetan Religious Art
(2nd edition)
Paragon Book Reprint Corp.,
New York   1963

GOVINDA, Anagarika
G 4 - 69 (vide S 1 - 3)

The Historical and Symbolical Origin of
Chorten
in: Bulletin of Tibetology, Vol. VII,
No. 3, pg. 5 ff.
Namgyal Institute of Tibetology
Gangtok   1970

HERRMANS, M.
G 4 - 34 / Sep.

dPal-ldan lHa-mo, die Schutzgöttin von
Lhasa
in: 'Die Kapsel', Aerztezeitschrift der
R.P. Scherer GmbH., Eberbach, (Sept.)
Eberbach/Baden   1969

HUMMEL, Siegbert
G 4 - 13

Geheimnisse tibetischer Malereien
Otto Harrassowitz, Leipzig   1949

idem
G 4 - 23 / Sep.

Die Maske in Tibet
in: 'Antaios', Vol. XI/2, Juli 1969,
pg. 181 ff.
Ernst Klett Verlag, Stuttgart   1969

idem
G 4 - 24 / Sep.

Ars Tibetana
in: 'Antaios', Vol. IV/1, Mai 1962,
pg. 80 ff.
Ernst Klett Verlag, Stuttgart   1962

idem
G 4 - 31 / Sep.

Die Gloriolen in der lamaistischen
Malerei
in: 'Asiatische Studien / Etudes Asiatiques',
Jg. 1950, Heft Nos. 1 - 4, pg. 90 ff.
Francke Verlag, Bern   1950

idem
G 4 - 55 (vide S 1 - 2)

Lotusstab und Lotusstabträger in der
Ikonographie des Lamaismus
in: 'Asiatische Studien / Etudes Asiatiques',
Jg. 1965, Bd 19/20, pg. 167 ff.
Francke Verlag, Bern   1965

idem
G 4 - 57 (vide S 1 - 2)

Ekajaṭā in Tibet
in: 'Asiatische Studien / Etudes Asiatiques',
Vol. XXII, Jg. 1968
Francke Verlag, Bern   1968

idem
G 4 - 58 (vide S 1 - 2)

Die Jakobinermütze im Parivāra des Yama
in: 'Asiatische Studien / Etudes Asiatiques',
Vol. XXIII (Jg. 1969) Hefte No. 1 - 2
Francke Verlag, Bern   1969

idem
G 4 - 59 (vide S 1 - 6)

Der Ursprung des tibetischen Maṇdalas
in: 'Anthropos', Vol. 54, 1959, pg. 993 ff.
Paulusverlag, Freiburg/Schweiz   1959

idem
G 4 - 64 (vide S 4 - 2)

Zervanistische Traditionen in der Ikono-
graphie des Lamaismus
in: 'Etudes Tibétaines', pg. 159 ff.
(siehe Abtlg. S)   Paris   1971

idem
G 4 - 67 (vide S 1 - 3)

sMan-Gyi bLa (i.e. Buddha der Medizin)
in: Bulletin of Tibetology, Vol. II,
No. 2, pg. 9 ff.
Namgyal Institute of Tibetology,
Gangtok   1965

HUMMEL, Siegbert
G 4 - 75 / Sep.

Vajrakîla (tib. Phur-bu)
in: Wissenschaftliche Zeitschrift der
Martin-Luther-Universität Halle-
Wittenberg, Vol. XXII G (1973)
Halle   1973

idem
G 4 - 77

Lamaistische Studien
(Geheimnisse Tibetischer Malereien, Bd II)
Otto Harrassowitz, Wiesbaden   1950

idem
G 4   115 (vide 3 2 - 1.13)

Die Bedeutung der Na-khi-Ikonographie
für ein Bön-Pantheon
in: Zentralasiatische Studien, Bd 13
(1979), pg. 431 ff.
Otto Harrassowitz, Wiesbaden   1979

JACKSON, David Paul
(Transl.)
G 4 - 137 (vide J 2 - 121)

Gateway to the Temple
Manual of Tibetan monastic customs, Art,
building and celebrations.
Originally entitled: A requisite manuel
for faith and adherence to the Buddhist
Teaching: Including the way of entering
the door of religion, the root of the
teaching; the method for erecting temples,
the resting place of the teaching; and
cycle of religious duties, the performance of the teaching by Thubten Legshay
Gyatsho
(Bibliotheca Himalyica, Series III,
Vol. 12)
Ratna Pustak Bhandar, Kathmandu   1979

KLIMKEIT, Hans-Joachim
G 4 - 116 (vide S 2 - 1.13)

Vairocana und das Lichtkreuz,
Manichäische Elemente in der Kunst von
Alchi (West-Tibet)
in: Zentralasiatische Studien, Bd 13
(1979), pg. 357 ff.
Otto Harrassowitz, Wiesbaden   1979

KULDINÒW, Sodman
G 4 - 114 (vide S 2 - 1.13)

The Wheel of Samsara
in: Zentralasiatische Studien, Bd 13
(1979), pg. 443 ff.
Otto Harrassowitz, Wiesbaden   1979

LABRIFFE, Marie-Laure de
G 4 - 83 (vide S 1 - 37)

Etude de la fabrication d'une statue au
Népal
in: Kailash, Vol. I (1973), No. 3,
pg. 185 ff.
Kathmandu   1973

LALOU, Marcelle
G 4 - 119

Mythologie indienne et peintures de
Haute-Asie
I: Le Dieu Bouddhique de la Fortune
in: Artibus Asiae, Vol. IX, 1 - 3 (1946)
Artibus Asiae, Ascona   1946

142

LAMOTTE, Etienne
G 4 - 122 / Sep.

Vajrapāṇi en Inde
in: Bibliothèque de l'Institut des
Hautes Etudes Chinoises, Vol. XX (1966)
part I, pg. 113 ff.
Presses Universitaires de France   1966

idem
G 4 - 129

Mañjuśri
in: T'oung Pao, Vol. XLVIII (1960),
pg. 1 ff.
E.J. Brill, Leiden   1960

LANGE, Kristina
G 4 - 111

Zwei metallene Kultfiguren des bcon-k'a-pa'
in: Jahrbuch des Museums für Völkerkunde
zu Leipzig, Vol. XX (1964), Leipzig 1964
pg. 115 - 128

LAUF, Detlef Ingo
G 4 - 43 (vide S 1 - 8)

Tshe-ring-ma, die Berggöttin des langen
Lebens und ihr Gefolge
in: 'Ethnologische Zeitschrift Zürich',
1971, Heft 1, pg. 259 ff.
Verlag H. Lang & Cie., Bern   1972

idem
G 4 - 72 (vide S 1 - 8)

Zur Ikonographie einiger Gottheiten
der tibetischen Bon-Religion
in: 'Ethnologische Zeitschrift Zürich',
1971, Heft No. 1, pg. 27 ff.
Verlag H. Lang & Cie., Bern   1971

idem
G 4 - 73

Das Bild als Symbol im Tantrismus
Indische Tantras als praktische Führer
zur seelischen Ganzheit des Menschen
Moos, München   1973

idem
G 4 - 86 (vide G 5 - 21.20
        Sep.)

Die buddhistische Skulptur in Indien und
ihr Einfluss auf die Kunst von Tibet
in: Tibetica 20, Juli 1972
Schoettle, Stuttgart   1972

idem
G 4 - 90 / Sep.

Tibetische Kunst im Zeichen der Tantras
in: Die Kunst und das schöne Heim,
Jg. (1973), Heft 1, pg. 16 ff.
Karl Thiemig, München   1973

LESSING, Ferdinand D.
G 4 - 37.1 ff.

YUNG-HO-KUNG
An Iconography of the Lamaist Cathedral
in Peking.
With notes on Lamaist Mythology and Cult;
with an Index compiled by J.R. Krueger and
E.D. Francis (sub G 4 - 37.2); reports
from the Scientific Expedition to the
North-Western Provinces of China under the
Leadership of Sven Hedin
The Sino-Swedish Expedition - Publication
18, Stockholm   1942

LESSING, Ferdinand D.
G 4 - 39 (vide S 4 - 9)

The Eighteen Worthies Crossing the Sea
in: Contributions to Ethnography,
Linguistics and History of Religion,
pg. 109 ff.
Statens Etnografiska Museum,
Stockholm   1954

LOMMEL, Andreas
G 4 - 123 / Sep.

Tibetische Kunst
in: Die Kunst und das schöne Heim,
August 1977, München   1977

LUCAS, Heinz
G 4 - 9

Lamaistische Masken
Erich Röth Verlag, Kassel   1962

MALLMANN de, Marie-Thérèse
G 4 - 12

Etude Iconographique sur Mañjusrī
Publication de l'Ecole Française
d'Extrême-Orient, Vol. LV
Adrien Maisonneuve, Paris   1964

eadem
G 4 - 78.1 f. (vide S
         1 - 41)

Notes d'iconographie tântrique
III: A propos du "Fudo bleu"
 IV: A propos de Vajravārāhī
in: Arts Asiatiques, tome IX (1962/1963),
pg. 73 ff. et tome XX (1969), pg. 21 ff.
A. Maisonneuve, Paris   1963, 1969

eadem
G 4 - 80 / Sep.

Visvavarna ('multicolore')
in: Oriens, Vol. XXI - XXII (1968 - 69)
E.J. Brill, Leiden   1969

eadem
G 4 - 96 (vide S 1 - 41)

Notes d'iconographie tântrique
in: Arts Asiatiques, tome II (1955),
pg. 35 ff.
Presses Universitaire de France,
Paris   1955

eadem
G 4 - 97 (vide S 1 - 41)

Divinités hindoues dans le tantrisme
bouddhique
in: Arts Asiatiques, tome X (1964),
fasc. 1, pg. 67 ff.
A. Maisonneuve, Paris   1964

eadem
G 4 - 118 (vide N 5 - 50)

Introduction à l'étude d'Avalokiteçvara
(dans la tradition indienne)
(Annales du Musée Guimet, LVII)
Civilisations du Sud, Paris   1949

eadem
G 4 - 133

Introduction à l'iconographie du
Tântrisme Bouddhique
(Bibliothèque du Centre de Recherches
sur l'Asie Centrale et la Haute Asie,
Vol. I)
Librairie Adrien-Maisonneuve, Paris   1975

MARKERT, Günter   Buddhas, Götter und Dämonen
G 4 - 21   Knorr & Hirt Verlag,
                         München / Hannover   1956

MASSONAUD, Chantal /   Force Lamaique
SCHULMANN, Josette   Archéologie d'Asie, Paris   1972
G 4 - 76

MASSONAUD, Chantal   Tibet (Formen- und Stilkunde)
G 4 - 131 (vide G 1 - 69) in: Handbuch der Formen- und Stilkunde,
                         pg. 83 ff.
                         Office du Livre, Fribourg /
                         Kohlhammer, Stuttgart   1979

MEISEZAHL, R.O.   Die Göttin Vajavārāhī
G 4 - 22 / Sep.   Eine ikonographische Studie nach einem
                         Sādhana-Text von Advayavajra
                         Sonderabdruck aus: 'Oriens', 18 - 19
                         E.J. Brill, Leiden   1967

idem   Smaśānavidhi des Lūyī
G 4 - 85 (vide J 5 - 2) Textkritik nach der tibetischen Version
                         eines Kommentars von Tathāgatavajra
                         in: Zentralasiatische Studien, Vol. VIII
                         (1974), pg. 9 ff.
                         Otto Harrassowitz, Wiesbaden   1974

idem   Die Waffen 'kanaya' und 'bhindipala in
G 4 - 102 (vide S 2 - 1.11) der Ikonographie des Vajrayana-Buddhismus
                         in: Zentralasiatische Studien,
                         Vol. XI (1977), pg. 449 ff.
                         Otto Harrassowitz, Wiesbaden   1977

MEURS van, W.J.G.   Tibetan Temple Paintings / Tibetaansche
G 4 - 15   Tempelschilderingen
                         E.J. Brill, Leiden   1953

MONOD-BRUHL, Odette   Peintures Tibétaines
G 4 - 16   Albert Guillot, Paris   1954

MOOKERJEE, Ajit   Tantra Asana: Ein Weg zur Selbstverwirkli-
G 4 - 45   chung
                         Uebers. a.d. Engl. von Erh. Göbel-Gross,
                         Basilius Presse, Basel   1971

NAMGYAL, Palden Thondup RGYAN-DRUG MCHOG-GNYIS
(Ed.)   ('Die Sechs Schmuckstücke und Die Zwei
G 4 - 79   Erhabenen' = 'Die Acht Indischen Meister')
                         Namgyal Institute of Tibetology,
                         Gangtok, 2nd reprint   1972

NEBESKY-SOJKOWITZ, René de Oracles and Demons of Tibet
G 4 - 91   Akademische Druck- und Verlagsanstalt
                         Graz   1975

NOËL, J.B.L.
G 4 - 51 / Sep.

The Tibetan Wheel of Life
in: 'Asia Magazine', Vol. XXVI, No. 8
New York   1926

ODIER, Daniel
G 4 - 46

Sculpures tantriques du Népal
Editions du Rocher, Monaco   1970

OLSCHAK, Blanche Chr.
G 4 - 6

Religion und Kunst im Alten Tibet
Verlag Ars Tibetana, Zürich   1962

eadem
G 4 - 35 / Sep.

Die Neunzig Mahāsiddhas
Separatdruck aus: 'Image', Medizinische
Bilddokumentation der Hoffmann-La Roche,
Basel, Basel   1968

eadem
G 4 - 36 / Sep.

Die Fussspuren und Handzeichen Buddhas /
The Footprints and Handmarks of Buddha /
Les empreintes du pied et les signes et
les signes de la main du Bouddha
Separata aus: 'Image' Medizin. Bild-
dokumentation der Fa. Hoffmann-La Roche,
Basel, No. 27, Basel   1968

eadem
G 4 - 62 (vide S 4 - 6 /
Sep)

Das Leben Buddhas
in: 'Das Schweiz. Rote Kreuz', Heft No. 5,
(Juli, 1972) pg. 20 f.
(vide Abtlg. S!)   1972

eadem
G 4 - 65 / Sep.

Mandalas - Von der kosmischen Spirale
zum Rad der Zeit
Separatum aus: 'Color Image', No. 35,
Hoffmann-La Roche, Basel   1070

PAL, Pratapaditya
G 4 - 105 (vide S 4 - 26)

Tibetan Art in the John Gilmore Ford
Collection
in: Arts of Asia, Vol. V (1975), No. 6
Arts of Asia Publ., Hong Kong   1975

idem
G 4 - 107 (vide S 4 - 26)

Bronzes of Tibet
in: Arts of Asia, Vol. V (1975), No. 6
Arts of Asia Publ., Hong Kong   1975

PETER, F.A.
G 4 - 30 / Sep.

The 'Rin-Hbyun'
in: Journal of the Royal Asiatic Society
of Bengal; Letters, Vol. IX, pg. 1 ff.
s.l.   1943

POTT, Pieter H.
G 4 - 29 / Sep.

The Maṇḍala of Heruka
in: 'Ciba Journal', No. 50, pg. 24 ff.
Ciba, Basel   1969

RÁCZ, István
G 4 - 20

Kunst in Tibet
Reihe: 'Orbis pictus', Bd. 51
Verlag Hallwag, Bern/Stuttgart   1968

RAWSON, Philip
G 4 - 70

The Art of Tantra
Thames and Hudson, London   1973

idem
G 4 - 74

Tantra - The Indian Cult of Ecstasy
Thames and Hudson, London   1973

RECHUNG, Rimpoche
(Jampal Kunzang)
G 4 - 103 (vide S 1 - 3)

A short study of the origin and evolution
of different styles of Buddhist Paintings
and Iconography
in: Bulletin of Tibetology, Vol. X (1973),
No. 2
Namgyal Institute of Tibetology,
Gangtok   1973

REYNOLDS, Valrae
G 4 - 104 (vide S 4 - 26)

A Buddhist Altar - the replica in the
Newark Museum
in: Arts of Asia, No. 6, Vol. V, (1975)
Arts of Asia Publ., Hong Kong   1975

RIBBACH, S.H.
G 4 - 95 / Sep.

Vier Bilder des Padmasambhava und seiner
Gefolgschaft
Otto Meissner, Hamburg   1917

RICHARDSON, Hugh E.
G 4 - 82 (vide S 1 - 3)

Phallic Symbols in Tibet
in: Bulletin of Tibetology, No. 2, Vol.
IX (1972), pg. 25 ff.
Namgyal Institute of Tibetology,
Gangtok   1972

RIVIÈRE, Juan Roger
G 4 - 32 / Sep.

On the inconographical Origin of
lCam-sRing, the God of War
Reprinted from 'Bulletin of Tibetology',
Vol. III, No. 3, pg. 11 - 16
Namgyal Institute of Tibetology,
Gangtok   1966

ROERICH, George
G 4 - 14

Tibetan Paintings
Paul Geuthner, Paris   1925

R(O)ERICH, J.N.
G 4 - 63 (vide S 4 - 3)

The Animal Style among the Nomad Tribes
of Northern Tibet
in: Rerich, J.N.: 'Izbrannye trudy'
pg. 17 ff. (vide Abtlg. S!)

SAGASTER, Klaus /
DAGYAB, Loden Sherap
G 4 - 109 (vide S 2 - 1)

Zum Plan einer Sammlung von Materialien
zur tibetischen Ikonographie
in: Zentralasiatische Studien, Vol. XII
(1978), pg. 359 ff.
Otto Harrassowitz, Wiesbaden   1978

SCHLAGINTWEIT, Emil
G 4 - 17

Buddhism in Tibet
Atlas of Objects of Buddhist Worship
20 Plates
F.A. Brockhaus, Leipzig   1863

SCHMID, Toni
G 4 - 4

The Cotton-Clad Mila - The Tibetan
Poet-Saint's Life in Pictures
Stantens Etnografiska Museum,
Stockholm   1952

eadem
G 4 - 18

The Eighty-Five Siddhas
Stantens Etnografiska Museum,
Stockholm   1958

eadem
G 4 - 66 (vide S 1 - 3)

Masters of Healing
in: Bulletin of Tibetology, Vol. II,
No. 3, pg. 5 ff.
Namgyal Institute of Tibetology,
Gangtok   1965

SCHULMANN, J.
G 4 - 33 / Sep.

Mystères et Symboles du Tibet
aus: 'ABC Décor - L'Amateur suisse'
Jan. 1972, pg. 59 ff.
Aubonne/Suisse   1972

SIERKSMA, F.
G 4 - 2

Tibet's Terrifying Deities
Sex and aggression in religious accultur-
ation Vol. I d. Reihe: 'Art in its Context'
Mouton & Co., The Hague / Paris   1966

SINHA, Nirmal Chandra
G 4 - 68 (vide S 1 - 3)

What is VAJRA?
in: Bulletin of Tibetology, Vol. VII,
No. 2, pg. 45 f.
Namgyal Institute of Tibetology,
Gangtok   1970

SIVARAMAMURTI, C.
G 4 - 81 (vide S 1 - 3)

Buddha as a Mahapurusha
in: Bulletin of Tibetology, Vol. IX (1972),
No. 3, pg. 1 ff.
Namgyal Institute of Tibetology,
Gangtok   1972

STAËL-HOLSTEIN, A. von
G 4 - 120

Avalokita and Apalokita
in: Harvard Journal of Asiatic Studies,
No 3/4 (1936), pg. 350 ff.
Harvard University, Cambridge   1936

STEIN, Rolf A.
G 4 - 7

Le Masque au Lamaisme
i. Ausstellungskatalog 'Le Masque' des
Musée Guimet, Paris, pg. 42 ff.
Editions des Musées Nationaux
Paris   1959

idem
G 4 - 48 / Sep.

Peintures tibétaines de la vie de Gesar
in: 'Arts Asiatiques', Tome V, 1958
Presses Universitaires de France,
Paris   1958

STEIN, Rolf A.
G 4 - 99 (vide S 4 - 23)

La gueule du makara: un trait inexpliqué
de certains objets rituels
(dans: Essais sur l'Art du Tibet)
Jean Maisonneuve, Paris   1977

idem
G 4 - 138 (vide S 4 - 30)

A propos des documents anciens relatifs
au phur-bu (kila)
in: Proceedings of the Csoma de Körös
Memorial Symposium, 24. - 30. 9.1976,
pg. 427 ff.
Akadémiai Kiadó, Budapest   1978

STOLL, Eva
G 4 - 26 / Sep.

Szenen aus dem Leben des tibetischen
Sänger-Yogin Mi la ras pa
Sonderdruck aus: Ethnologische Zeitschrift
Zürich, Vol. I, No. 1
Herbert Lang & Cie. AG., Bern   1972

eadem
G 4 - 27 / Sep.

TI-SE, der Heilige Berg in Tibet
Separatabdruck aus 'Geographica Helvetica',
No. 4, 21. Jg.   1966

TADA, Tokan (Ed.)
G 4 - 49

Tibetan Pictorial Life of the Buddha
Tibet Bunka Senyokai, Tokyo   1958

TROUSDALE, William
G 4 - 92

The Long Sword and Scabbard Slide in Asia
Smithsonian Institution Press,
Washington   1975

TUCCI, Giuseppe
G 4 - 1.1 ff.

Tibetan Painted Scrolls
Vols. I/II: Texts; Vol. III: Plates
Libreria dello Stato, Roma   1949

idem
G 4 - 25 / Sep.

A Tibetan Classification of Buddhist Images
according to their Style
in: 'Artibus Asiae', Vol. XXII,
Ascona/Schweiz   1959

idem
G 4 - 40

mC'od-rTen e TS'a TS'a nel Tibet indiano
ed occidentale
in: Indo-Tibetica, Vol. I
Reale Accademia d'Italia, Roma   1932

idem
G 4 - 41

I Templi del Tibet occidentale e il loro
simbolismo artistico
in: Indo-Tibetica III (parte II:
Tsaparang)
Reale Accademia d'Italia, Roma   1936

idem
G 4 - 42.1 ff.

Gyantse ed i suoi Monasteri
in: Indo-Tibetica IV (3 Volumina)
Vol. IV 1: Descrizione generale dei tempi
Vol. IV 2: Iscrizioni (Text u. Uebersetzung)
Vol. IV 3: Tavole
Reale Accademia d'Italia, Roma   1941

TUCCI, Giuseppe
G 4 - 44

Rati Lila
Essai d'interprétation des Représentations
tantriques des temples du Népal
Les Editions Nagel,
Paris / Genève / Munich   1969

idem
G 4 - 52

Geheimnis des Maṇḍala
Theorie und Praxis
Otto Wilhelm Barth Verlag
Weilheim/Oberbayern   1972

idem
G 4 - 53

Il Tempio di bSam Yas
in: 'Le Symbolisme Cosmique des Monuments
Religieux', Serie Orientale Roma,
Vol. XIV, pg. 118 ff.
Istituto Italiano per il Medio ed Estremo
Oriente, Roma   1957

idem
G 4 - 56 (vide S 4 - 1.2)

The symbolism of the temple of bSam-yas
in: Opera Minora, Vol. II, pg. 585 ff.
Giovanni Bardi, Roma   1971

idem
G 4 - 60 (vide S 4 - 1.2)

Indian paintings in Western Tibetan temples
in: Opera Minora, Vol. II, pg. 357 ff.
Giovanni Bardi, Roma   1971

idem
G 4 - 61 (vide S 4 - 1.2)

On some bronze objects discovered in
Western Tibet
in: Opera Minora, Vol. II, pg. 349 ff.
Giovanni Bardi, Roma   1971
(siehe auch: Bussagli, Mario: Bronze
objects collected by Prof. G. Tucci in
Tibet; in: Artibus Asiae, Vol. XII, 4,
(1949), pg. 331 ff., Ascona
Sign.: G 4 - 134 / Sep.)

idem
G 4 - 71

The Theory and Practice of the Maṇḍala
Rider & Comp., London   1961
(cf. dtsch. Edition sub G 4 - 52!)

VIDYABHUSANA, Satis Chandra
G 4 - 130 / Sep.

On certain Tibetan Scrolls and Images
lately brought from Gyantse
in: Memoirs of the Asiatic Society of
Bengal, Vol. I (1905), No 1, pg. 1 ff.
The Asiatic Society, Calcutta   1905

WADDELL, L.A.
G 4 - 121 / Sep.

The Indian Buddhist Cult of Avalokita
and his Consort Tārā "the Saviouress"
illustrated from the Remains in Magadha
in: The Journal of the Royal Asiatic
Society of Great Britain and Ireland,
Vol. XXVI (1894), pg. 51 ff.
London   January, 1894

WEBER, Andy / WELLINGS,   Tara's Colouring Book
Nigel / LANDAW, Jon   Publications for Wisdom Culture,
G 4 - 132   Ulverston   1979

WEE, L.P. van der   Rirab Lhunpo and a Tibetan Narrative of
G 4 - 101 (vide S 1 - 8)   Creation
                           in: Ethnologische Zeitschrift Zürich, II,
                           1976, pg. 67
                           Völkerkunde-Museum, Zürich   1976

WEINER, Douglas   Tibetan and Himalayan Woodblock Prints
G 4 - 84   Dover Publications, New York   1974

WITH, Karl   Buddha
G 4 - 124 / Sep.   in: Das Kunstblatt, Heft 5 (1920),
                           pg. 129 ff.
                           Gustav Kiepenheuer, Potsdam/Berlin 1920

ZANGMO, Dejin   Tibetan royal costumes in Dun-huang wall
G 4 - 88 (vide S 1 - 38)   paintings
                           in: Communications of the Alexander Csoma
                           de Körös Institute, Nr. 9 - 10 (1975),
                           pg. 30 ff.
                           Budapest   1975

G 5. Kataloge (Exhib., Collect., Museen)

BERLIN, Museum für Ost-   Ausgewählte Werke Ostasiatischer Kunst
asiatische Kunst   Staatliche Museen Preussischer Kultur-
G 5 - 3   besitz, Berlin   1970

BOSTON, Museum of Fine Arts Lamaist Art: The Aestetics of Harmony
G 5 - 50 / Sep.   Catalogue by Pal, P. and Hsien-ch'i Tseng
                           Museum of Fine Arts, Boston   ca. 1973

BRAUEN, Martin (et compl. Tibetische Kunst
al. act.)   Katalog zur Ausstellung im Gewerbemuseum
G 5 - 26 / Sep.   Winterthur (9. März bis 7. April 1968)
                           Winterthur   1968

BRUXELLES, Société Générale Art Lamaïque
de Banque (Ed.)   Exposition organisée en collaboration avec
G 5 - 31   la "nepalese Belgian Friendship"
                           Société Générale de Banque, Dép. Relations
                           Publiques, Bruxelles   1975

BURROWS, Carin   Tibetan-Lamaist Art
G 5 - 5   Catalogue of the Exhibition in Autumn
                           1970 at the Henri Kramer Gallery,
                           New York   1970

CHOW, Fong
G 5 - 34 / Sep.

Arts from the Rooftop of Asia
(Exhibition)
The Metropolitan Museum of Art,
New York   1971

COMPL. AUCT. (e.g. Stoll,
E. / Lauf, D.I. / Zimmer-
mann, H.)

Tibetische Kunst
reich illustr. Katalog der Ausstellung
in Zürich (8. - 30. März 1969), Luzern
(17. April - 11. Mai 1969), Genève und
Frauenfeld/Schweiz
Buchdruckerei Nohl, Schaffhausen   1969

CRAIOVA de, Nana
G 5 - 32 / Sep.

Tibetische Kultbronzen
Katalog d. Sonderausstellung im Museum
für Indische Kunst, Staatl. Museen
Berlin   1972

ERACLE, Jean
G 5 - 29 / Sep.

L'Ame du Tibet parmi nous
Kommentar zur Ausstellung in Genève
in: 'La Tribune de Genève' v. 14./15.
Juni 1969
Genève   1969

FISCHER, Adolf
G 5 - 59 / Sep.

Führer durch das Museum für Ostasiatische
Kunst der Stadt Cöln
Museum für Ostasiatische Kunst, Cöln   1915

GAISBAUER, Herbert (Ed.)
G 5 - 68

Tibetausstellung
Sammlung Heinrich Harrer, veranstaltet
von der Oesterreich. Kulturvereinigung
im Museum für Völkerkunde, Wien, vom
18. Januar - 30. April 1966
Museum für Völkerkunde, Wien   1966

HACKIN, Joseph
G 5 - 48

Guide-Catalogue du Musée Guimet
Les Collections Bouddhiques: Inde Centrale
et Gandhara, Turkestan, Chine Septen-
trionale, Tibet
Librairie Nationale d'Art et d'Histoire,
Paris et Bruxelles   1923

HELSINKI, City Art Museum
G 5 - 67

Oh, Ye Monks, Strive onwards diligently!
Exhibition of Buddhist ritual objects,
18. 4. - 15. 6.1980
(dreisprachiger Katalog: finnisch, schwe-
disch und englisch)
Helsinki City Art Museum, Helsinki   1980

HENKING, Karl
G 5 - 25 / Sep.

Kunst aus Tibet
Ausstellungsführer der Kunsthalle Bern
zur Ausstellung vom 20.10. - 25.11.1962
Buchdruckerei Büchler & Co.,
Wabern-Bern   1962

HUMMEL, Siegbert
G 5 - 1

Die lamaistischen Malereien und Bild-
drucke im Linden-Museum
in: 'Tribus', Veröffentlichungen des
Linden-Museums für Völkerkunde No. 16,
(Juli), pg. 35 - 195
Stuttgart   1967

idem
G 5 - 60 / Sep.

Die Tibet-Sammlung des Linden-Museums
Sonderdruck in 'Tribus' Veröffentlichungen
des Linden-Museums, No. 25, November 1976
Linden-Museum, Stuttgart   1976

ISLER, Ursula /
WEBER, Hans (Photos)

Zur Heiterkeit der Seele
Die Sammlung Harrer im Völkerkundemuseum
Zürich
in: 'Neue Zürcher Zeitung', No. 152 v.
1. April 1973, pg. 55 f.
Zürich   1973

KATHMANDU, Department of
Archaeology
G 5 - 52

Nepalese Art
A Catalogue of art objects exhibited in
Paris 1966
Department of Archaeology His Majesty's
Government of Nepál, Kathmandu   1966

KÖLN, Museum für Ost-
asiatische Kunst
G 5 - 23

Buddhistische Kunst aus dem Himalaya
(Ausstellungskatalog)
Museum für Ostasiatische Kunst,
Köln   1975

KOLLER, Galerie Zürich
G 5 - 46.1 ff.

Auktions-Kataloge (mit Tibetica)
ab Mai/Juni 1972, Nr. 27 ff.
Galerie Koller, Zürich   1972 ff.

LAUF, Detlef Ingo
G 5 - 61

Terrifying Deities of Vajrayana Buddhism
mit französischer Uebersetzung
(Ausstellungskatalog der Galerie Marco
Polo, Frühling 1978)
L'Asiathèque, Paris   1978

LEUZINGER, Elsy
G 4 - 12

Wegleitung durch das Museum Rietberg,
Zürich
Museum Rietberg, Zürich   1960

eadem
G 5 - 41 (vide S 1 - 2)

Orientalia Helvetica
Neues aus dem Museum Rietberg, Zürich
in: Asiatische Studien / Etudes Asiatiques
Vol. XXII, 1968
A. Francke Verlag, Bern   1968

LINNE, S.
G 5 - 58 (vide D 5 - 30 /
      Sep.)

Sven Hedin and the Ethnographical Museum
Museum of Sweden, Stockholm
Auszug aus 'Ethnos' 1965
The Ethnographical Museum of Sweden,
Stockholm   1965

LIPPE, A.
G 5 - 38 / Sep.

Kunst und Kunsthandwerk vom Himalaya
Katalog zur Ausstellung im Palais
Liechtenstein Feldkirch im September 1975
Palais Liechtenstein, Feldkirch   1975

LOMMEL, Andreas
G 5 - 10

Buddhistische Kunst
Katalog zur Ausstellung des Staatlichen
Museums für Völkerkunde München 1971
München   1968

idem (Ed.)
G 5 - 63

Buddhistische Kunst
Katalog zur Ausstellung des Staatlichen
Museums für Völkerkunde München
Staatl. Museum für Völkerkunde
München (2. Auflage)   1974

LOWRY, John
G 5 - 44

Tibetan Art
(Victoria and Albert Museum)
Her Majesty's Stationery Office,
London   1973

MONOD, Odette
G 5 - 6

Le Musée Guimet (I)
Editions des Musées Nationaux,
Paris   1966

MÜNCHEN, Haus der Kunst
G 5 - 51

Tibet - Kunst des Buddhismus
Ausstellungskatalog der Tibet-Ausstellung
im Haus der Kunst (vorher Grand Palais,
Paris) vom 6. August - 16. Oktober 1977
Haus der Kunst, München   1977

MUSEUM für Ostasiatische
Kunst
G 5 - 62

Buddhistische Kunst Ostasiens
Druckerei Wienand,
Köln   1968

NEW DELHI, Tibet House
G 5 - 7

Tibet House Museum
Catalogue: Inaugural Exhibition
Tibet House Museum (Ed.)
New Delhi   1965

NEW YORK, The Metropolitan
Museum of Art
G 5 - 65

Arts from the Rooftop of Asia: Tibet,
Nepal, Kashmir
Catalogue
New York   1971

OLSON, Eleanor
G 5 - 14.1 ff.

Catalogue of the Tibetan Collection and
other Lamaist articles (Vols. I - V)
Vol.   I: Introduction and definition of
           terms - Symbols in Buddhist art
Vol. II: Prayer and objects associated
           with prayer - Music and musical
           Instruments - Ritualistic objects

Vol. III: Images and Molds - Paintings -
Writing and Printing Equipment-
Books - Seals and Documents
Vol. IV: Textiles - Rugs - Needlework -
Costumes - Jewellery
Vol. V: Food Untensils and Tables - Fire-
making and Tabacco Utensils
Travel and Fighting Equipment -
Currency and Stamps - Appendix
and Index to the five Volumes.
The Newark Museum, Newark   1950/1971

OLSON, Eleanor
G 5 - 54 / Sep.

A Tibetan Buddhist Altar
The Newark Museum, Newark (N.J.)   1972

ONDEI, G.M.D.
G 5 - 24 / Sep.

Tibet - Religieuze kunst
Katalog der Ausstellung im Provinzial
Gallo-Römischen Museum von Tongeren /
Niederlande
Tongeren / Niederlande   1968

PALLIS, Marco /
SNELLGROVE, David L.
G 5 - 20 (vide S 4 - 10 /
Sep.)

Introduction to Tibetan Art
in: The Tibetan Tradition (Catalogue to
the Exhibition of Tibetan Art and Culture,
2. - 14.12.1965 in London)
E.W. Warmald, London   1965

PARIS, Musée Guimet
G 5 - 36

Dieux et démons de l'Himalaya
Art du Bouddhisme lamaique
(Katalog zur Ausstellung im Grand Palais)
Editions des Musées Nationaux   1977

PARIS, Bibliothèque
Nationale
G 5 - 64

Trésors de Chine et de Haute Asie
Centième anniversaire de Paul Pelliot
(Catalogue)
Bibliothèque Nationale, Paris   1979

PASCALIS, Claude
G 5 - 55

La Collection Tibétaine
Musée Louis Finot
Ecole Française d'Extrême Orient,
Hanoi   1935

POTT, Pieter H.
G 5 - 4

Introduction to the Tibetan Collection
of the National Museum of Ethnology,
Leiden
E.J. Brill, Leiden   1951

RAWSON, Philip S.
G 5 - 30

Tantra
Katalog der Ausstellung in der Hayward-
Gallery, London vom 30. 9. - 14.11.1971
Arts Council of Great Britain,
London   1971

REYNOLDS, Valrae
G 5 - 66

Tibet - a lost World
The Newark Museum Collection of
Tibetan Art and Ethnography
Indiana University Press,
Bloomington/London   1978

ROTH, H.P.
G 5 - 39 / Sep.

Collection "R" Lenzburg
Kunstschätze aus China, Japan, Tibet,
Hinterindien und Indien
Lenzburg/Schweiz   1966

ROTTERDAM, Museum voor
Land- en Volkenkunde
G 5 - 40 / Sep.

Tentoonstelling Chineesche en Tibetansche
Kunst
Rotterdam   1938/1939

SCHOETTLE-Ostasiatica (Ed.)
G 5 - 21.1 ff. / Sep.

Tibetica - Kataloge der Verkaufsausstel-
lungen ab 1968 im Hause Schoettle-Ostasiatica Stuttgart, Wiss. Bearbeitung
D.I. Lauf
Schoettle-Ostasiatica, Stuttgart   1968 ff.

SCHRIEVER, John Henric
G 5 - 37

Lamaistische Kunst in Tibet
Katalog der Privat-Sammlung Schrievers
s.l.   1972

Idem
G 5 - 56 / Sep.

Lamaistische Kunst im alten Tibet
Katalog der Sammlung J.H. Schriever,
Cuxhaven
J.H. Schriever, Cuxhaven   1974

SEMADENI, Senta
G 5 - 27 / Sep.

Tibeter Teppiche
Kleiner Führer durch die Ausstellung in
der Städtischen Kunstkammer "Zum Strauhof",
Zürich, vom 18. Mai - 10. Juni 1966
(mit Erklärungen zur Symbolik der Orna-
mentik)
Zürich   1966

ŞEN, Siva Narayana
G 5 - 28 / Sep.

Tibet and Her Art
Nepal Museum Publication No. 3,
reprinted from "The Modern Review",
Prabashi Press, Calcutta   1941

SONAM TOPGAY (Compil.)
G 5 - 8

Tibet House Museum - Second Exhibition
of Tibetan Art
(August 1966)
Foreword by H.H. the Dalai Lama XIV.
Tibet House Museum
New Delhi   1966

STOLL, Eva
G 5 - 15 / Sep.

Orientalia Helvetica
Die Sammlung für Völkerkunde der Universität Zürich
in: 'Asiatische Studien / Etudes Asiatiques', XXII, 1968
A. Francke Verlag, Bern   1968

STOLL, Eva
G 5 - 16 / Sep.

Kunstschätze aus tibetischen Klöstern
Eine Einführung in die neugeordnete
Sammlung des Völkerkundemuseums der
Universität Zürich
Zürich   Mai 1972

TAIPEI, The National
Palace Museum
G 5 - 42

Masterpieces of Chinese Tibetan Buddhist
Altar Fittings in the National Palace
Museum
The National Palace Museum,
Taipei/Taiwan   1971

TONDRIAU, Julien
G 5 - 17 / Sep.

20 objets tibétains de culte et de magie
Musées Royaux d'Art et d'Histoire,
Bruxelles   o.J.

idem
G 5 - 18 / Sep.

20 rouleaux peints tibétains et népalais
Première série
Musées Royaux d'Art et d'Histoire,
Bruxelles   o.J.

idem
G 5 - 19 / Sep.

Deuxième Série de Vingt Rouleaux Peints
du Tibet et de l'Himalaya
Musées Royaux d'Art et d'Histoire,
Bruxelles   o.J.

TRUNGPA, Chögyam
G 5 - 35 / Sep.

Visual Dharma: The Buddhist Art of Tibet
Shambala, Berkeley & London   1975

TSCHARNER, von, E.H.
G 5 - 9

Asiatische Kunst aus Schweizer Sammlungen
Ausstellungskatalog der Kunsthalle Bern
Bern   1941

UHLIG, Helmut (Red.)
G 5 - 33

Buddhistische Kunst aus dem Himalaya
Kaschmir, Ladakh, Tibet, Nepal, Bhutan.
Katalog zur Ausstellung im Rathaus Tem-
pelhof, Berlin, vom 27. 4. - 19. 6.76
Bildbeschr. von Detlef-Ingo Lauf und
Heidi von Schroeder
Kunstamt Berlin-Tempelhof, Berlin   1976

VOGEL, J.Ph.
G 5 - 57

Archaeological Museum at Mathura
Indological Book House, Delhi   1971

WEBER, Hans
G 5 - 49 / Sep.

Kunst im Dienste der Wiedergeburt
Die Sammlung Heinrich Harrer im Völkerkundemuseum der Universität Zürich
Bildbericht im St. Galler Tagblatt vom
27. 5.1973, St. Gallen   1973

ZÜRICH, Galerie von
Schroeder
G 5 - 22 / Sep.

Frühbuddhismus - Nepal und Tibet
Ausstellungskatalog
Galerie von Schroeder, Zürich   1972

ZÜRICH, Kunstgewerbemuseum G 5 - 47	Asiatische Kunst Ausstellung aus Schweizer Sammlungen (1941) Kunstgewerbemuseum, Zürich	1941
ZÜRICH, Kunsthaus G 5 - 53 / Sep.	Kunst und Religion im alten Java 8. - 14. Jh. Kunsthaus Zürich	1977
ZÜRICH, Rietberg Museum G 5 - 13	Museum Rietberg der Stadt Zürich Ein Führer Zürich	1955
ZÜRICH, Völkerkundemuseum G 5 - 2	Das Völkerkunde-Museum der Universität Zürich Katalog Zürich	1972

G 6. Architektur / Stilistik ad Sakral- u. Profanbauten

AUCT. INCERT. G 6 - 9	Famous Buddhist Temples and Monastries in Taiwan (5th Series) China Cosmos Publishing House, Taiwan	ca. 1978
BAREAU, André G 6 - 3 (vide S 1 - 41)	Le stupa de Dhanyakataka selon la tradition tibétaine in: Arts Asiatiques, tome XVI (1967), pg. 81 ff. A. Maisonneuve, Paris	1967
idem G 6 - 19 (vide S 1 - 7)	La construction et le culte des Stūpa d'après les Vinayapiṭaka in: Samadhi, Cahiers d'Etudes Boudhiques, Vol. IX (1975), No 3 - 4, pg. 144 ff. Institut Belge des Hautes Etudes Bouddhiques Bruxelles	1975
DALLAPICCOLA, Anna Libera / ZINGEL-Avé-Lallemant, Stephanie (Ed.) G 6 - 13	The Stūpa - ists religious, historical and architectural significance (Beiträge zur Südasienforschung, Bd 55 Franz Steiner, Wiesbaden	1980
DENWOOD, Philip G 6 - 1 (vide S 5 - 1)	Forts and Castles - An Aspect of Tibetan Architecture in: 'Shambhala', No. 1 (Publ. des Institute of Tibetan Studies, Tring/England, pg. 7 ff. Pandect Press Ltd., London	1971

DENWOOD, Philip
G 6 - 16 (vide S 1 - 53)

Introduction to Tibetan Architecture
in: Tibet News Review, Vol. I (1980),
No 2, pg. 3 ff., London   1980

DEVA, Krishna
G 6 - 18 (vide S 1 - 3)

Buddhist Art and Architecture in India
and Nepal
in: Bulletin of Tibetology, Vol. XI (1974)
No 3, pg. 1 ff.
Institut of Tibetology, Gangtok   1974

EBERHARD, Wolfram
G 6 - 11 (vide S 4 - 28)

An iconography of the Lamaist Cathedral
in Peking. Comments to F.D. Lessing's
Yung-Ho-Kung
in: E'W': China und seine westlichen
Nachbarn, pg. 311 ff.
Wiss. Buchgesellschaft, Darmstadt   1978

FRANZ, Heinrich G.
G 6 - 14

Pagode, Turmtempel, Stupa
Studien zum Kultbau des Buddhismus in
Indien und Ostasien
Akad. Druck- und Verlagsanstalt
Graz   1978

GROOT, J.J.M. de
G 6 - 5 (vide N 9 - 13 /
        Sep.)

Der Thupa, das heiligste Heiligtum des
Buddhismus in China
Akademie der Wissenschaften, Berlin   1919

HAUSHEER, Klaus
G 6 - 10 (vide S 4 - 27)

Kataragama: Das Heiligtum im Dschungel
Südost-Ceylons - aus geographischer Sicht
in: Bechert, Heinz (Ed.): Buddhism in
Ceylon and studies on religious syncretism
in Buddhist countries, pg. 234 ff.
Vandenhoeck & Ruprecht, Göttingen   1978

HEISSIG, Walther (Ed.)
G 6 - 12 (vide Q 7 - 68)

'Erdeni-Yin Erike'
Mongolische Chronik der lamaistischen
Klosterbauten von ISIBALDAN (1835).
In Faks. mit Einl. und Namensverzeichnis
hg. von W'H'.
(Monumenta linguarum asiae maioris,
Series nova: Die mongol. Hds., Bd 2)
Ejnar Munksgaard, Kopenhagen   1961

HUMMEL, Siegbert
G 6 - 2 / Sep.

Tibetische Architektur
in: 'Bulletin der Schweizerischen Gesellschaft für Anthropologie und
Ethnologie'   1963/1964

JETTMAR, Gabriele
G 6 - 15 (vide Q 3 - 124)

Die Holztempel des oberen Kulutales
in ihren historischen, religiösen und
kunstgeschichtlichen Zusammenhängen
Franz Steiner, Wiesbaden   1974

KHOSLA, Romi
G 6 - 20

Buddhist Monasteries in the Western
Himalaya
(Bibliotheca Himalayica, Series III,
Vol. 13)
Ratna Pustak Bhandar, Kathmandu 1979

LAUF, Detlef Ingo
G 6 - 7 (vide S 1 - 8)

Vorläufiger Bericht über die Geschichte
und Kunst einiger lamaistischer Tempel und
Klöster in Bhutan
in: Ethnologische Zeitschrift Zürich,
Vol. II, No. 2 (1972), pg. 79 ff.
Lang, Liebefeld Bern 1972

MACDONALD, Ariane /
IMAEDA, Yoshira
G 6 - 8 / Sep.

Essais sur l'Art du Tibet
Extrait
Librairie d'Amérique et d'Orient
Paris 1977

PANT, Sushila
G 6 - 6 (vide Q 3 - 78)

Stupa Architecture in India
The Origin and Development
Bharata Manisha, Varanasi 1976

TARING, Zasak J.
G 6 - 17

Lhasa Tsug-lag Khang gi Sata and Karchhag
(The index and plan of Lhasa Cathedral
in Tibet)
Drawn by Casak J. Taring from memory
J. Taring, Rajpur ca. 1980

G 7. Manufaktur, Artisanat / Fragen d. Konservation / ikonograph. Techniken / Restauration

BACOT, Jacques
G 7 - 5

Kunstgewerbe in Tibet
Verlag Ernst Wasmuth AG., Berlin o.J.

BOSSERT, Helmuth Th.
G 7 - 11 (vide G 1 - 12)

Ornamente der Völker
(Aegypten, China, Japan, Siam, Tibet etc.)
Ernst Wasmuth, Tübingen 1956

BUREAU DU TIBET, Genève
(Ed.)
G 7 - 4 / Sep.

Artisanat Tibétain
Illustr. Broschüre
Imprimerie Amiet, Genève 1970

DENWOOD, Philip
G 7 - 12

The Tibetan Carpet
(cf. Rezension von Hummel, Siegbert
sub P 3 - 58 (vide S 1 - 2))
Aris and Philips Ltd., Warminster 1974

idem
G 7 - 10 (vide S 1 - 32)

Tibetans and Their Carpets
in: Asian Affairs, Vol. LX, Part I
(Febr. 1973), pg. 66 ff.
The Royal Central Asian Society,
London 1973

DENWOOD, Philip
G 7 - 17 (vide Q 10 - 44)

Nomad Arts and Tibet
in: Arts of the Eurasien Steppelands,
pg. 218 ff.
University of London, School of
Oriental and African Studies,
London   1978

HUMMEL, Siegbert
G 7 - 6

Tibetisches Kunsthandwerk in Metall
mit 18 Bildtafeln
Otto Harrassowitz, Leipzig   1954

HUNTINGTON, J.C.
G 7 - 2 / Sep.

The technique of Tibetan paintings
in: 'Studies in Conservation', Vol. 15,
No. 2, May 1970
J.F. Duwaer, Amsterdam   1970

idem
G 7 - 3 / Sep.

The iconography and structure of the
mountings of Tibetan paintings
in: 'Studies in Conservation', Vol. 15,
No. 3, Aug. 1970, pg. 190 ff.
J.F. Duwaer, Amsterdam   1970

idem
G 7 - 9 / Sep.

On the Conservation of Tibetan Thang-Kas
in: 'Studies in Conservation', Vol. XIV
(1969), pg. 152 ff.
J.F. Duwaer, Amsterdam   1969

ITEN-MARITZ, J.
G 7 - 8 / Sep.

Tibeter Volkskunst
(Eine Broschüre betr. tibet. Teppiche)
J. Iten-Maritz, Zürich   o.J.

LODEN, Sherap Dagyab
G 7 - 15 (vide G 4 - 110)

Tibetan Religious Art
Part I: Texts
Part II: Plates
Otto Harrassowitz, Wiesbaden   1977

MEHRA, V.R.
G 7 - 1 / Sep.

Note on the technique and conservation
of some Thang-ka paintings
in: 'Studies in Conservation', Vol. 15,
No. 3, August 1970
J.F. Duwaer, Amsterdam   1970

OLSCHAK, Blanche Chr.
G 7 - 7 / Sep.

Tibetan Carpets
Reprint from "palette", No. 27, 1967,
Sandoz Ltd., Basel   1967

RICHARDSON, Hugh
G 7 - 16 (vide S 1 - 23)

More on ancient Tibetan costumes
in: Tibetan Review, Vol. X, No 5/6
(1975), pg. 24 f.
Tibetan Review, New Delhi   1975

SANDMEIER, Hanni
G 7 - 14 / Sep.

Gesponnenes aus dem Tösstal
in: Heimatwerk, No. 1 (1975), pg. 24 ff.
Schweizer Heimatwerk, Zürich   1975

SELLBACH, Teppichhaus,   Der tibetische Teppich
Giessen   (farbige Broschüre)
G 7 - 18 / Sep.   Sellbach, Teppich- und Gardinenhaus,
                      Giessen   ca. 1980

THINGO, T.T.   Tibetische Malerei (Thanka und Tsagli)
G 7 - 13 (vide G 5 - 23)   in: Buddhistische Kunst aus dem Himalaya,
                      Ausstellungskatalog des Museums für Ost-
                      asiatische Kunst, Köln, 1975, pg. 12 ff.
                      Museum für Ostasiatische Kunst, Köln 1975

G 8. Varia

ARGÜELLES, José and   Mandala
Miriam   Foreword by Chögyam Trungpa
G 8 - 1   Shambala Publications,
                      Berkeley and London   1972

GASTINEAU, Marcel   Bernard Palissy et la Céramique
G 8 - 3 / Sep.   (Les Artisans Célèbres)
                      Les Publications Techniques,
                      Paris, 2e edition   1943

NIYOGI, Puspa   Cundā - a popular Buddhist goddess
G 8 - 2 (vide S 4 - 29)   in: East and West, Vol. XXVII (1977),
                      No 1 - 4, pg. 299 ff.
                      Istituto Italiano per il Medio ed
                      Estremo Oriente (IsMEO), Roma   1977

RUTH, Hans   Die Erfassung der tibetischen und mongo-
G 8 - 4 (vide S 4 - 30)   lischen Sachkultur an westeuropäischen
                      Museen
                      in: Proceedings of the Csoma de Körös
                      Memorial Symposium, 24. - 30. 9.1976
                      pg. 365 ff.
                      Akadémiai Kiadó, Budapest   1978

H. Linguistik/Philologie/Phonetik/Orthographie/ Typographie

H 1. Generelle Linguistik des Sino-Tibetischen

BENEDICT, Paul K.
H 1 - 2

Sino-Tibetan
A Conspectus
Princeton-Cambridge Studies in Chinese
Linguistics
Cambridge University Press   1972

CHANG, Kun
H 1 - 13 (vide S 4 - 30)

The Tibetan role in Sino-Tibetan
comparative linguistics
in: Proceedings of the Csoma de Körös
Memorial Symposium, 24. - 30. 9.76,
pg. 47 ff.
Akadémiai Kiadó, Budapest   1978

DONNER, Kai
H 1 - 10 / Sep.

Beiträge zur Frage nach dem Ursprung der
Jenissej-Ostjaken
in: Journal de la Société Finno-Ougrienne,
Vol. XXXVII:1, pg. 1 - 21,
Helsinki   1920

idem
H 1 - 11 / Sep.

Ueber die Jenissej-Ostjaken und ihre
Sprache
in: Journal de la Société Finno-Ougrienne,
Vol. XLIV:2, pg. 1 - 32
Helsiniki   1930

KREJNOVIČ, E.A.
H 1 - 12 / Sep.

Ketskij jazyk
in: Jazyki narodov SSSR V, Mongol'-skie,
tunguso-man'čžurskie i paleoaziatskie
jazyki, pg. 453 ff.
Leningrad   1968

MILLER, Roy Andrew
H 1 - 14 (vide S 4 - 30)

Is Tibetan genetically related to Japanese?
in: Proceedings of the Csoma de Körös
Memorial Symposium, 24. - 30. 9.76,
pg. 295 ff.
Akadémiai Kiadó, Budapest   1978

RAMSTEDT, Gustaf John
H 1 - 9 / Sep.

Ueber den Ursprung der sog. Jenissej-
Ostjaken (Vortrag)
in: Journal de la Société Finno-Ougrienne,
Vol. XXIV:2, pg. 1 - 6
Helsinki   1907

RÉGAMEY, Constantin
H 1 - 4 (vide S 1 - 2)

Langues d'Extrême-Orient
in: 'Asiatische Studien / Etudes
Asiatiques', 1947, Heft No. 1/2, pg. 48 ff.
A. Francke AG., Verlag, Bern   1947

SEDLÁČEK, Kamil   Existierte ein Lautgesetz in zusammenge-
H 1 - 5 (vide S 1 - 1)   setzten Anlauten des Proto-Sino-Tibetischen?
                                in: 'Central Asiatic Journal', Vol. VII,
                                No. 4, pg. 270 ff.
                                Mouton, The Hague / O. Harrassowitz,
                                Wiesbaden   1962

idem   Das Gemein-Sino-Tibetische
H 1 - 8   Kommissionsverlag Franz Steiner GmbH.,
                                Wiesbaden   1970

SHAFER, Robert   Introduction to Sino Tibetan
H 1 - 1.1 ff.   parts I - IV
                                O. Harrassowitz, Wiesbaden   1966 - 1970

idem   Bibliography of Sino-Tibetan Languages
H 1 - 3.1 f.   2 Vols.
                                O. Harrassowitz, Wiesbaden   1957/1963

idem   The Eurasial Linguistic Superfamily
H 1 - 6 (vide S 1 - 6)   in: 'Anthropos', Vol. 60, 1965, pg. 445 ff.
                                Paulusverlag, Freiburg/Schweiz   1965

SPRIGG, R.K.   The Tibeto-Burman Group of Languages
H 1 - 7 (vide S 1 - 3)   and its Pioneers
                                in: 'Bulletin of Tibetology', Vol. VII,
                                No. 1, pg. 17 ff.
                                Namgyal Institute of Tibetology,
                                Gangtok   1970

H 2. Linguistische u. philol. Monographien / Dialekte

BAILEY, T. Grahame   Linguistic Studies from the Himalayas
H 2 - 31   Asian Publication Services, India   1975

BENEDICT, Paul K.   Tibetan and Chinese Kinship Terms
H 2 - 33 / Sep.   in: Harvard Journal of Asiatic Studies,
                                No. 6 (1941), pg. 313 ff.
                                Cambridge, Mass.   1941

BHAT, Shankara D.N.   Tankhur Naga Vocabulary
H 2 - 27 / Sep.   Deccan College, Poona, India   1969

CUNNINGHAM, Alexander   Comparison of the various alpine dialects
H 2 - 26 (vide Q 3 - 46)   from the Indus to the Ghâgra
                                in: Ladak, Chapter XV, pg. 397 ff.
                                Sagar Publications, New Delhi   1970

DURR, Jacques A.   Morphologie du Verbe Tibétain
H 2 - 1   Carl Winter, Heidelberg   1950

FRANCKE, A.H.
H 2 - 37 / Sep.

The similarity of the Tibetan to the
Kashgar-Brahmi Alphabet
in: Memoirs of the Asiatic Society of
Bengal, Vol. I, No 3, pg. 45 ff.
Calcutta   1905

GRIERSON, G.A. (Ed.)
H 2 - 28

Linguistic Survey of India
Vol. III: Tibeto-Burman Family, Part I
Motilal Banarsidass, Delhi   1967

HAARH, Erik
H 2 - 5 / Sep.

The Zhang-Zhung Language
A Grammar and Dictionary of the Unex-
plored Language of the Tibetan Bonpos
Acta Jutlandica XL, 1
Aarhus Universitätsdruckerei   1968

HACKING, Joseph (ed. et
transl.)
H 2 - 25

Formulaire Sanscrit-Tibétain du Xe siècle
Librairie Orientale Paul Geuthner,
Paris   1924

HERMANNS, Matthias P.
H 2 - 7 / Sep.

Tibetische Dialekte von A-mdo
Sonderabdruck aus 'Anthropos', Vol. 47,
1962
Paulusdruckerei, Freiburg/Schweiz   1962

HODGSON, B.H.
H 2 - 16 (vide S 4 - 4.1)

Notices of the Languages, Literature and
Religion of Nepal and Tibet
in: Hodgson, B.H. 'Essays on Nepal and
Tibet', part I, pg. 1 ff.

HOFFMANN, Helmut
H 2 - 4

Žań-Žuń: The Holy Language of the Tibetan
Bon-po
in: 'Zeitschrift der Deutschen Morgenländi-
schen Gesellschaft', Bd. 117, Heft No. 2,
pg. 376 ff.
Kommissionsverlag F. Steiner GmbH.
Wiesbaden   1967

idem
H 2 - 6 / Sep.

Žań-Žuń: Die heilige Sprache der tibetischen Bon-po
Summar e. Vortrags, gehalten am 8.12.1967,
erschienen i.d. Sitzungsberichten der
Bayerischen Akademie der Wissenschaften
(phil.-hist. Klasse), Heft 6 (= Schlussheft)
des Jg. 1967
Verlag der Bayerischen Akademie der Wissenschaften, München   1968

HOUSTON, G.W.
H 2 - 29 (vide S 1 - 1)

Cig Car, Cig Char, Ston: note on a Tibetan
term
in: Central Asiatic Journal, Vol. XX,
No. 1 - 2 (1976), pg. 41 ff.
Otto Harrassowitz, Wiesbaden   1976

KARLGREN, Bernhard
H 2 - 8 / Sep.

Tibetan and Chinese
Sonderabdruck aus "T'oung Pao", Vol.
XXVIII, No. 1/2
E.J. Brill, Leiden   1931

KASCHEWSKY, Rudolf
H 2 - 41 (vide S 4 - 30)

Zur Frage des sogenannten "Akkusativs"
im Tibetischen
in: Proceedings of the Csoma de Körös
Memorial Symposium, 24. - 30. 9.1976,
pg. 169 ff.
Akadémiai Kiadó, Budapest   1978

LANGE, Kristina
H 2 - 30 (vide B 7 - 14)

Die Werke des Regenten Sans rgyas rgya mc'o
(1653 - 1705)
Eine philologisch-historische Studie zum
tibetischsprachigen Schrifttum
Akademie Verlag, Berlin   1976

LAUFER, Berthold
H 2 - 35 / Sep.

Studien zur Sprachwissenschaft der Tibeter.
Zamatog.
in: Sitzungsberichte der philosophisch-
philologischen und der historischen Classe
der k.b. Akademie der Wissenschaften zu
München, Jg. 1898, Bd 1, pg. 519 ff.
Verlag der K. Akademie, München   1898

idem
H 2 - 39

Loan-Words in Tibetan
in: T'oung Pao, Vol. XVII (1916),
pg. 403 ff.
Brill, Leiden   1916

LIGETI, Lajos
H 2 - 20 (vide S 1 - 5.3)

Tibeti forrasok Közép-Azsia történetéhez
in: 'Körösi Csoma Archivum', Suppl. Vol.
I, pg. 76 (vide sub Abtlg. S!)

LINDEGGER, Peter
H 2 - 32

Onomasticon Tibetanum - Namen und Namenge-
bung der Tibeter
(Opuscula Tibetana, Fasc. 7)
Tibet-Institut, Rikon   1976

MEISEZAHL, R.O.
H 2 - 10 / Sep.

Tibetisch m a r g a d "Smaragd"
Separatdruck aus: 'Ural-Altaische Jahr-
bücher, Vol. 35, Fasc. B
Otto Harrassowitz, Wiesbaden   1963

MIGOT, André
H 2 - 38

Recherches sur les dialectes tibétains
du Si-K'ang (Province de Khams)
in: Bulletin de l'Ecole Française d'Extrême-
Orient, tome XLVIII (1957), Fasc. 2, pg.
417 ff., Paris   1957

NAMGYEL, P. Thondup
H 2 - 6 (vide S 1 - 26)

Sanskrit and Tibetan
in: 'Maha Bodhi', Vol. 67, No. 6,
pg. 183 ff. (Juni)
The Maha Bodhi Society, Calcutta   1959

PARFIONOVIČ, J.M.   Tibetskij pis'mennyi jazyk
H 2 - 19   (Die tibetische Schriftsprache)
                           Verlag Nauka, Moskva   1970

PETECH, Luciano   Alcuni nomi geografici nel 'La-Dvags-
H 2 - 36 / Sep.   Rgyal-Rabs'
                           in: Rivista degli Studi Orientali, Vol.
                           XXII (1947), pg. 82 ff.
                           Giovanni Bardi, Roma   1947

POPPE, N.   Geserica (Untersuchung der sprachlichen
H 2 - 23 (vide S 4 - 18)   Eigentümlichkeiten der mongolischen Version
                           des Gesserkhan)
                           in: Asia major, Vol. III (1926), pg. 1 ff.
                           et 167 ff.
                           Johnson Reprint Corp., New York   1964
                                                               reprint

POUCHA, Pavel   The Tibetan Language
H 2 - 14 (vide S 1 - 1)   in: 'Central Asiatic Journal', Vol. VIII,
                           No. 3, pg. 219 ff.
                           Mouton, The Hague / O. Harrassowitz,
                           Wiesbaden   1963

ROERICH (de), Georges   Le Parler de l'Amdo
H 2 - 2   Etude d'un dialecte archaique du Tibet
                           Istituto Italiano per il Medio ed Estremo
                           Oriente, Roma   1958

idem   Tibetan Loan-Words in Mongolian
H 2 - 11 (vide S 3 - 1)   in: 'Liebenthal Festschrift', Bd. V,
                           parts 3 and 4, pg. 174 ff.
                           Visvabharati / Santiniketan   1957

RÓNA-TAS, A.   Tibeto-Mongolica
H 2 - 3   The Tibetan Loanwords of Monguor and the
                           Developpment of the Archaic Tibetan
                           Dialects
                           Indo-Iranian Monographs, Vol. VII
                           Mouton & Co., The Hague   1966

idem   Tibetological remarks on the Mongolian
H 2 - 17 (vide S 4 - 2)   version of the Thar-pa čhen-po
                           in: 'Etudes Tibétaines', pg. 440 ff.
                           (vide Sub Abtlg. S!)

idem   On a term of taxation in the Old-Tibetan
H 2 - 42 (vide S 4 - 30)   Royal Annals
                           in: Proceedings of the Csoma de Körös
                           Memorial Symposium, 24. - 30. 9.76,
                           pg. 357 ff.
                           Akadémiai Kiadó, Budapest   1978

SEDLÁČEK, Kamil
H 2 - 12 (vide S 1 - 1)

On the Use of Plural Marks in Modern
Tibetan
in: 'Central Asiatic Journal', Vol. XII,
No. 2, pg. 96 ff.
Mouton, The Hague / O. Harrassowitz,
Wiesbaden   1969

idem
H 2 - 13 (vide S 4 - 13)

'Tses, Shes, She'v souremennom tibetkom
jazyke
"Tses, Shes, She im Neutibetischen" und
K funkcional'nomu opredeleniju osnovnych
častic v tibetskom jazyke
"Zur funktionalen Bestimmung der grundle-
genden Partikeln im Tibetischen"
in: Tibetika (Aufsätze linguist. Art; in
russisch) pg. 63 ff. und 71 ff.
Ulan-Ude   1971

idem
H 2 - 15 (vide S 1 - 1)

Die E-Verbalphrasen im zeitgenössischen
Tibetischen
in: 'Central Asiatic Journal', Vol. VII,
No. 2, pg. 96 ff.
Mouton, The Hague / Harrassowitz,
Wiesbaden   1962

SIMON, Walter
H 2 - 9 / Sep.

Tibetisch-Chinesische Wortgleichungen
Walter de Gruyter & Co.,
Berlin / Leipzig   1930

idem
H 2 - 18 (vide S 4 - 2)

Tibetan "Fifteen" and "Eighteen"
in: 'Etudes Tibétaines', pg. 472 ff.
(vide Abtlg. S!)

SINHA, Nirmal Chandra
H 2 - 21 (vide S 1 - 3)

The LAMA
in: 'Bulletin of Tibetology', Vol. III,
No. 3, pg. 17 ff.
Namgyal Institute of Tibetology,
Gangtok   1966

SPRIGG, R.K.
H 2 - 22 (vide S 1 - 3)

Assimilation, and the definite nominal
particle in Balti Tibetan
in: Bulletin of Tibetology, Vol. IX, No. 2,
(1972), pg. 5 ff.
Namgyal Institute of Tibetology,
Gangtok   1972

VINDING, Michael
H 2 - 40 (vide E 4 - 6 /
        S 1 - 37)

A preliminary report on kinship terminolo-
gies of the bodish section of Sino-Tibetan
speaking peoples
in: Kailash, Vol. VII (1979), No 3 - 4,
pg. 191 ff., Kathmandu   1979

WEIERS, Michael
H 2 - 24 (vide S 2 - 1.8)

Tibetisch in mandschurischer Schrift
in Zentralasiatische Studien, Vol. VIII
(1974), pg. 333 ff.
Otto Harrassowitz, Wiesbaden   1974

CHANG, Betty Shefts
H 3 - 18 (vide S 4 - 30)

Tibetan prenasalized initials
in: Proceedings of the Csoma de Körös
Memorial Symposium, 24. - 30. 9.76,
pg. 35 ff.
Akadémiai Kiadó, Budapest   1978

CLAUSEN, G.L.M./
YOSHITAKE, S.
H 3 - 12

On the phonetic value of the Tibetan
characters ᩅ and ᩀ and the equivalent
characters in the hPhags.pa alphabet
in: Journal of the Royal Asiatic Society,
London 1929, pg. 843 - 862   1929

FANG-KUEI LI
H 3 - 1 (vide S 1 - 1)

Notes on Tibetan "sog"
in: Central Asiatic Journal, Vol. III,
No. 2, pg. 139 ff.
Mouton, The Hague / O. Harrassowitz,
Wiesbaden   1958

HAHN, Michael
H 3 - 9 (vide S 2 - 1.7)

Grundfragen der tibetischen Morphologie
in: Zentralasiatische Studien, Vol. VII
(1973), pg. 425 ff.
Otto Harrassowitz, Wiesbaden   1973

KANIA, Ireneusz
H 3 - 17 (vide S 1 - 42)

The seventh chapter of the rGyal-rabs
gsal-ba'i me-long and a problem of Tibetan
Etymology
in: The Tibet Journal, Vol. III (1978),
No 3, pg. 12 ff., Library of Tibetan
Works & Archives, Dharamsala   1978

LALOU, Marcelle
H 3 - 13 / Sep.

Tibétain ancien Bod/Bon
in: Journal Asiatique, tome CCXLI (1953),
pg. 275 - 276,
Paul Geuthner, Paris   1953

NARKYID, Ngawang Thondup
H 3 - 15

Tibetan language
Three study tools
Library of Tibetan Works & Archives,
Dharamsala   2nd rev. ed. 1975

NORNANG, Willa
H 3 - 20 / Sep.

Tibetan Vowel process: a case for the
feature "advanced root"
in: Proceedings of the Eighth Annual
Meeting of the Western Converence of
Linguistics, October 20-21, 1980; edited
by Derry L. Malsch, James E. Hoard and
Clarence Sloat
Linguistic Research Inc., Carbondale &
Edmonton   1980

RICHTER, Eberhardt
H 3 - 3

Grundlagen der Phonetik des Lhasa-Dialekts
Akademie-Verlag, Berlin   1964

RICHTER, Eberhardt /
MEHNERT, Dieter
H 3 - 19 (vide S 4 - 30)

Zur Struktur und Funktion der Aspiration
im modernen Tibetischen
in: Proceedings of the Csoma de Körös
Memorial Symposium, 24. - 30. 9.76,
pg. 335 ff.
Akadémiai Kiadó, Budapest   1978

SEDLÁČEK, Kamil
H 3 - 4 (vide S 1 - 1)

Signs of Partial Phonetic Reversion in
Tibetan
in: Central Asiatic Journal, Vol. IX,
No. 1, März 1964
Mouton, The Hague / O. Harrassowitz
Wiesbaden   1964

SEMIČOV, B.V.
H 3 - 8 (vide S 4 - 13)

O. slovoobrazovanii pri pomošči riň-lugs
"Ueber die Wortbildung mittels riň-lugs"
in: 'Tibetika' (Aufsätze linguist. Art;
in russisch), pg. 5 ff.
Ulan-Ude   1971

SIMON, Walter
H 3 - 2

Tibetan lexikography and etymological
research
in: 'Transactions of the Philological
Society', 1964, pg. 85 ff.
Basil Blackwell, Oxford   1965

SINHA, Nirmal Chandra
H 3 - 6 (vide S 1 - 3)

Antiquity of the Word 'bLa-Ma'
in: Bulletin of Tibetology, Vol. VI,
No. 2, pg. 5 ff.
Namgyal Institute of Tibetology,
Gangtok   1969

SPRIGG, R.K.
H 3 - 5 (vide S 1 - 3)

The Glottal Stop and Glottal Constriction
in Lepcha
in: Bulletin of Tibetology, Vol. III,
No. 1, pg. 5 ff.
Namgyal Institute of Tibetology,
Gangtok   1966

idem
H 3 - 7 (vide S 1 - 3)

Vyanjanabhakti, and Irregularities in
Tibetan Verb
in: Bulletin of Tibetology, Vol. VII,
No. 2, pg. 5 ff.
Namgyal Institute of Tibetology,
Gangtok   1970

STEIN, R.
H 3 - 16

Notes d'étymologie tibétaine
in: Bulletin de l'Ecole Française
d'Extrême-Orient, tome 41 (1941), pg. 203 ff.
Hanoi   1942

TARAB, Tulku N. Losang
H 3 - 10 / Sep.

Correlation between Tibetan Words
Vortrag gehalten anlässlich des Seminars
der Jungtibetologen an der Universität
Zürich, Sommer   1977

WYLIE, T.V.
H 3 - 11 (vide S 1 - 1)

Etymology of Tibetan: Bla-Ma
in: Central Asiatic Journal, Vol. XXI,
No. 2, 1977
Otto Harrassowitz, Wiesbaden   1977

ZIMMERMANN, Heinz
H 3 - 14

Wortart und Sprachstruktur im Tibetischen
Otto Harrassowitz, Wiesbaden   1979

H 4. *Grammatiken / Allg. Lehrbücher*

BACOT, Jacques
H 4 - 2.1 f.

Grammaire du Tibétain littéraire
Vol. I: Grammaire
Vol. II: Index morphologique (langue
        littéraire et langue parlée)
Librairie d'Amérique et d'Orient,
Paris   1946/1948

BELL, Sir Charles
H 4 - 5

Grammar of Colloquial Tibetan
3rd Edition
Bengal Government Press,
Alipore/Bengal   1939

CSOMA DE KOROS, A.
H 4 - 6

A Grammar of the Tibetan Language in
English (Calcutta 1834)
Reprint: The Altai Press, New York ca.1970

DAS, Sarat Chandra
H 4 - 15

An Introduction to the Grammar of the
Tibetan Language
Motilal Banasidass, Delhi   reprint 1972
(cf. Rezension: Namgyal, Jamyang, sub
P 3 - 38 / vide S 1 - 37)

DESGODINS, A.
H 4 - 16 / Sep.

Essai de Grammaire Thibétaine
Imprimerie de Nazareth, Hongkong   1899

DUDJOM, Rimpoche
H 4 - 18 (vide S 1 -
        37.13)

Concise Tibetan Grammar and Reader
in: Kailash, Vol. IV (1976), No. 3,
pg. 241 ff.
Kathmandu   1976

DÜRR, Jacques
H 4 - 3

Deux traités grammaticaux tibétains
Carl Winter, Heidelberg   1950

GIORGI, A. Pater H 4 - 21	Alphabetum Tibetanum Missionum Apostolicarum commodo editum (Nach Materialien der Kapuzinermission von 1741 unter Orazio de la Penna und unter Mitarbeit von Pater Beligatti) (Xerocopie der prima editio minor) Sacra Congregatio de Propaganda Fide, Roma 1759
GOLDSTEIN, Melvyn C./ NORNANG, N. H 4 - 12	Modern Spoken Tibetan: Lhasa Dialect (mit 1 Band: vide sub T 2 - 1!) University of Washington Press, Seattle and London 1970
HAHN, Michael H 4 - 4	Lehrbuch der Klassischen Tibetischen Schriftsprache mit Lesestücken und Glossar Michael Hahn, Hamburg 1971
HANNAH, Herbert Bruce H 4 - 7	A Grammar of the Tibetan Language (Literary and Colloquial) Baptist Mission Press, Calcutta 1912
JÄSCHKE, H.A. H 4 - 8	Tibetan Grammar Supplement of Readings with Vocabulary by John L. Mish Frederick Ungar Publishing Co., New York 1954
idem H 4 - 13	Tibetan Grammar Addenda by A.H. Francke Walter de Gruyter, Berlin und Leipzig 1929
JOTTOTSHANG, Tenzin Phuntsog H 4 - 22	Neuzeitliches deutsch-tibetisches Lehrbuch Tibet-Institut, Rikon 1976
KUN CHANG / SHEFTS, Betty H 4 - 10	A Manual of Spoken Tibetan (Lhasa Dialect) (With the help of Ngawang Nornang and Lhadon Karsip) Mit 2 Bändern: vide sub T 2 - 2.1 f.) University of Washington Press, Seattle 1964
LALOU, Marcelle H 4 - 9	Manuel élémentaire de Tibétain classique (Méthode empirique) Librairie d'Amérique et d'Orient, Adrien Maisonneuve, Paris 1950
MILLER, Roy A. H 4 - 19	Studies in the Grammatical Tradition in Tibet John Benjamins B.V., Amsterdam 1976

ROERICH, George N. / PHUNTSHOK, Tse-trung L. H 4 - 11	Textbook of Colloquial Tibetan (Dialect of Central Tibet) Three parts in one volume Kalimpong	1952

ROERICH, George N. / LHALUNGPA, L.P. H 4 - 14	Textbook of Colloquial Tibetan (Dialect of Central Tibet) 2nd edition, revised and enlarged by L.P. Lhalungpa (1st ed. cf. H 4 - 11) Mañjuśrī Publishing House, New Delhi (cf. Rezension: Macdonald, A.W. sub P 3 - 43)	1972

SCHMIDT, I.J. H 4 - 1	Grammatik der Tibetischen Sprache unveränderter photomechanischer Nachdruck der St. Petersburger Ausgabe von 1839 Zentral-Antiquariat der Deutschen Demokra- tischen Republik, Leipzig	1968

TENGYAI et TENSANG (Denis Eysseric et Rose-Marie Mengual) H 4 - 17	Manuel de Tibétain Kagyu Ling, Toulon-sur-Arroux	1976

H 5. Glossarien, Wörterbücher / Lexikographisches / terminologische Synoptiken et sim.

BEG, M.A.J. H 5 - 34 / Sep.	Arabic Loan-Words in Tibetan in: Beg, M.A.J.: Arabic Loan-Words in Malay. A comparative study, pg. 61 - 64 (74) Kuala Lumpur, 2nd rev. ed.	1979

BELL, Sir Charles H 5 - 8	English-Tibetan Colloquial Dictionary 2nd Edition (photokopiert in 2 Vols.) The Bengal Secretariat Book Depot, Calcutta	1920

idem H 5 - 9	English-Tibetan Colloquial Dictionary Reprint 1965 West Bengal Government Press, Alipore, Calcutta	1965

BERTAGAEV, T.A. H 5 - 30	Leksika sovremennych mongol'skich literaturnych jazikov Verlag "Nauka", Moskau	1974

BRJANSKIJ, M.G. H 5 - 23 (vide S 4 - 13)	O terminach bTag i gaṅ-źGa (Ueber die Termini bTag und gaṅ-źGa) in: Tibetika (Aufsätze linguist. Art; in russisch), pg. 86 ff. Ulan-Ude	1971

BUCK, Stuart H.
H 5 - 11

Tibetan-English Dictionary with Supplement
ed. by the Bureau of Special Research in
Modern Languages of the Catholic University
of America Press; Publication No. 1,
The Catholic University of America Press,
Washington   1969

CHANDRA, Lokesh
H 5 - 27.1 f.

Tibetan-Sanskrit Dictionary
Rinsen Book Co. Ltd., Kyoto   1971

COMPL. AUCT.
H 5 - 5

Gem Collected - English-Tibetan-Hindi-
Sanskrit Dictionary
s.l.   o.J.

CSOMA DE KÖRÖS, Alexander
H 5 - 26

Essay towards a Dictionary, Tibetan and
English (Bibliotheca Himalayica, Series
II/Vol. IV)
Manjusri Publishing House,
New Delhi (1st ed. 1834)   Reprint 1973

DAS, Sarat Chandra
H 5 - 6

A Tibetan-English Dictionary with Sanskrit
Synonyms
revised by Graham Sandberg and A. William
Heyde (1st Ed.: 1902)
Motilal Banarsidass,
New Delhi / Patna / Varanasi   1970²

DHONGTHOG, T.G.
H 5 - 25

The new light English-Tibetan Dictionary
Library of Tibetan Works & Archives,
Dharamsala   1973

DOUSAMDUP, Lama Kazi
H 5 - 12

English-Tibetan Dictionary
containing a vocabulary of approximately
twenty thousand words with their Tibetan
equivalents
Baptist Mission Press, Calcutta   1919

EMMERICK, R.E.
H 5 - 15 (vide S 1 - 1)

Names from Central Asia
in: Central Asiatic Journal, Vol. XII,
No. 2, pg. 88 ff.
Mouton, The Hague / O. Harrassowitz,
Wiesbaden   1968

idem
H 5 - 35 / Sep.

Some lexical items from the rGyud-bźi
in: Proceedings of the Csoma de Körös
Memorial Symposium, edited by Louis
Ligeti, pg. 101 ff.
Akadémiai Kiadó, Budapest   1978

GHOSH, B.
H 5 - 21 (vide S 1 - 3)

Upanishadic Terms in Buddhism
in: Bulletin of Tibetology, Vol. VI,
No. 3, pg. 5 ff.
Namgyal Institute of Tibetology,
Gangtok   1969

GIRAUDEAU, Monseigneur / GORE, Rév. Père François H 5 - 3	Dictionnaire Français-Tibétain (Tibet oriental) Librairie d'Amérique et d'Orient, Paris 1956
GIRAUDEAU, P. II 5 - 28	Dictionarum Latino-Thibetanum ad usum alumnorum missionis thibeti Typìs societatis missionum ad exteros, Hongkong 1916
GOLDSTEIN, Melvyn H 5 - 33	Tibetan-English Dictionary of modern Tibetan (Bibliotheca Himalayica, Series II, Vol. IX) Ratna Pusta Bhandar, Kathmandu 1975
HIRAKAWA, Akira H 5 - 36.1-3	Index to the Abhidharmakośabhāṣya Part one: Sanskrit-Tibetan-Chinese (P. Pradhan Edition) Part two: Chinese-Sanskrit (Taisho Edition) Part three: Tibetan-Sanskrit (Peking Edition) in collaboration with Shunei Hirai, So Takahashi, Noriaki Hakamaya ... Daizo Shuppan Kabushikikaisha, Tokyo 1973 - 1978
HUGGENBERGER, Hans / WANGYAL, K.K.T. H 5 - 4	Der Kleine Tibeter / Bod rigs gźon-nu'i Chig mjod Deutsch-tibetisches Wörterbuch mit Anhang (zur Phonetik und Schreibung) H. Weiss-Stauffacher, Basel 1964
HUMPHREYS, Christmas H 5 - 31 (vide N 2 - 66)	A Popular Dictionary of Buddhism Curzon Press, London 1976
JÄSCHKE, H.A. H 5 - 1	Handwörterbuch der tibetischen Sprache Unveränderter photomech. Nachdruck der Gnadauer Ausgabe von 1871 Biblio Verlag, Osnabrück 1971
idem H 5 - 2.1 f.	A Tibetan-English Dictionary to which is added An English-Tibetan Vocabulary Routledge & Kegan Paul, London 1958
KIAUTA-BRINK, M.A.J.E. H 5 - 32 (vide F 10 - 21.1 f. / Sep.)	Some Tibetan Expressions for "Dragonfly" with special reference to the biological features and demonology (in: Communication No. 22 of the Nether- lands Centre for Alpine Biological Research) Further Annotations on the Tibetan Expres- sions for "Dragonfly" (in: Communication No. 25), Utrecht 1976

LIGETI, L.
H 5 - 17 (vide S 4 - 2)

A propos du "Rapport sur les rois de-
meurant dans le Nord"
in: Études Tibétaines, pg. 166 ff.
Librairie d'Amérique et d'Orient,
Adrien Maisonneuve, Paris 1971

PATHAK, Suniti Kumar
H 5 - 29

A Bilingual Glossary of the Nāgānanda
(tibetisch-Sanskrit)
The Asiatic Society, Calcutta 1968

RICHTER, Eberhardt
H 5 - 10

Tibetisch-deutsches Wörterbuch
VEB Verlag Enzyklopädie, Leipzig 1966

RIKHA, Lobsang Tenzin
H 5 - 7

English-Tibetan Dictionary
Shuchi Private Ltd., New Delhi ca. 1967

SCHAI, Therese/
NEHNANG, Lobsang Chonphel
H 5 - 14 / Sep.

Deutsch-tibetanisches Wörterbuch
Anspruchslose Broschüre mit kleiner
Einführung in die Grammatik
Buchdruckerei Fricker,
Frick AG / Schweiz 1965

SCHMIDT, I.J.
H 5 - 13

Tibetisch-Deutsches Wörterbuch
Neudruck der Ausgabe von 1841
Biblio Verlag, Osnabrück 1969

SEMIČOV, B.V. (et al.)
H 5 - 19

Kratkij tibetsko-russkij slovar'
(Ausführliches tibetisch-russisches
Wörterbuch)
Gosudarstvennoe izdatel'stvo inostrannych
i nacional'nych slovarej (State Publishing
House of the foreign and national Dictio-
naries)
Moskva 1963

idem
H 5 - 24 (vide S 4 - 13)

Nekotorye leksičeskie osobennosti tibetskoyo
jazyka: 1-Povtory
"Einige lexikalische Besonderheiten des
Tibetischen: 1. Reduplizierte Wörter"
in: Tibetika (Aufsätze linguist. Art; in
russisch), pg. 99 ff.
Ulan-Ude 1971

SHAFER, Robert
H 5 - 16 (vide S 1 - 6)

The Words for 'Printing Block' and the
Origin of Printing
in: 'Anthropos', Vol. 58, pg. 569 ff.
Paulusverlag, Freiburg/Schweiz 1963

SINHA, Nirmal Chandra
H 5 - 20 (vide S 1 - 3)

The Missing Context of CHOS
in: Bulletin of Tibetology, Vol. II,
No. 3, pg. 23 ff.
Namgyal Institute of Tibetology,
Gangtok 1965

TERJÉK, J. H 5 - 38 (vide S 4 - 30)	Die Wörterbücher der vorklassischen tibetischen Sprache in: Proceedings of the Csoma de Körös Memorial Symposium, 24. - 30. 9.1976, pg. 503 ff. Akadémiai Kiadó, Budapest 1978
URAY, G. H 5 - 18 (vide S 4 - 2)	A propos du tibétain "rgod-g-yuñ" in: Etudes Tibétaines, pg. 553 ff. Librairie d'Amérique et d'Orient, Adrien Maisonneuve, Paris 1971
WILHELM, Friedrich H 5 - 22 (vide S 1 - 1)	Ein Beitrag zur tibetischen Lexikographie in: Central Asiatic Journal, Vol. VII, No. 3, pg. 212 ff. Mouton, The Hague / O. Harrassowitz, Wiesbaden 1962
YAMAGUCHI, Susumu H 5 - 37.1-2	Index to the Prasannapadā Madhyamaka- Vṛtti Part one: Sanskrit-Tibetan Part two: Tibetan-Sanskrit Heirakuji-Shoten, Kyoto 1974

H 6. Fibeln u. Elementar-Lehrbücher

AESCHIMANN, Danielle H 6 - 4 / Sep.	Kleine tibetische Sprachlehre (Deutsche Darstellung nach Bells 'Grammar of Colloquial Tibetan'),Vervielfältigungen Olten 1961
AMIPA, Sherab Gyaltsen H 6 - 7 AUCT. INCERT. H 6 - 8 / Sep.	Textbook of Colloquial Tibetan Language Tibet-Institut, Rikon 1974 (dazugehörige Kassetten: T 2 - 4.1-2) Tibetisch-deutsches Sprachlotto o.O. o.J.
CHANG, Kun / CHANG, Betty Shefts H 6 - 9.1-3	Spoken Tibetan Texts with the help of Nawang Nornang and Lhadon Karship Vols I - III (Institute of History and Philology Academia Sinica, Special Publ., No 74) Nankang, Taipei 1978, 1980
JONGCHAY, Champa Thupten (i.e. Zongtse) H 6 - 6	Kleine Phraseologie der tibetischen Um- gangssprache deutsch-tibetisch, mit Glossarien Faszikel 3 der Serie 'Opuscula Tibetana' hrsgb. vom Tibet-Institut Rikon, mit dem dazugehörigen Tonband: T 2 - 3 Rikon/Zürch 1972

LINDEGGER-STAUFFER, Peter
H 6 - 5 / Sep.

Kleine Einführung in die tibetische Um-
gangssprache (Vervielfältigung)
Tibet-Institut Rikon/Schweiz
Rikon/Zürich   1972

VIDHUSHEKHARA, B. (Ed.)
H 6 - 2

Bhota-Prakāsa - A Tibetan Chrestomathy
University of Calcutta   1939

VIRA, Raghu (Ed.)
H 6 - 3 / Sep.

Tibetische Sprach- und Lehrfibel
Publ. by Raghu Vira
New Delhi   1961

TARCHIN, G.
H 6 - 7

The Tibetan-English Self Taught
part I (2nd edition)
Tibet Mirror Press, Kalimpong   1960

idem
H 6 - 8

The Tibetan Grammar (Part I)
2nd Edition by Photo Offset (1st: 1938)
The Tibet Mirror Press, Kalimpong   1960

WOLFER, Otto /
PALDEN, Lobsang /
NAMDOL, Lobsang
H 6 - 1 / Sep.

Kleiner Schlüssel zu tibetischen Herzen /
Bod-sKad sLob-Deb sNYiñ-gi lDi-Mig
Deutsch-tibetisches Lehrheft mit Einzel-
sätzchen und Wörtern
Conzett & Huber, Zürich   1964

H 7. *Literaturwissenschaft / Poetik / Literar(hist.) Komparatistik / Parœmiographie/
Text-Tradition / Textkritik / literarhist. Chronologie et sim.*

BISCHOFF, F.A.
H 7 - 8 (vide S 1 - 1)

Anmerkungen zu einem Titel das 'PHags-pa
in: Central Asiatic Journal, Vol. XII,
No. 2, pg. 79 ff.
Mouton, The Hague / O. Harrassowitz
Wiesbaden   1968

DALAI Lama XIV.
H 7 - 40 (vide S 1 - 42)

Sanskrit in Tibetan Literature
in: The Tibet Journal, Vol. IV (1979),
No 2, pg. 3 ff., Library of Tibetan Works
& Archives, Dharamsala   1979

DAMDINSUREN, T.
H 7 - 38 (vide S 1 - 42)

A short review on Tibetan literature
and its Mongolian translations
in: The Tibet Journal, Vol. II (1977),
No 3, pg. 62 ff., Library of Tibetan Works
& Archives, Dharamsala   1977

DHONDUP, K.
H 7 - 37 (vide S 1 - 23)

Glimpses of Tibetan Folk Literature
in: Tibetan Review, Vol. XV (1980),
No 6, pg. 10 ff., New Delhi   1980

DOBOOM, L.T. Tulku
H 7 - 30

A Short Investigation of the Proclamation
of New Literary Standards
in: The Tibet Journal, Vol. II, No. 1
(1977)
Library of Tibetan Works & Archives,
Dharamsala   1977

EIMER, Helmut
H 7 - 12 (vide S 2 - 1.4)

Satz- und textspiegelidentische Pekinger
Blockdrucke in tibetischer Sprache
in: 'Zentralasiatische Studien', Vol. IV,
pg. 429 ff.
Otto Harrassowitz, Wiesbaden   1970

idem
H 7 - 27

Tibetica Upsaliensia
Handliste der tibetischen Handschriften
und Blockdrucke in der Universitätsbiblio-
thek zu Uppsala
Almqvist & Wiksell International,
Stockholm   1975

idem
H 7 - 31 (vide L 6 - 28)

Berichte über das Leben des Atisa
(Dipaṃkaraṣrijnāna)
(Asiatische Forschungen, Bd 51)
Otto Harrassowitz, Wiesbaden   1977

FRYE, Stanley
H 7 - 34 (vide S 1 - 42)

The mDo-mdzangs-blun Foreword: Scripture
of the Wise Man and the Fool
in: The Tibet Journal, Vol. II, No. 4
(1977), pg. 17 ff.
Library of Tibetan Works and Archives,
Dharamsala   1977

GERASIMOVA, K.M.
H 7 - 20 (vide S 4 - 13)

Primečanija k tekstu 'Pratimamanalakšany'
v nartanskom izdanii Dančžura
"Bemerkungen zum Text 'Prātimamanalaksani'
in der Nartang-Ausgabe des bsTan-'Gyur"
und: Kommentarii Ratnarakšity i Taranatchi
k 30-j glave 'Samvarudaj'
"Kommentare des Ratnarakšīta und Tarānathi
zum 30. Kapitel des 'Samvarudai'"
in: Tibetika (Aufsätze linguist. Art: in
russ.), pg. 34 ff. und pg. 45 ff.
Ulan-Ude

GHOSH, Bhajogovinda
H 7 - 16 (vide S 1 - 3)

Study of Sanskrit Grammar in Tibet
in: Bulletin of Tibetology, Vol. VII,
No. 2, pg. 21 ff.
Namgyal Institute of Tibetology,
Gangtok   1970

idem
H 7 - 22 (vide S 1 - 3)

Sakya Paṇḍita's "Subhāṣitaratnanidhi"
A Work on Elegant Sayings
in: Bulletin of Tibetology, Vol. IX (1972),
No. 2, pg. 20 ff.
Namgyal Institute of Tibetology,
Gangtok   1972

HAMM, F.R.
H 7 - 3 (vide S 2 - 1.4)

Studien zur Ueberlieferungsgeschichte
des Mi-la'i mGur-'bum
in: 'Zentralasiatische Studien', Vol. IV,
pg. 29 ff.
Otto Harrassowitz, Wiesbaden   1970

idem
H 7 - 10 (vide S 2 - 1.4)

Die tibetische Ueberlieferung zweier
Udānavarga-Verse
in: 'Zentralasiatische Studien', Vol. IV,
pg. 17 ff.
Otto Harrassowitz, Wiesbaden   1970

HEISSIG, Walther
H 7 - 17 (vide G 1 - 6)

Tibet und die Mongolei als literarische
Provinzen
Westdeutscher Verlag, Köln   1967

JONG de, J.W.
H 7 - 4 (vide S 2 - 1.6)

Notes à propos des colophons du Kanjur
in: 'Zentralasiatische Studien', Vol. VI,
pg. 505 ff.
Otto Harrassowitz, Wiesbaden   1972

idem
H 7 - 6 (vide S 1 - 1)

Encore une fois le Fonds Pelliot Tibétain
No. 610
in: Central Asiatic Journal, Vol. XII,
No. 1, pg. 1 ff.
Mouton, The Hague / O. Harrassowitz,
Wiesbaden   1968

KÄMPFE, Hans-Rainer
H 7 - 32 (vide S 2 - 1.9)

Einige tibetische und mongolische Nachrichten zur Entstehungsgeschichte des
mandjurischen Kanjur
in: Zentralasiatische Studien, Vol. IX
(1975), pg. 537 ff.
Otto Harrassowitz, Wiesbaden   1975

KARA, G.
H 7 - 41 (vide S 4 - 30)

Uiguro-Tibetica
in: Proceedings of the Csoma de Körös
Memorial Symposium, 24. - 30. 9.76,
pg. 161 ff.
Akadémiai Kiadó, Budapest   1978

KUN CHANG
H 7 - 7 (vide S 1 - 1)

On Tibetan Poetry
in: Central Asiatic Journal, Vol. II,
No. 2, pg. 129 ff.
Mouton, The Hague / O. Harrassowitz,
Wiesbaden   1957

LE COQ, Albert von
H 7 - 28

Sprichwörter und Lieder aus der Gegend von
Turfan
Mit einer dort aufgenommenen Wörterliste
(B.G. Teubner, Leipzig/Berlin 1911)
Johnson Reprint Co., London   1968

MEISEZAHL, R.O.
H 7 - 1 / Sep.

Zu einigen tibetischen Namen unter den
Holzschnitten im 'Khuṅs rabs gsol 'debs
nor bu'i phreṅ ba sku brñan daṅ bčas pa
Separatdruck aus 'Central Asiatic Jour-
nal', Vol. VI, No. 2
Mouton, The Hague / O. Harrassowitz,
Wiesbaden   1961

idem
H 7 - 2 / Sep.

Die tibetische Version der Cintāmaṇi-
ratnadhāraṇī
Separatum aus: 'Oriens', Vol. 13/14,
E.J. Brill, Leiden   1961

idem
H 7 - 13 (vide S 2 - 1.1)

Ueber zwei mDo-maṅ Redaktionen und ihre
Editionen in Tibet und China
in: 'Zentralasiatische Studien', Vol. I,
pg. 67 ff.
Otto Harrassowitz, Wiesbaden   1968

idem
H 7 - 33 (vide S 2 - 1.11)

Zu de Jong's "Notes à propos des colophones
du Kanjur" (cf. Ziffer H 7 - 4)
in: 'Zentralasiatische Studien, Vol. XI
(1977), pg. 563 ff.
Otto Harrassowitz, Wiesbaden   1977

NAGARJUNA /
PAṆḌIT SAKYA
H 7 - 35 (vide J 2 - 86)

Elegant Sayings
The Staff of Wisdom (Lugs kyi bstan-bcos
shes-rab sdong-po)
Dharma Publishing, Emeryville, Cal.   1977

PATHAK, Suniti Kumar
H 7 - 26 (vide B 4 - 16)

The Indian Nītiśāstras in Tibet
Motilal Banarsidass, Delhi   1974

PETECH, Luciano
H 7 - 18 / Sep.

Glosse agli 'Annali di Tun-Huang'
Separatum aus: 'Rivista degli Studi
Orientali', Vol. XLII, pg. 241 ff.
G. Bardi, Roma   1967

PUBAEV, R.E.
H 7 - 19 (vide S 4 - 13)

Voprosy tekstoloyii istoričeskoyo sočinenija
Sumba-Chambo Ešej-Balčžova - "Pagsan-
Čžonsan"
"Textkritische Fragen zum historischen Werk
von Sumpa mKhanpo Ye-ses dpal-'byor - 'dPag-
bsam lJon-bzan'"
in: Tibetika (Aufsätze linguist. Art: in
russisch), pg. 25 ff.
Ulan-Ude   1971

RICHARDSON, Hugh E.
H 7 - 15 (vide S 1 - 3)

A Fragment from Tun Huang
in: Bulletin of Tibetology, Vol. II,
No. 3, pg. 33 ff.
Namgyal Institute of Tibetology,
Gangtok   1965

RICHARDSON, Hugh E.
H 7 - 36 / Sep.

'The Dharma that Came Down from Heaven':
a Tun-huang Fragment
in: 'Buddhist Thought and Asian Civilzation'
Dharma Publishing, Emeryville   1977

SAHA, Kshanika
H 7 - 23 (vide N 2 - 12)

Manuscript Remains in Central Asia
in: Buddhism and Buddhist Literature in
Central Asia, pg. 31 ff.
K.L. Mukhopadhyay, Calcutta   1970

SAVITSKY, L.S.
M 7 - 29 (vide S 1 - 42)

Tibetan Literature of the Eighteenth
Century
in: The Tibet Journal, Vol. I (1976), No. 2,
pg. 43 ff.
Library of Tibetan Works and Archives,
Dharamsala   1976

SCHUH, Dieter
H 7 - 25 (vide S 2 - 1.8)

Das Theaterstück 'Gro-ba bzan-mo' in der
Version der Theatergruppe von Dharamsala
in: Zentralasiatische Studien, Vol. VIII
(1974), pg. 455 ff.
Otto Harrassowitz, Wiesbaden   1974

TAUBE von, Manfred
H 7 - 11 (vide S 2 - 1.2)

Zur Textgeschichte einiger gZuns-bsdus
- Ausgaben
in: 'Zentralasiatische Studien', Vol. 11,
pg. 55 ff.
Otto Harrassowitz, Wiesbaden   1968

TOMAR, Ram Singh
H 7 - 14 (vide S 1 - 3)

On the Carypadas in Tibetan
in: Bulletin of Tibetology, Vol. I,
No. 1, pg. 25 ff.
Namgyal Institute of Tibetology,
Gangtok   1964

TUCCI, Giuseppe
H 7 - 21 / Sep.

Un profilo della letteratura del Tibet
in: Pisani, V./Mishra, L.P.: Le letterature dell'India, pg. 533 ff.
Sansoni/Accademia, Firenze/Milano   1970

idem
H 7 - 42 / Sep.

Letteratura Tibetana
in: Le Civiltà dell'Oriente, Vol. II
(1957), pg. 780 ff.
Edizioni Casini, Roma   1957

VAN DER KUIJP, L.W.J.
H 7 - 39 (vide S 1 - 42)

Introductory Notes to the Pramāṇavārttika
based on Tibetan Sources
in: The Tibet Journal, Vol. IV (1979),
No 2, pg. 6 ff., Library of Tibetan Works
& Archives, Dharamsala   1979

VOGEL, Claus
H 7 - 9 (vide S 1 - 1)

On the Nā-ro-pa'i rNam-THar
in: Central Asiatic Journal, Vol. XII,
No. 1, pg. 8 ff.
Mouton, The Hague / O. Harrassowitz
Wiesbaden   1968

VOSTRIKOV, A.I. H 7 - 24.1 f.	Tibetskaja istoriceskaja literatura mit Uebersetzung ins Englische: Tibetan Historical Literature Moskva 1962 Calcutta (Indian Studies) 1970
WYLIE, Turrell V. H 7 - 5 (vide S 1 - 1)	Dating the Tibetan 'Dzam gLing rGyas bSHad through its description of the Western Hemisphere in: Central Asiatic Journal, Vol. IV, No. 4, pg. 300 ff. Mouton, The Hague / O. Harrassowitz Wiesbaden 1959

H 8. Philologie / Stil / Übersetzungsproblematik et sim.

BACK, Dieter Michael H 8 - 11	Eine buddhistische Jenseitsreise Das sogenannte 'Totenbuch der Tibeter' aus philologischer Sicht Otto Harrassowitz, Wiesbaden 1979
BOLSOCHOEVA, N.D. H 8 - 2 (vide S 4 - 13)	Prošedšee vrenja glagola v sovremennom tibetskom jazyke pri perevoda na russkij jazyk 'Die Vergangenheit des Verbums im mod. Tibetisch bei der Uebersetzung ins Russi- sche' in: Tibetika (Aufsätze linguist. Art; in russisch), pg. 14 ff. Ulan-Ude 1971
idem H 8 - 4 (vide S 4 - 13)	Vrenja tibetskoyo glagola v perevode na na russkij jazyk (na primerach socinenija Xiii veka 'Jasnoe nzanie' - Pagba-lamy) 'Das Tempus des tibetischen Verbums bei der Uebersetzung ins Russische (anhand von Bei- spielen eines Werkes des 13. Jhts.: She- Bya-pa Rap-Thu-gSal des sog. 'PHags-ba bLa- ma)' in: Tibetika (Aufsätze linguist. Art; in russisch), pg. 21 ff. Ulan-Ude 1971
DÜRR, Jacques A. H 8 - 1	Wie übersetze ich Tibetisch? Oder: Probleme der Vergleichenden Sprach- wissenschaft der tibetisch-burmanischen Sprachengruppe (Vortrag, gehalten am 1. Dez. 1948 an der Johannes-Gutenberg- Universität in Mainz/Rhein) in: 'Asiatica', Festschrift für Friedrich Weller zum 65. Geburtstag, pg. 53 - 77 Otto Harrassowitz, Leipzig 1954

HARRISON, Paul M.
H 8 - 10

The Tibetan Text of the PRATYUPANNA-
BUDDHA-SAMMUKHAVASTHITA-SAMADHI-SUTRA
The Reiyukai Library, Tokyo   1978

HEISSIG, Walther
H 8 - 7 (vide S 2 - 1.7)

Zur Organisation der Kandjur-Uebersetzung
unter Ligdan-Khan (1628 - 1629)
in: Zentralasiatische Studien, Vol. VII
(1973), pg. 477 ff.
Otto Harrassowitz, Wiesbaden   1973

KUZNECOV, B.I.
H 8 - 5 (vide S 4 - 13)

Složnopodčinennye predloženija
'Satzgefüge im Tibetischen'
in: Tibetika (Aufsätze linguist. Art;
in russisch), pg. 58 ff.
Ulan-Ude   1971

SEMIČOV, B.V.
H 8 - 3 (vide S 4 - 13)

O perevode glagolov 'rid' i 'yod' v
sovremennom tibetskom jazyke
'Ueber die Uebersetzung der Verben 'rid'
und 'yod' im modernen Tibetisch'
in: Tibetika (Aufsätze linguist. Art; in
russisch), pg. 18 ff.
Ulan-Ude   1971

SIMONSSON, Nils
H 8 - 6

Indo-tibetische Studien - Die Methoden der
tibetischen Uebersetzer, untersucht im
Hinblick auf die Bedeutung ihrer Uebersetzungen für die Sanskritphilologie
Almqvist & Wiksells, Uppsala   1957

STEIN, R.A.
H 8 - 9 (vide S 1 - 45)

Illumination subite ou saisie simultanée.
Note sur la terminologie chinoise et
tibetaine.
in: Revue de l'Histoire des Religions,
No. 179, 1971, pg. 3 ff.
Presses Universitaires de France,
Paris   1971

idem
H 8 - 8 (vide S 2 - 1.8)

Le texte tibétain de 'Brug-pa kun-legs'
(Uebersetzung siehe: 'Vie et chants de
'Brug-pa Kun-legs', le Yogin': Zf.:
J 7 - 5)
in: Zentralasiatische Studien, Vol. VII
(1973), pg. 9 ff.
Otto Harrassowitz, Wiesbaden   1973

TAKASAKI, Jikido
H 8 - 12 (vide S 4 - 30)

Some problems of the Tibetan translations
from Chinese material
in: Proceedings of the Csoma de Körös
Memorial Symposium, 24. - 30. 9.76,
pg. 459 ff.
Akadémiai Kiadó, Budapest   1978

H 9. Orthographie / Transkriptionsfragen et sim.

BUCK, Stuart H.
H 9 - 6 (vide S 1 - 33)

A Proposal for the Tibet Society
(How should Tibetan words be spelled in
English texts)
in: The Tibet Society Bulletin, Vol. II
(1968), pg. 32 ff.
The Tibet Society, Bloomington   1968

GRINDSTEAD, Eric
H 9 - 7 (vide S 4 - 30)

Tibetan Studies by Computer
in: Proceedings of the Csoma de Körös
Memorial Symposium, 24. - 30. 9.76,
pg. 109 ff.
Akadémiai Kiadó, Budapest   1978

LEPSIUS, Richard
H 9 - 1

Ueber chinesische und tibetische Laut-
verhältnisse und über die Umschrift
jener Sprachen
Königl. Akademie der Wissenschaften zu
Berlin, Berlin   1861

MILLER, Roy Andrew
H 9 - 4 / Sep.

The Tibetan System of Writing
American Council of Learned Societies,
Program in Oriental Languages, Publ.
Series B: Aids, No. 6
Washington D.C.   1956

RICHARDSON, Hugh E.
H 9 - 5 / Sep.

Tibetan 'CHIS' and 'TSHIS'
in: 'Asia Major', Vol. XIV, part 2
Leipzig   1969

SINHA, Nirmal Chandra
H 9 - 3 (vide S 1 - 3)

Hacha for Lhasa
in: Bulletin of Tibetology, Vol. I, No. 2,
pg. 36 f.
Namgyal Institute of Tibetology,
Gangtok   1964

WYLIE, Turrell V.
H 9 - 2 / Sep.

A Standard System of Tibetan Transcription
Separatdruck aus: 'Harvard Journal of
Asiatic Studies', Vol. 22, (Dez.)
Harvard-Yenching Institute   1959

H 10. Scriptura, Typographie, Xylographentechnik et sim.

CHOPEL, N. H 10 - 5 (vide S 1 - 33)	Tibetan Wood Carving in: The Tibet Society Bulletin, Vol. VI (1973), pg. 38 ff. The Tibet Society, Bloomington	1973
DHONGTHOG RINPOCHE, T.G. H 10 - 7 / Sep.	A model of tibetan gŽab script with rules for calligraphy Delhi	1975
EIMER, Helmut H 10 - 6 / Sep.	Die Xerokopie des Lhasa-Kanjur The xerox copy of the Lhasa Kanjur The Reiyukai Library, Tokyo	1977
LACOUPERIE de, Terrien H 10 - 4	Beginnings of Writing in: 'Central and Eastern Asia' (Fulham, orig. von 1894) Reprint: Otto Zeller, Osnabrück	1965
R(O)ERICH, J.N. H 10 - 3 (vide S 4 - 3)	Kun-mkhyen Čhos-kyi hod-zer and the Origin of the Mongol Alphabet in: Rerich, J.N. 'Izbrannye trudy' pg. 216 ff.	
SCHUBERT, Johannes H 10 - 2 (vide S 2 - 2)	Typographia Tibetana in: 'Gutenberg Jahrbuch 1950', pg. 280 ff. Verlag der Gutenberg-Gesellschaft, Mainz	1950
THOMAS, F.W, H 10 - 1	The Tibetan Alphabet in: 'Festschrift zur Feier des zweihundert- jährigen Bestehens der Akademie der Wissenschaften in Göttingen', Springer, Berlin	1951

H 11. Andere Sprachen (Vedisch, Sanskrit, Pali, Hindi, Mongol.,Kalmückisch et al.)

AKIRA, Yuyama / HIROFUMI, Toda H 11 - 23 / Sep.	The Huntington Fragment F of the Saddharmapundarikasutra The Reiyukai Library, Tokyo	1977
BOUDA, Karl H 11 - 6 / Sep.	Die Beziehungen des Sumerischen zum Baskischen, Westkaukasischen und Tibetischen in: 'Mitteilungen der Altorientalischen Gesellschaft' (orig. Ed. 1938); Sep. Reprint: O. Zeller, Osnabrück	1972

BUDDHADATTA, M.N. H 11 - 3.1 f.	The New Pali Course Part I and II (2 Vols.) The Colombo Apothecaries' Co., Ltd., Colombo　　　　　　　　　1956/1962
BYKOVA, E.M. (et al.) H 11 - 16	Bengal'sko - russkij slovar' (Bengali-Russisches Wörterbuch) mit grammat. Skizze als Beilage Verlag für fremdsprachige Wörterbücher Moskva　　　　　　　　　　1957
COEDÈS, George H 11 - 21	Catalogue des Manuscrits en Pāli, Laotien et Siamois provenant de la Thailande Bibliothèque Royale, Copenhague　　1966
DAVIDS, T.W. Rhys (Ed.) H 11 - 17	Pali-English-Dictionary (The Pali Text Society's) The Pali Text Society Chipstead, Surrey　　　　　1925
GONDA, Jan H 11 - 8	A Concise Elementary Grammar of the Sanskrit Language E.J. Brill, Leiden　　　　　1966
idem H 11 - 10	Old Indian in: Handbuch der Orientalistik, 1. Bd.: Die Indischen Sprachen E.J. Brill, Leiden/Köln　　　1971
HAHN, Michael H 11 - 25 / Sep.	Haribhatta and Gopadatta: Two authors in the succession of Aryasura on the rediscovery of Parts of their Jatakamalas The Reiyukai Library, Tokyo　　1977
HIROFUMI, Toda H 11 - 24 / Sep.	Note on the Kashgar Manuscript of the Saddharmapuṇḍarikasutra The Reiyukai Library, Tokyo　　1977
JONSCHEBU, Rintschen H 11 - 31 (vide S 4 - 30)	"Isspolniteli rezitazii na usstnom mongoljisskom jisyke" (Interpreten der Rezitationen in mongo- lischer Sprache) in: Proceedings of the Csoma de Körös Me- morial Symposium, 24. - 30. 9.76, pg. 353 ff. Akadémiai Kiadó, Budapest　　1978
KOSHAL, Sanyukta H 11 - 27	Ladakhi Grammar Edited by B.G. Misra Motilal Banarsidass, Delhi　　1979
idem H 11 - 28	Conflicting phonological patterns A study in the adaptation of English loan words in Hindi Bahri Publications, New Delhi　　1978

KOSHAL, Sanyukta
H 11 - 29
Ladakhi phonetic reader
Central Institute of Indian Languages,
Mysore   1976

LITTON, Jack
H 11 - 15
Russko-bengal'skij slovar'
(Russisch-Bengali Wörterbuch)
Sov etskaja Enziklopedija,
Moskva   1966

MAHATHERA, A.P.
Buddhadatta
H 11 - 2
Concise Pali-English Dictionary
The Colombo Apothecaries' Co. Ltd.,
Colombo   1968

MAINWARING, G.B.
H 11 - 7
A Grammar of the RONG (Lepcha) Language
as it exists in the Dorjeeling and
Sikkim Hills
Mañjuśrī Publishing House, New Delhi 1971

MORGENROTH, Wolfgang
H 11 - 22
Lehrbuch des Sanskrit
Grammatik, Lektionen, Glossar
VEB Verlag Enzyklopädie, Leipzig   1977

NAMGYAL INSTITUTE OF
TIBETOLOGY, GANGTOK
H 11 - 9
PRAJÑA Lexicon/Dictionary portions
of the Sanskrit-Tibetan Thesaurus-cum-
Grammar
Foreword by Nalinaksha Dutt
Namgyal Institute of Tibetology,
Gangtok   1961

NOVIKOV, N.N. /
KOLOBKOV, V.P.
H 11 - 12
Russko-birmanskij slovar'
(Russisch-birmanisches Wörterbuch)
Verlag 'Sovetskaja Enoiklopedija',
Moskva   1966

ONEL'JANOVIČ, N.V.
H 11 - 13
Samoučitel' birmanskoyo jazyka
(Birmanisch für das Selbststudium)
Verlag Meždunarodnye otnoženija,
Moskva   1971

PATHAK, Suniti Kumar
H 11 - 20 (vide H 5 - 29)
A Bilingual Glossary of the Nāgānanda
(tib.-Sanskrit)
The Asiatic Society, Calcutta   1968

PELLIOT, Paul
H 11 - 30
Deux lacunes dans le texte mongol actuel
de l'histoire secrète des Mongols
in: Journal Asiatique, tom CCXXXII
(1940 - 41), pg. 1 ff.
Paul Geuthner, Paris   1941

POPPE, Nicholas
H 11 - 5
Mongolian Language Handbook
Centre for Applied Linguistics
Washington   1970

RABINOVIČ, I.S. (et al.)　　Nepal'sko - russkij slovar'
H 11 - 14　　　　　　　　　(Nepalisch-russisches Wörterbuch)
　　　　　　　　　　　　　Sovetskaja Enciklopedija,
　　　　　　　　　　　　　Moskva　　　　　　　　　　　1968

RABINOVIČ, I.S. /　　　　　Pandžabsko-russkij slovar'
SEREBRJAKOV, I.D.　　　　　(Punjabi-russisches Wörterbuch)
H 11 - 11　　　　　　　　　Verlag Gosudarstvennoe izdatel'stwo
　　　　　　　　　　　　　inostrannych i nacional'nych slovarej/
　　　　　　　　　　　　　Staatsverlag f. Wörterbücher in- und
　　　　　　　　　　　　　ausländischer Sprachen,
　　　　　　　　　　　　　Moskva　　　　　　　　　　　1961

RAMSTEDT, G.J.　　　　　　 Kalmückische Sprachproben
H 11 - 4　　　　　　　　　 Kalmückische Märchen II
　　　　　　　　　　　　　Société Finno-Ougrienne, Helsinki　1919

SIMONSSON, Nils　　　　　　Indo-tibetische Studien
H 11 - 18 (vide H 8 - 6)　Die Methoden der tibetischen Uebersetzer,
　　　　　　　　　　　　　untersucht im Hinblick auf die Bedeutung
　　　　　　　　　　　　　ihrer Uebersetzungen für die Sanskrit-
　　　　　　　　　　　　　philologie
　　　　　　　　　　　　　Almqvist & Wiksells, Uppsala　　　1957

THOMAS, F.W.　　　　　　　 NAM - An Ancient Language of the Sino-
H 11 - 1　　　　　　　　　 Tibetan Borderland
　　　　　　　　　　　　　Oxford University Press, London　 1947

UTZ, David A.　　　　　　　A Survey of Buddhist Sogdian Studies
H 11 - 26 / Sep.　　　　　 The Reiyukai Library, Tokyo　　　1978

VIETZE, Hans-Peter　　　　 Lehrbuch der Mongolischen Sprache
H 11 - 19　　　　　　　　　VEB Verlag Enzyklopädie, Leipzig　1974

H 12. Varia

nihil

J. Versiones
(Tib. Originaltexte in westl. Sprachen)

J 1. Generelles ad Versiones

DÜRR, Jacques A. J 1 - 1 (vide H 8 - 1)	Wie übersetze ich Tibetisch? in: 'Asiatica', Festschrift für Friedrich Weller, pg. 53 ff. Otto Harrassowitz, Leipzig 1954

J 2. Relig. u. mythol. Opera

AMIPA, Sherab Gyaltsen J 2 - 75 (vide L 4 - 164 / Sep.)	Vorbereitungen für die Geistesschulung durch Meditation/Preliminaries for Mental Training Meditation Rikon 1976
ARYADEVA, Acharya J 2 - 118 (vide S 1 - 42)	The dialectic which refutes errors establishing logical reasons transl. from the Tibetan by Robert W. Clark and Acharya Lozang Jamspal in: The Tibet Journal, Vol. IV (1979), No 2, pg. 27 ff., Library of Tibetan Works & Archives, Dharamsala 1979
BACOT, Jacques J 2 - 63.1 f.	Zuginima (Texte de théâtre) Part I: Texte; Part II: Traduction Imprimerie Nationale, Paris 1957
idem J 2 - 77 (vide L 6 - 27)	La vie de Marpa "Le Traducteur" suivie d'un chapitre de l'Avadana de l'oiseau Nilakantha Librairie Orientaliste, Paul Geuthner, Paris 1976
idem J 2 - 107 / Sep.	La table des présages signifiés par l'éclair Texte tibétain, publié et traduit par M.J.B' in: Journal Asiatique, 11ème Série, tome 1 (1913), pg. 445 ff. Imprimerie Nationale, Paris 1913
BALBIR, Jagbans Kishore J 2 - 71	L'Histoire de Rāma en Tibétain d'après des manuscrits de Touen-Houang Adrien Maisonneuve, Paris 1963

BAPAT, P.V.
J 2 - 22

Vimuktimārga Dhutaguṇa-Nirdeśa
A Tibetan Text critically edited and
translated into English
Asia Publishing House, New York   1964

BAWDEN, C.R.
J 2 - 54 (vide S 3 - 3)

A tibetan-mongol bilingual text of
popular religion
in: Serta Tibeto-Mongolica, pg. 15 ff.
Otto Harrassowitz, Wiesbaden   1973

idem
J 2 - 92 (vide S 2 - 1)

An Oirat Manuscript of the "Offering
of the Fox"
in: Zentralasiatische Studien, Vol. XII
(1978), pg. 7 ff.
Otto Harrassowitz, Wiesbaden   1978

BECHERT, Heinz
J 2 - 23

Bruchstücke buddhistischer Verssammlungen
aus zentralasiatischen Sanskrithand-
schriften
I: Die Anavataptagāthā und die Sthavira-
gāthā
Akademie-Verlag, Berlin   1961

BERESFORD, Brian C.
J 2 - 114

Aryasura's Aspiration
with commentary by Gendun Gyatso, the
2nd Dalai Lama
A Meditation on Compassion
from a discourse by H.H. the 14th Dalai
Lama together with a Sadhana of
Avaloketśhvara: with original Tibetan
texts, transl. and ed. by B'C.B' with
L.T. Doboom Tulku, Gonsar Tulku and
Sherpa Tulku
Library of Tibetan Works & Archives,
Dharamsala   1979

BHATTACHARYA, Vidhushekhara
J 2 - 44 (vide H 6 - 2)

BHOTA-PRAKASA - A Tibetan Chrestomathy
Tibetisch-Sanskrit, mit Kommentar
University of Calcutta, Calcutta   1939

BISCHOFF, F.A.
J 2 - 14.1 f.

Der Kanjur und seine Kolophone
2 Vols.
The Selbstverlag Press,
Bloomington   1968

idem
J 2 - 53 (vide S 3 - 3)

The first chapter of the Legend of
Padmasambhāva - a translation
in: Serta Tibeto-Mongolica, pg. 33 ff.
Otto Harrassowitz, Wiesbaden   1973

BISCHOFF, F.A. /
HARTMANN, C.
J 2 - 35 (vide S 4 - 2)

Padmasambhava's Invention of the Phur-bu:
Ms. Pelliot Tibétain No. 44
in: Etudes Tibétaines, pg. 11 ff.
Librairie d'Amérique et d'Orient,
Adrien Maisonneuve, Paris   1971

BLONDEAU, Anne-Marie
J 2 - 34 (vide S 4 - 2)
Le Lha'dre bka'-thañ
in: 'Etudes Tibétaines', pg. 29 ff.
Librairie d'Amérique et d'Orient,
Adrien Maisonneuve, Paris   1971

eadem
J 2 - 64
La vie de Pema-Öbar
Drame tibétain traduit du tibétain
Publications Orientalistes de France,
Paris   1973

BOSSON, James E.
J 2 - 31
A Treasury of Aphoristic Jewels
The Subhasitaratnanidhi of Sa sKya
Paṇḍita in Tibetan and Mongolian
Uralic and Altaic Series, Vol. 92
Indiana University, Bloomington   1969

CHANG, Garma C.C.
J 2 - 1.1 f.
The Hundred Thousand Songs of Milarepa
translated and annotated (2 Vols.)
University Books, New York   1962³

CHEKAWA, Geshe
J 2 - 102 (vide L 4 - 205)
Geistes-Umwandlung in sieben Abschnitten
in: Geshe Rabten: Mahamudra, Teil 1,
pg. 19 ff., Theseus-Verlag, Zürich 1979

CLARKE, Sir Humphrey
J 2 - 24
The Message of Milarepa
A Selection of Poems translated from the
Tibetan
John Murray, London   1958

CONZE, Edward
J 2 - 79 (vide S 1 - 42)
List of Buddhist Terms
in english and tibetan
in: The Tibet Journal, Vol. I (1975),
No 1, pg. 36 ff.
Dharamsala   1975

COWELL, E.B. (Ed.)
J 2 - 3.1 ff.
The Jātaka
or Stories of the Buddha's former Births
(6 Vols. in 3 Vols.)
The Pali Text Society (Publ.),
Luzac & Comp., London   1969

DALAI LAMA XIV.
J 2 - 113 / Sep.
Universal responsibility and the good heart
The Message of H.H. the XIV Dalai Lama on
his first visit to the West in 1973
Library of Tibetan Works & Archives,
Dharamsala   1976

DARGYAY, Lobsang
J 2 - 61
Guhyadattas Saptakumarika - Avadana
Eine poetische Fassung der Legende von den
sieben Töchtern des Königs Krkin, auf
Grund der tibetischen Uebersetzung heraus-
gegeben, übersetzt und bearbeitet; Diss.
Philosoph. Fak. der Ludwig-Maximilians-
Universität, München   1974

DARGYAY, Lobsang /
CHHÖPHEL, Tenzin
J 2 - 10 / Sep.

Yon-tan gZHir-Gyur-ma / Fundament der
Guten Qualitäten
Ein Tsongkhapa-Text
Fasc. 2 der 'Opuscula Tibetana' des
Tibet-Instituts Rikon/Zürich
Rikon/Zürich   1971
(cf. franz. Version in: 'Cahiers Bouddh-
istes', No. 10, Juli 1972, Lausanne)

DARGYEY, Ngawang Geshe
(et. al.)

The Thirty-seven Practices of all
Buddhas' Sons and The Prayer of the
Virtuous Beginning, Middle and End
tib.: rGyal-sras lag-len so bdun-ma
Library of Tibetan Works & Archives,
Dharamsala   1973

DAVID-NEEL, Alexandra
J 2 - 25

Unbekannte tibetische Texte
eingeleitet, zusammengestellt und aus
dem Französischen übersetzt von Ursula
von Mangoldt
Otto Wilh. Barth-Verlag, München-Planegg
                                          1955

eadem
J 2 - 65

Textes Tibétains inédits
Editions du vieux Colombier
Paris   1952

DÖNDEN, Yeshi (Ed.)
J 2 - 103 (vide F 3 - 5)

The Ambrosia Heart Tantra
The secret oral teaching on the eight
branches of the science of healing
tib. bDud.rtsi.snying.po.yan.lag.brgyad.
pa.gsang.ba.man.ngag.gi.rgyud
with annotations by Y'D'
Vol. I (transl. by Jhampa Kelsang)
Library of Tibetan Works & Archives,
Dharamsala   1977
(Rezension: siehe P 3 - 73 / vide
S 1 - 23)

EIMER, Helmut /
TSERING, Pema
J 2 - 55 (vide S 3 - 3)

T'e'u rań mdos ma
(Ritual zur Geisterbeschwörung)
in: Serta Tibeto-Mongolica, pg. 47 ff.
Otto Harrassowitz, Wiesbaden   1973

EIMER, Helmut
J 2 - 84 / Sep.

Tibetische Parallelen zu zwei uigurischen
Fragmenten
SA. aus: Zentralasiatische Studien, Bd 11
(1977)
Otto Harrassowitz, Wiesbaden   1977

idem
J 2 - 93

Bodhipathapradipa
Ein Lehrgedicht des Atisa in der tibetischen Ueberlieferung (Asiatische Forschungen, Bd 59)
Otto Harrassowitz, Wiesbaden   1978

EVANS-WENTZ, W.Y.
J 2 - 43 (vide L 6 - 11)

Tibet's Great Yogi Milarepa
A Biography from the Tibetan 'Jetsün
Kah-Bum'
Oxford University Press, London   1969

EVANS-WENTZ, W.Y.
(vide sub L 6 - 1)

Milarepa - Tibets Grosser Yogi
Otto Wilh. Barth-Verlag,
Weilheim/Obb.   1971

idem
J 2 - 94

Tibetan Yoga and Secret Doctrines
or Seven Books of Wisdom of the Great
Path ...
Oxford University Press,
London/Oxford/New York 1967^2

FERRARI, Alfonsa /
compl. et edit. PETECH,
L. / RICHARDSON, H.E.
J 2 - 17

mK'yen brTSe's Guide to the Holy Places
of Central Tibet
Istituto Italiano per il Medio ed
Estremo Oriente, Roma   1958

FRANCKE, A.H.
J 2 - 8

Der Frühlings- und Wintermythus der
Kesarsage
Vol. XV der 'Mémoires de la Société
Finno-Ougrienne' (1902)
O. Zeller, Osnabrück (repr.)   1968

idem
J 2 - 56.1-5

gZer myig - Rays from the eyes of the
Svastika, a precious summary of the world
A book of the Tibetan Bonpos (3amt Rest)
(parts I-V aus 'Asia Major' vols. I, 243 ff.,
III, 331 ff., IV, 161 ff.)
Leipzig   1924 - 1926 /27

idem
J 2 - 59 (vide S 4 - 18)

gZer myig - Rays from the eyes of the
Svastika, a precious summary of the world
A book of the Tibetan Bonpos (part IV)
in: Asia Major, Vol. III (1926), pg. 321 ff.
Johnson Reprint Corp., New York   1964

GAR-JE K'am-trül Rinpoche
J 2 - 119 (vide S 1 - 42)

A Geography and History of Shambhala
A physical description of the Universe
transl. from the Tibetan by Sherpa Tulku
and Alexander Berzin
in: The Tibet Journal, Vol. III (1978),
No 3, pg. 3 ff.
Library of Tibetan Works & Archives
Dharamsala   1978

GONSAR Tulku /
JHAMPA Yeshe
J 2 - 108 / Sep.

The thirty-seven practices of the sons
of the victor
(tib.: Gyal.se-Tok.me.Zang.po)
Tharpa Choeling Publ., Mt. Pèlerin   1979

GRÜNWEDEL, Albert
J 2 - 15

Die Tempel von Lhasa
Tib. (i. Transkription) und Deutsch
Gedicht des 1. Dalai Lamas für Pilger
bestimmt
Carl Winter's Universitätsbuchhandlung,
Heidelberg   1919

GRÜNWEDEL, Albert
J 2 - 73 (vide L 4 - 168 / Sep.)

Der Weg nach Sambhala (Sambalái lam yig)
des dritten Gross-Lama von bKra śis
lhun po bLo bzan dPal ldan Ye śes
Königl. Bayerische Akademie der Wissen-
schaften, München   1915

idem
J 2 - 115

Tāranātha's Edelsteinmine
Das Buch von den Vermittlern der Sieben
Inspirationen (tib.: Kah bab dun dan)
(Bibliotheca Buddhica, XVIII)
Imprimerie de l'Académie Impériale des
Sciences, Petrograd   1914

GUENTHER von, Herbert
J 2 - 29

The Jewel Ornament of Liberation
sGam-po-pa Dam-chos yid-bźin-gyi
bor-bu thar-pa rin-po che'i rgyan
źes-bya-ba theg-pa chen-po'i lam-rim-
gyi bźad-pa
For the first time translated from the
original Tibetan and annotated
Rider & Comp., London   1959
                 reprint   1970

idem
J 2 - 33

The Royal Song of Saraha
A Study in the History of Buddhist
Thought
University of Washington Press,
Seattle   1969

idem
J 2 - 45

Tibetan Buddhism without Mystification
The Buddhist Way from Original Tibetan
Sources
Im Anhang: Reproduktion eines Texts
(4 kleine Arbeiten von Yishe Gyaltsen
(1758 - 1805), Lehrer des 8. Dalais)
E.J. Brill, Leiden   1966

HAHN, Michael
J 2 - 66

Candragomins Lokānandanāṭaka
(nach dem tibetischen Tanjur übersetzt)
(Asiatische Forschungen, Band 39)
Otto Harrassowitz, Wiesbaden   1974

HAUER, J.W.
J 2 - 101 (vide N 5 - 41)

Das Laṅkāvatāra-Sūtra und das Saṃkhya
(Eine vorläufige Skizze)
W. Kohlhammer, Stuttgart   1927

HERMANNS, Matthias P.
J 2 - 7

Das National-Epos der Tibeter:
gLing König Ge-sar
2 Vols. in 1 Vol.
(aus dem Tib. übertragen)
Vol. I: Der kulturelle Hintergrund des
       Epos' / Kulturen der Tibeter und
       ihrer Nachbarvölker
Vol. II: Das Heroen-Epos (mit Einltg. und
        Anmerkungen)
Verlag Josef Habbel, Regensburg   1965

HERMANNS, Matthias P.
J 2 - 11

Himmelsstier und Gletscherlöwe
Mythen, Sagen und Fabeln aus Tibet
Erich Röth-Verlag,
Eisenach und Kassel   1955

idem
J 2 - 42

Mythen und Mysterien der Tibeter
Magie und Religion
Balduin Pick Verlag, Köln   1956

HOFFMANN, Helmut
J 2 - 13

Märchen aus Tibet
aus der Reihe: "Märchen der Weltliteratur."
Eugen Diederichs Verlag,
Düsseldorf und Köln   1965

HOPKINS, Jeffrey
J 2 - 85

Tantra in Tibet
The great exposition of secret Mantra,
by Tsong-ka-pa
George Allen & Unwin, London   1977
(Rezension: siehe Nr. P 3 - 76 /
vide S 1 - 37)

HOUSTON, G.W.
J 2 - 82 (vide S 2 -
    1.9 - 10)

Gsol 'debs bsam lhun 'grub ma - The
supplication for natural desires to be
granted
in: Zentralasiatische Studien, Bd 9
(1975), pg. 7 ff., Otto Harrassowitz,
Wiesbaden   1975
(siehe auch: Eimer, H.: Bibliographische
Bemerkungen, in: Zentralasiatische
Studien, Bd 10 (1976), pg. 677 ff.)

HUCHEL, Monika
J 2 - 52 (vide R 1 - 22)

Der Fächer des Lebens - Märchen aus Asien
(enthält drei Märchen aus Tibet,
pg. 171 ff.)
Verlag Neues Leben, DDR (Berlin?)   1972

HUMMEL, Siegbert
J 2 - 9 / Sep.

The Motif of the Crystal Mountain in
Tibetan Gesar Epic
aus: 'History of Religions', Vol. 10,
No. 3, Febr. 1971, pg. 204 ff.
University of Chicago Press   1971

JACKSON, David Paul
J 2 - 121

Gateway to the Temple
Manual of Tibetan monastic customs, art,
building and celebrations.
Originally entitled: A requisite manual
for faith and adherence to the Buddhist
teaching: including the way of entering
the door of religion, the root of the
teaching; the method for erecting temples,
the resting place of the teaching; and
cycle of religious duties, the performance of the teaching by Thubten Legshay
Gyatsho, transl. by D'P'J (Bibliotheca
Himalayica, Series III, vol. 12)
Ratna Pustak Bhandar, Kathmandu   1979

JAMSPAL, Lozang /
CHOPHEL, Ngawang Samten /
DELLA SANTINA, Peter
J 2 - 112

Nagarjuna's Letter to King Gautamīputra
With explanatory notes based on Tibetan
commentaries and a preface by H.H.
Sakya Trizin, transl. from the Tibetan:
slob.dpon.klu.sgrub.kyi.bshes.pa'i.
springs.yig. (Skr.: Suhṛllekha)
Motilal Banarsidass, Delhi   1978

KALU Rinpoche
J 2 - 98

Diamantweg
Eine Einführung in die Lehren des tibeti-
schen Buddhismus nach den Worten von K'R',
gesammelt, kommentiert und hg. von
Hannah und Ole Nydahl
Octopus, Wien   1979^2

KARMAY, Samten G.
J 2 - 27

The Treasury of Good Sayings: A Tibetan
History of Bon
Oxford University Press, London   1972

KASCHEWSKY, Rudolf /
TSERING, Pema
J 2 - 69 (vide K 6 - 11)

Das Leben der Himmelsfee Gro-Ba Bzan-Mo
(Ein buddhistisches Theaterstück)
Octopus Verlag, Wien   1975

KELSANG Gyatso, Geshe
J 2 - 117

Meaningful to Behold
View, Meditation and Action in Mahayana
Buddhism; an oral commentary to Shanti-
deva's "A Guide to the Bodhisattva's
Way of Life" (Bodhisattvacharyavatara)
Transl. by Tenzin Norbu, edited by
Jonathan Landaw
Wisdom Publications, Ulverston   1980

KOLMAŠ, Josef
J 2 - 120 / Sep.

The aphorisms (legs-bshad) of Sa-skya
Paṇḍita
in: Proceedings of the Csoma de Körös
Memorial Symposium, held at Mátrafüred,
Hungary, 24. - 30. 9.76, pg. 189 ff.,
SA., Akadémiai Kiadó, Budapest   1978

KONGTRUL, Jamgon
J 2 - 81 (L 4 - 186)

The Torch of Certainty (Nges-don sgron-me)
Translated from the Tibetan by Judith
Hanson
Shambala, Boulder & London   1977

LALOU, Marcelle
J 2 - 51 / Sep.

Sutra du Bodhisattva, "Roi de la Loi"
Société Asiatique, Paris   1962

eadem
J 2 - 111 / Sep.

Notes de mythologie bouddhique
2. Les rGyud Sum-pa manuscrits de Touen-
Houang
in: Harvard Journal of Asiatic Studies,
Vol. III (1938), No 1, pg. 128 ff.,
Cambridge, Mass.   1938

LAMOTTE, Etienne
J 2 - 20

Saṃdhinirmocana Sūtra
Texte tibétain édité et traduit
Adrien Maisonneuve, Paris   1935

idem
J 2 - 68 (vide N 2 -
    44.1 f.)

La Somme du Grand Véhicule d'Asaṅga
(Mahāyānasaṃgraha)
Tome I: Versions tibétaine et chinoise
Tome II: Traduction et commentaire
Institut Orientaliste de l'Université
Louvain   1973

LAUFER, Berthold
J 2 - 2

Milaraspa
Tibetische Texte in Auswahl übertragen
i.d. Schriftenreihe "Kulturen der Erde"
Abt. Textwerke, Tibet I
Folkwang-Verlag GmbH.,
Hagen i.W. / Darmstadt   1922

idem
J 2 - 16

Der Roman einer tibetischen Königin
(bTSun-mo bKa'i THaṅ-Yig)
tibetischer Text und Uebersetzung
Otto Harrassowitz, Leipzig   1911

idem
J 2 - 46

Aus den Geschichten und Liedern des
Milaraspa
(Denkschriften der Kais. Akademie der
Wissenschaften in Wien, Bd XLVIII,
Teil II
Carl Gerold's Sohn, Wien   1902

idem
J 2 - 100

Klu ḫum bsdus pai sñiṅ po
Eine verkürzte Version des Werkes von
den Hunderttausend Nāga's; ein Beitrag
zur Kenntnis der tibetischen Volks-
religion
(Mémoires de la Société Finno-Ougrienne,
XI)
Société Finno-Ougrienne, Helsingfors   1898

LESSING, F.D. /
WAYMAN, A.
J 2 - 104

Introduction to the Buddhist Tantric
Systems
Transl. from Mkhas-grub-rje's
"Fundamentals of the Buddhist Tantras"
(Rgyud sde spyiḫi rnam par gźag pa rgyas
par brjod)
With original text and annotation
Motilal Banarsidass, Delhi, 2nd Ed.   1978

LHALUNGPA, Lobsang
J 2 - 39 (vide S 1 - 3)

Byang-Chub Lam-gyi Rim-pa'i Nam Len
in: Bulletin of Tibetology, Vol. V,
No. 1, pg. 5 ff.
Namgyal Institute of Tibetology,
Gangtok   1968

LIN LI-KOUANG J 2 - 21.1 f.	<u>Dharmasamuccaya</u> Tib.: Dam-pa'i chhos dran-pa nye-bar bźag-pa 'Compendium de la Loi' Mit chines. Versionen (in Chin. / Sanskr. / Tib. und Franz.) in 2 Vols. Vol. I: Kapitel 1 - 5 Vol. II: Kapitel 6 - 12 Librairie d'Amérique et d'Orient, Adrien Maisonneuve, Paris 1946/1969
LONGCHENPA J 2 - 76 (vide L 4 - 165.1 - 3)	<u>Kindly bent to ease us</u> The trilogy of finding comfort and ease (Ngal-gso skor-gsum) Part I: Mind Part II: Meditation Part III: Wonderment transl. from the Tibetan and annotated by <u>Herbert V. Guenther</u> Dharma Publishing, Emeryville 1975 - 1976
MANEN van, Johan J 2 - 28	<u>Minor Tibetan Texts</u> Part I: The Song of the Eastern Snow- Mountain kommentierter tibetischer Text Asiatic Society of Bengal, New Series No. 1426, Baptist Mission Press, Calcutta 1919
NAGARJUNA / MIPHAM, Lama J 2 - 72	<u>Golden Zephir.- A Letter to a Friend</u> With: The Garland of White Lotus Flowers: A commentary on Nagarjuna's 'Letter to a Friend' (transl. from the tibetan by <u>Leslie Kawamura</u>) Dharma Publishing, Emeryville 1975
NAGARJUNA / SAKYA PANDIT J 2 - 86	<u>Elegant Sayings</u> The Staff of Wisdom (Lugs kyi bstan bcos shes-rab sdong-po) by Nagarjuna and A precious treasury of Elegant Sayings (Legs-bshad rin-po-che'i gter) by Sakya Pandit Dharma Publishing, Emeryville 1977
NĀRADA, Thera J 2 - 6	<u>The Dhammapada</u> Pali Text and Translation with Stories in Brief and Notes Vajirarama, Colombo 1972

199

NOBEL, Johannes J 2 - 19.1 f.	Suvarṇaprabhāsottama-Sūtra "Goldglanz-Sutra" I-Tsing's chinesische Version und ihre tibetische Uebersetzung In 2 Vols. Vol. I: Uebersetzung mit chin. Text, Vol. II: Tib. Uebersetzung m. krit. Apparat E.J. Brill, Leiden 1958
idem J 2 - 26.1 f.	Udrāyaṇa König von Roruka (2 Vols.) Vol. I: Tib. Text, dtsch. Uebertragung u. Anmerkungen Vol. II: Wörterbuch Otto Harrassowitz, Wiesbaden 1955
OLSCHAK, Blanche C. WANGYAL, Thubten J 2 - 50	Spiritual Guide of the Jewel Island / Geistiger Führer zur Juweleninsel (written by Konchog Tänpä Dönmé) Buddhist Publications, Zürich 1973
PALTUL, Jampal Lodroe J 2 - 18	Record of Nyingma Monasteries in Tibet Bod-na pSHugs-pa'i rNying-ma'i dGon-deb (m. tib. Text) Dalhousie post 1960
PANCHEN LO-SANG TCHEU- KYI-GUIEL-TSENE (1er Panchen Lama) J 2 105	La Voie progressive Avec commentaire par Guéshé Rabten (Traduction du Tibétain de M.T. Paulauski) Librairie d'Amérique et d'Orient, Adrien Maisonneuve, Paris 1979
PYTHON, P. J 2 - 36 (vide S 4 - 2)	Le Sugatapañcatriṃśatstotra de Mātṛceṭa (Louange des trente-cinq Sugata) in: 'Etudes Tibétaines', pg. 402 ff. Librairie de l'Amérique et d'Orient, Adrien Maisonneuve, Paris 1971
RABTEN, Geshe J 2 - 90	Enseignement oral du Bouddhisme au Tibet Librairie d'Amérique et d'Orient, Paris 1976
ROCKHILL, W. Woodville J 2 - 60	Udānavarga A collection of verses from the Buddhist Canon compiled by Dharmatrāta (Northern Buddhist version of Dhammapada); transl. from the Tibetan of the bkah-hgyur, with notes and extracts from the commentary of Pradjnāvarman Trübner & Co., London 1883
J 2 - 60 a	Oriental Press, Amsterdam, reprint 1975

R(O)ERICH, J.N.
J 2 - 32 (vide S 4 - 3)

Paralokasiddhi
(bsTan-'gyur-Text, Vol. Ž)
Uebertragung des tibetischen Textes
in: Rerich, J.N. 'Izbrannye trudy',
pg. 235 ff.

RUEGG, David Seyfort
J 2 - 57

Le traité du Tathāgatagarbha de Bu ston
rin chen grub
Ecole Française d'Extrême-Orient
(Adrien Maisonneuve), Paris   1973

idem
J 2 - 80 (vide S 4 - 24)

La traduction du canon bouddhique selon
une source tibéto-mongole
in: Etudes tibétaines / Actes du
XXIXème Congrès international des
Orientalistes, Paris, Juillet 1973
L'Asiathèque, Paris   1976

SASTRI, N.A.
J 2 - 38 (vide S 1 - 3)

Bahyartha Siddhi Karika
in: Bulletin of Tibetology, Vol. IV,
No. 2, pg. 5 ff.
Namgyal Institute of Tibetology,
Gangtok   1967

idem
J 2 - 40 (vide S 1 - 3)

Nagarjuna's Exposition of Causal Links
in: Bulletin of Tibetology, Vol. V,
No. 2, pg. 5 ff.
Namgyal Institute of Tibetology,
Gangtok   1968

SCHIEFNER von, Anton F.
J 2 - 5

Tibetan Tales
derives from Indian sources; translated
from the Tibetan of the Kahgyur;
translated from German into English by
W.R.S. Ralston
George Routledge & Sons Ltd., London /
E.P. Dutton & Co., New York   1906

idem
J 2 - 67 / Sep.

Ein indisches Carmen in tibetischer Version
(aus dem Tanjur übersetzt)
Kaiserl. Akademie der Wissenschaften,
Petersburg   1858

SCHMITHAUSEN, Lambert
J 2 - 58

Der Nirvāṇa-Abschnitt in der
Viniścayasaṃgrahaṇī der Yogācārabhūmiḥ
Hermann Böhlaus Nachf., Wien   1969

SCHWIEGER, Peter
J 2 - 106

Ein tibetisches Wunschgebet um Wiederge-
burt in der Sukhāvatī
ediert, übers. u. kommentiert von P'Sch'
(Beiträge zur Zentralasienforschung, Bd 1)
VGH Wissenschaftsverlag,
St. Augustin   1978

SHANTIDEVA, Acharya
J 2 - 99

A guide to the Bodhisattva's way of life
Sanskrit: Bodhisattvacharyavatara
Tib.: Byang.chub.sems.dpai'.spyod.
    pa.la.jug.pa
transl. by Stephen Batchelor
Library of Tibetan Works & Archives,
Dharamsala   1979

SNELLGROVE, David
J 2 - 116 (vide S 1 - 37)

Places of pilgrimage in Thag
(Thakkhola)
Tibetan Manuscripts, ed. and transl.
by D'S'
in: Kailash, Vol. VII (1979), No 2,
pg. 70 ff., Kathmandu   1979

SOPA, Geshe Lhundup /
HOPKINS, Jeffrey
J 2 - 78 (vide L 4 - 170)

Practice and theory of Tibetan Buddhism
Rider & Co., London   1976

STEIN, Rolf A.
J 2 - 37 (vide S 4 - 2)

Du récit au rituel dans les Manuscrits
tibétains de Touen -houang
in: 'Etudes Tibétaines', pg. 479 ff.
Librairie de l'Amérique et d'Orient,
Adrien Maisonneuve, Paris   1971

SUZUKI, Daisetz Teitaro
J 2 - 48

The Lankavatara Sutra
A Mahayana text, translated from the
original Sanskrit
Routledge & Kegan Paul Ltd.,
London, reprint   1968

TARTHANG Tulku
J 2 - 62

Calm and Clear
The weel of analytic meditation, and
Instructions on vision in the Middle Way
Tibetan Nyingma Meditation Center,
Berkeley   1974

idem
J 2 - 62 a

deutsche Uebersetzung:
Ruhig und Klar
Das Rad der analytischen Meditation; Anlei-
tung zur Schau des Mittleren Weges.
Tibetischer Originaltext von Lama Mipham
mit Kommentaren von Tarthung Tulku
Irisiana Verlag, Oberhain   1977

TAUBE von, Otto
J 2 - 12

Tibetanisches Vogelbuch
oder: Der Kostbare Kranz des Vogelgesetzes
Verlag der Arche, Zürich   1957

THUTOP Tulku
J 2 - 74 (vide L 4 -
    161 / Sep.)

Die Mañjuśrī-Tradition und das Zenpa Zidel
(Die Loslösung von den vier Formen des
Begehrens)
Kasar-Devi-Ashram-Publ. Dinapani,
Kumaon   1976

TRUNGPA, Chögyam
J 2 - 95 (vide N 2 - 83)

Glimpses of Abhidharma
From a Seminar on Buddhist Psychology
Prajna Press, Boulder   1978

idem
J 2 - 95 (vide N 2 - 83 a)

deutsche Uebersetzung:
Jenseits von Hoffnung und Furcht
Gespräche über Abhidharma
Octopus Verlag, Wien   1978

TSEUNPA Konchok
J 2 - 96 / Sep.

Bäume und Wasser
Zwei Bücher mit Gleichnissen über den
Dharma; übersetzt von Bhikko Khantipalo
Typoskript
Wat Bovoranives Vihara, Bangkok   o.J.

TSONG-KHA-PA
J 2 - 88.1 - 3

La Grande Voie Graduée vers l'Eveil
Une explication orale par Yonten Gyatso
fondée sur le Byań Čhub lam rim Čhen mo de
rJe Coń kha pa; Traduite en français par
Marie-Thérèse Paulauski et Georges Driessens
  I: L'individu de motivation inférieurs
 II: L'individu de motivation intermédiaire
III: L'individu de motivation supérieure
Centre d'Etudes Tibétaines, Paris ca. 1978

idem
J 2 - 89 / Sep.

Lines of experience (Lam.rim.bsdus-don)
Library of Tibetan Works & Archives,
Dharamsala   1973

TUYL, Charles D. van
J 2 - 83 (vide S 2 - 1.9)

The Tshe rin ma Account - An old document
incorporated into the Mi la ras pa'i
mgur 'bum?
in: Zentralasiatische Studien, Bd 9 (1975)
pg. 23 ff.
Otto Harrassowitz, Wiesbaden   1975

VAN DEN BROECK, José
J 2 - 110

Le Flambeau sur le Chemin de l'Eveil
(Bodhipathapradīpa)
Texte tibétain édité, traduit et annoté
par J'V'd'B'
Bruxelles   1976

VETTER, Tilman
J 2 - 109

Dharmakīrti's Pramāṇaviniścayaḥ
1. Kapitel: Pratyaksam
Einleitung, Text der tib. Uebersetzung,
Sanskritfragmente, dt. Uebersetzung
(Sitzungsberichte der Oesterreich. Akad.
der Wiss., philos.-hist. Kl., 250. Bd.,
3. Abh.)
Hermann Böhlaus Nachf., Wien   1966

WANGYAL, Geshe
J 2 - 87

Tibetische Meditationen
Gesammelt und ins Amerikan. übersetzt
von G'W': "The door of liberation".
deutsche Uebers. von Elsy Becherer
Theseus Verlag, Zürich   1975

WAYMANN, Alex
J 2 - 97

Calming the Mind and discerning the Real
Buddhist meditation and the Middle View,
from the "Lam rim chen mo" of
Tsoṅ-kha-pa
Columbia University Press, New York   1978

WELLER, Friedrich
J 2 - 4

Das Leben des Buddha von Aśvaghosa
(2. Teil)
Verlag Eduard Pfeiffer, Leipzig   1928

idem
J 2 - 30. 1 f.

Zum Kāśyapaparivarta
Heft 1: Mongolischer Text
Heft 2: Verdeutschung des sanskr.-tib.
        Textes
Akademie-Verlag, Berlin   1962

WYLIE, Turrell
J 2 - 49 (vide L 6 - 16)

'Dzam gling chen-po'i rgyas-bshad
snod-bcud kun gsal me-long zhes bya pa
= The mirror which illuminates all inani-
mate and animate things and explains
fully the great world, written by
Bla-ma Btsan-po (Smin-grol Nomun Khan)
in: A Tibetan Religious Geography of
Nepal (Serie Orientale Roma, Vol. XLII)
Istituto Italiano per il Medio ed
Estremo Oriente, Roma   1970

YISHE GYALTSEN
(Ye-SHes rGyal-mTSHan,
Lehrer d. 8. Dalai Lamas,
1758 - 1805)
J 2 - 41 (vide J 2 - 45)

Vier kleinere Werke
u.a. 'The Gold-Refinery bringing out the
very Essence of the Sutra and Tantra
Paths' und drei andere;
siehe ab pg. 77 (Uebersetzung) und pg.
159 ff. (Originaltext) in Guenther von,
Herbert: "Tibetan Buddhism without
Mystification"
E.J. Brill, Leiden   1966

ZIMMERMANN, Heinz
J 2 - 70

Die Subhāṣita-Ratna-Karaṇḍaka-Kathā
und ihre tibetische Uebersetzung
(dem Aryasutra zugeschrieben)
Otto Harrassowitz, Wiesbaden   1975

J 3. Gramm. Opera

SCHUBERT, Johannes J 3 - 1	<u>Tibetische Nationalgrammatik / Das</u> <u>Sum-cu-pa und rTags-Kyi 'Ajug-pa</u> <u>des Grosslamas von Peking Rol-pa'i</u> <u>rDo-rJe.</u> Ein Kommentar zu den gleichnamigen Schrif- ten Thon-mi Sambhota's auf Grund der Er- klärungen des Lamas Chos-sKyoṅ bẐaṅ-po, Lo-TSa-ba von Zha-lu. Mit Uebersetzung und Anmerkung versehen Artibus Asiae Publ., 2. Auflage Ascona 1968

J 4. Realia

SEDLÁČEK, Kamil J 4 - 1.1 f.	<u>Tibetan Newspaper Reader</u> 2 Vols. Transliterated and translated Texts with Annotations VEB Verlag Enzyklopädie, Leipzig 1966

THOMAS, F.W.
J 4 - 3.2 ff.
	<u>Tibetan Literary Texts and Documents</u>
	<u>concerning Chinese Turkestan</u>
	Part II: Documents (1951)
	Part III: Addenda and Corrigenda,
	           with Tibetan Vocabulary
	           etc. (1955)
	Part IV: Indices (1963)
	Luzac & Comp. Ltd., London 1951/1955/1963

WYLIE, Turrell V. J 4 - 2	<u>The Geography of Tibet according to</u> <u>the 'Dzam-gLing rGyas-bSHad</u> Istituto Italiano per il Medio ed Estremo Oriente, Roma 1962

J 5. Ikonograph. Opera

KOLMAŠ, Josef J 5 - 3	<u>The Iconography of the Derge Kanjur and</u> <u>Tanjur</u> Arya Bharati Mudranalaya and Jayyed Press, Delhi 1978
MEISEZAHL, R.O. J 5 - 2	<u>Śmaśānavidhi des Lūyī</u> Textkritik nach der tib. Version eines Kommentars von Tathāgatavajra in: Zentralasiatische Studien, Bd 8 (1974) pg. 9 ff., Otto Harrassowitz, Wies- baden 1974

PALMO, Karma Kechog J 5 - 1 (vide S 1 - 37)	Mantras on the Prayer Flag in: Kailash, Vol. I (1973), No 2, pg. 168 f., Kathmandu 1973

J 6. Hist. Opera

BACOT, Jacques J 6 - 6 / Sep.	Reconnaissance en Haute Asie Sept- entrionale par cinq Envoyés Ouigours au VIIIe Ciècle in: 'Journal Asiatique', Vol. CCXLIV, No. 2, Société Asiatique, Paris 1957
EIMER, Helmut J 6 - 10 (vide L 2 - 11 / Sep.)	Die Gar log-Episode bei Padma dkar po und ihre Quellen Orientalia Suecana, Uppsala 1976
EMMERICK, R.E. J 6 - 3	Tibetan Texts concerning Khotan London Oriental Series, Vol. 19, Oxford University Press, London 1967
HOUSTON, Gary J 6 9 (vide O 1 1)	The Bsam Yas Debate: According to the Ryyal Rabs Gsal Ba'l Me Long in: Central Asiatic Journal, Vol. XVIII (1974), No 4, pg. 210 ff. Otto Harrassowitz, Wiesbaden 1974
KANIA, Ireneusz J 6 - 15 (vide S 1 - 4?)	The seventh chapter of the rGyal-rabs gsal-ba'i me-long and a problem of Tibetan Etymology in: The Tibet Journal, Vol. III (1978), No 3, pg. 12 ff., Library of Tibetan Works & Archives, Dharamsala 1978
KUZNETSOV, B.I. J 6 - 5	rGyal-Rabs gSal-Pa'i Me-Long / The Clear Mirror of Royal Genealogies Tib. Text i. Transkription E.J. Brill, Leiden 1966 (cf. Rezension von Kolmaš, J. sub P 3 - 1 / Sep.)
LANGE, Kristina J 6 - 11 (vide B 7 - 14)	Die Werke des Regenten Sans rgyas rgya mc'o (1653 - 1705) Eine philolog. hist. Studie zum tibetisch- sprachigen Schrifttum Akademie Verlag, Berlin 1976
MACDONALD, A.W. J 6 - 8 (vide S 4 - 2)	Une lecture des P.T. 1286, 1287, 1038, 1047 et 1290. Essai sur la formation et l'emploi des mythes politiques dans la religion royale de sron-bcan sgam-po in: Etudes Tibétaines, pg. 190 ff. Librairie de l'Amérique et d'Orient, Adrien Maisonneuve, Paris 1971

OBERMILLER, E.
J 6 - 1

CHos-hByung von Rin-chen Grub-pa
Bu-sTon / History of Buddhism
1. Teil: The Jewelry of Scripture
aus: Materialien zur Kunde des Buddhismus, 18. Heft
Original bei O. Harrassowitz, Heidelberg
1931; Neudruck bei der
Suzuki Research Foundation   1969

ROERICH, George N.
J 6 - 13

The Blue Annals
(tib. Deb-ther snon-po)
Motilal Banarsidass, Delhi, (2nd ed.) 1976

R(O)RICH, J.N.
J 6 - 7 (vide S 4 - 3)

The "Blue Annals" / Deb-Ther sṄon-po
in: Rerich, J.N. 'Izbrannye trudy',
pg. 255 ff.

STEIN, Rolf A.
J 6 - 4

Une chronique ancienne de bSam-yas:
sBa-bzed
Edition du texte tibétain et résumé
français
Adrien Maisonneuve, Paris   1961

idem
J 6 - 14 / Sep.

Nouveaux documents tibétains sur le
mi-ñag/si-hia
in: Bibliothèque de l'Institut des Hautes
Etudes Chinoises, Vol. XX (1966), part I,
pg. 281 ff.
Presses Universitaires, Paris   1966

UEBACH, Helga
J 6 - 16 (vide S 4 - 25)

Zur Identifizierung des Nel-pa'i č'os-'byun
in: Brauen, Martin/Kvaerne, Per (Ed.):
Tibetan Studies, pg. 219 ff.,
Völkerkundemuseum Zürich   1978

VOSTRIKOV, Andrej
Iwanowitsch
J 6 - 2

Tibetskaja Istoričeskaja Literatura
(Tibetische Literaturgeschichte)
Russ.
Moskva   1962

idem
J 6 - 2 (vide H 7 -
    24.1 f.)

englische Uebersetzung:
Tibetan Historical Literature
Calcutta   1970

WAYMAN, A.
J 6 - 12 (vide S 1 - 1)

Doctrinal disputes and the debate
of bSam Yas
in: Central Asiatic Journal, Vol. XXI
(1977), No 2, pg. 139 ff.
Otto Harrassowitz, Wiesbaden   1977

BACOT, Jacques J 7 - 3	Milarepa Ses Méfaits, ses Epreuves, son Illumination Traduit du tibétain; Préface de Marco Pallis Fayard, Paris (Neuaufl.) 1971
idem J 7 - 13	Milaräpa, Tibets grosser Yogi auf dem Weg zu Wissen und Erlösung A.d. Franzos. übertr. von Berndt Heisz Baum-Verlag, Pfullingen 1956
DANTINNE, Emile J 7 - 17 (vide J 9 - 19)	Les Contes de No-rub-can (Contes thibétains) suivis de la Légende de Na-ro-pa Les Editions de Belgique, Bruxelles 1939
DAVID-NEEL, Alexandra / YONGDEN, Lama J 7 - 14	La vie surhumaine de Guésar de Ling, le héros thibétain Racontée par les bardes de son pays Editions du Rocher, Paris 1978
EIMER, Helmut J 7 - 16.1-2	Rnam thar rgyas pa Materialien zu einer Biographie des Atiśa (Dīpaṃkaraśrījñāna) Teil 1: Einführung, Inhaltsverzeichnis, Namensglossar Teil 2: Textmaterialien (Asiatische Forschungen, Bd 67) Otto Harrassowitz, Wiesbaden 1979
GRÜNWEDEL, Albert J 7 - 2	Die Legenden des Naropa des Hauptvertreters des Nekromanten- und Hexentums; nach einer alten tibet. Handschrift als Beweis für die Beein- flussung des Nördlichen Buddhismus' durch die Geheimlehre der Manichäer. Otto Harrassowitz, Leipzig 1933
idem J 7 - 21	Die Geschichten der Vierundachtzig Zauberer (Mahasiddhas) a. d. Tibet. übersetzt in: Baessler Archiv, Bd V (1916), Heft 4/5, pg. 137 ff., Teubner, Leipzig/Berlin 1916
GUENTHER von, Herbert J 7 - 1	The Life and Teaching of Nāropa Clarendon Press, Oxford 1963

KASCHEWSKY, Rudolf
J 7 - 7.1 f.

Das Leben des lamaistischen Heiligen
Tsongkhapa bLo-bZań Grags-Pa
Vol. 32 der 'Asiatischen Forschungen'
Teil I: Uebersetzung und Kommentar
Teil II: Facsimiles der mongol. u. tib.
        Texte
Otto Harrassowitz, Wiesbaden   1971

idem
J 7 - 11 (vide S 2 - 1)

Briefe Tsongkhapas an Geistliche und
Laien
in: 'Zentralasiatische Studien', Vol. II,
pg. 15 ff.
Otto Harrassowitz, Wiesbaden   1968

LALOU, Marcelle
J 7 - 10 / Sep.

Revendications de Fonctionnaires du
grand Tibet au 8e siècle
Société Asiatique, Paris   1956

LAUFER, Bertold
J 7 - 4 / Sep.

Milaraspas Winteraufenthalt auf dem
Berge La Phyi
in: 'Atlantis', No. 1, 1950
Zürich   1950

MULLIN, Glenn H. /
TWONAWA, Losang N.
J 7 - 18 (vide S 1 - 54)

Arya Asanga
Extracted from the Cho-jung of the Gegen
O-jung (Religious history composed by
Tibetan Lama Scholars and Masters)
in: Dreloma, No 4 (1980), pg. 10 ff.
Drepung Loseling Library Society,
Mundgod   1980

iidem
J 7 - 19 (vide S 1 - 54)

Nagarjuna's Disciple Aryadeva
Transl. from the Chojung of the Ojung
in: Dreloma, No 3 (1979), pg. 26 ff.,
Drepung Loseling Library Society,
Mundgod   1979

iidem
J 7 - 20 (vide S 1 - 54)

The Life of Arya Nagarjuna
Transl. from the Cho-Jung of the Ge-Gen
O-Jung
in: Dreloma, No 1 (1978), pg. 12 ff.
and No 2 (1978), pg. 7 ff.
Drepung Loseling Library Society
Mundgod   1978

NORBU, Thubten Jigme /
EKVALL, Robert B.
J 7 - 9

DON YOD - The Younger Brother
being a Secret Biography, from the
Words of the Glorious Lama, the Holy
Reverend Blo-bZang Ye-SHes
A Tibetan Play (translated, with Tibetan
Text)
Indiana University Press,
Bloomington / London   1969

ROERICH, George   Biography of Dharmasvamin
J 7 - 6   (Chag lo-tsa-ba Chos-rje dpal)
                      A Tibetan monk pilgrim
                      K.P. Jayaswal Research Institute,
                      Patna   1959

RUEGG, D. Seyford   The Life of Bu sTon Rin po che
J 7 - 8   Serie Orientale Roma XXXIV,
                      Istituto Italiano per il Medio ed
                      Estremo Oriente, Roma   1966

SNELLGROVE, David L. Four Lamas of Dolpo
J 7 - 12 (vide L 6 - 2.1 f.)Vol. I: Introduction and Translation
                      Vol. II: Tibetan Texts and Commentaries
                      Bruno Cassirer, Oxford   1967

STEIN, Rolf A.   Vie et Chants de 'Brug-pa Kun-legs
J 7 - 5   the Yogin
                      Maisonneuve et Larose, Paris   1972

TSOGYAL, Yeshe   The life and liberation of Padmasambhava
J 7 - 15.1-2   (tib.: Padma bKa'i Thang)
                      Part I: India
                      Part II. Tibet
                      transl. by Kenneth Douglas and Gwendolyn
                      Bays; introduction by Tarthang Tulku
                      Dharma Publishing, Emeryville   1978

J 8. Med. u. veterinärmed. Opera / Similia

BLONDEAU, Anne-Marie Matériaux pour l'étude de l'Hippologie
J 8 - 1   et de l'Hippiatrie Tibétaines
                      Librairie Droz, Genève   1972

FILLIOZAT, Jean   Fragments de textes koutchéens de
J 8 - 3   médecine et de magie
                      Adrien Maisonneuve, Paris   1948

LALOU, Marcelle   Fiefs, Poisons et Guérisseurs
J 8 - 2   (Manuscrit No. 1285 du Fonds Pelliot)
                      Separatdruck aus: 'Journal Asiatique',
                      1958
                      Société Asiatique, Paris   1959

eadem   Texte médical tibétain
J 8 - 4 / Sep.   in: Journal Asiatique, tome CCXXXIII
                      (1941 - 42), pg. 209 ff., Imprimerie
                      Nationale, Paris   1945

BALBIR, Jagbans Kishore
J 9 - 13 (vide J 2 - 71)

L'histoire de Râma en tibétain
d'après des manuscrits de Touen-Houang
Adrien-Maisonneuve, Paris   1963

DANTINNE, Emile
J 9 - 19

Les Contes de No-rub-can
(Contes thibétains)
suivis de la Légende de Na-ro-pa
Les Editions de Belgique, Bruxelles   1939

DENWOOD, Philipp
J 9 - 4 (vide S 5 - 1)

A Tibetan Poem
taken from the biography of Tendzin
Repa, 17/18th century
in 'Shambhala', Publ. of the Institute
of Tibetan Studies, Tring/England
Pandect Press Ltd., London   1971

DEWANG, Norbu N.
J 9 - 14 (vide K 3 - 9)

Musical tradition of the Tibetan People
in: Orientalia Romana, Vol. XXXVI,
pg. 207 ff.
Istituto Italiano per il medio ed estremo
Oriente, Roma   1967

FREI-PONT, Marie-Noëlle
J 9 - 18

Kezang und Wangmo
Schulbuch für Lese- und Fremdsprachen-
unterricht der 1. - 3. Klässler
tibetisch/deutsch
Helvetas, Zürich   1980

GERGAN, J.
J 9 - 15

A thousand Tibetan proverbs and sayings
Sterling Publ., New Delhi   1976

HILL, Fred
J 9 - 11 (vide S 1 - 33)

A Tibetan poem
in: The Tibet Society Bulletin,
Vol. III (1969), pg. 28 ff.
Bloomington   1969

HOFFMANN, Helmut
J 9 - 17

Märchen aus Tibet
Herausgegeben und übertragen von H'H'
(Die Märchen der Weltliteratur)
Eugen Diederichs Verlag, Düsseldorf   1973

JONG de, J.W.
J 9 - 7 (vide S 4 - 2)

Un fragment de l'histoire de Râma en
tibétain
in: 'Etudes Tibétaines', pg. 127 ff.
Librairie de l'Amérique et d'Orient,
Adrien Maisonneuve, Paris   1971

MACDONALD, A.W.

J 9 - 2

J 9 - 6

Matériaux pour l'Etude de la Littérature
Populaire Tibétaine
Tome I: Edition et traduction de deux
manuscrits tibétains des
"Histoires du cadavre"
Tome II: Edition et traduction d'un
fragment d'un troisième
manuscrit tibétain des
"Histoires du cadavre"
Presses Universitaires de France,
Paris   1967
Librairie C. Klincksieck, Pairs   1972

OLSCHAK, Blanche Chr.

J 9 - 3

Perlen alttibetischer Literatur
Eine kleine Anthologie
Birkhäuser Verlag,
Basel/Stuttgart   1967

RINJING Dorje

J 9 - 16

Tales of Uncle Tompa
The legendary Pascal of Tibet, compiled
and transl. by R'D'
Dorje Ling, San Rafael   1975

SANG, Nomun

J 9 - 12 (vide S 1 - 33)

Two Tibetan folk tales
in: The Tibet Society Bulletin, Vol. V
(1973), pg. 15 ff.
Bloomington   1973

SAVITSKY, L.S.

J 9 - 20 (vide S 4   30)

Secular lyrical poetry in Tibet.
Works of Tsang-jang-jamtso (1693 - 1706)
in: Proceedings of the Csoma de Körös
Memorial Symposium, held at Mátra-
füred, Hungary, 24. - 30. 9.76, pg. 403 ff.
Akadémiai Kiadó, Budapest   1978

TAFEL, Albert

J 9 - 8 (vide D 4 - 23.2)

Tibetische Fabeln, Sprüche und Rätsel
in: 'Meine Tibetreise', Vol. 2, pg. 332ff.
Union Deutsche Verlagsgesellschaft,
Stuttgart/Berlin/Leipzig   1914

THOMAS, F.W.

J 9 - 1

Ancient Folk-Literature from North-
eastern Tibet
Introductions, Texts, Translations and
Notes
Akademie Verlag, Berlin   1957

TSERING, Pema

J 9 - 5 (vide S 2 - 1.2)

Die Erzählung eines alten Tibeters vom
Tausch des königlichen Pferdes gegen
einen Tontopf
in: Zentralasiatische Studien, Vol. II,
Otto Harrassowitz, Wiesbaden   1968

TUCCI, Giuseppe /   **Tibetan Folk Songs from Gyantse**
NORBU, Namkhai   **and Western Tibet**
J 9 - 9 (vide K 7 - 1)   Artibus Asiae Publ., Ascona   1968
                       (cf. Rezension von Kolmaš, J.
                       sub P 3 - 3 / Sep.)

TUYL, Charles D. van   **Love Songs by the Sixth Dalai Lama**
J 9 - 10 (vide S 1 - 33)   in: The Tibet Society Bulletin,
                       Vol. II (1968), pg. 4 ff.
                       Bloomington   1968

siehe auch sub K 6 und K 7!

J 10. Exil-Literatur / Politica (Pamphlet-Texte et sim.)

BISCHOFF, F.A.   **Une Incantation Lamaique anti-chinoise**
J 10 - 1 (vide S 1 - 1)   in: 'Central Asiatic Journal', Vol. X,
                       No. 2, pg. 128 ff.
                       Mouton, The Hague / O. Harrassowitz,
                       Wiesbaden   1965

J 11. Varia

GOLDSTEIN, Melvyn   **Tibetan-English Dictionary of**
J 11 - 2 (vide H 5 - 33)   **Modern Tibetan**
                       (Bibliotheca Himalayica, Series II,
                       Vol. 9)
                       Ratna Pusta Bhandar, Kathmandu   1975

HOFFMANN, Helmut (et alii) **Tibetan Literature**
J 11 - 1 (vide S 4 - 22)   in: Tibet: A handbook, pg. 193 ff.
                       Indiana University Publ., Bloomington 1975

VOGEL, Claus   **Surūpa's Kāmaśāstra**
J 11 - 3   ('Dod-pai bstan-bcos)
                       An erotic treatise in the Tibetan Tanjur,
                       edited and transl. by C'V'
                       (Studia Orientalia, XXX:3)
                       Helsinki   1965

K. Musicalia/Epik/Mysterienspiele/Tanz/Spiel

K 1. Schallplatten mit tib. Musik (vokal u. instrumental)

AUCT. INCERT. K 1 - 4	The Religious Sound of Tibet Stereo TST 76965 Teldec Schallplatten GmbH., Hamburg 1971
BEYER, Stephan K 1 - 24	Tibet - Musica rituale e di teatro Albatros VPA 8448 Editoriale Sciascia, Rozzano 1979
BOURGUIGNON, Serge K 1 - 2	Musique Tibétaine du Sikkim Face A: Cérémonie du 'Cham' Face B: Chant de voyageur / Danse de Shigatsé / Chant de Joie / Chant de Caravanier / Chants de jeune fille (2) / Chant religieux de la secte Nyingma-pa / Chants (2) de Lama-Mendiant VOGUE No. LVLX - 187, Collection "Loisirs", enregistré 1955 Paris ed. 1968
idem K 1 - 3	Musique Tibétaine du Sikkim Face A: Chant de Caravaniers / Danse de Caravaniers / Danse de Shigatsé / Chant d'amour / Chant de Caravanier / Chant sur un cheval / Chant sur la lune / Chant religieux de la Secte Nying-ma-pa / Chants (2) de Lama mendiants Face B: Cérémonie du Chiam VOGUE p.i.p. No. MC 20.119: enregistré en 1955; "Collection du Musée de l'Homme", Série artistique Paris 1955
BROADBANK, Robin K 1 - 23	A Beautiful Ornament A tibetan ritual visualisation in the cycle known as sDrolma gYul-zLog composed by the noble Nagarjuna TCS 1 Thread Cross, Bath 1979
CROSSLEY-HOLLAND, Peter K 1 - 8	Tibetan Folksongs Schallplatte als Beilage im Band III des 'Jahrbuches für musikalische Volks- und Völkerkunde', No. T 75 570 1967 (cf. op. cit. sub K 7 - 2!)

CROSSLEY-HOLLAND, Peter
K 1 - 11.1 ff.

The Music of Tibetan Buddhism
A Musical Anthology of the Orient: TIBET
(I, II and III) 3 Schallplatten der
UNESCO-Collection
Record   I: The Nyingmapa and the Kagyu-
            pa Sect
Record II: The Sakyapa and the Gelugpa
            Sect
Record III: The Kagyupa and the Gelugpa
            Sect
Nos. BM 30 L 2009 / 2010 / 2011
Bärenreiter Musicaphon,
Kassel/Basel   1961

idem
K 1 - 13

Tibetan Ritual Music
by Lamas and Monks of the four Great
Orders
recorded 1961
Lyrichord No. LLST 7181
Lyrichord Discs, New York   1961

idem
K 1 - 14

Tibetan Folk and Minstrel Music
Side A: Folk Music from Tibet
Side B: Musicians' Tunes from Ladakh
Lyrichord No. LLST 7196
Lyrichord Discs, New York   ca. 1961

DESJARDINS, Arnaud
K 1 - 5

Le Message des Tibétains
Musique Sacrée Tibétaine
No. LD 5731, Disques BAM
Paris   ca. 1971

DHARAMSALA, Tibetan Music,
Dance and Drama Society
K 1 - 21

Lotus Fields (Pema Thang) - Four Folk
Songs from Tibet
Bho Ki Dhoegar Tsokpa, Dharamsala   o.J.

FRAYSSEIX, Hubert de
K 1 - 20

Le Tibet - Rituel Boudhique
enregistré à Bodnath, Kathmandu
CBS No. 65.174
Columbia Broadcasting System,
(Paris ?)   ca. 1973

HELFFER, Mireille
K 1 - 22

Ladakh - Musique de monastère et
de village
Collection du C.N.R.S. et du Musée de
l'Homme, LDX 74662
Le Chant du Monde, Paris   1978

JEST, Corneille
K 1 - 15

Tibet - Nepal
Musique bouddhiste lamaique - Musique
rituelle et profane
Disques BAM, No. LD 5104
Paris   ca. 1966

JORDENKHANGSAR, Yishe G.
K 1 - 10

Tibetische Volkstänze der Tibeter Tanz-
gruppe im Schweizer Exil
(Leitung: Regina Müller)
Seite A: bDe-sKyid gSar-sKyon /
bSil-lDan Ra-Bas
Seite B: PHye-ma-leb-kyi ZHabs-bro
Winterthur/Zürich   1972

JUNIUS, M.
K 1 - 18

Tibetanisches Ritual
Anrufung der Göttin Yeshiki Mamo (Tantri-
sche Puja) durch die Lamas des Klosters
von Nying Mapa (Dehra Dun)
Unesco-Collection: Musical Sources,
Philips 6586 007
Internat. Institut für vergleichende
Musikstudien und Dokumentation
Berlin/Venedig   ca. 1973

KAUFMAN, Howard
K 1 - 17

Songs and Music of Tibet
Folkways Records Album, No FE 4486
(Ethnic Folkways Library)
New York   1962

LUNEAU, Georges
K 1 - 9

Musique et Théatre Populaires Tibétains
Ocora No. OCR 62
Office de Radiodiffusion Télévision Fran-
çaise, Paris   1971

idem
K 1 - 12

Musique rituelle tibétaine
enregistrée 1969 au Népal
Disques Ocara No. OCR 49
Office de Radiodiffusion-Télévision
Française, Paris   1969

idem
K 1 - 19

Musique Sacré Tibétaine
Mani-Rimdu; Rituel en l'honneur de la
Yoghini de Diamant, enregistré 1971 au
Népal, Ocora, OCR 71
Office de Radiodiffusion-Télévision
Française, Paris   ca. 1973

NEBESKY-WOJKOWITZ von, R.
K 1 - 7

Tibet - Lieder aus dem Land der Götter
Seite 1: Lieder der Karawanenstrasse /
Karawanenglocken und Lied eines
Maultiertreibers / Gebetslied e.
Bettelmönchs / Lamaistisches Le-
gendenlied / Volkslied aus Lhasa /
Tanzlied aus Osttibet / Aus-
schnitt aus dem Kesar-Epos

Seite 2: Gebet eines reinkarnierten Lamas /
Gebetsgesang / Anrufung einer Ora-
kelgottheit / Nächtliche Dämonen-
beschwörung / Ton der Trommeln,
Zimbeln, Oboen und Knochenflöten /
Rezitieren von Zauberformeln / Be-
gleitmusik eines kultischen
Maskentanzes / Gebet der Kloster-
gemeinde und Tempelmusik
Aus dem Phonogramm-Archiv der Oesterrei-
chischen Akademie der Wissenschaften,
Athena 53 134 G HiFi
Ariola Schallplatten GmbH.,
Gütersloh   ca. 1960

SMITH, Huston   The Music of Tibet
K 1 - 16   The Tantric Rituals; musical analysis:
                             Peter Crossley-Holland
                             (An Anthology of the World's Music, 6)
                             Anthology Record and Tape Corporation,
                             New York   1970

TIBETHILFE, SCHWEIZER   Musica Tibetana
K 1 - 1   Seite A: Volks- und Kunstmusik
                             Seite B: Kult- und geistliche Musik
                             No. FGLS 30-4705
                             Fono-Gesellschaft, Luzern   1969

TRABER, Hans A.   Zu Gast beim König von Bhutan
K 1 - 6   Lieder, Volksmusik und Tänze
                             No. EL 12 163
                             Ex Libris, Zürich   1971

K 2. Sprechplatten

DAVID-NEEL, Alexandra /   Bardo-Thödol
FÜRBRINGER, E.F. (Ed.)   Auszüge aus dem tibetischen Totenritual
K 2 - 1a   Langspielplatte 33 UPM, (Seite A)
                             Otto Wilh. Barth Verlag, München ca. 1957

PESTALOZZI   Deutsch-Tibetisches Behelfslexikon für
KINDERDORF TROGEN   die Verständigung mit tibetischen
K 2 - 2   Patienten
                             Uebertragung des deutschen Textes:
                             Tethong, Tsewang C.
                             Sprecher: Tethong Rakra Rinpoche
                             No. 25-104
                             Turicaphon AG., Uster/Zürich   1965

SCHMIDT, Kurt   Buddhas Rede von Benares
(Uebersetzer)   Sprecher: E.F. Fürbringer
K 2 - 1b   Langspielplatte, 33 UPM
                             Otto Barth Verlag, München   ca. 1957

CANZIO, Ricardo O. The place of music and chant in tibetan
K 3 - 19 (vide S 4 - 25) religious culture
in: Brauen, Martin/Kvaerne, Per (Ed.):
Tibetan Studies, pg. 65 ff.,
Völkerkundemuseum Zürich 1978

COMPL. AUCT. Tibetan Music
K 3 - 14 in: Asian Music, Vol. X-2 (1979),
Tibet issue
Society for Asian Music
New York 1979

CROSSLEY-HOLLAND, P. The Religious Music of Tibet and its
K 3 - 2 / Sep. Cultural Background
in: 'Ethnomusicology', Vol. incert. o.J.

idem Tibetan Music
K 3 - 1 / Sep. in: 'Grove's Dictionary of Music and
Musicians', pg. 456 ff. 1954

DAUER, A.M. / Zur tibetischen Musik
JONGCHAY, Champa Thupten Allgemeine Vorbemerkungen zu den Filmen
K 3 - 6 / Sep. über tibetische Volksmusik, Volkstänze
und populäre Theaterstücke, wie sie
aufgenommen wurden vom Institut für
den Wissenschaftlichen Film in Göttingen
Göttingen 1971 f.

DEWANG, Norbu N. Musical tradition of the Tibetan People
K 3 - 9 in: Orientalia Romana, Vol. XXXVI (1967),
pg. 207 ff.
Istituto Italiano per il medio ed
estremo Oriente, Roma 1967

ELLINGSON, Terry Bibliography about Tibetan Music
K 3 - 5 / Sep. Typoscript
Boston 1970

GRAF, Walter On the performance of the Tibetan music
K 3 - 10 (vide K 7 - 15) and its notation
in: Nebesky-Wojkowitz, René de:
Tibetan religious dances, pg. 249 ff.,
Mouton & Co., The Hague 1976

HELFFER, Mireille Traditions musicales des Sa-Skya-Pa
K 3 - 11 / Sep. relatives au culte de Mgon-Po
(Extrait du Journal Asiatique)
Société Asiatique, Paris 1976

KAUFMANN, Walter
K 3 - 8

Tibetan Buddhist Chant
Indiana University Press,
Bloomington   1975

LHALUNGPA, Lobsang P.
K 3 - 4 / Sep.

Tibetan Music: Secular and Sacred
in 'Asian Music', Vol. I, No. 2 vom
Herbst 1969
Journal of the Society for Asian Music,
New York   1969

LUZERN, Schweizer
K 3 - 7 / Sep.

Die tibetische Musik
in: Tibet im Exil, Nr. 1 (1965)
Solothurn   1965

RAKRA, Tethong
K 3 - 16 (vide K 3 - 14)

Conversations on Tibetan musical
traditions
in: Asian Music, Vol. X-2 (1979),
pg. 5 ff., Tibet issue
Society for Asian Music, New York   1979

ROBERTSON, Alec /
STEVENS, Denis (Ed.)
K 3 - 13 / Sep.

Tibet
in: Geschichte der Musik,
pg. 85 ff., Prestel-Verlag, München   1965

SA-SKYA PAṆḌITA
K 3 - 17 (vide K 3 - 14)

On Music
in: Asian Music, Vol. X-2 (1979),
pg. 3 f., Tibet issue
Society for Asian Music, New York   1979

idem
K 3 - 18 (vide K 3 - 14)

Why study music?
in: Asian Music, Vol. X-2 (1979),
pg. 157 f., Tibet issue
Society of Asian Music, New York   1979

SOMMERVELL, Howard T.
K 3 - 3 / Sep.

The Music of Tibet
in: 'The Musical Times', pg. 107 ff.
vom 1. Februar   1923

VANDOR, Ivan
K 3 - 12

La musique du bouddhisme tibétain
Buchet / Chastel, Paris   1976

idem
K 3 - 15

Die Musik des tibetischen Buddhismus
Heinrichshofen's Verlag
Wilhelmshaven   1978

K 4. Generell ad tib. Epik

BRANDS, Horst Wilfrid
K 4 - 13 (vide S 2 - 1.11)

Bemerkungen zu einer tuvanischen
Variante des Geser-Motivs
in: Zentralasiatische Studien, Bd 11
(1977), pg. 267 ff.
Otto Harrassowitz, Wiesbaden   1977

FRANCKE, A.H.
K 4 - 21 (vide J 2 - 8)

Der Frühlings- und Wintermythus der Kesarsage
Beiträge zur Kenntnis der vorbuddhistischen Religionen Tibets und Ladakhs;
in: Mémoires de la Société Finno-Ougrienne, Vol. XV (1902)
Otto Zeller, Osnabrück, Neudruck   1968

idem
K 4 - 22 / Sep.

The Spring Myth of the Kesar Saga
in: The Indian Antiquary, Vol. XXXI (1902),
pg. 37 ff. and pg. 147 ff.,
Bombay/London   1902

HEISSIG, Walther
K 4 - 15 (vide S 2 - 1.11)

Dominik Schröders nachgelassene Monguor (Tu-jen) - Version eines Geser Khan-Epos aus Amdo
in: Zentralasiatische Studien, Bd 11 (1977), pg. 287 ff.
Otto Harrassowitz, Wiesbaden   1977

idem
K 4 - 16 (vide S 2 - 1.11)

Eine Geser-Epos Variante aus Tsakhar
in: Zentralasiatische Studien, Bd 11 (1977), pg. 301 ff.
Otto Harrassowitz, Wiesbaden   1977

HELFFER, Mireille
K 4 - 19 (vide K 3 - 14)

Réflexions concernant le chant épique tibétain
in: Asian Music, Vol. X-2 (1979), pg. 92 ff.
Tibet issue, Society for Asian Music,
New York   1979

HERMANNS, Matthias P.

(vide sub J 2 - 7)

Das National-Epos der Tibeter: gLing König Ge-sar
2 Vols. in 1 Vol.
Verlag Josef Habbel, Regensburg   1965

HUMMEL, Siegbert

(vide sub J 2 - 9 / Sep.)

The Motif of the Crystal Mountain in Tibetan Gesar Epic
in: 'History of Religions', Vol. 10, No. 3, pg. 204 ff.
University of Chicago Press   1971

idem
K 4 - 4 (vide S 1 - 6)

Zur Diskussion über das Ge-sar - Epos
in 'Anthropos', Vol. 58, pg. 231 ff.
Paulusverlag, Freiburg/Schweiz   1963

idem
K 4 - 8 (vide 1 - 8)

Der Wunderbare Hirsch im Ge-sar - Epos
in: Ethnologische Zeitschrift Zürich, II (1973), pg. 37 ff.
Völkerkundemuseum der Universität Zürich   1973

HUMMEL, Siegbert
K 4 - 12 (vide 1 - 8)

Polyphem im Ge-sar Epos
in: Ethnologische Zeitschrift Zürich, II
(1976), pg. 81 ff.,
Völkerkundemuseum der Universität
Zürich   1976

idem
K 4 - 17 (vide S 1 - 3)

The Three-Sisters in the Ge-Sar Epic
in: Bulletin of Tibetology, Vol. XI (1974),
no 2, Namgyal Institute of Tibetology,
Gangtok   1974

JETTMAR, Karl
K 4 - 14 (vide S 2 - 1.11)

Fragment einer Balti-Version der Kesar-
Sage
in: Zentralasiatische Studien, Bd 11
(1977), pg. 277 ff.
Otto Harrassowitz, Wiesbaden   1977

idem
K 4 - 20 (vide S 2 - 1.13)

Zur Kesar-Sage in Baltistan
Vorbericht über die Ergebnisse einer Reise
im August, September und Oktober 1978;
in: Zentralasiatische Studien, Bd 13
(1979), pg. 325 ff.
Otto Harrassowitz, Wiesbaden   1979

KASCHEWSKY, Rudolf
K 4 - 5 (vide S 2 - 1.6)

Gesars Abwehrkampf gegen Kaschmir
in: Zentralasiatische Studien, Vol. VI,
pg. 273 ff.
Otto Harrassowitz, Wiesbaden   1972

LIPKIN, S.
K 4 - 10

Gèsèr, burjatskij geroičeskij epos
(Gèsèr, das burjätische Heldenepos)
Chudožestvennaja Literature, Moskva   1973
(Verlag Schöne Literatur, Moskau)

LÖRINCZ, L.
K 4 - 7 (vide S 1 - 1)

Epos in Innerasien?
in: Central Asiatic Journal, Vol. XVII
(1973), No 2 - 4, pg. 176 ff.
Otto Harrassowitz, Wiesbaden   1973

POPPE, N.
K 4 - 9 (vide S 4 - 18)

Geserica (Untersuchung der sprachlichen
Eigentümlichkeiten der mongolischen
Version des Gesserkhan)
in: Asia major, Vol. III (1926), pg. 1 ff.
und 167 ff.
Johnston Reprint Corp., New York   1964

R(O)ERICH, J.N.
K 4 - 6 (vide S 4 - 3)

The Epic of King Kesar of Ling
in: Rerich, J.N. 'Izbrannye trudy'
pg. 181 ff.

SCHMIDT, I.J.
K 4 - 3

Die Taten des Bodga Gesser chan
Eine mongolische Heldensage
Reprint: O. Zeller, Osnabrück   1966

STEIN, Rolf A. K 4 - 1	L'épopée Tibétaine de Gesar (Dans la version lamaique de Ling) Presses Universitaires de France, Paris 1956
idem K 4 - 2	Recherches sur l'épopée et le barde au Tibet Presses Universitaires de Frances, Paris 1959
idem K 4 - 11 (vide S 1 - 41)	Peintures tibétaines de la vie de Gesar in· Arts Asiatiques, tome V (1950), fasc. 4, pg. 243 ff. Presses Universitaires de France, Paris 1958
idem K 4 - 18 (vide S 1 - 2.12)	Bemerkungen zum Geser Khan Ansprache bei der Verleihung der Ehren- doktorwürde der philosophischen Fakultät der Universität Bonn am 3. Mai 1978; in: Zentralasiatische Studien, Bd 12 (1978), pg. 137 ff. Otto Harrassowitz, Wiesbaden 1978

(Tonbandaufnahmen siehe unter Ziffer T!)

K 5. Notation

AUCT. INCERT. TIB. K 5 - 3 / Sep.	Microfilm-Kopie nach einem Xylographen (bestehend aus 4 Blättern) mit tibetischer Notation und tibetischem Text aus dem Privatbesitze von Madame Mireille Helffer, Paris Paris (Kopie 1972) o.J.
ELLINGSON, Ter K 5 - 11 (vide K 3 - 14)	'Don rta dbyangs gsum: Tibetan chant and melodic categories in: Asian Music, Vol. X-2 (1979), pg. 112 ff., Tibet issue, Society for Asian Music, New York 1979
GRAF, Walter K 5 - 1 / Sep.	Zur Ausführung der lamaistischen Gesangs- notation Separatum aus: 'Studia Musicologica', Vol. III, fasc. 1 - 4 Budapest 1962
idem K 5 - 7 (vide K 7 - 15)	On the performance of the Tibetan music and its notation in: Nebesky-Wojkowitz, René de: Tibetan religious dances, pg. 249 ff., Mouton & Co., The Hague 1976

HELFFER, Mireille K 5 - 8 (vide K 3 - 11 / Sep.)	Traditions musicales des Sa-Skya-Pa relatives au culte de Mgon-Po (Extrait du Journal Asiatique) Société Asiatique, Paris 1976
eadem K 5 - 9 (vide S 4 - 24)	Problèmes posés par la lecture des notations musicales (dbyans yig) utilisées pour le chant d'hymnes religieux au Tibet in: Etudes Tibétaines / Actes du XXIX. Congrès international des Orientalistes, Paris, Juillet 1973 L'Asiathèque, Paris 1976
KAUFMANN, Walter K 5 - 2 / Sep.	Musical Notations in the Orient Indiana University Press, Bloomington 1967
idem K 5 - 5 (vide K 3 - 8)	Tibetan Buddhist Chant Indiana University Press, Bloomington 1975
VANDOR, Ivan K 5 - 4	La notazione musicale strumentale del Buddhismo tibetano in: Nuova Rivista musicale italiana, Nr. 3/4 (Luglio/Dicembre 1973), pg. 335 ff., ERI (Edizioni Rai Radio-televisione Italiana), Torino 1973
idem K 5 - 10 (vide K 3 - 12)	La Musique du Bouddhisme Tibétain Buchet / Chastel, Paris 1976 (deutsche Uebersetzung: Die Musik des tibetischen Buddhismus Heinrichshofen's Verlag, Wilhelmshaven 1978, Sign. K 3 - 15)

K 6. Mysterienspiele (Texte) / Theater, Posse u. Schwank

BACOT, Jacques K 6 - 1	Trois Mystères Tibétains Editions Bossard, Paris 1921
idem K 6 - 9 (vide J 2 - 63.1 f.)	Zuginima (Texte de théâtre) Part I: Texte Part II: Traduction Imprimerie Nationale, Paris 1957
BLONDEAU, Anne-Marie K 6 - 8 (vide J 2 - 64)	La vie de Pema-Öbar Drame tibétain traduit par A'-M'B' Publications Orientalistes de France, Paris 1973

BRAUEN, Martin
K 6 - 7 (vide S 4 - 6 /
    Sep.)

Dawa Sangmo - Ein tibetisches Märchen
(Tanzspiel in Paraphrase)
in: 'Schweizerisches Rotes Kreuz',
Heft No. 5, Juli 1972, pg. 22 ff.
Bern   1972

DUNCAN, Marion H.
K 6 - 3

Harvest Festival Dramas of Tibet
Orient Publishing Company, Hong Kong 1955

GERNER, Wendelgard und
Manfred
K 6 - 16

Hemisfest
Tibetische Tschammysterien
Indoculture, Stuttgart   1970

JERSTAD, Luther G.
K 6 - 4

Mani-Rimdu - Sherpa Dance-Drama
University of Washington Press,
Seattle./ London   1969

KASCHEWSKY, Rudolf /
TSERING, Pema
K 6 - 11

Das Leben der Himmelsfee Gro-Ba Bzan-Mo
(Ein buddhistisches Theaterstück)
Octopus Verlag, Wien   1975
(siehe auch: Einige Bemerkungen zum
tibetischen Theater: Sign. K 6 - 11 /
Sep. und S 2 - 1.10)

NEBESKY-WOJKOWITZ von, R.
K 6 - 6 / Sep.

Worship of the Dharmapalas
Kapitel XX aus 'Oracles and Demons of
Tibet' (The Cult and Iconography of the
Tibetan Protective Deities), pg. 398 ff.
Mouton & Co., s'Gravenhage   1956

ROCK, Joseph F.
K 6 - 5 / Sep.

Life among the Lamas of Choni / Demon
Dancers and Butter Gods of Choni
in: 'The National Geographic Magazine'
Washington   Nov. 1928

SCHUH, Dieter
K 6 - 10 (vide S 2 - 1.8)

Das Theaterstück 'Gro-ba bzaṅ-mo in der
Version der Theatergruppe von Dharamsala
in: Zentralasiatische Studien, Bd 8 (1974),
pg. 455 ff.
Otto Harrassowitz, Wiesbaden   1974

idem
K 6 - 12 (vide S 2 - 1.10)

Der Schauspieler des tibetischen
lHa-mo Theaters
in: Zentralasiatische Studien, Bd 10
(1976), pg. 339 ff.
Otto Harrassowitz, Wiesbaden   1976

SNYDER, Jeanette
K 6 - 13 (vide K 3 - 14)

A preliminary study of the Lha mo
in: Asian Music, Vol. X-2 (1979),
pg. 23 ff., Tibet issue, Society for
Asian Music, New York   1979

THUBTEN, Samdup (Ed.)
K 6 - 15 (vide K 7 - 17)

The Tibetan Music, Dance & Drama
Society - Twenty Years - 1959 to 1979
Tibetan Music, Dance & Drama Society,
Dharamsala   1979

TSONGKHAPA
K 6 - 14 (vide K 3 - 14)

Meditative realization of the melodious
goddess
in: Asian Music, Vol. X-2 (1979), pg. 1 f.
Tibet issue, Society for Asian Music,
New York   1979

WOOLF, H.I. (Transl.)
K 6 - 2

Three Tibetan Mysteries
Tchrimekundan / Nansal / Djroazanmo
Translated from the French Version of
Jacques Bacot,
George Routledge & Sons Ltd.,
London   post 1921
(cf. Ziffer K 6 - 1, Bacot, Jacques!)

K 7. Volkslied / Tanz

AUCT. INCERT.
K 7 - 10 (vide S 4 - 6 /
Sep.)

Tibetische Tänzer
in: 'Schweizerisches Rotes Kreuz',
Heft No. 5, pg. 27 f.
Bern   1972

AUCT. INCERT.
K 7 - 11 / Sep.

Zwei tibetische Volkslieder in westl.
Notation (mit tib. und dtsch. Text)
Dharamsala und Schweiz (s.l.)   o.J.

AUCT. INCERT.
K 7 - 16 / Sep.

Tibetische Nationalhymne
und andere Volkslieder
mit Noten   o.O.   o.J.

COMPL. AUCT.
K 7 - 18 / Sep.

Tibetische Liedertexte
Hg. vom Tibeter Jugendverein, Sektionen
"Tündrel" und "Nangma", Typoskript
Zürich   März 1977

COWLING, Herford Tynes
K 7 - 5 / Sep.

A Dance-Festival of Tibet's Wizard-Saint
The Gorgeous Masque of the Founder of
Lamaism Held at Snow-Girt Hemis,
in Ladakh
in: 'Asia Magazine', Vol. XXV, No. 7,
New York   1925

CROSSLEY-HOLLAND, Peter
K 7 - 2

Form and Style in Tibetan Folksong Melody
in: 'Jahrbuch für musikalische Volks-
und Völkerkunde', Vol. III, pg. 9 - 69
Walter de Gruyter, Berlin   1967

CROSSLEY-HOLLAND, Peter   The State of Research in Tibetan Folk
K 7 - 3 / Sep.   Music
                          in: 'Ethnomusicology', Vol. II, No. 2
                                                              1967

HUMMEL, Siegbert   Boy Dances at the New Year's Festival
K 7 - 14 / Sep.   in the region of Dri-c'u-ron, North Nepal
                          in: East and West, New Series, Vol. XXIV
                          (1974), No 3 - 4, Istituto Italiano per
                          il medio ed estremo Oriente, Roma   1974

KAUFMANN, Hans E. /   Lieder aus den Naga-Bergen (Assam)
SCHNEIDER, Marius   Extrait d'Ethnomusicologie II
K 7 - 13 (vide Q 3 - 27) (Colloques de Wégimont)
                          Imprimerie G. Michiels S.A., Liège   1960

LI LANYING   Gesang und Tanz auf dem Dach der Welt
K 7 - 19 / Sep.   in: China im Bild, No 2 (1979), pg. 28 f.,
                         Beijing   1979

NEBESKY-Wojkowitz, René de   Tibetan Religious Dances
K 7 - 15   Text and translation of the 'Chams yig
                             Mouton & Co., The Hague   1976
                             (Rezension: sub Sign. P 3 - 67 (vide
                             K 3 - 14))

OLSCHAK, Blanche Chr. /   Magie des Tanzes in Bhutan
GANSSER, U. (Aufn.)   in: 'Image Roche', No. 46, 1972,
K 7 - 4 / Sep.   pg. 31 ff.
                          Bilddokumentation La Roche, Basel   1972

OLSCHAK, Blanche Chr.   Masken und Legenden aus Ost-Bhutan
K 7 - 8 / Sep.   Separatdruck aus: 'Color Image', No. 42
                          Bilddokumentation der Fa. Hoffmann-
                          La Roche, Basel   1971

STEIN, Rolf A.   Le Liṅga des danses masquées lamaiques
K 7 - 9 (vide S 3 - 1)   et la théorie des âmes
                         in: 'Liebenthal Festschrift', Bd. V,
                         Parts 3 & 4, pg. 200 ff.
                         Visvabharati / Santiniketan   1957

TARING, Jigme   "You Can Help to Save ... A Part of
K 7 - 6 / Sep.   Tibet's Dying Culture"
                         Tibetan Music, Dance and Drama Society /
                         BHO-KI DHOEGAR TSOKPA, Dharamsala
                         Imperial Printing Press,
                         Dharamsala   ca. 1969

THUBTEN, Samdup   The Tibetan Music, Dance & Drama Society
K 7 - 17   Twenty Years - 1959 to 1979
                         Tibetan Music, Dance & Drama Society,
                         Dharamsala   1979

TIBETAN MUSIC, DANCE & DRAMA SOCIETY, Dharamsala K 7 - 7 / Sep.	A Tibetan Dance Drama On the Ridge, Simla Aufführungs-Programm mit Vorwort, Einleitung und Abbildungen The Civil and Military Press, Simla post 1962
TUCCI, Giuseppe / NORBU, Namkhai	Tibetan Folk Songs from Gyantse and Western Tibet with two Appendices by Prof. Namkhai Norbu, 2nd revised and enlarged edition, Artibus Asiae Publ. Ascona/Schweiz 1966 (cf. Rezension von Kolmaš, Josef sub P 3 - 3 / Sep.)
UMADEVI K 7 - 12 / Sep.	Dance of Tibet mit 5 Photographien West London Offset Comp., London ca. 1963

K 8. Rhapsodentechnik

JONSCHEBU, Rintschen K 8 - 1 (vide S 4 - 30)	"Isspolniteli rezitazii na usstnom mongoljisskom jisyke" (russ.) (Interpreten der Rezitationen in mongo- lischer Sprache) in: Proceedings of the Csoma de Körös Memorial Symposium, 24 - 30 Sept. 1976, pg. 353 ff., Akadémiai Kiadó Budapest 1978

K 9. Musikinstrumente

RINJING DORJE / ELLINGTON, Terry K 9 - 1 (vide K 3 - 14)	Explanation of the secret gcod ḍa ma ru: an explanation of musical instrument symbolism in: Asian Music, Vol. X-2 (1979), pg. 63 ff., Tibet Issue, Society for Asian Music, New York 1979

K 10. Spiel, Spielen

HUMMEL, Siegbert / BREWSTER, Paul G. K 10 - 1 / Sep.	Games of the Tibetans in: 'FF Communications No. 187 (edited for the Folklore Fellows), Vol. LXXVII, 2 Suomalainen Tiedeakatemia / Academia Fennica Scientiarum, Helsinki 1963
OTT-MARTI, Anna Elisabeth K 10 - 2 (vide C 6 - 3)	Spielen, Tanzen, Musizieren und Singen in: 'Tibeter in der Schweiz - Kulturelle Verhaltensweisen im Wandel', pg. 119 ff. Eugen Rentsch Verlag, Erlenbach-Zürich 1971

K 11. Varia

CROSSLEY-HOLLAND, Peter K 11 - 4 / Sep.	On William P. Malm's "On the nature and function of symbolism in Western and Oriental Music" loc. incert. post 1967
HICKMANN, Hans / STAUDER, Wilhelm K 11 - 1	Orientalische Musik Ergänzungsband IV zur Ersten Abtlg. des "Handbuchs der Orientalistik", hg. von Bertold Spuler E.J. Brill, Leiden 1970
HUSMANN, Heinrich K 11 - 2	Grundlagen der Antiken und Orientali- schen Musikkultur Walter de Gruyter & Co., Berlin 1961
THURLOW, Clifford K 11 - 5 (vide R 1 - 32)	Stories from beyond the clouds (An anthology of tibetan folk tales) Library of Tibetan Works and Archives, Dharamsala 1975
VEENKER, Wolfgang K 11 - 3	Volksepen der uralischen und altaischen Völker Vorträge des Hamburger Symposiums vom 16. - 17. Dez. 1965 Otto Harrassowitz, Wiesbaden 1968

L. Tib.-buddh. Religionshistorie/Mythologie/Ritualistik

L 1. Generelle Religionshistorie Tibets

BELL, Sir Charles L 1 - 12	The Religion of Tibet Reprint of the original edition 1931 Clarendon Press, Oxford 1968
BLECHSTEINER, R. L 1 - 6	Die Gelbe Kirche Verlag Josef Belf, Wien 1937
idem L 1 - 7	L'église jaune Librairie Payot, Paris 1950
BLONDEAU, Anne-Marie L 1 - 26	Tibet e Sud-est asiatico (Originaltitel: Histoire des religions) (Universale Laterza, no 439) Editori Laterza, Roma 1978
CUNNINGHAM, Alexander L 1 - 22 (vide Q 3 - 46)	Tibetan Religion in: Ladak, Chapt. XIII, pg. 356 ff., 1. Early religion of Tibet, 2. Tibetan system of Buddhism, 3. Different sects - Lamas, 4. Dress - Ritualic Instruments Sagar Publications, New Delhi 1970
DALAI LAMA XIV. L 1 - 13 / Sep.	An Introduction to Buddhism produced by the Secretariat of H.H. The Dalai Lama, Upper Dharamsala, The Statesman Press, New Delhi 1965
idem L 1 - 29 (vide S 1 - 53)	The treasure of Tibetan Buddhism A talk given by H.H. the Dalai Lama at the Central Presbyterian Church, New York, on 6. 9.79 in: Tibet News Review, Vol. I (1980), No 1, pg. 4 ff. London Spring 1980
DAS, Sarat Chandra L 1 - 9	Contributions on the Religion and History of Tibet (Nachdruck des Originals von 1881/82) Mañjuśrī Publishing House, New Delhi 1970
DAVID-NEEL, Alexandra L 1 - 21 (vide N 2 - 34)	Le Bouddhisme au Tibet in: Présence du Bouddhisme, pg. 761 ff., France-Asie, Saigon 1959

DESJARDINS, Arnaud   The Message of the Tibetans
L 1 - 11   Stuart & Watkins, London   1969

idem   Le Message des Tibétains
L 1 - 20   (Le vrai visage du tantrisme)
                            La Palatine, Paris / Genève   1969

EKVALL, Robert B.   Religious Observances in Tibet
L 1 - 8   Patterns and Function
                            The University of Chicago Press,
                            Chicago / London   1964

HOFFMANN, Helmut   Die Religionen Tibets
L 1 - 2   Bon und Lamaismus in ihrer geschicht-
                            lichen Entwicklung
                            Verlag Karl Alber
                            Freiburg i.Br. / München   1956

idem   The Religions of Tibet
L 1 - 16   George Allen & Unwin Ltd., London   1961

idem   The Religions of Tibet and Tibetan
L 1 - 24 (vide S 4 - 22)   Missionary Activities
                            in: Tibet - A Handbook, pg. 93 ff.
                            Indiana University Publications,
                            Bloomington   1975

KESSLER, Peter   Der Lamaismus und seine Geschichte
L 1 - 14 / Sep.   Auszug aus der Literatur
                            Vervielfältigung
                            P. Kessler, Wiesendangen/Schweiz   1947

KIDOOW, Hermann   Der tibetische Buddhismus
L 1 - 15 / Sep.   Eine kleine Uebersicht
                            Hamburg / Luzern   ca. 1969

KVAERNE, Per   Aspects of the origin of the Buddhist
L 1 - 28 / Sep.   tradition in Tibet
                            in: Numen, Vol. XIX (1972), No 1,
                            pg. 22 ff., Leiden   1972

LALOU, Marcelle   Les Religions du Tibet
L 1 - 5   Presses Universitaires de France,
                            Paris   1957

LAMAIRESSE   Le Bouddhisme en Chine et au Tibet
L 1 - 10   George Carré, Paris   1893

LHALUNGPA, Lobsang   The Religious Culture of Tibet
L 1 - 25 (vide S 1 - 42)   in: The Tibet Journal, Vol. I (1976),
                            No 3-4, pg. 9 ff.
                            Library of Tibetan Works & Archives,
                            Dharamsala   1976

RATIA, Alpo
L 1 - 27 / Sep.

Research on a Survey of Tibetan Buddhism
Institute of Comparative Religion
University of Helsinki 1976

SCHLAGINTWEIT, Emil
L 1 - 4

Buddhism in Tibet
first published 1863, second edition:
Susil Gupta, London 1968

SCHULEMANN, Günther
L 1 - 19 (vide M 1 - 1)

Geschichte der Dalai Lamas
VEB Otto Harrassowitz, Leipzig 1958

SINHA, Nirmal Chandra
L 1 - 23 (vide S 1 - 38)

Man-chu-shih-li
An essay on polity and religion in
Inner Asia
in: Communications of the Alexander Csoma
de Körös Institute, Nr. 9 - 10, pg. 73 ff.
Budapest 1975

SNELLGROVE, David L.
L 1 - 17 (vide S 5 - 1)

Buddhism in Tibet
in: 'Shambhala', No. 1, pg. 31 ff.
Publ. des Institute of Tibetan Studies,
Tring/England
Pandect Press Ltd., London 1971

TATZ, Mark
L 1 - 30 (vide S 1 - 42)

T'ang Dynasty influences of the early
spread of Buddhism in Tibet
in: The Tibet Journal, Vol. III (1978),
No 2, pg. 3 ff., Library of Tibetan Works
and Archives, Dharamsala 1978

TUCCI, Giuseppe /
HEISSIG, Walther
L 1 - 1

Die Religionen Tibets und der Mongolei
W. Kohlhammer Verlag,
Stuttgart / Berlin / Köln / Mainz 1970

WADDELL, L. Austine
L 1 - 3

The Buddhism of Tibet (or Lamaism)
with its mystic cults, symbolism and
mythology and its relation to Indian
Buddhism
2nd edition
W. Heffner & Sons Ltd., Cambridge 1958

ZIMMERMANN, H.
L 1 - 18 (vide G 5 - 11)

Buddhismus (Allg.) und tibetische Form
des Buddhismus
in: 'Tibetische Kunst' Ausstellungs-
katalog von Zürich
Nohl-Druck, Schaffhausen 1969

L 2. Religionshistorie in tib. Originaltexten (cum versionibus vel commentariis)

AMIPA, Sherab Gyaltsen L 2 - 16	A Waterdrop from the Glorious Sea A concise account of the advent of Buddhism in general and the teachings of the Sakyapa tradition in particular Tibet-Institut, Rikon	1976
CAMPBELL, William Lachlan L 2 - 4 / Sep.	Die Sprüche von Sakya Tib. Text in Transkription, dtsch. Uebersetzung des "Sa-sKya Legs-bCHad" aus: Ostasiatische Zeitschrift Berlin	1924
CHANDRA, Lokesh (Ed.) L 2 - 8 / Sep.	Introduction to Kongtrul's Encyclopaedia of Indo-Tibetan Culture International Academy of Indian Culture, New Delhi	1970
DAVID-NEEL, Alexandra (Transl.) L 2 - 6 (vide J 2 - 65)	Textes Tibétains inédits Editions du vieux Colombier, Paris	1952
DOBOOM, Lobsang Tenzin L 2 - 9 (vide S 1 - 38)	Nagarjuna on relationship between Action and its Fruit in: Communications of the Alexander Csoma de Körös Institute, No 9 - 10, pg. 23 ff., Budapest	1975
DUTT, Nalinaksha L 2 - 3 (vide S 1 - 3)	Taranatha: rGya-Gar Chhos-hByung in: Bulletin of Tibetology, Vol. V, No. 3, pg. 29 ff. Namgyal Institute of Tibetology, Gangtok	1968
EIMER, Helmut L 2 - 10	Berichte über das Leben des Dīpaṃkaraśrījnāna (Atīśa) (Eine Untersuchung der Quellen) Rheinische Friedrich-Wilhelms- Universität, Bonn	1974
idem L 2 - 11 / Sep.	Die Gar log-Egisode bei Padma dkar po und ihre Quellen Orientalia Suecana, Uppsala	1976
idem L 2 - 14 (vide J 2 - 84 / Sep.)	Tibetische Parallelen zu zwei uigurischen Fragmenten Separatum aus "Zentralasiatische Studien", Nr. 11 (1977) Otto Harrassowitz, Wiesbaden	1977
Evans-Wentz, W.Y. L 2 - 94 a	Le Yoga Tibétain et les Doctrines Secrètes ou les Sept Livres de la Sagesse du Grand Sentier Librairie d'Amérique et d'Orient, Paris	1977

232

HOUSTON, G.W.
L 2 - 15 (vide S 1 - 1)

The System of Ha śang Mahāyāna
in: Central Asiatic Journal, Vol. XXI
(1977), No 2, pg. 105 ff.
Otto Harrassowitz, Wiesbaden   1977

LALOU, Marcelle
L 2 - 17

Les textes bouddhiques au temps du
roi khri-sron-lde-bcan
Contribution à la bibliographie du Kanjur
et du Tanjur
in: Journal Asiatique, tome CCXLI (1953),
pg. 313 ff.,
Paul Geuthner, Paris   1953

LESSING, Ferdinand D. /
WAYMAN, Alex
L 2 - 2

mKHas Grub rJe: "rGyud sDe sPyi
rNam Par gZag Pa rGyas Par brJod" /
"Fundamentals of the Buddhist Tantras"
Tibetisch-Englisch
Mouton & Co., The Hague   1968

LODRÖ, Geshe G.
L 2 - 18.1

Geschichte der Kloster-Universität Drepung
1. Teil: Tibetischer Text
(Abh. der Universität Hamburg aus dem
Gebiet der Auslandskunde, Bd 73)
Franz Steiner Verlag, Wiesbaden   1974

NORBOO, Samten
L 2 - 13 (vide S 1 - 42)

A short history of Tibetan translated
literature
in: The Tibet Journal, Vol. I (1976),
No 3 - 4, pg. 81 ff.
Library of Tibetan Works and Archives,
Dharamsala   1976

ROERICH, George N.
L 2 - 19 (vide J 6 - 13)

The Blue Annals (tib.: Deb-ther snon-po)
A.d. Tibetischen übersetzt von G'N'R'
Motilal Banarsidass, Delhi (2nd ed.) 1976

SAGASTER, Klaus (Ed.)
L 2 - 12 (vide Q 7 - 55)

Die Weisse Geschichte (Cayan teüke)
Eine mongolische Quelle zur Lehre von
den beiden Ordnungen Religion und Staat
in Tibet und der Mongolei (Asiatische
Forschungen, Bd 41)
Otto Harrassowitz, Wiesbaden   1976

SCHIEFNER, Anton (Transl.)
L 2 - 5 (vide N 2 - 39)

Târanâtha's Geschichte des Buddhismus
(A.d. Tibet. übers. von A'Sch')
Kaiserliche Akademie der Wissenschaften
St. Petersburg 1869
(Reprint Suzuki Research Foundation)

SNELLGROVE, David L.
L 2 - 1

The Hevajra Tantra
A Critical Study
Part I: Introduction and Translation
Part II: Sanskrit and Tibetan texts
London Oriental Series, Vol. VI,
Oxford University Press, London   1959
(Reprinted 1964 and 1971)

UEBACH, Helga	Zur Identifizierung des Nel-pa'i č'os-'byun
L 2 - 20 (vide S 4 - 25)	in: Brauen, Martin / Kvaerne, Per (Ed.):
	Tibetan Studies, pg. 219 ff.
	Völkerkundemuseum Zürich 1978

WANGYAL, Geshe	The Door of Liberation
L 2 - 7	Essential teachings of the Tibetan
	Buddhist tradition
	Maurice Girodias Associates,
	New York 1973

L 3. Spezielle Monographien ad Bon-Religion u. zum Schamanismus

(cf. auch J 2 (versiones)!)

BERGLIE, Per-Arne	On the question of Tibetan Shamanism
L 3 - 28 (vide S 4 - 25)	in: Brauen, Martin / Kvaerne, Per (Ed.):
	Tibetan Studies, pg. 39 ff.
	Völkerkundemuseum Zürich 1978

BISCHOFF, Friedrich A. /	Die Melodie der Gesänge des Bulgan-
KAUFMANN, Walter	Schamanen
L 3 - 20 (vide S 2 - 1.10)	in: Zentralasiatische Studien, Bd 10
	(1976), pg. 311 ff.,
	Otto Harrassowitz, Wiesbaden 1976

BRAUEN, Martin	A Bon-po Death Ceremony
L 3 - 29 (vide S 4 - 25)	in: Brauen, Martin / Kvaerne, Per (Ed.):
	Tibetan Studies, pg. 53 ff.
	Völkerkundemuseum Zürich 1978

EDSMAN, Carl-Martin (Ed.)	Studies in Shamanism
L 3 - 4	Scripta Instituti Donneriani Aboensis,
	Vol. I
	Almqvist & Wiksell, Stockholm 1967

ELIADE, Mircea	Schamanismus und archaische Ekstase-
L 3 - 15	technik
	Suhrkamp Verlag, Frankfurt a.M. 1975

HERMANNS, Matthias P.   Schamanen - Pseudoschamenen, Erlöser
L 3 - 3.1 ff.   und Heilbringer
                            Teil 1: Schamanen
                            Teil 2: Pseudoschamanen
                            Teil 3: Erlöser und Heilbringer der
                                    Tibeter
                            Franz Steiner Verlag, Wiesbaden   1970

HOFFMANN, Helmut   Quellen zur Geschichte der tibetischen
L 3 - 2   Bon-Religion
                            herausgegeben von der Mainzer Akademie
                            der Wissenschaften und der Literatur,
                            Abhdlg. d. Geistes- u. sozialwissen-
                            schaftl. Klasse, Jg. 1950, No. 4
                            Verlag d. Akad. d. Wissensch. u.d. Lit.,
                            Mainz   1950

idem   Erscheinungsformen des tibetischen
L 3 - 5.1   Schamanismus
                            in: 'Ergriffenheit und Besessensein',
                            pg. 95 ff.
                            A. Francke Verlag, Bern   1972

idem   An Account of the Bon Religion in Gilgit
L 3 - 10 (vide S 1 - 1)   in: Central Asiatic Journal, Vol. XIII,
                            No. 2, pg. 137 ff.
                            Harrassowitz, Wiesbaden   1969

idem   The ancient Tibetan cosmology
L 3 - 21 (vide S 1 - 42)   in: The Tibet Journal, Vol. II (1977),
                            No 4, pg. 13 ff.
                            Library of Tibetan Works & Archives,
                            Dharamsala   1977

HUMMEL, Siegbert   Transmigrations- und Inkarnationsreihen
L 3 - 14 (vide L 4 - 136 / in Tibet unter besonderer Berücksichtigung
        Sep.)   der Bon-Religion
                            Separatum aus: Acta Orientalia, No 36
                                                                 1974

JETTMAR, Karl   Schamanismus in Nord- und Zentralasien
L 3 - 5.2   in: 'Ergriffenheit und Besessensein',
                            pg. 105 ff.
                            A. Francke Verlag, Bern   1972

KARMAY, Samten G.   The Treasury of Good Sayings: A Tibetan
L 3 - 6   History of Bon
                            London Oriental Series, Vol. XXVI,
                            Oxford University Press, London   1972

KUZNETSOV, B.I.   Who was the founder of the Bon Religion?
L 3 - 19 (vide S 1 - 42)   in: The Tibet Journal, Vol. I (1975),
                            No 1, pg. 113 ff.
                            Library of Tibetan Works & Archives,
                            Dharamsala   1975

KVAERNE, Per
L 3 - 12 (vide S 1 - 37)

Bonpo Studies: The A Khrid System of
Meditation, part 1
in: Kailash, Vol. I (1973), No 1,
pg. 18 ff.
Kathmandu   1973

idem
L 3 - 23 (vide L 1 - 28 /
        Sep.)

Aspects of the origin of the Buddhist
tradition in Tibet
in: Numen, Vol. XIX (1972), No 1, pg. 22 ff.
Leiden   1972

LALOU, Marcelle
L 3 - 7 / Sep.

Rituel Bon po des Funérailles Royales
Société Asiatique, Paris   1953

LAUFER, Berthold
L 3 - 27

Ein Sühngedicht der Bonpo
Aus einer Handschrift der Oxforder
Bodleiana
in: Denkschriften der kaiserlichen
Akademie der Wissenschaften. Philosoph.-
hist. Classe, Bd 46, Abh. VII
Wien   1900

NEBESKY-Wojkowitz, René
L 3 - 17 / Sep.

Das tibetische Staatsorakel
in: Archiv für Völkerkunde, Vol. II (1947)
W. Braumüller, Universitäts-Verlag
Wien   1947

idem
L 3 - 18 / Sep.

Die tibetische Bön-Religion
in: Archiv für Völkerkunde, Vol. II (1947)
W. Braumuller, Universitäts-Verlag
Wien   1947

RAHMANN, Rudolf
L 3 - 9 (vide S 1 - 6)

Shamanistic and related Phaenomena
in Northern and Middle India
in: 'Anthropos', Vol. 54, pg. 681 ff.
Paulusverlag, Freiburg/Schweiz   1959

RINTCHEN, B.
L 3 - 16 (vide Q 7 -
        27.1 ff.)

Matériaux pour l'Etude du Chamanisme
Mongol   3 Vols.
Vol. I: Sources littéraires
Vol. II: Textes chamanistes bouriates
Vol. III: Textes chamanistes mongols
(Asiatische Forschungen Bde 3, 8 u. 40)
Otto Harrassowitz, Wiesbaden   1959, 1961

ROCK, Joseph F.
L 3 - 9 (vide S 1 - 6)

Contributions to the Shamanism in the
Tibetan-Chinese Borderland
in: 'Anthropos', Vol. 54, pg. 796 ff.
Paulusverlag Freiburg/Schweiz   1959

idem
L 3 - 25 (vide Q 1 - 59)

Banishing the devil of disease among
the Nashi
Weird ceremonies performed by an
aboriginal tribe in the heart of Yünnan
Province, China
in: The National Geographic Magazine,
Vol. XLVI (Nov. 1924), pg. 473 ff.
Washington   1924

ROUX, J.P.
L 3 - 22 (vide S 1 - 45)

Fonctions chamaniques et valeur du feu
chez les peuples altaïques
in: Revue de l'Histoire des Religions,
Vol. CLXXXIX (1976), No 1, pg. 67 ff.
Paris   1976

SCHUH, Dieter
L 3 - 24 (vide S 2 - 1.13)

Bericht über die filmische Dokumentation
einer tibetischen Orakel-Séance
in: Zentralasiatische Studien, Bd 13
(1979), pg. 511 ff.
Otto Harrassowitz, Wiesbaden   1979

SNELLGROVE, David L.
L 3 - 1

The Nine Ways of Bon
Excerpts from gZi-brJid
Oxford University Press, London   1967

WADDELL, L. Austine
L 3 - 26 / Sep.

Demonolatry in Sikhim Lamaism
in: The Indian Antiquary, Vol. XXIII
(1894), pg. 197 ff.
London   1894

WYLIE, Turrell V.
L 3 - 8 (vide S 1 - 1)

'O-lDe-sPu-rGyal and the Introduction
of Bon to Tibet
in: Central Asiatic Journal, Vol. VIII,
No. 2, pg. 93 ff.
Mouton, The Hague / O. Harrassowitz
Wiesbaden   1963

L 4. Spezielle Monographien zur tib.-buddh. Religion / Schulen, Sekten / Klöster / Ritualistik u. Ritualinstrumentarium / Liturgik / Aszetik / Dogmatik et sim.

AMIPA, Sherab Gyaltsen
(Ed.)
L 4 - 164 / Sep.

Vorbereitungen für die Geistesschulung
durch Meditation
Preliminaries for Mental Training
Meditation
Rikon   1976

idem
L 4 - 172

Geistes-Schulung - Grundlagen des
Buddhismus
S.G. Amipa, Rikon   1977

idem
L 4 - 224

Eléments de tradition orale et
historique en Bouddhisme tibétain Sakya
Imprimerie de l'Université des Sciences
Humaines de Strasbourg   1980

ANURUDDHA, R.P.
L 4 - 54

An Introduction into Lamaism
The Mystical Buddhism of Tibet
Vishvesharanand Vedic Research
Institute, Hoshiarpur   1959

ARNOLD, Paul
L 4 - 34
Avec les Lamas Tibétains
L'Expérience Psychique
Arthème Fayard, Paris 1970

idem
L 4 - 145
Unter tibetischen Lamas
Chronik einer geistigen Erfahrung
(Franz. Original sub L 4 - 34)
Henssel Verlag, Berlin 1971

BACK, Dieter Michael
L 4 - 226 (vide H 8 - 11)
Eine buddhistische Jenseitsreise
Das sogenannte "Totenbuch der Tibeter"
aus philologischer Sicht
Otto Harrassowitz, Wiesbaden 1979

BANCROFT, Anne
L 4 - 130 (vide N 2 - 50)
Tibetan Buddhism
in: Religions of the East, pg. 109 ff.,
William Heinemann Ltd., London 1974

BARBORKA, Geoffrey A.
L 4 - 112 (vide S 4 - 17 / Sep.)
Tulku in Tibet and its esoteric
significance
in: The American Theosophist, Vol. LX
(1972), No 5, pg. 143, Wheaton 1972

BAUMGARDT, Ursula
L 4 - 190
Geistliche Titel und Bezeichnungen in
der Hierarchie des tibetischen Klerus
(Opuscula Tibetana, Fasc. 9)
Tibet-Institut, Rikon 1977

BECHERT, Heinz
L 4 - 88 / Sep.
Zum tibetischen Buddhismus
Allgemeine Vorbemerkungen zu den Filmen
des Instituts für den Wissenschaftlichen
Film, Göttingen, Göttingen 1972

BERGLIE, Per-Arne
L 4 - 184 (vide S 1 - 37)
Preliminary remarks on some tibetan
"Spirit-Mediums" in Nepal
in: Kailash, Vol. IV (1976), No 1,
pg. 85 ff., Kathmandu 1976

BERNARD, Theos
L 4 - 30
Land of a Thousand Buddhas
A Pilgrimage into the Heart of Tibet
and the Sacred City of Lhasa
Rider & Comp., London (Reprint) 1952

BEYER, Stephan
L 4 - 123
The Cult of Tārā
University of California Press,
Berkeley 1973

BHARATI, Agehananda
L 4 - 58
The Tantric Tradition
Rider & Co., London 1970

BISCHOFF, F.A.
L 4 - 64 (vide S 1 - 1)
Der Zauberritus der Ucchuṣmā
Tibetisch und Mongolisch (Tanjur-Text)
in: Central Asiatic Journal, Vol. VII,
No. 3, pg. 205 ff.
Mouton, The Hague / O. Harrassowitz
Wiesbaden 1962

238

BLOFIELD, John   The Way of Power
L 4 - 32   A Practical Guide to the Tantric
                              Mysticism of Tibet
                              George Allen & Unwin, London   1970

idem   Der Weg zur Macht
L 4 - 138   Praktischer Führer zur tantrischen
                              Mystik Tibets
                              (A.d. Engl. übersetzt. Engl. Ausgabe:
                              Ziffer: L 4 - 32)
                              O.W. Barth, Weilheim   1970

idem   Le bouddhisme tantrique du Tibet
L 4 - 185   Editions du Seuil, Paris   1976

BLOMEYER, Johann J.   Buddhist images and their powers in Indian
L 4 - 243 (vide S 1 - 42)   and Tibetan thinking
                              in: The Tibet Journal, Vol. III (1978),
                              No 3, pg. 29 ff., Library of Tibetan
                              Works & Archives, Dharamsala   1978

LARGE-BLONDEAU, Anne-Marie   Les Pèlerinages Tibétains
L 4 - 146 (vide L 6 - 24)   Editions du Seuil, Paris   1960

BONN, Gisela   Das Fest des Padmasambhava
L 4 - 197 (vide E 2 - 34 /   in: Indo Asia, Nr. 3 (1978), pg. 264 ff.,
        Sep.)   Horst Erdmann Verlag, Tübingen   1978

BRAUEN, Martin   Monlam Chenmo - Das Grosse Gebet
L 4 - 71 (vide S 4 - 6 /   in: 'Schweizerisches Rotes Kreuz',
        Sep.)   Heft No. 5 (Juli), pg. 13 ff.
                              Bern   1972

idem   Impressionen aus Tibet
L 4 - 121 (vide E 2 - 44)   Pinguin-Verlag, Innsbruck /
                              Umschau-Verlag, Frankfurt a.M.   1974

BROMAGE, Berard   Tibetan Yoga
L 4 - 16 (1st Ed.)   The Aquarian Press, London   1959^2
L 4 - 17 (2nd Ed.)

BURAWOY, Robert (Galerie)   Peintures du monastère de Ñor
L 4 - 255 (vide G 4 - 140)   Arts Graphiques d'Aquitaine,
                              Libourne   1978

BURI, Fritz   Konfrontation mit dem Buddhismus
L 4 - 45 / Sep.   Referat am Evangelischen Tagungs- und
                              Studienzentrum Boldern ZH,
                              Männedorf/Zürich   1971

CAMMANN, Schuyler   Glimpses of the Lama Religion in Tibet
L 4 - 124 / Sep.   and Mongolia
                              The University Museum, University of
                              Pennsylvania, Philadelphia   1949

CHANG, Garma C.C. (Transl.)   Teachings of Tibetan Yoga
L 4 - 171   An introduction to the spiritual, mental
                              and physical exercises of the Tibetan
                              religion
                              The Citadel Press, Secaucus, N.Y.   1977

idem   Mahamudra-Fibel
L 4 - 222   Einführung in den tibetischen Zen-
                              Buddhismus
                              Octopus-Verlag, Wien   1979

CHATTERJI, B.R.   Jo Atīśa in Serling and Tholing
L 4 - 81 (vide S 1 - 3)   in: Bulletin of Tibetology, Vol. III,
                              No. 3, pg. 23 ff.
                              Namgyal Institute of Tibetology,
                              Gangtok   1966

CHATTOPADHYAYA, Alaka   Atīśa and Tibet
L 4 - 35   Life and Works of Dīpaṃkara Srījñāna
                              in Relation to the History and Religion
                              of Tibet;
                              with Tibetan sources, translated under
                              Prof. Lama Chimpa
                              Indian Studies: Past and Present
                              Calcutta   1967

CHOISY, Maryse   Potala est dans le ciel
L 4 - 129 (vide M 2 - 10)   (Dialogues avec S.S. le Dalai Lama)
                              Editions du Mont-Blanc, Genève   1974

COMPL. AUCT.   The structure of the Ge-lug
L 4 - 239 (vide S 1 - 42)   Monastic Order
                              in: The Tibet Journal, Vol. II (1977),
                              No 3, pg. 67 ff., Library of Tibetan
                              Works & Archives, Dharamsala   1977

CONZE, Edward   List of Buddhist Terms
L 4 - 178 (vide S 1 - 42)   in: The Tibet Journal, Vol. I (1975),
                              No 1, pg. 36 ff., Library of Tibetan
                              Works & Archives, Dharamsala   1975

CROSSLEY-HOLLAND, Peter   Tibet: Musica popolare /
(Ed.)   Folk music from Tibet
K 1 - 25   Pastoral and nomadic airs. Agricultural
                              songs. Other occupational songs.
                              Musicians' tunes from Ladak
                              Albatros VPA 8449
                              Editoriale Sciascia, Rozzano   1979

CYBIKOV, G.C.   Buddist palomnik u svjatyn' Tibeta
L 4 - 63   (Ein buddhistischer Pilger an den
                              Heiligen Stätten Tibets)
                              Ed.: Russische Geographische Gesellschaft,
                              Petrograd (1919); Reprint:
                              Gregg International Publishers Ltd.,
                              Farnborough/England   1970

DALAI LAMA VII. L 4 - 143 / Sep.	The Song of the Four Mindfulnesses Causing the Rain of Achievements to Fall in: The Precious Garland and the Song of the Four Mindfulnesses by Nagarjuna and Dalai Lama VII (sub N 2 - 59) Allen & Unwin Ltd., London 1975
DALAI LAMA XIV. L 4 - 9	Mein Land und mein Volk Th. Knaur Nachf., München / Zürich 1962
idem L 4 - 39	Introduction au Bouddhisme Tibétain traduit de l'anglais par Jean Herbert Dervy-Livres, Paris 1971 (cf. Ziffer No. L 1 - 13: Engl. Version)
idem L 4 - 41 / Sep.	Short Essays on Buddhist Thought and Practice Tibet House, New Delhi ca. 1967
idem L 4 - 49 / Sep.	A Tantric Meditation Simplified for Western Buddhists The Secretariat of H.H. The Dalai Lama, Dharamsala o.J.
idem L 4 - 93 / Sep.	Happiness, Karma, and Mind (engl. u. tib. Text) The Tibet Society, Indiana University, Bloomington 1969
idem L 4 - 97 (vide S 1 - 33)	The practice of Buddhism in Tibet in: The Tibet Society Bulletin, Vol. IV (1971), No 2, pg. 1 ff., Bloomington 1971
idem L 4 - 102 (vide S 1 - 33)	Answers to Questions in: The Tibet Society Bulletin, Vol. VI (1973), pg. 2 ff., Bloomington 1973
idem L 4 - 105	La lumière du Dharma Traduit du tibétain Editions Seghers, Paris 1973
idem L 4 - 115	Mitt Land Och Mitt Folk (Schwedische Ausgabe von "Mein Leben und mein Volk") Gebers Förlag, Stockholm 1962
idem L 4 - 134	Das Auge der Weisheit Grundzüge der buddhistischen Lehre für den westlichen Leser O.W. Barth u. Scherz Verlag, Bern 1975

DALAI LAMA XIV.   The Buddhism of Tibet and the Key
L 4 - 142   to the Middle Way
                     Allen & Unwin Ltd., London   1975

idem   Training the Mind
L 4 - 230 (vide S 1 - 53) in: Tibet News Review, Vol. I (1980),
                     No 1, pg. 12 ff., London   1980

idem   Record of the teaching given by
L 4 - 238   His Holiness at Bodh Gaya in January 1974
                     Translated into English, typoscript
                     o.O.   1974

DARGYAY, Eva K. /   Das tibetische Buch der Toten
Gesche Lobsang (Ed.)   Einleitung von Lama Anagarika Govinda
L 4 - 187   Die erste Originalübertragung a.d.
                     Tibetischen
                     Otto Wilhelm Barth, München   1977

DARGYAY, Eva M.   The rise of esoteric Buddhism in Tibet
L 4 - 191   Motilal Banarsidass, New Delhi   1977

DARGYAY, Geshay Lobsang   Die Ausbildung buddhistischer Mönche
L 4 - 118 (vide S 4 - 25) in Tibet
                     in: Brauen, Martin / Kvaerne, Per (Ed.):
                     Tibetan Studies, pg. 103 ff.,
                     Völkerkundemuseum Zürich,   1978

DARGYAY, G.L. u. E.K.   Meditation im tibetischen Buddhismus
L 4 - 207 (vide S 2 - 3)   in: Lobo, Rocque (Ed.): Jahrbuch für
                     Yoga, Prana 1980, pg. 118 ff.
                     O W Barth Verlag, München   1980

DAR-HORTSANG, Lodrö (sic!) Tibetischer Buddhismus
(i.e. Dahortshang)   in: 60. Schopenhauer-Jahrbuch für das
L 4 - 202   Jahr 1979, pg. 65 ff.
                     Jahrbuch der Schopenhauer-Gesellschaft
                     Kiel   1979

DAS, Sarat Chandra   Indian Pandits in the Land of Snow
L 4 - 55   K.L. Mukhopadhyay, Calcutta   1965

DASGUPTA, Tapan Kumar   Der Vajra: eine vedische Waffe
L 4 - 169 (vide G 3 - 6)   Seminar für Kultur und Geschichte Indiens
                     der Universität Hamburg
                     Franz Steiner, Wiesbaden   1975

DAVID-NEEL, Alexandra / The Secret Oral Teachings in Tibetan
YONGDEN Lama   Buddhist Sects
L 4 - 23   Maha Bodhi Society of India,
                     Calcutta   1964

iidem   La Connaissance Transcendante
L 4 - 24   d'après le Texte et les Commentaires
                     Tibétains
                     Adyar, Paris   1958

DAVID-NEEL, Alexandra   Mystiques et Magiciens du Tibet
L 4 - 25   Librairie Plon, Paris   1929

eadem   Unsterblichkeit und Wiedergeburt
L 4 - 26   Lehren und Bräuche in China, Tibet
                                und Indien
                                F.A. Brockhaus, Wiesbaden   1962

eadem   Heilige und Hexer
L 4 - 27   Glaube und Aberglaube im Lande des
                                Lamaismus
                                F.A. Brockhaus, Leipzig   1931

eadem   Initiations and Initiates in Tibet
L 4 - 38   Rider & Comp., London   1970[3]

eadem   Initiations Lamaiques
L 4 - 61   Des Théories, des pratiques, des hommes
                                Adyar, Paris   1930

eadem   Les Enseignements secrets des
L 4 - 92   Bouddhistes Tibétains
                                Adyar, Paris   1972

eadem   Gli insegnamenti segreti delle sette
L 4 - 128   Buddiste Tibetane
                                (A.d. Französ. übersetzt. Französ. Ausg.:
                                Ziffer L 4 - 92)
                                Arcana Editrice, Roma   1975

DELANNOY, D.   Klosterleben in Tibet
L 4 - 46 / Sep.   in: 'Atlantis', April-Nummer, pg. 250 ff.
                                Zürich   1962

idem   La vie monastique du Tibet
L 4 - 119 (vide N 2 - 34)   in: Présence du Bouddhisme, pg. 771 ff.
                                France-Asie, Saigon   1959

DHAGPO Rinpoche   Le Bouddhisme Tibétain
(i.e. Jhampa Gyatso)   Vortrag, gehalten im Mai 1972 in Genève
L 4 - 60 / Sep.   Typoscript
                                Genève   1972

DHARGYEY, Ngawang   An introduction to and an outline of the
L 4 - 174 (vide S 1 - 42)   Kalacakra Initiation
                                in: The Tibet Journal, Vol. I (1975),
                                No 1, pg. 72 ff., Library of Tibetan
                                Works & Archives, Dharamsala   1975

DOBOOM Tulku   What is Nirvana?
L 4 - 177 (vide S 1 - 42)   in: The Tibet Journal, Vol. I (1975),
                                No 1, pg. 87 ff., Library of Tibetan
                                Works & Archives, Dharamsala   1975

DOKAN, T.-Y.
L 4 - 154 / Sep.

Le Mysticism Tibétain
in: Encyclopédie des Mystiques Orientales
Ed. Robert Laffont, Paris   1975

DONATH, Dorothy
L 4 - 100 (vide S 1 - 33)

The Tibetan Vajrayana - Marpa and
Milarepa and the Kargyudpa School
in: The Tibet Society Bulletin, Vol.
V (1972), pg. 25 ff., Bloomington   1972

DOUGLAS, Nik /
WHITE, Meryl
L 4 - 144 (vide L 6 - 23)

Karmapa: The Black Hat Lama of Tibet
Luzac & Co. Ltd., London   1976

DUTT, Nalinaksha
L 4 - 78 (vide S 1 - 3)

Tantric Buddhism
in: Bulletin of Tibetology, Vol. I,
No. 2, pg. 5 ff.
Namgyal Institute of Tibetology,
Gangtok   1964

idem
L 4 - 181 (vide N 5 - 34)

Mahayana Buddhism
K.L. Mukhopadhyay, Calcutta   1973

EIMER, Helmut
L 4 - 68 (vide S 2 - 1.2)

Ein Sa skya-Gebet
in: Zentralasiatische Studien, Vol. II,
pg. 151 ff.
Otto Harrassowitz, Wiesbaden   1968

EIMER, Helmut /
TSERING, Pema
L 4 - 113 (vide S 3 - 3)

T'e'u rañ mdos ma (Ritual zur Geisterbeschwörung)
in: Serta Tibeto-Mongolica, pg. 47 ff.,
Otto Harrassowitz, Wiesbaden   1973

iidem
L 4 - 200

Aebte und Lehrer von Kaḥ tog
Eine erste Uebersicht zur Geschichte
eines Rñiñ ma pa-Klosters in Derge/
Khams, in: Zentralasiatische Studien,
Bd 13 (1979), pg. 457 ff.
Otto Harrassowitz, Wiesbaden   1979

EKVALL, Robert B.
L 4 - 203 / Sep.

Some aspects of divination in
Tibetan Society
in: Ethnology, Vol. II (1963), No 1,
pg. 31 ff., Pittsburgh   1963

EVANS-WENTZ, W.Y.
L 4 - 13

Das tibetanische Totenbuch
Nach der engl. Fassung des Lama Kazi
Dawa Samdup; 6. Aufl.
Rascher Verlag, Zürich/Stuttgart   1960
(cf. Rezension von Fischer, K. sub
P 3 - 12 (vide S 1 - 27), ferner die
Sprechplatte v. Fürbringer sub K 2 - 1!)

idem
L 4 - 14

Bardo Thödol - Le Livre des Morts Tibétain
Adrien Maisonneuve, Paris   1970

EVANS-WENTZ, W.Y. L 4 - 15 (vide J 2 - 94)	Tibetan Yoga and Secret Doctrines Foreword by R.R. Marett; Yogic commentary by Chen-Chi Chang Oxford University Press London/Oxford/New York 1967^2 (cf. Rezension der dtsch. Ed. von Fischer, K. sub P 3 - 10 (vide S 1 - 27))
idem L 4 - 15 (vide J 2 - 94 a)	französ. Ausgabe: Le Yoga Tibétain et les Doctrines Secrètes ou les Sept Livres de la Sagesse du Grand Sentier Librairie d'Amérique et d'Orient Paris 1977
FILCHNER, Wilhelm L 4 - 28	Kumbum Dschamba Ling Das Kloster der hunderttausend Bilder Maitreyas (Ein Ausschnitt aus Leben und Lehre des heutigen Lamaismus) F.A. Brockhaus, Leipzig 1933
idem L 4 - 29	Kumbum - Lamaismus in Lehre und Leben Rascher Verlag, Zürich/Stuttgart 1954
FREMANTLE, F. / TRUNGPA, Chögyam (Transl.) L 4 - 180	Das Totenbuch der Tibeter Eine neue Uebersetzung aus dem Tibetischen Eugen Diederichs Verlag, Düsseldorf 1976
GETTY, Alice L 4 - 131 (vide G 4 - 87)	The Gods of Northern Buddhism Charles E. Tuttle Co., Rutland 1962
GOVINDA, Anagarika L 4 - 18	Grundlagen tibetischer Mystik Rascher Verlag, Zürich 1957
idem L 4 - 19	Foundations of Tibetan Mysticism Samuel Weiser, New York 1969
idem L 4 - 20	Les fondéments de la mystique tibétaine Ed. Albin Michel, Paris 1960
idem L 4 - 21	The Way of the White Clouds A Buddhist Pilgrim in Tibet Hutchinson, London 1966
idem L 4 - 22	Le Chemin des Nuages Blancs Pèlerinages d'un moine bouddhiste au Tibet Ed. Albin Michel, Paris 1969
idem L 4 - 65	Der Weg der Weissen Wolken Erlebnisse eines buddhistischen Pilgers in Tibet Otto Wilhelm Barth Verlag, Weilheim 1973^2

GOVINDA, Anagarika
L 4 - 79 (vide S 1 - 3)

Principles of Buddhist Tantrism
in: Bulletin of Tibetology, Vol. II,
No. 1, pg. 9 ff.
Namgyal Institute of Tibetology,
Gangtok   1965

idem
L 4 - 83 (vide S 1 - 3)

rGyal-Srid Rin-CHen sNa-bDun
in: Bulletin of Tibetology, Vol. VI,
No. 3, pg. 19 ff.
Namgyal Institute of Tibetology,
Gangtok   1969

idem
L 4 - 156 / Sep.

Das Andachts-Ritual (Pūjā) des Ārya
Maitreya Maṇḍala
Eine Darlegung seines Wesensgehaltes
Kasar-Devi-Ashram-Publication
Dinapani   1979[2]

idem
L 4 - 193 (vide S 1 - 3)

The eight forms of Guru Padmasambhava
in: Bulletin of Tibetology, Vol. XI
(1974), No 2,
Namgyal Institute of Tibetology
Gangtok   1974

idem
L 4 - 213

Schöpferische Meditation und multidimen-
sionales Bewusstsein
Aurum Verlag, Freiburg i.Br.   1977

GRÜNWEDEL, Albert
L 4 - 168 / Sep.

Der Weg nach Sambhala (Sambalai lam yig)
des dritten Gross-Lama von bKra sis
lhun po bLo bzan dPal ldan Ye ses
Königl. Bayer. Akademie d. Wiss ,
München   1915

GUENTHER von, Herbert
(J 2 - 29)

The Jewel Ornament of Liberation
by sGampopa
Rider & Comp., London   1959
                          Reprint   1970

idem
(J 2 - 33)

The Royal Song of Saraha
A Study in the History of Buddhist
Thought
University of Washington Press,
Seattle and London   1969

idem
(J 2 - 45)

Tibetan Buddhism without Mystification
The Buddhist Way from Original Tibetan
Sources
E.J. Brill, Leiden   1966

idem
L 4 - 4

Yuganaddha - The Tantric View of Life
in: 'Chowkhamba Sanskrit Studies', Vol. III,
Chowkhamba Sanskrit Series Office,
Varanasi   1969[2]

GUENTHER von, Herbert   The Path and the Goal
L 4 - 109 (vide S 4 - 17 / in: The American Theosophist, Vol. LX
        Sep.)   (1972), No 5, pg. 110 ff., Wheaton   1972

idem   Tantra als Lebensanschauung
L 4 - 127   Scherz u. O.W. Barth, Bern/München   1974

idem   Mahamudra - The method of self-actualiza-
L 4 - 175 (vide S 1 - 42) tion
                           in: The Tibet Journal, Vol. I (1975),
                           No 1, pg. 5 ff., Library of Tibetan Works
                           & Archives, Dharamsala   1975

idem   Tesori della via tibetano di mezzo
L 4 - 195   Ubaldini Editore, Roma   1978

GUENTHER von, Herbert /   L'Alba del Tantra
TRUNGPA, Chögyam   Ubaldini Editore, Roma   1978
L 4 - 196

iidem   Tantra im Licht der Wirklichkeit
L 4 - 211   Wissen und praktische Anwendung (Engl.
                           Originalausg.: The dawn of Tantra);
                           hg. von Michael H. Kohn
                           Aurum Verlag, Freiburg i.Br.   1976

GYATSO, Yonten   La grande voie graduée vers l'éveil
L 4 - 155   1ère partie: L'Individu de motivation
                           inférieure
                           Centre d'Etudes Tibétaines, Paris   1976

HELFFER, Mireille   Traditions musicales des Sa-Skya-Pa
L 4 - 163 (vide K 3 - 11 / relatives au culte de Mgon-Po
        Sep.)   (Extrait du Journal Asiatique)
                           Société Asiatique, Paris   1976

HERBERT, Jean (Ed.)   L'enseignement du Dalai Lama
L 4 - 148   Albin Michel, Paris   1976

HERMANNS, Matthias P.   Tibetan Lamaism up to the Time of the
L 4 - 48 / Sep.   Reform by Tzoň Kha pa
                           Separatum aus: 'The Journal of the
                           Anthropological Society' (m. Illustr.)
                           s.l.   1951

HOFFMANN, Helmut   Symbolik der Tibetischen Religionen
L 4 - 6   und des Schamanismus
                           Anton Hiersemann, Stuttgart   1967

idem   Kālacakra Studies I
L 4 - 47 (vide S 1 - 1)   Addenda et Corrigenda
                           (cf. Central Asiatic Journal, XIII,
                           pg. 52 - 73, 1969)
                           in: Central Asiatic Journal, Vol. XV, No. 4
                           Otto Harrassowitz, Wiesbaden   1972

HOPKINS, Jeffrey (Hg.)
L 4 - 176

Tantra in Tibet
Das geheime Mantra des Tsong-ka-pa,
eingeleitet vom 14. Dalai Lama
A.d. Engl. übers. von Burkhard Quessel
Eugen Diederichs Verlag,
Düsseldorf   1980

idem (Transl.)
L 4 - 194 (vide J 2 - 85)

Tantra in Tibet
The great exposition of secret mantra
by Tsong-ka-pa
George Allen & Unwin, London   1977
Rezension sub P 3 - 76 / vide S 1   37)

HOUSTON, G.W.
L 4 - 189 (vide S 2 - 1.10)

Gsol 'debs bsam lhun 'grub ma -
The supplication for natural desires
to be granted
in: Zentralasiatische Studien, Bd 9 (1975),
pg. 7 ff., Otto Harrassowitz, Wiesbaden
                                              1975
(siehe auch: Eimer, H.: Bibliographische
Bemerkungen, in: Zentralasiatische Studien,
Bd 10 (1976), pg. 677 ff., Otto
Harrassowitz, Wiesbaden)

HUMMEL, Siegbert
L 4 - 42 / Sep.

Tāranātha und sein Werk
Sonderdruck aus· 'Asiatische Studien /'
Etudes Asiatiques', Vol. XXIV, No. 1/2,
A. Francke Verlag, Bern   1970

idem
L 4 - 53 / Sep.

Notes on the Interpretation of Tantric
Buddhism (Rezension)
aus: 'History of Religious', Vol 10,
No. 4, Mai 1971
University of Chicago Press   1971

idem
L 4 - 67 (vide S 1   4)

Die Leichenbestattung in Tibet
in: 'Monumenta Serica', Vol. XX,
pg. 266 ff.
Societas Verbi Div., Nagoya   1961

idem
L 4 - 82 (vide S 1 - 3)

Non-Animistic Elements in Tibetan
Buddhism
in: Bulletin of Tibetology, Vol. IV,
No. 1, pg. 21 ff.
Namgyal Institute of Tibetology,
Gangtok   1967

idem
L 4 - 133 (vide E 6 - 12)

Profane und religiöse Gegenstände aus
Tibet und der lamaistischen Umwelt im
Linden-Museum
in: Tribus, No 13, Dezember 1964,
pg. 31 ff.
Linden-Museum für Völkerkunde, Stuttgart
                                              1964

HUMMEL, Siegbert
L 4 - 136 / Sep.

Transmigrations- und Inkarnationsreihen
in Tibet unter besonderer Berücksichtigung
der Bon-Religion
Separatum aus: Acta Orientalia, No 36
(1974)   1974

idem
L 4 - 137 / Sep.

A gnostic miscellanea
in: East and West, New Series, Vol. XXIV
(1974), nos 3 - 4, Separatum
Istituto per il medio ed estremo
Oriente, Roma   1974

HUMPHREYS, Christmas
L 4 - 108 (vide S 4 - 17 /
          Sep.)

Tibetan Buddhism and the Mahatma Letters
in: The American Thesophist, Vol. LX
(1972), No 5, pg. 106 ff., Wheaton   1972

HUNTINGTON, John C.
L 4 - 132

The Phur-Pa, Tibetan Ritual Daggers
Artibus Asiae Publishers, Ascona   1975

JACKSON, David Paul
(Transl.)
L 4 - 246 (vide J 2 - 121)

Gateway to the Temple
Manual of Tibetan monastic customs, art,
building and celebrations; originally
entitled: A requisite manual for faith
and adherence to the Buddhist Teaching:
Including the way of entering the door
of religion, the root of the teaching;
the method for erecting temples, the
resting place of the teaching; and cycle
of religious duties, the performance of
the teaching by Thubten Legshay Gyatsho
Ratna Pustak Bhandar, Kathmandu   1979

KALFF, Martin M.
L 4 - 76 / Sep.

Einführung in den Buddhismus
Unter Berücksichtigung des spezifisch
tibetischen Aspekts
Seminararbeit der Theol. Fak. der
Universität Zürich   1971

idem
L 4 - 257 (vide S 4 - 25)

Ḍākinīs in the Cakrasaṃvara Tradition
in: Brauen, Martin / Kvaerne, Per (Ed.):
Tibetan Studies, pg. 149 ff.
Völkerkundemuseum Zürich   1978

KALSANG, Jampa /
SAGASTER, Klaus
L 4 - 59 (vide S 2 - 1.5)

Bericht über eine Reise zur Untersuchung
des Phänomens der tibetischen Orakelpriester im Jahre 1970 in Indien
in: 'Zentralasiatische Studien', Vol. V,
pg. 225 ff.
Otto Harrassowitz, Wiesbaden   1971

KALSANG, Jampa
L 4 - 70 (vide S 2 - 1.3)

Grundsätzliches zur Füllung von mC'od rten
in: Zentralasiatische Studien, Vol. III,
pg. 51 f.
Otto Harrassowitz, Wiesbaden   1969

KALU, Khenpo Rinpoché
L 4 - 91

La Voie de Diamant
Pratique du bouddhisme tibétain
Espaces, Paris   1973

idem
L 4 - 117 / Sep.

The teachings of the nature of Mind
(Practical Buddhism)
H. and O. Nydahl, Copenhagen   1972

idem
L 4 - 183 / Sep.

Tschenrezig Meditation
Karma Drub Djy Ling   1976

KARPO, Pema /
GYALTSEN, Jetsun Dagpa
L 4 - 225

Les pratiques préliminaires du
Bouddhisme tibétain et L'essence des
instructions sur la cessation des quatre
attachements
Deux commentaires oraux par Geshe Rabten
Centre Bouddhique Tibétain Yiga
Tcheudzin, Paris   .   1977

KASCHEWSKY, Rudolf
L 4 - 66 (vide S 2 - 1.4)

Die Aebte von dGa'-ldan
in: Zentralasiatische Studien, Vol. IV,
pg. 239 ff.
Otto Harrassowitz, Wiesbaden   1970

KHYENTZE, Jamyang Rinpoche
L 4 - 221 / Sep.

The opening of the Dharma
Library of Tibetan Works and Archives,
Dharamsala   1976

KONGTRUL, Jamgon
L 4 - 186

The Torch of Certainty
Transl. from the Tibetan by Judith Hanson
Shambala, Boulder, London   1977

idem
L 4 - 186 a

Das Licht der Gewissheit
(tib. Nges-don dgron me)
Vorwort von Tschögyam Trungpa; a.d.
engl. Ausg. übers. von Sylvia Luetjohann
("The Torch of Certainty")
Aurum Verlag, Freiburg i.Br.   1979

KRULL, Germaine
L 4 - 227

The Sakya Centre. A monastic school for
Tibetan refugees
Dehra Dun   ca. 1974

KUNCHO LHUNDRUP
L 4 - 167

Sakya Lamdä Chenmo
Die dreifache Vision des Birwapa
1. Teil
Sherab G. Amipa, Rikon   1976

LAKAR, Tulku Sogyal
L 4 - 139 / Sep.

Lamai Naljor
(The Heart of Vajrayana Practice)
Tulku Sogyal Lakar, London   1974

LANG-RI THANG-PA, Kad. G.
L 4 - 40 / Sep.

The Eight Verses of Training the Mind
Tibet House, New Delhi   post 1963

LAUF, Detlef Ingo
L 4 - 75 (vide S 1 - 8)

Die gCod-Tradition des Dam-pa sangs-
rgyas in Tibet
in: Ethnologische Zeitschrift Zürich,
No. 1, pg. 85 ff. Zürich   1971

LAUF, Detlef Ingo
L 4 - 85 (vide G 5 - 11)

Die vier grossen Sekten Tibets
in: "Tibetische Kunst" Katalog der
Zürcher Ausstellung vom Frühjahr 1969
Nohl-Druck, Schaffhausen   1969

idem
L 4 - 89 (vide S 1 - 2)

Initiationsrituale des Tibetischen Toten-
buches
in: Asiatische Studien / Etudes Asiatiques, Vol. XXIV, No. 1/2, pg. 10 ff.
A. Francke Verlag, Bern   1970

idem
L 4 - 90 (vide S 1 - 8)

Vorläufiger Bericht über die Geschichte
und Kunst einiger lamaistischer Tempel
und Klöster in Bhutan
Teil I - III
in: Ethnologische Zeitschrift Zürich
Heft II (1972), pg. 79 ff.
Heft II (1973), pg. 41 ff. und
Heft II (1975), pg. 55 ff.
Herbert Lang, Bern   1972 - 1975

idem
L 4 - 135 (vide S 1 - 38)

Tibetisches Mönchstum, Religion und
Zeremonien
in: Communications of the Alexander Csoma
de Körös Institute, No 9 - 10 (1975),
pg. 37 ff., Budapest   1975

idem
L 4 - 141

Geheimlehren Tibetischer Totenbücher
Aurum Verlag, Freiburg i.Br.   1975

idem
L 4 - 141 a

Secret Doctrines of the Tibetan Books
of the Dead
transl. from German by Graham Parkes
Shambhala, Boulder   1977

LESSING, F.D.
L 4 - 69 (vide S 1 - 1)

Notes on the Thanksgiving Offering
(Miscellaneous Lamaist Notes I)
in: Central Asiatic Journal, Vol. II,
No. 1, pg. 58 ff.
Mouton, The Hague / O. Harrassowitz,
Wiesbaden   1957

LESSING, F.D. /
WAYMAN, A.
L 4 - 209 (vide J 2 - 104)

Introduction to the Buddhist Tantric
Systems
Translated from Mkhas-grub-rje's
"Fundamentals of the Buddhist Tantras"
(Rgyud sde spyiḥi rnam par gźag pa rgyas
par brjod)
With original text and annotation
Motilal Banarsidass, Delhi 1978^2

LING Rinpoche, Kyabje
Yongzin
L 4 - 234 (vide S 1 - 54)

A history of Drepung monastery
in: Dreloma, No 4 (1980), pg. 4 ff.
Drepung Loseling Library Society,
Mundgod   1980

LING Rinpoche, Kyabje   The history of Ganden, Drepung and Sera
L 4 - 237 (vide S 1 - 54)   in: Dreloma, No 1 (1978), pg. 7 ff.
                               Drepung Loseling Library Society,
                               Mundgod   1978

idem   The dGe-lugs Tradition of Buddhism in Tibet
L 4 - 244 (vide S 1 - 42)   in: The Tibet Journal, Vol. IV (1979),
                               No 1, pg. 3 ff.
                               Library of Tibetan Works & Archives,
                               Dharamsala   1979

LODRÖ, Geshe G.   Geschichte der Kloster-Universität
L 4 - 206 (vide L 2 - 18.1)   Drepung
                               Teil 1: Tibetischer Text
                               (Abh. der Universität Hamburg aus dem
                               Gebiet der Auslandskunde, Bd 73)
                               Franz Steiner, Wiesbaden   1974

LONGCHENPA   Kindly bent to ease us
L 4 - 165.1-3   The trilogy of finding comfort and ease
                               (Ngal-gso skor-gsum)
                               Part I: Mind, Part II: Meditation,
                               Part III: Wonderment
                               transl. from the Tibetan and annotated
                               by Herbert v. Guenther
                               Dharma Publishing, Emeryville 1975 - 1976

MÄDER, Markus   "Om Ah Hum, Vajra Guru Pedma Hum"
L 4 - 107 / Sep.   Rewasar im indischen Himalaya, ein buddh.
                               Wallfahrtsort
                               in: Tages-Anzeiger, 5. Jan. 1974,
                               Zürich   1974

MARAINI, Fosco   Religion, Politik und Schwarze Magie
L 4 - 52 / Sep.   im heutigen Tibet
                               in: 'Atlantis', No. 1 (Jan.)
                               Zürich   1950

MATOS, Leo   An introduction to Tibetan Buddhist
L 4 - 245 (vide S 1 - 42)   Psychology
                               in: The Tibet Journal, Vol. IV (1979),
                               No 3, pg. 20 ff.
                               Library of Tibetan Works and Archives
                               Dharamsala   1979

MEYER, Peter   H.H. Sakya Trizin and the Sakyapa
L 4 - 231 / Sep.   tradition
                               Orgyen Chö Ling, London   1978

MIMAKI, Katsumi   Daianni (Grande Consolation ou Grand
L 4 - 126 / Sep.   Consolateur)
                               K. Mimaki, Paris   1974

MINKE, Gisela
L 4 - 173 (vide S 1 - 42)

The Kalacakra Initiation
in: The Tibet Journal, Vol. I (1976),
No 3 & 4, pg. 29 ff.
Library of Tibetan Works & Archives,
Dharamsala   1976

MÜLLER, Reinhold F.G.
L 4 - 253 / Sep.

Die Heilgötter des Lamaismus
in: Archiv für Geschichte der Medizin,
Bd XIX (1927), pg. 9 ff.
Johann Ambrosius Barth, Leipzig   1927

MUSES, Charles Arthur /
CHANG CHEN CHI
L 4 - 33

Esoteric Teachings of the Tibetan Tantra
Aurora Press, Lausanne   1961

NACHTIGALL, Horst
L 4 - 160 / Sep.

Das tibetanische Inkarnationsdogma
in: Paideuma - Mitteilungen zur Kultur-
kunde, Bd V, Heft 5
Bamberger Verlagshaus, Bamberg   1952

NAGARJUNA /
Lama MIPHAM
L 4 - 158 (vide J 2 - 72)

Golden Zephir. A Letter to a Friend
including "The Garland of White Lotus
Flowers": a commentary on Nagarjuna's
Transl. from the Tibetan by Leslie
Kawamura
Dharma Publishing, Emeryville   1975

NEBESKY-VOJKOWITZ, René de
L 4 - 150 (vide G 4 - 91)

Oracles and Demons of Tibet
Akad. Druck- und Verlagsanstalt, Graz 1975

idem
L 4 - 162 (vide K 7 - 15)

Tibetan Religious Dances
Text and Translation of the 'Chams yig
(Rezension sub P 3 - 67 / vide K 3 - 14)
Mouton & Co., The Hague   1976

NEUMAIER, Eva
L 4 - 50 / Sep.

Einige Aspekte der gTer-Ma-Literatur der
rNyiṅ-Ma-Pa-Schule
in: 'Zeitschrift der Deutschen Morgen-
ländischen Gesellschaft', Supplementa I,
Teil 3
Franz Steiner, Wiesbaden   1969

eadem
L 4 - 51 / Sep.

bKa'-brgyad raṅ-byuṅ-šar, ein rJogs-č'en
- Tantra
in: Ztschr. d. Dtsch. Morgenld. Gesellsch.
Bd. 120, Heft No. 1
Franz Steiner, Wiesbaden   1970

NYDAHL, H. und O.
L 4 - 147

Diamantweg
Eine Einführung in die Lehren des
tibetischen Mahāyāna-Buddhismus
Octopus-Verlag, Wien   1975

NYIMA, Ngawang Thubten
(= Meyer, Peter)
L 4 - 223 / Sep.

Advice to those receiving Wangs
London   1978[2]

OLSCHAK, Blanche Chr.
L 4 - 56 / Sep.

Die Heiterkeit der Seele
Motive tibetischer Lebensphilosophie
in: 'Der Psychologe', Heft No. 5/6,
Vol. XIII (Mai/Juni)
GBS-Verlag, Schwarzenburg   1961

ONDEI, G.M.D.
L 4 - 43 / Sep.

Tibet (Het Buddhisme)
Eine kleine Landeskunde, basierend auf
der religiösen Entwicklung (mit vielen
Illustr.)
Museum voor Land- en Volkenkunde,
Rotterdam   1966

PANDER, Eugen
L 4 - 201

Das lamaische Pantheon
in: Zeitschrift für Ethnologie,
Vol. XXI (1889), pg. 44 ff., Berlin   1889

PETECH, Luciano
L 4 - 247 (vide S 4 - 30)

The 'Bri-guń-pa Sect in Western Tibet
and Ladakh
in: Proceedings of the Csoma de Körös
Memorial Symposium, 24. - 30. 9.1976,
pg. 313 ff.
Akadémiai Kiadó, Budapest   1978

PETER, Prinz von Griechen-
land und Dänemark
L 4 - 104 / Sep.

The trances of a tibetan oracle
in: Folk, Vol. III (1961)
Dansk Etnografisk Forening National-
museet, København   1961

idem
L 4 - 182 (vide S 4 - 24)

Oracles tibétains
in: Etudes tibétaines / Actes du XXIX.
Congrès international des Orientalistes,
Paris, Juillet 1973
L'Asiathèque, Paris   1976

PFEIFFER, Wolfgang
L 4 - 95 / Sep.

Trance
(Mit Erwähnung und Bildern eines
tibetischen Orakelpriesters)
SA. aus 'Bild der Wissenschaft'
o.O.   1973

POTT, P.H.
L 4 - 199 (vide N 7 - 14)

Yoga and Yantra
Their interrelation and their significance
for Indian archaeology
transl. from the Dutch by Rodney Neddham
Martinus Nijhoff, The Hague   1966

PRATS, Ramon
L 4 - 259 (vide S 4 - 25)

The spiritual lineage of the Dzogchen
Tradition
in: Brauen, Martin / Kvaerne, Per (Ed.):
Tibetan Studies, pg. 199 ff., Völkerkundemuseum Zürich   1978

RABTEN, Geshe
L 4 - 103 / Sep.

The graduated path to liberation
A rendering in english of teachings
in Dharamsala, 1969
Kalpa, Cambridge University Buddhist
Society, Cambridge   1972

idem
L 4 - 157

Enseignement orale du bouddhisme au Tibet
Recueilli par M.T. Paulauski
Librairie d'Amérique et d'Orient,
Paris   1976

idem
L 4 - 159 / Sep.

Der abgestufte Pfad zur Befreiung
Eine Wiedergabe der Lehre erteilt in
Dharamsala, 1969
A.d. Engl. "The graduated path to
liberation" übertr. von Albert Pfyl
Luzern   1976

idem
L 4 - 205

Mahamudra - der Weg zur Erkenntnis der
Wirklichkeit
Teil 1: Geistes-Umwandlung in 7 Ab-
schnitten von Geshe Chekawa; Teil 2:
Bewusstseinsebenen; a.d. Eng. übers.
von Harald Senger
Theseus-Verlag, Zürich   1979

idem
L 4 - 219

The Mind and its functions
A textbook of Buddhist epistemology and
psychology
transl. and ed. by Stephen Batchelor
Tharpa Choeling, Mt Pèlerin   1978

idem
L 4 - 228 / Sep.

Close placement of Mindfulness in the
Mahayana
Transcribed and put into its present
form by Gelong Jhampa Tupkay
Tharpa Choeling, Mt Pèlerin   1978

idem
L 4 - 229 / Sep.

Introductory talks to the key to the
Middle Way
Transcribed and put into its present
form by Gelong Jhampa Tupkay
Tharpa Choeling, Mt Pèlerin   1978

RAMANAN, Venkata
L 4 - 149 (vide N 2 - 62)

Nagarjuna's Philosophy
Motilal Banarsidass, Delhi, reprint   1975

RICHARDSON, H.E.
L 4 - 198

The Karma-pa Sect
A historical note
in: Journal of the Royal Asiatic Society,
part I: pg. 139 ff., London   1958
part II: pg. 1 ff., London   1959

RINGU Tulku
L 4 - 179 (vide S 1 - 42)

Zog-chen Gon-pa
in: The Tibet Journal, Vol. I (1976),
No 3 & 4, pg. 85 ff.
Library of Tibetan Works & Archives,
Dharamsala   1976

ROERICH, Sviatoslav
L 4 - 44 / Sep.

Pilgrim-Souls among Hillmen of the
Himalaya
in: 'Asia Magazine', Vol. XXV, No. 3
New York   1925

R(O)ERICH, J.N.
L 4 - 73 (vide S 4 - 3)

The Ceremony of Breaking the Stone
Pho-Bar rDo-gČog
in: Rerich, J.N. 'Izbrannye trudy',
pg. 165 ff.

idem
L 4 - 74 (vide S 4 - 3)

Studies in Kālacakra
in: Rerich, J.N. 'Izbrannye trudy',
pg. 151 ff.

RUBINACCI, Roberto
L 4 - 256 / Sep.

Gururājamañjarikā
in: Studi di onore di Giuseppe Tucci,
Vol. I, pg. 195 ff.
Istituto Universitario Orientale
Napoli   1974

SAMDONG Rinpoche
L 4 - 235 (vide S 1 - 54)

Tibetan debate
A dialectic process of disputation and
its tradition
in: Dreloma, No 4 (1980), pg. 22 ff.
Drepung Loseling Library Society,
Mungdod   1980

SCHAYER, St.
L 4 - 166

Die Erlösungslehren der Yogacara's nach
dem Sūtrālamkāra des Asanga
in: Zeitschrift für Indologie und
Iranistik, Bd 2 (1923), pg. 99 ff.,
Brockhaus, Leipzig   1923

SCHRÖDER, Dominik
L 4 - 254 / Sep.

Der Lama (Lama-Empfang)
Bericht
aus: Zur Religion der Tujen des Sining-
gebietes (Kukunor), in: Anthropos,
Bd 47 (1952), pg. 35 ff., Wien   1952

SCHUBERT, Johannes
L 4 - 84 (vide H 8 - 1)

Das Reis-Maṇḍala
Ein tibetischer Ritualtext
hrg., übers. u. erl. mit dem ganzen Text
in Tibetisch
in: 'Asiatica', Festschrift für
Friedrich Weller, pg. 584 ff.
Otto Harrassowitz, Leipzig   1954

SCHULEMANN, W.
L 4 - 87 (vide S 2 - 1.3)

Der Inhalt eines tibetischen mC'od rten
in: Zentralasiatische Studien, Vol. III,
pg. 53 ff.
Otto Harrassowitz, Wiesbaden   1969

SCHÜTTLER, G.
L 4 - 31

Die letzten tibetischen Orakelpriester
Psychiatrisch-neurologische Aspekte
F. Steiner Verlag, Wiesbaden   1971
(cf. Rezension: Sagaster, Klaus
sub P 3 - 6 / Sep.)

SILVERSTONE, Marilyn
L 4 - 106 (vide S 1 - 37)

Five Nyingmapa Lamas of Sikkim
in: Kailash, Vol. I (1973), No 1,
pg. 9 ff., Kathmandu   1973

SINGH, Vijay Kumar
L 4 - 233 / Sep.

Begegnung mit Seiner Heiligkeit, dem
16. Karmapa
in: Tages-Anzeiger Magazin, No 2,
13. 1.1979, pg. 22 ff., Zürich   1979

SNELLGROVE, David L.
L 4 - 7

Buddhist Himalaya
Travels and Studies in quest of the
origins and nature of Tibetan Religion
Bruno Cassirer, Oxford   1957

SOGYAL Rinpoche
L 4 - 220

View, meditation & action
Edited by John Steele and Patrick Gaffney
Dzogchen Orgyen Chö Ling, London   1979

SONG Rinpoche, Kyabje
L 4 - 236 (vide S 1 - 54)

Birth, death, and Bardo
in: Dreloma, (No 2), 1978, pg. 14 ff.
and (No 3) 1979, pg. 8 ff.
Drepung Loseling Library Society
Mundgod   1978 / 1979

SOPA, Geshe Lhundup /
HOPKINS, Jeffrey (Transl.)
L 4 - 170

Practice and Theory of Tibetan Buddhism
Rider & Co., London   1976

SOPA, Geshe Lhündub /
HOPKINS, Jeffrey
L 4 - 188

Der Tibetische Buddhismus
Vorwort von Dalai Lama
Eugen Diederichs Verlag, Düsseldorf   1977

iidem
L 4 - 188 a

Pratica e teoria del buddhismo tibetano
Ubaldini, Roma   1977

SPATZ, Robert
(Pseud.: Kunsang Dorje)
L 4 - 72 / Sep.

Le Tantrisme dans la Tradition du Yoga
Transcendental Tibétain
in: 'Le Diamant Coupeur', Revue du Yoga
Traditionnel
Rob. Spatz, Bruxelles   1973

STABLEIN, William
L 4 - 120 (vide S 1 - 37)

A medical-cultural system among the
Tibetan and Newar Buddhists: Ceremonial
Medicine
in: Kailash, Vol. I (1973), No 3,
pg. 193 ff., Kathmandu   1973

STEINKELLER, Ernst
L 4 - 248 (vide S 4 - 30)

Remarks on Tantristic Hermeneutics
in: Proceedings of the Csoma de Körös
Memorial Symposium, 24. - 30. 9.1976,
pg. 445 ff.
Akadémiai Kiadó, Budapest   1978

STOLL, Eva
L 4 - 232 / Sep.

Zur Symbolik der Fünfzahl im tibetischen
Buddhismus
Vortrag gehalten in der Schweiz. Gesellschaft für Religionswissenschaft
am 1. 7.1980, Zürich (Typoscript)   1980

SUMATIKIRTI /
SUVARṆAVAJRA
L 4 - 251 (vide S 1 - 16)

Aspekte tantrischer Meditation nach der
tibetischen Tradition
in: Der Kreis, No 148, Sept./Okt. 1980,
pg. 1 ff., Ueberlingen   1980

TARTANG Tulku (Ed.)
L 4 - 151

Crystal Mirror
Vol. III: Teachings, psychology,
philosophy, and practice of Dharma
Dharma Publishing, Emeryville   1974

TARTHANG Tulku
L 4 - 217

Skillful Means
Dharma Publishing, Berkeley   1978

TATZ, Mark /
KENT, Jody
L 4 - 216

Rebirth
The Tibetan Game of Liberation
Rider & Co., London   1978

TENZIN GYATSHO
(i.e. H.H. The Dalai Lama
XIV.)
L 4 - 8

The Opening of the Wisdom-Eye and
The History of the Avancement of
Buddhadharma in Tibet
The Social Science Association Press
of Thailand, Bangkok   1968

and

The Theosophical Publishing House,
Wheaton   1972

THUBTEN TENDZIN
(Pseudonym für Marco
Pallis)
L 4 - 80 (vide S 1 - 3)

Considerations on Tantric Spirituality
in: Bulletin of Tibetology, Vol. II,
No. 2, pg. 17 ff.
Namgyal Institute of Tibetology,
Gangtok   1965

THUTOP Tulku (Transl.)
L 4 - 161 / Sep.

Die Manjusri-Tradition und Das Zenpa Zidel
Die Loslösung von den vier Formen des
Begehrens
Kasar-Devi-Ashram Publ., Dinapani   1976

TRUNGPA, Chögyam
L 4 - 10

Meditation in Action
Stuart & Watkins, London   1969

TRUNGPA, Chögyam
L 4 - 11
Born in Tibet
Told to Esmé Cramer Roberts
George Allen & Unwin Ltd., London   1966

idem
L 4 - 12
Ich komme aus Tibet
Die Weisheit der Meister / Die Todes-
karawane / Flucht im Himalaya
Walter Verlag, Olten/Freiburg i.Br.   1970

idem
L 4 - 36
Aktive Meditation
Walter Verlag, Olten/Schweiz   1972

idem
L 4 - 37
Mudra
Shambhala Publications,
Berkeley and London   1972

idem
L 4 - 110 (vide S 4 - 17 /
        Sep.)
The wisdom of Tibetan teachings
in: The American Theosophist, Vol. LX
(1972), No 5, pg. 117 ff., Wheaton   1972

idem
L 4 - 116 / Sep.
An approach to meditation
in: The Journal of Transpersonal
Psychology, No 1 (1973), pg. 62 ff.
Stanford, California   1973

idem
L 4 - 210
Das Märchen von der Freiheit und der
Weg der Meditation
Hg. von John Baker und Marvin Casper
(Engl. Originalausg.: The myth of
freedom and the way of meditation)
Aurum Verlag, Freiburg i.Br.   1978

idem
L 4 - 212
Spiritueller Materialismus
Vom wahren geistigen Weg
(Engl. Originalausg.: Cutting through
spiritual materialism); hg. von John
Baker und Marvin Casper
Aurum Verlag, Freiburg i.Br.   1975

TSERING, Nawang
L 4 - 241 (vide S 1 - 42)
Ascending the ladder of highest
realisation in this life: Instruction
for retreat
in: The Tibet Journal, Vol. IV (1979)
No 1, pg. 17 ff.
Library of Tibetan Works & Archives
Dharamsala   1979

TSHERING, Gyatsho
L 4 - 99 (vide S 1 - 33)
The Great Prayer Festival
in: The Tibet Society Bulletin, Vol. V
(1972), pg. 1 ff., Bloomington   1972

idem
L 4 - 101 (vide S 1 - 33)
How Buddhists devote themselves to
spiritual pursuits and meditation
in: The Tibet Society Bulletin, Vol. VI
(1973), pg. 11, Bloomington   1973

TSHERING, Gyatsho   The Tibetan Cathedral Thekchen Chholing,
L 4 - 114 / Sep.   Dharamasla
                         Office of Secretary to H.H. The Dalai Lama,
                         Dharamsala   1970

TSULTRIM, Gyamtso Rinpoché   Méditation sur la vacuité
L 4 - 260 (vide S 1 - 46)   in: Les Cahiers du Bouddhisme, No 7
                             (1980), pg. 8 ff.
                             Neuilly-sur-Seine   1980

TUCCI, Giuseppe   Rin-C'en bZañ-po e la rinascità del
L 4 - 5   Buddhismo nel Tibet interno al mille
                         in: 'Indo-Tibetica' II
                         Reale Accademia d'Italia, Roma   1933

idem   Minor Buddhist Texts
L 4 - 62.2 f.   Part   I: deest
                         Part II: First Bhāvanākrama of Kamalaśila
                         Part III: Third Bhāvanākrama
                         Serie Orientale Roma, Vol. XLIII
                         Istituto Italiano per il Medio ed il Estre-
                         mo Oriente, Roma   1958 / 1971

idem   Il Libro Tibetano dei Morti (Bardo Tödöl)
L 4 - 153   Tipografia Toso, Torino   1972

idem   Tibetane Scuole
L 4 - 249 / Sep.   in: Enciclopedia Universale dell'Arte,
                         Vol. XIII, Sp. 889 - 906, Istituto per
                         la Collaborazione Culturale, Roma   1965

idem   Un principato indipendente nel cuore
L 4 - 250 / Sep.   del Tibet: Sachia
                         in: Asiatica, Vol. VI (1940), No 6,
                         pg. 353 ff., Roma   1940

idem   Berretti Rossi e Berretti Gialli
L 4 - 252 / Sep.   in: Asiatica, Vol. IV (1938), pg. 255 ff.
                         Roma   1938

TUYL, Charles D. van   Milarepa and the Eighteen Great Demons
L 4 - 204 (vide S 2 - 1.13) in: Zentralasiatische Studien, Bd 13
                         (1979), pg. 401 ff.
                         Otto Harrassowitz, Wiesbaden   1979

idem   Mi-la ras-pa and the gCod Ritual
L 4 - 242 (vide S 1 - 42) in: The Tibet Journal, Vol. IV (1979),
                         No 1, pg. 34 ff.
                         Library of Tibetan Works & Archives
                         Dharamsala   1979

VAN DER KUIJP, Leonard W.J. Phya-pa Chos-kyi seng-ge's impact
L 4 - 258 (vide S 4 - 25) on Tibetan epistemological theory
                         in: Brauen, Martin / Kvaerne, Per (Ed.):
                         Tibetan Studies, pg. 163 ff.
                         Völkerkundemuseum Zürich   1978

WADDELL, L. Austine
L 4 - 122

Lamaism in Sikhim
Oriental Publishers, Delhi, reprint   1973

idem
L 4 - 214 / Sep.

The 'Refuge-Formula' of the Lamas
in: The Indian Antiquary, Vol. XXIII
(1894), pg. 73 ff., London   1894

idem
L 4 - 215 / Sep.

A trilingual list of Nāga Rājās,
from the Tibetan
in: The Journal of the Royal Asiatic
Society of Great Britain and Ireland,
Vol. XXVI (1894), pg. 91 ff., London   1894

WAYMAN, Alex
L 4 - 77 (vide S 4 - 2)

Contributions on the symbolism of the
maṇḍala-palace
in: 'Etudes Tibétaines', pg. 558 ff.
Librairie de l'Amérique et d'Orient,
Adrien Maisonneuve, Paris   1971

idem
L 4 - 96 (vide S 1 - 33)

Preparation of disciples for evocation
of deities
in: The Tibet Society Bulletin,
Vol. IV (1970), No 1, pg. 28 ff.
Bloomington   1970

idem
L 4 - 111 (vide S 4 - 17 /
          Sep.)

The Bodhisattva practice according to
the Lam-Rim-Chen-Mo
in: The American Theosophist, Vol. LX
(1972), No 5, pg. 134 ff., Wheaton   1972

idem
L 4 - 125

The Buddhist Tantras
(Light on Indo-Tibetan Esotericism)
Routledge & Kegan Paul, London   1973

idem
L 4 - 192 (vide S 1 - 1)

Doctrinal disputes and the debate
of bSam Yas
in: Central Asiatic Journal, Vol. XXI
(1977), No 2, Otto Harrassowitz,
Wiesbaden   1977

idem
L 4 - 208

Yoga of the Guhyasamājatantra
"The Arcane Lore of Forty Verses"
A Buddhist Tantra commentary
Motilal Banarsidass, Delhi   1977

WILDING, Alex
L 4 - 240 (vide S 1 - 42)

Some aspects of Initiation
in: The Tibet Journal, Vol. III (1978),
No 4, pg. 34 ff.
Library of Tibetan Works & Archives,
Dharamsala   1978

WILLIS, Janice Dean
L 4 - 94

The Diamond Light of the Eastern Dawn
A collection of Tibetan Buddhist
meditations
Simon and Schuster, New York   1972

WYLIE, Turrell V.
L 4 - 57 (vide S 1 - 28)

Mortuary Customs at Sa-sKya, Tibet
in: 'Harvard Journal of Asiatic Studies'
Vol. 25, pg. 229ff.

YESHE, Thubten /
ZOPA, Thubten
L 4 - 140 / Sep.

La Luce del Dharma
Istituto Lama Tzong Khapa,
Milano   1975

iidem
L 4 - 218.1 f.

Wisdom-Energy 1 and 2
Two Tibetan Lamas on a lecture tour
in the West
Wisdom Culture, Honolulu/Ulveroton
           1976/1979

ZOPA Geshe
L 4 - 98 (vide S 1 - 33)

The religious culture of Tibet and
its relevance today
in: The Tibet Society, Bulletin, Vol.
IV (1971), no 2, pg. 66 ff.
Bloomington   1971

L 5. Tib. Religionspolitik / religionspolit. Doxographie / Relation Klerus-Nobilität et sim.

CASINELLI, C.W. /
EKVALL, Robert B.
L 5 - 1

A Tibetan Pricipality - The Political
System of Sa sKya
Cornell University Press,
Ithaca, New York   1969

CHANDRA, Lokesh (Ed.)
L 5 - 6 (vide L 2 - 8 /
   Sep.)

Introduction to Kongtrul's Encyclopaedia
of Indo-Tibetan Culture
International Academy of Indian Culture
New Delhi   1970

KÄMPFE, Hans-Rainer
L 5 - 12 (vide S 2 - 1.10
     + 11)

Die Biographie des 3. Pekinger Lčaṅ'
skya-Qutuqtu Ye šes bstan pa'irgyal
mc'an (1787 - 1846)
Aus der Biographiensammlung Čindamani-
yin erikes im Fasimile herausgegeben
1. Folge in: Zentralasiatische Studien,
Bd 10 (1976), pg. 225 ff.;
2. Folge in: Zentralasiatische Studien,
Bd 11 (1977), pg. 121 ff.
Otto Harrassowitz, Wiesbaden 1976 / 1977

LANGE, Kristina
L 5 - 8 (vide B 7 - 14)

Die Werke des Regenten Saṅs rgyas
rgya mc'o (1653 - 1705)
Eine philolog.-hist. Studie zum
tibetischsprachigen Schrifttum
Akademie Verlag, Berlin   1976

MEHRA, Parshotam
L 5 - 7 (vide M 1 - 13)

Tibetan Polity, 1904 - 1937
The conflict between the 13th Dalai Lama
and the 9th Panchen Lama
(Asiatische Forschungen, Bd 49)
Otto Harrassowitz, Wiesbaden   1976

RAHUL, R.
L 5 - 2 (vide S 1 - 1)

The Role of Lamas in Central Asian
Politics
in: Central Asiatic Journal, Vol. XII
No. 3, pg. 209 ff.
Mouton, The Hague / O. Harrassowitz,
Wiesbaden   1969

SAGASTER, Klaus
L 5 - 4

SUBUD ERIKE - "Ein Rosenkranz aus Perlen"
Die Biographie des 1. Pekinger lČaṅ
skya Khutukhtu, Ñag dbaṅ blo bzaṅ č'os
ldan
Asiatische Forschungen, Vol. 20
Otto Harrassowitz, Wiesbaden   1967

SAMDONG Rinpoche
L 5 - 10 (vide E 5 - 12)

The social and political strata in
buddhist thought
in: The Tibet Journal, Vol. II (1977),
No 1, pg. 1 ff.
Library of Tibetan Works & Archives
Dharamsala   1977

SINHA, Nirmal Chandra
L 5 - 3 (vide S 1 - 3)

Chhos Srid gNYis lDan
in: Bulletin of Tibetology, Vol. V,
No. 3, pg. 13 ff.
Namgyal Institute of Tibetology
Gangtok   1968

idem
L 5 - 5

Prolegomena to Lamaist Polity
K.L. Mukhopadhyay, Calcutta   1969

THONDUP, Ngawang
L 5 - 11 (vide S 4 - 24)

Rtze, Slob, Grwa - The Peak Academy
of Tibet
in: Etudes Tibétaines / Actes du XXIX.
Congrès International des Orientalistes,
Paris, Juillet 1973
L'Asiathèque, Paris   1976

TSERING, Pema
L 5 - 14 (vide S 4 - 30)

rÑiṅ ma pa Lamas am Yüan-Kaiserhof
in: Proceedings of the Csoma de Körös
Memorial Symposium, 24. - 30. 9.1976,
pg. 511 ff.
Akadémiai Kiadó, Budapest   1978

WANGYAL, Phuntsog
L 5 - 9 (vide S 1 - 42)

The influence of religion on Tibetan
politics
in: The Tibet Journal, Vol. I (1975),
No 1, pg. 78 ff.
Library of Tibetan Works & Archives
Dharamsala   1975

WYLIE, Turrell V.
L 5 - 13 (vide S 4 - 30)

Reincarnation: a political innovation
in Tibetan Buddhism
in: Proceedings of the Csoma the Körös
Memorial Symposium, 24. - 30. 9.1976,
pg. 579 ff.
Akadémiai Kiadó, Budapest   1978

L 6. Hagiographie / Apologetik / Legenden u. Lauden / Peregrinationen / populäre Religionsformen

AZIZ, Barbara Nimri
L 6 - 33 (vide S 1 - 1)

Indian philosopher as Tibetan folk hero
legend of Langkor: A new source material
on Phadampa Sangye
in: Central Asiatic Journal, Vol. XXIII
(1979), No 1 - 2, pg. 19 ff.
Otto Harrassowitz, Wiesbaden   1979

BACOT, Jacques
L 6 - 26 (vide J 7 - 13)

Milaräpa, Tibets grosser Yogi auf dem
Weg zu Wissen und Erlösung
(A.d. Französ. von Berndt Heisz)
Baum Verlag, Pfullingen   1956

idem
L 6 - 27

La vie de Marpa "Le Traducteur"
suivie d'un chapitre de l'Avadana de
l'oiseau Nilakantha
Librairie Orientaliste, Paul Geuthner
Paris   1976

BISCHOFF, F.A.
L 6 - 17 (vide S 3 - 3)

The first chapter of the legend of
Padmasambhava - a translation
in: Serta Tibeto-Mongolica, pg. 33 ff.
Otto Harrassowitz, Wiesbaden   1973

idem
L 6 - 45 (vide S 4 - 30)

Padmasambhāva est-il un personnage
historique?
in: Proceedings of the Csoma de Körös
Memorial Symposium, 24. - 30. 9.1976,
pg. 27 ff.
Akadémiai Kiadó, Budapest   1978

CHANG, Garma C.C.
L 6 - 15 (vide J 2 - 1.1 f.)

The Hundred Thousand Songs of Milarepa
translated and annotated (2 Vols.)
Oriental Studies Foundation,
New York   1962[3]

CHANDRA, Lokesh
L 6 - 34 (vide S 1 - 37)

Origin of the Avalokiteśvara of Potala
in: Kailash, Vol. VII (1979), No 1,
pg. 5 ff.
Kathmandu   1979

DAVID-NEEL, Alexandra /
YONGDEN Lama
L 6 - 35 (vide J 7 - 14)

La vie surhumaine de Guésar de Ling,
le héros thibétain
Racontée par les bardes de son pays
Editions du Rocher, Paris   1978

DOUGLAS, Nik /
WHITE, Meryl
L 6 - 24

Karmapa: The Black Hat Lama of Tibet
Luzac & Co. Ltd., London   1976

DOWMAN, Keith (Transl.)
L 6 - 20

The Legend of the Great Stupa
by Padmasambhava and
The life story of the Lotus Born Guru
Dharma Publishing, Emeryville   1973

EIMER, Helmut
L 6 - 28

Berichte über das Leben des Atiśa
(Dīpaṃkaraśrījñana)
(Asiatische Forschungen, Bd 51)
Otto Harrassowitz, Wiesbaden   1977

idem
L 6 - 48 (vide S 4 - 25)

Life and activities of Atīśa
(Dīpaṃkaraśrījñana)
A survey of investigations undertaken
in: Brauen, Martin / Kvaerne, Per (Ed.):
Tibetan Studies, pg. 125 ff.
Völkerkundemuseum, Zürich   1978

EVANS-WENTZ, W.Y.
L 6 - 1

Milarepa - Tibets grosser Yogi
(cf. engl. Original-Edition sub
J 2 - 43!)
Otto Wilhelm Barth Verlag, Weilheim/Obb.
                                             1971

idem
L 6 - 11

Tibet's Great Yogī Milarepa
A Biography from the Tibetan
Oxford University Press, London   1969
                             Reprint   1971

idem
L 6 - 11 a

Milarepa ou Jetsun-Kahbum
Vie de Jetsün Milarepa
Traduite du Tibétain par le Lama Kazi
Dawa Samdup; traduction française de
Roland Ryser
Librairie d'Amérique et d'Orient,
Paris   1975

idem
L 6 - 11 b

Milarepa - il grande yogi tibetano
La biografia di un grande maestro
sulla strada dell'illuminazione
(Traduzione del Inglese di Sabatino
Piovani)
Newton Compton editori, Roma   1976

FERRARI, Alfonsa
(et al.)
L 6 - 12 (vide J 2 - 17)

mK'yen brTSe's Guide to the Holy
Places of Central Tibet
Istituto per il Medio ed Estremo
Oriente, Roma   1958

GOVINDA, Anagarika
L 6 - 21 (vide S 1 - 16)
Die acht Erscheinungsformen des Guru
Padmasambhava
in: Der Kreis, Nr. 116 (1975), Orden
Arya Maitreya Mandala, Hamburg   1975

GRÜNWEDEL, Albert (Transl.)
L 6 - 25 (vide J 2 - 115)
Tāranāthas's Edelsteinmine
Das Buch von den Vermittlern der
Sieben Inspirationen (tib.: Kah bab
dun dan) A.d. Tibet. übers.
(Bibliotheca Buddhica, XVIII)
Imprimerie de l'Académie Impériale
des Sciences, Petrograd   1914

idem
L 6 - 42 (vide J 7 - 21)
Die Geschichten der Vierundachtzig
Zauberer (Mahāsiddhas)
A.d. Tibetischen übersetzt
in: Baessler Archiv, Bd V (1916), Heft
4/5, pg. 137 ff.
Teubner, Leipzig   1916

HAHN, Michael
L 6 - 29 (vide S 2 - 1.9)
Zur mongolischen Version von
Milaraspas mGur 'bum
in: Zentralasiatische Studien, Bd 9
(1975), pg. 479 ff.
Otto Harrassowitz, Wiesbaden   1975

HERMANNS, Matthias P.
L 6 - 6 / Sep.
Heilbringer und Erlöser der Tibeter
Separatum aus 'Kairos', Heft No. 3/4,
Jg. 1964
Otto Müller Verlag, Salzburg   1964

HUMMEL, Siegbert
L 6 - 38 / Sep.
The Tibetan Ceremony of Breaking the Stone
SA. aus: History of Religions, Vol. VIII
(1968), No 2, pg. 139 ff.
University of Chicago   1968

JIVAKA, Lobzang
L 6 - 19
The life of Milarepa, Tibet's Great Yogi
Condensed and adapted from the original
translation of W.Y. Evans-Wentz
John Murray, London   1962

LARGE-BLONDEAU, Anne-Marie
L 6 - 24 / Sep.
Les Pèlerinages Tibétains
Editions du Seuil, Paris   1960

LAUFER, Berthold
L 6 - 13 (vide J 2 - 46)
Aus den Geschichten und Liedern des
Milaraspa
(Denkschriften der Kais. Akademie der
Wissenschaften in Wien, Bd XLVIII,
Teil II)
Carl Gerold's Sohn, Wien   1902

idem (Transl.)
L 6 - 14 (vide J 2 - 2)
Milaraspa
Tibetische Texte in Auswahl
Folkwang Verlag, Hagen i.W. und
Darmstadt   1922

LAUFER, Berthold
L 6 - 41

Bird Divination among the Tibetans
(Notes on Document Pelliot No. 3530,
with a Study of Tibetan Phonology of the
Ninth Century)
in: T'oung Pao, Vol. XV (1914), pg. 1 ff.,
E.J. Brill, Leiden   1914

LHALUNGPA, Lobsang P.
L 6 - 32

The life of Milarepa
A new translation
E.P. Dutton, New York   1977

MONDADORI, Oscar
L 6 - 22

Vita di Milarepa
Adelphi Edizioni, Milano   1966

MÜLLER, Reinhard
L 6 - 46 / Sep.

Die Skelettdarstellungen und ihre
Verbreitungswege in Asien
in: Die Umschau, Jg. XXIX (1925), Heft 8,
pg. 154 f.
Frankfurt a.M.   1925

idem
L 6 - 47 / Sep.

Ueber Votive aus Osttibet (Kin-tschwan)
in: Anthropos, Vol. XVIII - XIV (1923 -
24), pg. 180 ff.
St. Gabriel-Mödling   1923 - 1924

MYNAK, R. Tulku
L 6 - 9 (vide S 1 - 3)

Grey Wolf in Tibetan Tradition
in: Bulletin of Tibetology, Vol. IV,
No. 2, pg. 97 ff.
Namgyal Institute of Tibetology,
Gangtok   1967

idem
L 6 - 10 (vide S 1 - 3)

Panegyrics in Honour of Sakya Pandita
in: Bulletin of Tibetology, Vol. V, No.
pg. 5 ff.
Namgyal Institute of Tibetology,
Gangtok   1968

OLSCHAK, Blanche Chr.
L 6 - 4 / Sep.

Die Göttin der Barmherzigkeit
Dölma und Chenresi, die Schutzpatrone
Tibets
in: 'Atlantis', 35. Jg., No. 12 (Dez.)
pg. 728 ff.
Zürich   1963

eadem
L 6 - 5 / Sep.

Dölma
Die Erlöserin
Zeitungsartikel aus der Ztschr. "Pro"
Zürich   ca. März 1965

PADMA SAMBHAVA
L 6 - 37

La leggenda del Grande Stupa. - /
La biografia del Guru nato dal Loto
Traduzione della edizione inglese di
Elio Rumma
Ubaldini Editore, Roma   1977

R(O)ERICH, J.N.
L 6 - 8 (vide S 4 - 3)

The author of the Hor-chos-hbyuṅ
in: Rerich, J.N. 'Izbrannye trudy',
pg. 225 ff.

ROSSI FILIBECK, Elena de
L 6 - 49 (vide S 4 - 25)

A research report on the editing of
two Tibetan gnas-bśad
in: Brauen, Martin / Kvaerne, Per (Ed.):
Tibetan Studies, pg. 215 ff.,
Völkerkundemuseum, Zürich   1978

SCHUH, Dieter
L 6 - 43 (vide P 1 - 1.6)

Leben und Wirken des Koṅ-sprul Blo-gros
mtha'-yas (1813 - 1899)
in: Verzeichnis der orientalischen Handschriften, Bd XI, 6: Tibetische Handschriften und Blockdrucke (Gesammelte
Werke des Koṅ-sprul Blo-gros mtha'-yas),
pg. XXIII ff.
Franz Steiner Verlag, Wiesbaden   1976

SNELLGROVE, David L.
L 6 - 2.1 f.

Four Lamas of Dolpo (Vols. I, II)
Tibetan Texts and Commentaries
Bruno Cassirer, Oxford   1967

TSOGYAL, Yeshe
L 6 - 39 (vide J 7 -
15.1-2)

The life and liberation of Padmasambhava
(tib.: Padma bKa'i Thang)
Part I: India, Part II: Tibet
Translated by Kenneth Douglas and
Gwendolyn Bays; corrected with the
original Tibetan manuscript and with intro-
duction by Tarthang Tulku
Dharma Publishing, Emeryville   1978

TUCCI, Giuseppe
L 6 - 7 (vide S 4 - 1.2)

Travels of Tibetan pilgrims in the
Swat Valley
in: 'Opera Minora', Vol. II, pg. 369 ff.
Giovanni Bardi, Roma   1971

TUYL, Charles D. van
L 6 - 30 (vide S 2 - 1.11)

Evaluating the variant readings in the
Milaraspa'i rnam thar
in: Zentralasiatische Studien, Bd 11
(1977), pg. 491 ff.
Otto Harrassowitz, Wiesbaden   1977

idem
L 6 - 44 (vide S 1 - 42)

Mi-la ras-pa and the gCod Ritual
in: The Tibet Journal, Vol. IV (1979),
No 1, pg. 34 ff.
Library of Tibetan Works & Archives,
Dharamsala   1979

WALLACE, B. Alan (Ed.)
L 6 - 36

The Life and Teaching of Geshé Rabten
A Tibetan Lama's search for truth
George Allen & Unwin, London   1980

WALLESER, M.
L 6 - 18

The life of Nāgārjuna from Tibetan and
Chinese sources
Nag Publishers, Delhi   1979

WILHELM, Friedrich L 6 - 3	<u>Prüfung und Initiation im Buche Pausya</u> <u>und in der Biographie des Naropa</u> in: 'Münchener Indologische Studien', Vol. III, Otto Harrassowitz, Wiesbaden 1965
WYLIE, Turrell L 6 - 16	<u>A Tibetan religious geography of Nepal</u> (Serie Orientale Roma, Vol. XLII) Istituto Italiano per il Medio ed Estremo Oriente, Roma 1970
YESHI, K. / KATZ, N. (Transl.) L 6 - 31 (vide S 1 - 37)	<u>The Hagiography of Nagarjuna</u> in: Kailash, Vol. V (1977), No 4, pg. 269 ff. Ratna Pustak Bhandar, Kathmandu 1977

L 7. Komparatistik

BAUMGARDT, Ursula L 7 - 9 / Sep.	<u>Tibetisch-buddhistischer Heilsweg und</u> <u>Jungscher Individuationsprozess</u> Typoskript, xerokopiert Zürich 1977
BLOFELD, John L 7 - 14 (vide S 1 - 42)	<u>Kuan Yin and Tara: Embodiments of</u> <u>Wisdom-Compassion Void</u> in: The Tibet Journal, Vol. IV (1979), No 3, pg. 28 ff. Library of Tibetan Works & Archives, Dharamsala 1979
DEMIÉVILLE, Paul L 7 - 1	<u>Le Concile de Lhasa</u> Vol. I Une controverse sur le quiétisme entre Bouddhistes de l'Inde et de la Chine au VIIIe siècle de l'ère chrétienne. Imprimerie Nationale de France, Paris 1952 (cf. Rezension: <u>Stein</u>, A.-R., sub P 3 - 66 / Sep.)
EIMER, Helmut (Ed.) J 7 - 16.1 - 2	<u>Rnam thar rgyas pa</u> Materialien zu einer Biographie des Atīśa (Dīpaṃkaraśrījñāna) Teil 1: Einführung, Inhaltsverzeichnis, Namensglossar Teil 2: Textmaterialien (Asiatische Forschungen), Bd 67) Otto Harrassowitz, Wiesbaden 1979

GRÜNWEDEL, Albert
L 7 - 10 (vide G 1 - 19)
Die Teufel des Avesta und ihre Beziehungen zur Ikonographie des Buddhismus Zentral-Asiens
Otto Elsner Verlag, Berlin · 1924

GUENTHER, H.V.
L 7 - 6
Tibetan Buddhism in Western perspective
Dharma Publishing, Emeryville 1977

HOFFMANN, Helmut
L 7 - 4 (vide S 1 - 1)
(cf. auch sub L 4 - 47)
Kālacakra Studies I
(Manichaeism, Christianity and Islam in the Kālacakra Tantra)
in: Central Asiatic Journal, Vol. XIII, No. 1, pg. 52 ff.
Otto Harrassowitz, Wiesbaden 1969

IMAEDA, Yoshiro
L 7 - 3 / Sep.
Documents tibétains de Touen-Houang concernant le Concile du Tibet
Extrait du Journal Asiatique, pg. 125 ff., Paul Geuthner, Paris 1975

KATZ, Nathan
L 7 - 13 (vide S 1 - 42)
Anima and mKha'-'gro-ma: A critical comparative study of Jung and Tibetan Buddhism
in: The Tibet Journal, Vol. II (1977), No 3, pg. 13 ff.
Library of Tibetan Works & Archives, Dharamsala 1977

KENNEDY, Charles A.
L 7 - 7 (vide S 1 - 42)
Religious Symbolism East and West
in: The Tibet Journal, Vol. I (1976), No 3 & 4, pg. 17 ff.
Library of Tibetan Works & Archives, Dharamsala 1976

LING, Trevor
L 7 - 12 (vide S 1 - 23)
Buddhism and Marxism
in: Tibetan Review, Vol. XV (1980), No 7, pg. 21 ff.
New Delhi 1980

NAKAMURA, Hajime
L 7 - 11
Buddhism in comparative light
(Comparative study of Buddhism and Christianity)
Munshiram Manoharlal Publishers, New Delhi 1975

RUEGG, Seyfort D.
L 7 - 2
The Study of Indian and Tibetan Thought
E.J. Brill, Leiden 1967

idem
L 7 - 17 (vide S 4 - 30)
The study of Tibetan Philosophy and its Indian Sources. Notes on its history and methods
in: Proceedings of the Csoma de Körös Memorial Symposium, 24. - 30. 9.1976, pg. 377 ff.
Akadémiai Kiadó, Budapest 1978

SPRINGER, Karl
L 7 - 8 (vide S 1 - 42)

Tibetan Buddhism in the West
in: The Tibet Journal, Vol. I (1976),
No 3 & 4, pg. 75 ff.
Library of Tibetan Works & Archives,
Dharamsala   1976

TARTHANG Tulku (Ed.)
L 7 - 5

Reflections of Mind
Western Psychology meets Tibetan Buddhism
Dharma Publishing, Emeryville   1975

TATÁR, Magdalena
L 7 - 16 (vide S 4 - 30)

Synkretistische Züge bei einem lamaistischen Kult der Mongolen
in: Proceedings of the Csoma de Körös
Memorial Symposium, 24. - 30. 9.1976,
pg. 469 ff.
Akadémiai Kiadó, Budapest   1978

TITSCHACK, Hans
L 7 - 17

Christentum - Buddhismus
Ein Gegensatz
Octopus Verlag, Wien   1979

L 8. Mythologie et sim.

COUCHOUD, Paul-Louis
(Ed.)
L 8 - 9

Mythologie Asiatique
(Illustrée)
Librairie de France, Paris   1928

DARGYAY, Eva
L 8 - 5 / Sep.

Zur Interpretation der mythischen
Urgeschichte in den tibetischen
Historikern
in: Central Asiatic Journal, Vol. XVI
(1972), No 3, pg. 162 ff., Separatum
Otto Harrassowitz, Wiesbaden   1972

ECSEDY, Hilda
L 8 - 12 (vide S 4 - 30)

On a few traces of ancient sino-tibetan
contacts in the early chinese mythic
tradition
in: Proceedings of the Csoma de Körös
Memorial Symposium, 24. - 30. 9.1976,
pg. 86 ff.
Akadémiai Kiadó, Budapest   1978

FILLIOZAT, J.
L 8 - 7 (vide S 4 - 2)

Le complexe d'OEdipe dans un tantra
bouddhique
in: 'Etudes Tibétaines', pg. 142 ff.
Adrien Maisonneuve, Paris   1971

GRÜNWEDEL, Albert
L 8 - 1

Mythologie des Buddhismus in Tibet
und der Mongolei
Neudruck der Ausgabe von 1900
Otto Zeller Verlag, Osnabrück   1970

HEISSIG, Walther
L 8 - 13 (vide S 4 - 30)

Geser Khan als Heilsgottheit
in: Proceedings of the Csoma de Körös
Memorial Symposium, 24. - 30. 9.1976,
pg. 125 ff.
Akadémiai Kiadó, Budapest   1978

HERMANNS, Matthias P.
L 8 - 3 / Sep.

The Origin of Man
Separatdruck aus: 'Journal of the
Bombay Branch of the Royal Asiatic
Society', Vol. XXVIII, Part I
Bombay   o.J.

idem
L 8 - 6 / Sep.

Schöpfungs- und Abstammungsmythen
der Tibeter
Separatum aus: 'Anthropos', Vols.
XLI und XLIV
Paulusverlag, Freiburg/Schweiz 1946 / 1949

HUMMEL, Siegbert
L 8 - 8 (vide S 1 - 1)

Der Osiris-Mythos in Tibet
in: Central Asiatic Journal, Teil 1:
Vol. XVIII (1974), No 1, pg. 23 ff.;
Teil 2: Vol. XIX (1975), No 3, pg.
199 ff.
Otto Harrassowitz, Wiesbaden   1974 / 1975

idem
L 8 - 10 / Sep.

Der göttliche Schmied in Tibet
in: Asian Folklore Studies, Vol. XIX
(1960), pg. 264 ff., Tokyo   1960

NEUMAIER, Eva
L 8 - 2

Matarah und Ma-mo, Studien zur Mythologie des Lamaismus
Uni-Druck, München   1966

WAIDA, Manabu
L 8 - 11 (vide S 1 - 55)

Birds in the mythology of sacred
kingship
in: East and West, Vol. XXVIII (1978),
No 1 - 4, pg. 283 ff.
Istituto per il medio ed estremo
Oriente, Roma   1978

L 9. Varia

AUCT. INCERT.
L 9 - 3 / Sep.

Meditazione del Trasferimento di Corpo
Parola e Mente di Guru Rinpoce
Publ.: Maglietti, M.
Kathmandu   o.J.

BERGMANN, B.
L 9 - 10 / Sep.

Exposé des principaux dogmes tibétains-
mongols
in: Journal Asiatique, tome III (1823),
Pg. 193 ff., Paris   1823

BHARATI, Agehananda
L 9 - 11 (vide S 1 - 42)

Tibetan Buddhism in America: the late
Seventies
in: The Tibet Journal, Vol. IV (1979),
No 3, pg. 3 ff.
Library of Tibetan Works & Archives,
Dharamsala   1979

BLOFIELD, John
L 9 - 1

The Wheel of Life
Rider & Comp., London   1959

CENTA de SERRES, Fuly di
L 9 - 8

Le souffle purificateur tibétain
Maisonneuve, Paris   1979

HÜLLMANN, K.D.
L 9 - 4 / Sep.

Historisch-kritischer Versuch über die
Lamaische Religion
(Photokopie)
Carl Ludwig Hartmann, Berlin   1796

KOHLER, Mariane
L 9 - 5

La quête du gourou
Epi S.A., Paris   1977

LISSNER, Ivar
L 9 - 6 / Sep.

Schamanen und Lamas
5. Kapitel aus: "Wir suchen alle das
Paradies"
Ullstein, Frankfurt a.M.   1969

SAGASTER, Klaus
L 9 - 2 / Sep.

Some Reflections on a Prosopography
of Tibeto-Mongolian Buddhism
in: Central Asiatic Journal, Vol. XII,
No. 2, pg. 144 ff.
Mouton, The Hague / O. Harrassowitz,
Wiesbaden   1968

TARTHANG Tulku
L 9 - 9.1 - 2

Kum Nye Relaxation
Part 1: Theory, Preparation, Massage
Part 2: Movement, Exercises
Dharma Publishing, Emeryville   1978

TRUNGPA, Chögyam
L 9 - 7.1

Tibetan Buddhism in America
(Garuda, spring 1972)
Tail of the Tiger, Barnet and Karma
Dzong
Boulder   1972

idem
L 9 - 7.3

Dharmas without blame
(Garuda, III)
Shambala Publications, Berkeley   1973

M. Dalai-Lama/Panchen Rinpoche

M 1.   Generelles zur Institution der Dalai-Lamas u. der Panchen Rinpoches

---

BUDDHARAKKHITA, Bhikkhu
M 1 - 11 (vide S 1 - 26)

Dalai Lama, the Monk-Ruler of Tibet
in: 'The Maha Bodhi', Vol. 67, No. 5
pg. 110 ff. (May)
The Maha Bodhi Society, Calcutta   1959

HERMANNS, Matthias P.
M 1 - 5 / Sep.

Le Mystère autour du Dalai Lama
in: Asiatische Studien / Etudes
Asiatiques, 1948, Heft 3/4, pg. 133 ff.
A. Francke Verlag, Bern   1948

KOCH, Erwin Erasmus
M 1 - 2

Auf dem Dach der Welt
Geschichte der Dalai Lamas
Nest-Verlag, Frankfurt a.M.   1960

LANG-SIMS, Lois
M 1 - 4 / Sep.

The Function and Status of the Dalai
Lama in Tibet
The Tibet Society of the United Kingdom,
London   ca. 1961

LANGE, Kristina
M 1 - 14

Ueber die Präexistenzen der Dalai-Lamas
Versuch einer kritischen Analyse
tibetisch-buddhistischer Quellen
in: Jahrbuch des Museums für Völkerkunde, Vol. XXVI (1969), pg. 205 ff.,
Leipzig   1969

eadem
M 1 - 15

Manifestationen des Avalokitesvara
und ihre Inkarnation in den Oberhäuptern
der "Gelben Kirche"
in: Jahrbuch des Museums für Völkerkunde,
Vol. XXIV (1967), pg. 66 ff.
Leipzig   1967

MEHRA, Parshotam
M 1 - 13

Tibetan Polity, 1904 - 1937
The conflict between the 13th Dalai Lama
and the 9th Panchen Lama
(Asiatische Forschungen, Bd 49)
Otto Harrassowitz, Wiesbaden   1976

PALLIS, Marco
M 1 - 6 (vide N 2 - 34)

Le Dalai-Lama, ses fonctions, ses
associés, ses renaissances
in: Présence du Bouddhisme, pg. 783 ff.,
France-Asie, Saigon   1959

PALLIS, Marco
M 1 - 10 (vide S 1 - 26)

The Dalai Lama
His Functions, His Associates, His
Rebirth
in: 'The Maha Bodhi', Vol. 64, No. 5,
pg. 181 ff. (May)
The Maha Bodhi Society, Calcutta   1956

PETECH, Luciano
M 1 - 12 / Sep.

The Dalai-Lamas and Regents of Tibet:
A Chronological Study
aus: T'oung Pao, Vol 47, pg. 368 ff.
E.J. Brill, Leiden   1959

RAHUL, R.
M 1 - 8 (vide S 4 - 7)

The Institution of Dalai Lama
in "International Studies", Vol. 10,
No. 4, pg. 495 ff.
(vide sub Ziffer S!)

RICHARDSON, Hugh E.
M 1 - 7 (vide S 5 - 1)

The Dalai Lamas
in: 'Shambhala', No. 1; Publ. des
Institute of Tibetan Studies, Tring/
England
Pandect Press Ltd., London   1971

SAGASTER, Klaus
M 1 - 16 (vide C 2 - 36 /
Sep.)

Die Institution der Dalai Lamas und das
Verhältnis zwischen Religion und Politik
in Tibet
in: Thiel, Josef / Doutreloux, Albert (Ed.)
Heil und Macht-Approches du sacré, pg.
120 ff., Anthropos-Institut, St. Augustin
1975 (Studia Instituti Anthropos, 22)

SCHMID, Toni
M 1 - 3

Dalai Lamas and Former Incarnations
of Avalokiteśvara
in: 'Saviours of Mankins', Vol. I
Statens Etnografiska Museum,
Stockholm   1961

SCHULEMANN, Günther
M 1 - 1

Geschichte der Dalai Lamas
VEB O. Harrassowitz, Leipzig   1958

SINHA, Nirmal Chandra
M 1 - 9 (vide S 1 - 3)

The sKyabs-mGon
in: Bulletin of Tibetology, Vol. V,
No. 2, pg. 29 ff.
Namgyal Institute of Tibetology,
Gangtok   1968

M 2. «Patrologie» der Dalai-Lamas

ANDERSSON, Jan
M 2 - 19 (vide S 1 - 42)

The Dalai Lama and America
in: The Tibet Journal, Vol. V (1980),
No 1/2, pg. 48 ff.
Library of Tibetan Works & Archives
Dharamsala   1980

ANDERSSON, Jan M 2 - 23 (vide S 1 - 23)	Importance of the Dalai Lama U.S. Visit in: Tibetan Review, Vol. XIV (1979), No 12, pg. 14 ff. New Delhi 1979
AUCT. INCERT. M 2 - 20 (vide S 1 - 42)	An American Press Conference with the Dalai Lama in: The Tibet Journal, Vol. V (1980), No 1/2, pg. 64 ff. Library of Tibetan Works & Archives, Dharamsala 1980
AUCT. INCERT. M 2 - 28 / Sep.	Das Tal der 1000 Götter (Reportage zum Europa-Besuch des Dalai Lama) in: Stern, Heft No 44 vom 25.10.1973, pg. 38 ff. Hamburg 1973
BARBER, Noel M 2 - 6	Die Flucht des Dalai Lama List-Bücher, Bd. 180 Paul List Verlag, München 1961
idem M 2 - 14	The flight of the Dalai Lama Hodder & Stoughton, London 1960
BÄRLOCHER, Daniel M 2 - 34 / Sep.	Interview with H.H. Tenzin Gyatheo, the 14th Dalai Lama of Tibet at the Tibetan Institute in Rikon Interpreter: Ven. Gonsar Tulku Rikon, July 31st 1979
BELL, Sir Charles M 2 - 2	Portrait of the Dalai Lama (XIIIth) Collins, London 1946
BONN, Gisela M 2 11 / Sep.	Der Dalai Lama und die Wandlung des Buddhismus (Besuch im Exil des Priesterkönigs von Tibet) in: Indo Asia, Jg 18 (1976), Heft 2, pg. 147 ff. Horst Erdmann, Tübingen und Basel 1976
CAIX de SAINT-AYMOUR, Robert M 2 - 13 / Sep.	La fuite aux Indes du Dalai Lama en 1910 in: L'Asie Française, no 109, pg. 203 ff., Paris Avril 1910
CAMERA PRESS M 2 - 3 / Sep.	Dalai Lama - Bildaufnahmen Anlässlich des Besuchs des XIV. Dalai Lamas in Peking im Jahre 1954 in: 'Atlantis', 28. Jg., No. 11, pg. 524 ff. Zürich 1956

CAROE, Olaf
M 2 - 15 (vide S 1 - 42)

Tibet and the Dalai Lama
in: The Tibet Journal, Vol. II (1977),
No 4, pg. 3 ff.
Library of Tibetan Works & Archives,
Dharamsala   1977

CHHODAK, Tenzing
M 2 - 36 (vide S 1 - 42)

The 1901 proclamation H.H. Dalai
Lama XIII
in: The Tibet Journal, Vol. III (1978),
No 1, pg. 30 ff.,
Library of Tibetan Works & Archives,
Dharamsala   1978

CHOISY, Maryse
M 2 - 10

Potala est dans le ciel
(Dialogues avec S.S. le Dalai Lama)
Editions du Mont-Blanc, Genève   1974

COMPL. AUCT.
M 2 - 30 / Sep.

Anniversary souvenir of the visit of
His Holiness the Dalai Lama to the U.K.,
20th - 30th October 1973
The Tibet Society of the United Kingdom
Bloomington   1973

COMPL. AUCT.
M 2 - 32 (vide C 8 -
        10.1 ff.)

Presseberichte über S.S. der Dalai Lama
div. loc.   1973 ff.

DALAI LAMA (XIV.)
M 2 - 1

Mein Leben und mein Volk
Die Tragödie Tibets
Droemersche Verlagsanstalt,
München / Zürich   1962

idem
M 2 - 16 (vide S 1 - 42)

The Dalai Lama speaks
in: The Tibet Journal, Vol. V (1980),
No 1/2, pg. 5 ff.
Library of Tibetan Works & Archives,
Dharamsala   1980

KELZANG, Gelong Jampa
M 2 - 22 (vide S 1 - 42)

His Holiness: Europe 1979
in: The Tibet Journal, Vol. V (1980),
No 1/2, pg. 78 ff.
Library of Tibetan Works and Archives,
Dharamsala   1980

MACDONALD, Ariane et alii
M 2 - 12 (vide S 4 - 23)

Un portrait du Cinquième Dalai-Lama
in: Essais sur l'Art du Tibet, pg. 119 ff.
Jean Maisonneuve, Paris   1977

MANN, Ulrich
M 2 - 27 (vide S 4 - 11 /
        Sep.)

Begegnung mit dem Dalai Lama
in: Die Karawane, Jg 14 (1973), Heft 1,
pg. 77 ff.
Ludwigsburg   1973

MARTIN, Helmut
M 2 - 31 (vide S 1 - 39)

Europa-Reise des Dalai Lama
Verhandlungen über seine Rückkehr in
die Volksrepublik?
in: China aktuell, Jg 2 (1973), No 10,
pg. 719 f.
Hamburg   1973

MARTYNOV, A.S.
M 2 - 25 (vide S 4 - 30)

On the Status of the Fifth Dalai Lama.
An attempt at the interpretation of his
diploma and title
in: Proceedings of the Csoma de Körös
Memorial Symposium, 24. - 30. 9.1976,
pg. 289 ff.
Akadémiai Kiadó, Budapest   1978

MULLIN, Glenn H.
M 2 - 21 (vide S 1 - 42)

The U.S. Tour: A traditional perspective
in: The Tibet Journal, Vol. V (1980),
No 1/2, pg. 69 ff.
Library of Tibetan Works & Archives,
Dharamsala   1980

NASHOLD, James
M 2 - 17 (vide S 1 - 42)

The Meeting of East and West:
The Dalai Lama's first trip to the
United States
in: The Tibet Journal, Vol. V (1980),
No 1/2, pg. 34 ff.
Library of Tibetan Works and Archives,
Dharamsala   1980

idem
M 2 - 18 (vide S 1 - 42)

Interview with the Dalai Lama: Wisdom,
Love and Compassion are the goals of
all religions
in: The Tibet Journal, Vol. V (1980),
No 1/2, pg. 42 ff.
Library of Tibetan Works & Archives,
Dharamsala   1980

PETECH, Luciano
M 2 - 7 (vide S 4 - 8 /
      Sep.)

The so-called abdiction of the Sixth
Dalai Lama
in: 'Notes on Tibetan History of the 18th
Centrury' § 1, pg. 262 ff.
in: Toung Pao, Vol. LII, Livr. 4 - 5,
E.J. Brill, Leiden   1966

idem
M 2 - 8 (vide S 4 - 8 /
      Sep.)

The Köke-Nōr Qošot and the Seventh
Dalai Lama
in: 'Notes on Tibetan History of the 18th
Century', § 4, pg. 281 ff.
in: T'oung Pao, Vol. LII, Livr. 4 - 5,
E.J. Brill, Leiden   1966

REUTIMANN, Hans
M 2 - 35 / Sep.

Ein Tag im Leben des Dalai-Lama
in: Das Gelbe Heft, Nr. 2, vom 9. 1.1980,
pg. 74 ff.
Zürich   1980

RÜTTING, Hans
M 2 - 33 (vide Q 3 - 56)

Indien er anderledes
Carit Andersens Forlag, o.O. 1972

SAINT-PIERRE, Isaure de
M 2 - 26 (vide C 5 - 47 /
    Sep.)

Au refuge du dieu-roi
in: Géo, No 8 / Oct. 1979, pg. 54 ff.,
Paris 1979

SHEEAN, Vincent
M 2 - 4 / Sep.

Die Mission des Dalai Lama (XIV.)
in: 'Das Beste aus Reader's Digest'
Mai 1960, Heft No. 5, pg. 182 ff.
Stuttgart 1960

SINGH, A.J.
M 2 - 24 (vide S 1 - 42)

"God is your business, Karma is my
business"
Interview with the 14th Dalai Lama
in: The Tibet Journal, Vol. II (1977),
No 3, pg. 8 ff.
Library of Tibetan Works & Archives,
Dharamsala 1977

TADA, Tokan
M 2 - 5

The Tirteenth Dalai Lama
The Centre for East Asian Cultural
Studies
Tokyo 1965

TUCCI, Giuseppe
M 2 - 9 (vide S 2 - 1.2)

The Fifth Dalai-Lama as a Sanskrit
scholar
in: Tucci, G. 'Opera Minora' II, 589 ff.

WALT, Michael C. van
M 2 - 29 / Sep.

First visit of H.H. the Dalai Lama to
the West
in: Tibetan Messenger, Vol. II (1973),
No 4, Utrecht 1973

WILD, Peter
M 2 - 37 (vide C 9 - 23 /
    Sep.)

In Mitleid und Liebe
(Zum Besuch des Dalai Lama in der Schweiz)
in: Maria Einsiedeln. Benediktinische
Monatszeitschrift, Heft 11 (Okt. 1979),
pg. 379
Einsiedeln 1979

M 3. «*Patrologie*» *der Panchen Rinpoches*

AUCT. INCERT.
M 3 - 4 (vide E 2 - 34 /
    Sep.)

Panchen Lama: Mit Huas Lehren für ein
sozialistisches Tibet
in: Indo Asia, Jg 20 (1978), Heft 3,
pg. 296 ff.
Horst Erdmann, Tübingen/Basel 1978

DOBOOM Dulku, L.T.
M 3 - 5 (vide S 1 - 54)

Panchen Sonam Dragpa (1478 - 1554)
in: Dreloma, No 4 (1980), pg. 17 ff.,
Drepung Loseling Library Society,
Mundgod 1980

ENDERS, Gordon B.
M 3 - 3 (vide D 4 - 97)

Nowhere else in the world
Hurst & Blackett, London   1936

LEOPOLD, Christer
M 3 - 6 (vide S 1 - 23)

An interview with the Panchen Lama
in: Tibetan Review, Vol. XV (1980),
No 11, pg. 14 f.
New Delhi   1980

PALJOR, Kunsang
M 3 - 7 (vide S 1 - 23)

The trial and punishment of the
Panchen Lama
in: Tibetan Review, Vol. XV (1980),
No 11, pg. 16 ff.
New Delhi   1980

PU-LU-SSU
M 3 - 2 / Sep.

Urga and the Tashi Lama
Lose Blätter aus dem Vol. CLXXVIII
der No. MLXXVII einer englischsprachigen
Zeitschrift (der Royal Geographic
Society?) vom Juli 1905, pg. 111 - 116
William Blackwood & Sons, London   1905

SCHMID, Toni
M 3 - 1

Panchen Lamas and Former Incarnations
of Amitāyus
in: 'Saviours of Mankind', Vol. II,
Statens Etnografiska Museum
Stockholm   1961

M 4. *Biographien einzelner Dalai-Lamas, resp. Panchen Rinpoches*

nihil

M 5. *Varia*

nihil

N. Generelle Buddhologie/Komparatist. Religionshistorie

N 1. Hagiographie d. Historischen Buddhas

BECKH, Hermann
N 1 - 7

Buddhismus (Buddha und seine Lehre)
Teil I: Einleitung. Der Buddha (Sammlung
Göschen)
Walter de Gruyter, Berlin   1928
(Teil II: Die Lehre, sub Ziffer N 2 - 23)

BRANGER, E.
N 1 - 8 / Sep.

Buddha - Legende und Mythus
Seminararbeit im Museum für Völkerkunde
der Universität Zürich
Zürich   1973

COOMARASWAMY, Ananda K.
N 1 - 15 (vide G 4 - 89 /
        Sep.)

Origin of the Buddha Image
in: Journal of Ancient Indian History,
Vol. II (1968/69), and Vol. III (1969/70)
University of Calcutta   1970

DE LORENZO, Giuseppe
N 1 - 12 (vide S 4 - 19 /
        Sep.)

The Nirvaṇa of the Buddha
in: East and West, Year VII (1957),
No 4, pg. 306 ff.
Istituto per il Medio ed Estremo Oriente,
Roma   1957

FRAUWALLNER, E.
N 1 - 11 (vide S 4 - 19 /
        Sep.)

The historical data we possess on the
person and the doctrine of the Buddha
in: East and West, Year VII (1957),
No 4, pg. 309 ff.
Istituto per il Medio ed Estremo Oriente,
Roma   1957

HORSCH, Paul
N 1 - 17 / Sep.

Buddhas erste Meditation
SA. aus: Asiatische Studien, Vol. XVII
(1964), 3 - 4, pg. 100 ff.
Francke-Verlag, Bern   1964

JENNINGS, J.G.
N 1 - 16

The Vedantic Buddhism of the Buddha
A collection of historical texts translated from the original Pali
Motilal Banarsidass, Delhi   1974
(reprint of the 1st edition   1947)

MACQUITTY, William
N 1 - 1

Buddha
Ein Bildband
Foreword by H.H. the Dalai Lama
The Viking Press, New York   1969

OLDENBERG, Hermann
N 1 - 5

Buddha, sein Leben, seine Lehre, seine
Gemeinde
J.G. Cotta'sche Buchhandlung, Nachf.,
Stuttgart und Berlin   1923

PERCHERON, Maurice
N 1 - 6

Buddha
in Selbstzeugnissen und Bilddokumenten
Rowohlts Monographien, Bd. No. 12,
Rowohlt Verlag, Hamburg   1967

PISCHEL, R.
N 1 - 9

Leben und Lehre des Buddha
B.C. Teubner, Leipzig   1917

POPPE, Nicholas (Transl.)
N 1 - 14

The Twelve Deeds of Buddha
A Mongolian version of the Lalitavistara
Otto Harrassowitz, Wiesbaden   1967

ROCKHILL, W. Woodville
N 1 - 4

The Life of the Buddha
and the Early History of His Order, derived from Tibetan Works in the bKa'-
hGyur and bsTan-hgyur followed by notices
on the early history of Tibet and Khotan
Kegan Paul / Trench / Trübner & Comp.,
London   1907

SILVA-VICIER de, Anil
N 1 - 3

Das Leben des Buddha
nach den alten Quellen und im Spiegel
der Kunst
Phaidon-Verlag, London   1956

SIVARAMAMURTI, C.
N 1 - 10 (vide S 1 - 3)

Buddha as a Mahapurusha
in: Bulletin of Tibetology, Vol IX
(1972), No 3, pg. 1 ff.
Namgyal Institute of Tibetology
Gangtok   1972

SUGANA, Mandel Gabriele
N 1 - 2

Buddha und Seine Zeit
Bildband
Emil Vollmer Verlag, Wiesbaden   1967

TUCCI, Giuseppe
N 1 - 13 (vide S 4 - 19 /
        Sep.)

Buddha Jayanti
in: East and West, Year VII (1957),
No 4, pg. 297 ff.
Istituto per il Medio ed Estremo Oriente
Roma   1957

282

N 2. Orig. Doktrin u. Exegese / Generelles z. Buddhismus / Komparatist. Buddhologie

ARYADEVA, Bh.   Les paroles du Guru
N 2 - 51   Association du Lotus, Les Piards   1971

ATKINSON, E.T.   Religion in the Himalayas
N 2 - 67 (vide E 1 - 15)   Cosmo Public., Delhi   reprint 1976

BANCROFT, Anne   Religions of the East
N 2 - 50   William Heinemann Ltd., London   1974

BECHERT, Heinz (Ed.)   Buddhism in Ceylon and studies on reli-
N 2 - 87 (vide S 4 - 27)   gious syncretism in Buddhist countries
                                Report on a symposium in Göttingen
                                (Symposien zur Buddhismusforschung, 1)
                                Vandenhoeck & Ruprecht, Göttingen   1978

BECKH, Hermann   Buddhismus (Buddha und seine Lehre)
N 2 - 23   Teil II: Die Lehre (Sammlung Göschen)
                                Walter de Gruyter, Berlin   1928
                                (Teil I: Einl. Der Buddha, sub Ziffer
                                N 1 - 7)

BENZ, Ernst   Buddhas Wiederkehr und die Zukunft Asiens
N 2 - 78   Nymphenburger Verlagshandlung,
                                München   1964

BERVAL, René de (direct.)   Présence du Bouddhisme
N 2 - 34   Sommaire de "France-Asie", Revue
                                Mens. de Culture et de Synthèse,
                                tome XVI (1959), France-Asie, Saigon 1959

BHATTACHARYYA, Benoytosh   An introduction to Buddhist esoterism
N 2 - 61   Chowkhamba Sansrik Series Office,
                                Varanasi   1964

BOTTO, Oscar   Buddha e il Buddhismo
N 2 - 53   Editrice Esperienze, Fossano   1974

COMPL. AUCT.   50 Jahre Buddhistisches Haus
N 2 - 49 / Sep.   German Dharmaduta Society Colombo,
                                Berlin   1974

CONZE, Edward   The Large Sutra on Perfect Wisdom
N 2 - 69   With the divisions of the Abhisamayā-
                                laṅkāra
                                University of California Press,
                                Berkeley/Los Angeles   1975

idem   Der Buddhismus
N 2 - 99   Wesen und Entwicklung
                                W. Kohlhammer, Stuttgart   1977[6]

COOLS, Jean (Transl.)
N 2 - 47

Mahāyāna-Sraddhotpāda-Sāstra
(Traité sur l'Eveil de la Croyance
au Mahāyāna)
Institut Belge des Hautes Etudes
Bouddhiques, Bruxelles   1972

CSOMA de KÖRÖS, Alexander
N 2 - 57 (vide S 1 - 38)

Notices on the different systems of
Buddhism, extracted from the Tibetan
authorities
in: Communications of the Alexander
Csoma de Körös Institute, Nr. 9 - 10
(1975), pg. 5 ff.
Budapest   1975

DAHLKE, Paul (Transl.)
N 2 - 3

Buddha
Auswahl aus dem Palikanon, übersetzt
von P'D'
Fourier Verlag, Wiesbaden   1979

DAVID-NEEL, Alexandra
N 2 - 7

Vom Leiden zur Erlösung
Sinn und Lehre des Buddhismus
F.A. Brockhaus, Leipzig   1937

DAVIDS, Rhys
N 2 - 96

Outlines of Buddhism
A historical sketch
Oriental Books Reprint Corporation
New Delhi   1978
(1st edition: London   1938)

DAVIDS, T.W. Rhys /
OLDENBERG, Hermann (Transl.)
N 2 - 106. 1 - 3

Vinaya Texts
Translated from Pāli
3 Parts. I: The Pātimokkha. The Mahāvagga, 1 - 1V; 11: The Mahāvagga, V - X,
The Kullavagga, I - III; III: The Kullavagga, IV - X
(Sacred Books of the East Series, 13, 17,
20)
Motilal Banarsidass, Delhi, reprint   1975

DUTT, Nalinaksha
N 2 - 18 (vide S 1 - 3)

Nirvaṇa: Sunyata: Vijnaptimatrata
in: Bulletin of Tibetology, Vol. I,
No. 1, pg. 12 ff.
Namgyal Institute of Tibetology,
Gangtok   1964

idem
N 2 - 19 (vide S 1 - 3)

Brahmanism and Buddhism
in: Bulletin of Tibetology, Vol. VII,
No. 1, pg. 7 ff. (cf. auch pg. 13 ff.)
Namgyal Institute of Tibetology,
Gangtok   1970

DYLYKOF, S.
N 2 - 102 (vide S 4 - 30)

"Buddhism v Rossin i SSSR"
(Buddhismus in Russland und der UdSSR)
in: Proceedings of the Csoma de Körös
Memorial Symposium, 24. - 30. 9.1976,
pg. 85 ff.
Akadémiai Kiadó, Budapest   1976

EIMER, Helmut   Skizzen des Erlösungsweges in buddhisti-
N 2 - 75   schen Begriffsreihen
                                 Religionswissenschaftl. Seminar der
                                 Universität Bonn   1976

FRAUWALLNER, Erich   Die Entstehung der buddhistischen Systeme
N 2 - 48 / Sep.   Vandenhoeck & Ruprecht, Göttingen   1971

GHEE, Siak Kong   The Sutra of the Lord of Healing
N 2 - 60 / Sep.   H.K. Buddhist Book Distributor,
                                 Hong Kong   o.J.

GLASENAPP von, Helmut   Buddhism - A Non-Theistic Religion
N 2 - 9   translated by Irmgard Schloegl
                                 George Allen & Unwin Ltd., London   1970

idem   Buddhism and Comparative Religion
N 2 - 16 (vide S 3 - 1)   in: Liebenthal Festschrift, Bd. V,
                                 parts 3 & 4, pg. 47 ff.
                                 Visvabharati, Santiniketan   1957

idem   Der Pfad zur Erleuchtung
N 2 - 42   Grundtexte der buddhistischen Heilslehre
                                 Eugen Diederichs Verlag, Düsseldorf   1956

idem   Die fünf Weltreligionen
N 2 - 55   Eugen Diederichs Verlag, Düsseldorf   1963

idem   Die heiligen Schriften der Buddhisten
N 2 - 58 (vide Q 3 - 54)   (Die Pali-Literatur und die Sanskrit-
                                 Literatur)
                                 in: Die Literaturen Indiens
                                 Kröner Verlag, Stuttgart   1961

idem   Brahma und Buddha
N 2 - 65   Deutsche Buch-Gemeinschaft, Berlin   1926

idem   Tantrismus und Saktismus
N 2 - 79 / Sep.   in: Ostasiatische Zeitschrift, N.F.,
                                 Jg. 12 (1936), Heft 3/4, pg. 120 ff.
                                 Walter de Gruyter, Berlin   1936

idem   Die Entstehung des Vajrayana
N 2 - 80 / Sep.   in: Zeitschrift der Deutschen Morgen-
                                 ländischen Gesellschaft, Bd 90 (1936)
                                 Leipzig   1936

idem   Vedānta und Buddhismus
N 2 - 85   in: Abhandlungen der Akademie der Wissen-
                                 schaften und der Literatur; Geistes- und
                                 Sozialwissensch. Klasse, Nr. 11,
                                 Mainz   1950

GNANAWIMALA, Maha Thera
N 2 - 77
Das Licht der Lehre
Lehrvorträge des buddhistischen Mönches
Sri Gnanawimala Maha Thera
Octopus Verlag, Wien   1977

GODDARD, Dwight
N 2 - 4
A Buddhist Bible
(first printed 1938 by E.P. Dutton & Co.)
Beacon Press, Boston   1970

GOLEMAN, Daniel
N 2 - 31 / Sep.
The Buddha on meditation and states
of consciousness
Part I: The teachings
in: The Journal of Transpersonal
Psychology, No 1 (1972), pg. 1 ff.
Stanford (Calif.)   1972

GOVINDA, Anagarika /
BRAUEN, Martin
N 2 - 92 (vide Q 3 - 101 /
Sep.)
Ein Gespräch zwischen dem buddhistischen
Mönch Anagarika Govinda und Martin Brauen
in: Du, No 1 (1980), pg. 52 f.
Conzett + Huber AG, Zürich   1980

GRESCHAT, Hans-Jürgen
N 2 - 103
Die Religion der Buddhisten
(Uni-Taschenbücher, 1048)
Ernst Reinhardt, München/Basel   1980

GRIMM, Georg
N 2 - 14
Die Lehre des Buddho
Holle Verlag, Baden-Baden   1957

idem
N 2 - 70
Der Buddhaweg für Dich
Octopus Verlag, Wien   1974

idem
N 2 - 71
Ewige Fragen
Die religiösen Grundprobleme und ihre
Lösung im indischen Geiste
Octopus Verlag, Wien   1975

idem
N 2 - 72
Die Botschaft des Buddha
Octopus Verlag, Wien   1975

GRIN-DEMIEVILLE, Philippe
N 2 - 97
Pensée traditionnelle occidentale
et Bouddhisme
Etude comparative et essai d'analyse
psychologique
Lausanne (typoscript)   1979

HECKER, Hellmuth /
NEUMANN, Karl Eugen
N 2 - 108
Buddhismus und Kunst
Religion und Kunst im Lichte des
Buddhismus. / - Das buddhistische Kunst-
werk
Verlag Christiani, Konstanz   1974

HORSCH, Paul
N 2 - 17 (vide S 3 - 1)
The Wheel: An Indian Pattern of World
Interpretation
in: Liebenthal Festschrift, Vol. V,
parts 3 and 4, pg. 62 ff.
Visvacharati, Santiniketan   1957

HOWALD, Martin J. Buddhismus im Unterricht. -
N 2 - 91 / Sep.   Buddhismus - der Weg zur Erleuchtung
                  in: Zeitschrift für Religionsunterricht
                  und Lebenskunde, Jg 4 (1975), No 4,
                  pg. 1 f. und 13 ff.
                  Benziger Verlag, Zürich   1975

HUMPHREYS, Christmas (Ed.) The Wisdom of Buddhism
N 2 - 15   Rieder & Comp., London   1970

idem   A popular dictionary of Buddhism
N 2 - 66   Curzon Press, London   1976

JENNINGS, J.G.   The Vedantic Buddhism of the Buddha
N 2 - 60 (vide N 1 - 16) Collection of historical texts trans-
                  lated from the original Pali
                  Motilal Banarsidass, Delhi (repr.) 1974
                  (1st edition: London   1947)

KANDY, Buddhist Publication The Wheel
Society   Selected Buddhist Texts
N 2 - 68 (vide S 4 - Vol. I (1969), No 1 ff.
        21.1 ff.) Buddhist Publication Society, Kandy 1969

KERN, H.   Manual of Indian Buddhism
N 2 - 98   in: Bühler, G. (Hg.): Grundriss der
                  Indo-Arischen Philologie und Altertums-
                  kunde, III. Bd., 8. Heft   o.J.

KLOPPENBORG, Ria (Transl.) The Sūtra on the Foundation of the
N 2 - 29   Buddhist Order
                  (Catuṣpariṣatsūtra)
                  E.J. Brill, Leiden   1973

KURPERSHOEK, Tonny Grondbeginselen van het boeddhisme
N 2 - 28 / Sep.   Stichting Nederlands Buddhistisch
                  Centrum (Holland)   o.J.

LAMOTTE, Etienne (Transl.) La Somme du Grand Véhicle d'Asaṅga
N 2 - 44.1 f.   (Mahāyānasaṃgraha)
                  Tome I: Versions tibétaine et chinoise
                  Tome II: Traduction et commentaire
                  Institut Orientaliste de l'Université
                  Louvain   1973

idem   Histoire du Bouddhisme Indien
N 2 - 94   Des origines à l'ère Śaka
                  Université de Louvain, Institut
                  Orientaliste, Louvain   1976

LEHMANN, Johannes Buddha
N 2 - 104   Leben, Lehre, Wirkung. Der östliche Weg
                  zur Selbsterlösung
                  C. Bertelsmann Verlag, München   1980

LIENHARD, Siegfried
N 2 - 88 (vide S 4 - 27)

Religionssynkretismus in Nepal
in: Bechert, Heinz (Hg.): Buddhism in
Ceylon and studies on religious syncretism
in Buddhist countries, pg. 146 ff.
Vandenhoeck & Ruprecht, Göttingen   1978

MAJUMDAR, A.K.
N 2 - 20 (vide S 1 - 3)

Vignettes of Decaying Buddhism
in: Bulletin of Tibetology, Vol. VIII,
No. 2, pg. 5 ff.
Namgyal Institute of Tibetology,
Gangtok   1971

MAL, Bahadur
N 2 - 52

The Religion of the Buddha and its
relation to Upanisadic Thought
Vishveshvaranand Vedic Research Institute
Hoshiarpur   1958

MENSCHING, Gustav
N 2 - 8

Buddhistische Geisteswelt
Vom Historischen Buddha zum Lamaismus
Holle Verlag, Baden-Baden   1955

MESSINA, Giuseppe
N 2 - 107 (vide Q 10 - 51)

Cristianesimo, Buddhismo, Manicheismo
nell'Asia Antica
Nicola Ruffolo, Roma   1947

MIGOT, André
N 2 - 100

Un grand disciple du Buddha Sariputra
Son rôle dans l'histoire du Bouddhisme
et dans le développement de l'Abhidharma
in: Bulletin de l'Ecole Française
d'Extrême Orient, tome XLVI (1954),
Fasc. 2, pg. 405 ff.
Imprimerie Nationale, Paris   1954

MÜLLER, Edward
N 2 - 26

The Dhammasangani
(Pali-Text in westl. Transkription)
The Pali Text Society, London   1885

MURTI, T.R.V.
N 2 - 56

The Central Philosophy of Buddhism
G. Allen & Unwin Ltd., London   1960

NAGARJUNA /
DALAI LAMA VII
N 2 - 59

The precious garland and The song of
the four mindfulnesses
G. Allen & Unwin Ltd., London   1975

NEUMANN, Eugen Karl
N 2 - 1.1 ff.

Die Reden Gotamo Buddhos
Uebertragen von Karl Eugen Neumann
3 Vols.
Artemis Verlag, Zürich / P. Zsolnay-
Verlag, Wien   1956

idem
N 2 - 24

Die letzten Tage Gotamo Buddhos
Aus dem grossen Verhör über die Er-
löschung Mahaparinibbanasuttam des
Pali-Kanons
R. Piper, München   1911

NYANATILOKA (Uebers.) Die Lehrreden des Buddha aus der Ange-
N 2 - 2.1 ff.   reihten Sammlung Anguttara-Nikāya
                       5 Vols.
                       Uebersetzung aus dem Pāli
                       Verlag M. DuMont Schauberg, Köln   1969

OLDENBERG, Hermann   Die Lehre der Upanishaden und die
N 2 - 43   Anfänge des Buddhismus
                       Vandenhoeck & Ruprecht, Göttingen   1915

OLVEDI, Ulli   Buddhismus - Religion der Zukunft?
N 2 - 33   Wilhelm Heyne Verlag, München   1973

O'SALE, Marino   Darstellung der Geschichte und Lehre
N 2 - 21 / Sep.   des Buddhismus
                       Tabellarische Synopsis
                       Seminar zum Studium des Buddhismus,
                       Trogen/Schweiz   (Repro) 1972

PALOS, Stephan   Lebensrad und Bettlerschale
N 2 - 22   (Buddha und seine Lehre)
                       Südwest Verlag, München   1968

PANTKE, G. und R.   Der Mahāyāna-Buddhismus
N 2 - 30 / Sep.   Seminararbeit im Museum für Völkerkunde
                       der Universität Zürich
                       Zürich   1973

PFEIDELER, Otto   Religion und Religionen
N 2 - 40   J.F. Lehmanns Verlag, München   1911

PIEPER, Harry E.   Die wahre Bedeutung des Buddhismus
N 2 - 10   Honpa Hongwanji Press, Kyoto   1957

PRZYLUSKI, Jean   Bouddhisme et Upanisad
N 2 - 86   in: Bulletin de l'Ecole Française
                       d'Extrême-Orient, Vol. XXXII, pg. 141 ff.
                       Hanoi   1932

RABTEN Geshe   Enseignements oraux par Geshe Rabten
N 2 - 81   donnés à Dharamsala
                       Aperçu détaillé sur le Bouddhisme tibétain
                       (Photocopie, écrit à machine) o.O.   o.J.

RAHULA, Walpola   Was der Buddha lehrt
N 2 - 5   Origo Verlag, Zürich   1963

RAMANAN, Venkata   Nagarjuna's Philosophy
N 2 - 62   Motilal Banarsidass, Delhi (repr.)   1975

REICHELT, Karl Ludvig Truth and Tradition in Chinese Buddhism
N 2 - 41   The Commercial Press, Shanghai   1927

SADDHATISSA, H.   Des Buddha Weg
N 2 - 74   Theseus-Verlag, Zürich   1971

SAHA, Kshanika   Buddhism and Buddhist Literature in
N 2 - 12   Central Asia
                         K.L. Mukhopadhyay, Calcutta   1970

ŚĀNTIDEVA   Der Eintritt in den Wandel der Erleuchtung
N 2 - 90   (Bodhicaryāvatāra)
                         Ein buddhistisches Lehrgedicht des
                         7. Jh. nach Chr.; a.d. Sanskrit übers.
                         von Richard Schmidt
                         Ferdinand Schöningh, Paderborn   1923

SARKISYANZ, Emanuel   Fragen zum Problem des chronologischen
N 2 - 89 (vide S 4 - 27) Verhältnisses des buddhistischen
                         Modernismus in Ceylon und Birma
                         in: Bechert, Heinz (Ed.): Buddhism in
                         Ceylon and studies on religious syncretism
                         in Buddhist countries, pg. 127 ff.
                         Vandenhoeck & Ruprecht, Göttingen   1978

SCHIEFNER, Anton (Transl.) Târanâtha's Geschichte des Buddhismus
N 2 - 39   in Indien
                         (A.d. Tibet. übers.)
                         Kaiserliche Akad. der Wissenschaften
                         St. Petersburg 1869 (Reprint Suzuki
                         Research Foundation)

SCHLINGLOFF, Dieter   Die Religion des Buddhismus
N 2 - 45.1 f. / Sep.   I: Der Heilsweg des Mönchstums
                         II: Der Heilsweg für die Welt
                         Walter de Gruyter, Berlin   1962

SCHMIDT, Kurt   Buddhas Lehre
N 2 - 6   Eine Einführung
                         C. Weller Verlag, Konstanz   1946

SCHNEIDER, Ulrich   Einführung in den Buddhismus
N 2 - 105   Wiss. Buchgesellschaft, Darmstadt   1980

SCHOEPS, Hans-Joachim (Ed.) Die grossen Religionen der Welt
N 2 - 37   Droemer Knaur, München   1973

SCHUMANN, Hans Wolfgang Buddhismus
N 2 - 63   Stifter, Schulen und Systeme
                         Walter-Verlag, Olten   1976

idem   Buddhismus - und Buddhismusforschung
N 2 - 73   in Deutschland
                         Octopus Verlag, Wien   1974

SCHUON, Frithjof   In the Tracks of Buddhism
N 2 - 27   Metaphysical teaching / Traditional form /
                         Living spiritual force
                         George Allen and Unwin Ltd., London   1968

SHANTIDEVA, Acharya
N 2 - 84 (vide J 2 - 99)

A guide to the Bodhisattva's way of life
Sanskrit: Bodhisattvacharyavatara
Tibetan: Byang.chub.sems.dpai'.spyod.
pa.la.jug.pa
transl. into English by Stephen Batchelor
Library of Tibetan Works and Archives,
Dharamsala   1979

SIEGMUND, Georg
N 2 - 32

Buddhismus und Christentum
Josef Knecht, Frankf. a.M.   1968

SILBURN, Lilian
N 2 - 93

Le Bouddhisme
Textes réunis, traduits et présentés
par Lilian Silburn
Fayard, Paris   1977

STRONG, John
N 2 - 13 / Sep.

Nibbanavamsa
A historical study of the salvation-ideal
in Ceylonese Buddhism (Typoscript)
Kandy   1969

SUZUKI, D.T.
N 2 - 54

Outlines of Mahayana Buddhism
Schocken Books Inc., New York   1963

SZCZESNY, Gerhard
N 2 - 38

Die Antwort der Religionen
Rowohlt Verlag, Reinbek   1971

TAKAKUSU, Junjirō
N 2 - 64

The essentials of Buddhist Philosophy
Motilal Banarsidass, Delhi (repr.)   1975

TARTHANG Tulku
N 2 - 101 (vide S 1 - 23)

Development of the Buddhist Sangha and
the Three Councils
in: Tibetan Review, Vol. XV (1980), No 5,
pg. 16 ff., New Delhi   1980

TRENCKNER, V.
N 2 - 25.1.f.

The Majjhima-Nikāya
(Pali-Text in westl. Transkription)
2 Vols.
The Pali Text Society, London   1935

TRUNGPA, Chögyam
N 2 - 83

Glimpses of Abhidharma
From a seminar on Buddhist Psychology
Prajna Press, Boulder   1978

idem
N 2 - 83 a

Jenseits von Hoffnung und Furcht
Gespräche über Abhidharma
(Uebers. a.d.engl. Original: Glimpses
of Abhidharma)
Octopus Verlag, Wien   1978

VERENO, Matthias
N 2 - 11

Religionen des Ostens
Weisheit und Glauben alter Kulturvölker
Walter Verlag, Olten und Freiburg i.Br.
                                              1960

WANGYAL, Geshe
N 2 - 46 (vide L 2 - 7)

The Door of Liberation
Essential teachings of the Tibetan
Buddhist tradition
Maurice Girodias Associates, New York 1973

WAYMAN, Alex
N 2 - 76 (vide S 1 - 42)

Aspects of Hindu and Buddhist Tantra
in: The Tibet Journal, Vol. I (1976),
No 3/4, pg. 32 ff.
Library of Tibetan Works and Archives,
Dharamsala   1976

WILSON, H.H.
N 2 - 95

Buddha and Buddhism
Oriental Reprinters, Lucknow   1976
(first publ. in: JRAS, XVI (1856),
London)

YESHE, Thupten
N 2 - 82

Silent mind, Holy mind
A Tibetan lama's reflections on Christ-
mas
Wisdom Culture, Ulverston, Cumbria   1978

idem
N 2 - 82 a

Gedanken eines tibetischen Lamas über
Weihnachten
(engl. Originalausg.: Silent mind,
Holy mind)
Theseus Verlag, Zürich   1979

ZIMMER, Heinrich
N 2 - 36

Yoga und Buddhismus
Insel Verlag, Frankfurt a.M.   1973

N 3. Anthologien buddh. Texte

CAMPBELL, June (Transl.)
N 3 - 11 (vide S 1 - 37)

The 100 verses of advice of the Jetsun
Padampa Sangyes to the people of Tingri
in: Kailash, Vol. II (1974), No 3,
pg. 199 ff.
Kathmandu   1974

COMPL. AUCT.
(Ed. Thupten Kalsang)
N 3 - 2

The Wisdom Gone Beyond
An Anthology of Buddhist Texts, trans-
lated from Tibetan, Sanskrit and Pali
Social Science Association Press of
Thailand, Bangkok   1966

CONZE, E. (Editor) /
SNELLGROVE, David /
WALEY, A. / HORNER, I.B.
N 3 - 1

Buddhist Texts through the Ages
Bruno Cassirer, Oxford   1954

CONZE, Edward
N 3 - 13

Selected sayings from the "Perfection of
Wisdom"
Chosen, arranged and translated by E'C'
The Buddhist Society, London (repr.) 1975

DAHLKE, Paul (Transl.)
N 3 - 7

Dhammapada
Die älteste buddhistische Spruchsammlung
Arkana-Verlag, Heidelberg   1970

GLASENAPP, Helmuth von
(Transl.)
N 3 - 8 (vide N 2 - 42)

Der Pfad zur Erleuchtung
Grundtexte der buddhistischen Heilslehre
Eugen Diederichs, Düsseldorf   1956

HOPPE, Max
N 3 - 10

Buddha: seine Lehre und sein Weg
Texte aus dem Pali-Kanon
Octopus Verlag, Wien   1973

JENNINGS, J.G.
N 3 - 9 (vide N 1 - 16)

The Vedantic Buddhism of the Buddha
A collection of historical texts trans-
lated from the original Pali
Motilal Banarsidass, Delhi (repr.)   1974

LANCZKOWSKY, Günter
N 3 - 4

Buddhistische Texte: Kanjur und Tanjur
in: 'Heilige Schriften', pg. 109 - 131
(cf. ausf. Bibliographie am Schluss d.
Bandes betr. Tibet: pg. 187 ff.)
Europa Verlag, Zürich/Wien   1956

ÑĀNAMOLI, Bhikku (Transl.)
N 3 - 3

Mindfulness of Breathing
Buddhist texts from the Pali
Buddhist Publication Soc., Kandy   1973[3]

NEUMANN, Karl Eugen
N 3 - 5

Die Lieder der Mönche und Nonnen Gotamo
Buddhos
aus den Theragatha und Therigatha zum
ersten Male übersetzt
R. Piper & Co., München   1923

ROCKHILL, W. Woodville
N 3 - 12 (vide J 2 - 60 /
        und J 2 - 60 a)

Udānavarga
A collection of verses from the Buddhist
Canon compiled by Dharmatrāta (Northern
Buddhist version of Dhammapada; transl.
from the Tibetan of the b kah-hgyur, with
notes and extracts from the commentary
of Pradjnāvarman)
Trübner & Co., London   1883
Oriental Press, Amsterdam, reprint 1975

```
TARTHANG Tulku              Calm and Clear
N 3 - 6 (vide J 2 - 62)     I : The wheel of analytic meditation
                            II: Instructions on vision in the
                                Middle Way
                            Tibetan Nyingma Meditation Center,
                            Berkeley                            1974
                            deutsche Uebersetzung: Ruhig und klar
                            Das Rad der analytischen Meditation;
                            Anleitung zur Schau des Mittleren Weges
                            Irisiana Verlag, Oberhain           1977
                            (vide J 2 - 62 a)
```

N 4. Katechismen, Glossarien z. buddh. Terminologie / Bibliographien

```
BEAUTRIX, Pierre            Bibliographie du Bouddhisme
N 4 - 17 (vide P 4 - 11)    Vol. I: Editions de textes
                            Institut Belge des Hautes Etudes
                            Bouddhiques, Bruxelles              1970

BHATTA, Skrikrishna Datta   The Dhammapada (Nava-Saṁhita)
N 4 - 12                    (Re-arrangoment of the Pali Text)
                            Sarva Seva Sangh Prakashan,
                            Rajghat, Varanasi                  1972

BULLEN, Leonard A.          Buddhismus - ein Weg der Geistesschulung
N 4 - 13 / Sep.             Verlag Christiani, Konstanz          o.J.

DARGYEY, Ngawang Geshe      The thirty-seven practices of all
(et al.)                    Buddhas' Sons and The prayer of the
N 4 - 14 / Sep.             virtuous beginning, middle and end
                            Translations of the Tibetan rGyal-sras
                            lag-len so bdun-ma
                            Library of Tibetan Works & Archives,
                            Dharamsala                         1973

DHIRAVAMSA                  Das meditative Leben - Ein neuer Weg zum
N 4 - 19                    Buddhismus
                            Octopus Verlag, Wien               1977

FRANCKE, A.H.               The meaning of the "Om-Mani-Padme-Hum"
N 4 - 22                    Formula
                            in: Journal of the Royal Asiatic Society,
                            pg. 397 ff.
                            London                             1915

GLASHOFF, Max               Was ist Buddhismus?
N 4 - 8 / Sep.              Eine kleine Einführungsschrift, heraus-
                            gegeben von der Deutschen Buddhistischen
                            Unioh, Hamburg                 ca. 1967
```

HELD, Hans Ludwig　　　　　Deutsche Bibliographie des Buddhismus
N 4 - 9　　　　　　　　　　Hans Sachs-Verlag, München/Leipzig　　1916

HODGSON, B.H.　　　　　　　Sketch of Buddhism, derived from the
N 4 - 10 (vide S 4 - 4)　 Bauddha-Scriptures of Nepal
　　　　　　　　　　　　　　in: Hodgson, B.H. 'Essays on Nepal and
　　　　　　　　　　　　　　Tibet', part I, pg. 35 ff.

KLAPROTH, M.　　　　　　　　Explication et origine de la formule
N 4 - 21　　　　　　　　　　bouddhique OM MAṆI PADME HOÛM
　　　　　　　　　　　　　　in: Nouveau Journal Asiatique, tome VII
　　　　　　　　　　　　　　(1831), pg. 185 ff., Paris　　　　　　1831

LING, T.O.　　　　　　　　　A Dictionary of Buddhism
N 4 - 11　　　　　　　　　　A Guide to Thought and Tradition
　　　　　　　　　　　　　　Charles Scibner's Sons, New York　　　1972

MALALASEKERA, G.P. (Ed.)　Encyclopaedia of Buddhism
N 4 - 16.1 ff.　　　　　　　bisher veröff.: Vol. I - Vol. III,
　　　　　　　　　　　　　　Fasc. 4
　　　　　　　　　　　　　　The Government of Ceylon, Colombo　1961 ff.

MANGOLDT von, Ursula　　　Kleines Wörterbuch zum Verständnis
N 4 - 3　　　　　　　　　　　asiatischer Weltanschauung
　　　　　　　　　　　　　　Otto Wilhelm Barth Verlag,
　　　　　　　　　　　　　　Weilheim/Obb.　　　　　　　　　　　　1966

MIRONOV, N.D.　　　　　　　　Avalokiteśvara - Kuan-Yin
N 4 - 23　　　　　　　　　　in: Journal of the Royal Asiatic Society,
　　　　　　　　　　　　　　pg. 241 ff.
　　　　　　　　　　　　　　London　　　　　　　　　　　　　　　　1927

NYANATILOKA　　　　　　　　　Buddhistisches Wörterbuch
N 4 - 1　　　　　　　　　　　Verlag Christiani, Konstanz　　　　1952

idem　　　　　　　　　　　　Vocabulaire Bouddhique de Termes et
N 4 - 2　　　　　　　　　　　Doctrines du Canon Pali
　　　　　　　　　　　　　　Editions Adyar, Paris　　　　　　　　1961

idem　　　　　　　　　　　　Buddhist Dictionary (Manual of Buddhist
N 4 - 18　　　　　　　　　　terms and doctrines)
　　　　　　　　　　　　　　Frewin & Co., Ltd., Colombo　　　　　1972

OLCOTT, Henry S.　　　　　　Buddhistischer Katechismus
N 4 - 5　　　　　　　　　　　Th. Grieben's Verlag, Leipzig　　　1906

idem　　　　　　　　　　　　The Buddhist Catechism
N 4 - 6　　　　　　　　　　　The Theosophical Publishing House,
　　　　　　　　　　　　　　Wheaton U.S.A.　　　　　　　　　　　1970

SHERPA Tulku (et al.)　　　The graded course to enlightenment
N 4 - 15 / Sep.　　　　　　　translated from the Tibetan Lam-gyi-rim-
　　　　　　　　　　　　　　mdu-tsam-du-bstanpa
　　　　　　　　　　　　　　Secretariat of H.H. the Dalai Lama,
　　　　　　　　　　　　　　Dharamsala　　　　　　　　　　　　　1971

SLEPČEVIĆ, Pero N 4 - 24 (vide P 1 - 27)	Buddhismus in der deutschen Literatur Diss. an der philos. Fakultät der Universität Freiburg/Schweiz Carl Gerold's Sohn, Wien 1920
SUBHADRA, Bickshu N 4 - 4	Buddhistischer Katechismus zur Einführung in die Lehre des Buddha Gautama C.A. Schwertschke & Sohn, Braunschweig 1888
THOMAS, F.W. / MIYAMOTO, S. / CLAUSON, G.L.M. N 4 - 20	A Chinese Mahāyāna catechism in Tibetan and Chinese characters in: Journal of the Royal Asiatic Society, pg. 37 ff., London 1929
YEN-KIAT, Bhikku N 4 - 7	Mahāyāna Vinaya Debsriharis, Bangkok 1961

N 5. Spezielle buddholog. Probleme (Patrologie, Philosophie, Dogmatik, Moraltheologie, Apologetik, Liturgik, Katechesen, Aszetik, Mystik, Psychologie et al.)

BAREAU, André N 5 - 9	Les premiers conciles bouddhiques Presses Universitaires de France Paris 1955
BECHERT, Heinz N 5 - 1. 1 - 3	Buddhismus, Staat und Gesellschaft in den Ländern des Theravada-Buddhismus 3 Bde 1: Grundlagen; Ceylon 2: Birma, Kambodscha, Laos, Thailand 3: Bibliographie, Dokumente, Index. Mit Beiträgen von H. Hecker und Vu Duy-Tu (Schriften des Instituts für Asienkunde in Hamburg) Otto Harrassowitz, Wiesbaden 1966 - 1973
idem N 5 - 44 (vide S 4 - 27)	On the popular religion of the Sinhalese in: Bechert, Heinz (Ed.): Buddhism in Ceylon and studies on religious syncretism in Buddhist countries, pg. 217 ff. Vandenhoeck & Ruprecht, Göttingen 1978
BHATTACHARYA, Kamaleswar N 5 - 57	The dialectical method of Nāgārjuna (Vigrahavyāvartanī) Translated from the original Sanskrit with introduction and notes by K'Bh'; critically ed. by E.H. Johnston and Arnold Kunst Motilal Banarsidass, Delhi 1978

BUDDHADASA, Bhikku   Zwei Arten der Sprache
N 5 - 38   Eine Analyse von Begriffen der Wirklich-
                            keit
                            A.d. Engl. übers. von R. Rottka
                            Theseus-Verlag, Zürich   1979

COMPL. AUCT.   Der Sinn des Lebens nach den fünf
N 5 - 13   Weltreligionen
                            O.W. Barth, Weilheim   1967

DAMDIUSSUREU, C.   "Nisskoljko sslow o Kalatschakre"
N 5 - 63 (vide S 4 - 30)   (Einige Worte über das Kalacakra)
                            in: Proceedings of the Csoma de Körös
                            Memorial Symposium, 24. - 30. 9.1976,
                            pg. 59 ff.
                            Akadémiai Kiadó, Budapest   1978

DASGUPTA, Shashi Bhushan   An introduction to Tantric Buddhism
N 5 - 22   Shambala Public., Berkeley   1974

idem   Obscure religious cults
N 5 - 35   KLM Private Ltd., Calcutta   1976

DETSCH, Kurt   Tod und Wiedergeburt aus der Sicht des
N 5 - 26 / Sep.   Buddhismus
                            Octopus Verlag, Wien   1974

DUTT, Nalinaksha   Mahayana Buddhism
N 5 - 34   K.L. Mukhopadhyay, Calcutta   1973

EIMER, Helmut   Berichte über das Leben des
N 5 - 25 (vide L 2 - 10)   Dīpaṃkaraśrījñāna (Atiśa)
                            (Eine Untersuchung der Quellen)
                            Rheinische Friedrich-Wilhelms-Universität
                            Bonn   1974

FRANK, Eduard   Stufen der Erleuchtung
N 5 - 36   Rätsel der Seele in Indien, Tibet, Japan,
                            China, Europa
                            Verlag Welt und Wissen,
                            Büdingen-Gettenbach   1957

GOLEMAN, Daniel   The significance of Buddhist psychology
N 5 - 31 (vide S 1 - 42)   for the West
                            in: The Tibet Journal, Vol. I (1976),
                            No 2, pg. 37 ff.
                            Library of Tibetan Works & Archives,
                            Dharamsala   1976

GOMEZ, Luis O.   Karuṇābhāvanā: Notes on the meaning of
N 5 - 60 (vide S 1 - 42)   Buddhist compassion
                            in: The Tibet Journal, Vol. III (1978),
                            No 2, pg. 33 ff.
                            Library of Tibetan Works & Archives,
                            Dharamsala   1978

GOVINDA, Anagarika N 5 - 2 N 5 - 2a	Die psychologische Haltung der früh- buddhistischen Philosophie und ihre systematische Darstellung nach der Tradition des Abhidhamma Rascher Verlag, Zürich 1962 Nachdruck: Octopus Verlag, Wien 1980
idem N 5 - 20 (vide S 1 - 38)	The Buddha as the ideal of the perfect men and the embodiment of the Dharma in: Communications of the Alexander Csoma de Körös Institute, No 9 - 10 (1975), pg. 9 ff. Budapest 1975
idem N 5 - 27	Psycho-cosmic symbolism of the Buddhist Stupa Dharma Publishing, Emeryville 1976
GUENTHER, Herber V. (Transl.) N 5 - 23	Mind in Buddhist psychology Dharma Publishing, Emeryville 1975
idem N 5 - 33	Buddhist psychology in theory and practice Shambala, Boulder 1971
HAUER, J.W. N 5 - 37 / Sep.	Die Dharani im nördlichen Buddhismus und ihre Parallelen in der sogenannten Mithrasliturgie (Beiträge zur indischen Sprachwissen- schaft und Religionsgeschichte, Heft 2) W. Kohlhammer, Stuttgart 1927
idem N 5 - 41	Das Laṅkāvatāra-Sūtra und das Saṃkhya (Eine vorläufige Skizze) W. Kohlhammer, Stuttgart 1927
HECKER, Hellmuth N 5 - 16	Das buddhistische Nirvana H. Hecker, Hamburg 1971
HEINEMANN, Robert Klaus N 5 - 52	Der Weg des Uebens im ostasiatischen Mahāyāna Grundformen seiner Zeitrelation zum Uebungsziel in der Entwicklung bis Dōgen Otto Harrassowitz, Wiesbaden 1979
HINÜBER, Oskar von N 5 - 48 (vide S 4 - 27)	On the tradition of Pāli texts in India, Ceylon and Burma in: Bechert, Heinz (Ed.): Buddhism in Ceylon and studies on religious syncretism in Buddhist countries, pg. 48 ff. Vandenhoeck & Ruprecht, Göttingen 1978

HOFFMANN, Helmut
N 5 - 10 (vide S 1 - 33)

The doctrine of polarity in late Buddhism
in: The Tibet Society Bulletin, Vol. IV
(1971), No 2, pg. 18 ff
Bloomington   1971

HOPKINS, Jeffrey
N 5 - 61 (vide S 1 - 42)

In praise of compassion
in: The Tibet Journal, Vol. III (1978),
No 3, pg. 21 ff.
Library of Tibetan Works & Archives
Dharamsala   1978

HOUSTON, Gary
N 5 - 30 (vide S 1 - 42)

Mandalas: Ritual and Functional
in: The Tibet Journal, Vol. 1 (1976),
No 2, pg. 47 ff.
Library of Tibetan Works & Archives
Dharamsala   1976

HUMPHREYS, Christmas
N 5 - 19

Karma und Wiedergeburt
Scherz / O.W. Barth, Bern, München   1974

JAYASURIYA, W.F.
N 5 - 28

The psychology and philosophy of Buddhism
An introduction to Abhidhamma
Buddhist Missionary Soc.
Kuala Lumpur   1976

KLAPROTH, M.
N 5 - 40

Table chronologique des plus célèbres
patriarches et des évènements re-
marquables de la religion bouddhique;
rédigée en 1678 (traduite du mongol),
commentée par M'K'
in: Nouveau Journal Asiatique,
tome VII (1831), pg. 161 ff., Paris   1831

KLOPPENBORG, Maria Anna
Gertruida T.
N 5 - 14

The Paccekabuddha
A Buddhist ascetic
E.J. Brill, Leiden   1974

KROPATSCH, Anton
N 5 - 12

Wiedergeburt und Erlösung in der Lehre
des Buddha
Heinrich Schwab, Gelnhausen   1963

LIGETI, Louis
N 5 - 62 (vide S 4 - 30)

La mérite d'ériger un stupa et l'histoire
de l'éléphant d'or
in: Proceedings of the Csoma de Körös
Memorial Symposium, 24. - 30. 9.1976,
pg. 223 ff.
Akadémiai Kiadó, Budapest   1978

MALLMANN, Marie-Thérèse de
N 5 - 11 / Sep.

'Dieux polyvalents' du Tantrisme
bouddhique
in: Journal Asiatique, Année 1964,
pg. 365 ff.
Paris   1964

MALLMANN, Marie-Thérèse de   Introduction à l'étude d'Avaloketeçvara
N 5 - 50   (dans la tradition indienne)
                               (Annales du Musée Guimet, tome LVII)
                               Civilisations du Sud, Paris   1949

MASSON-OURSEL, M.P.   Les trois corps du Bouddha
N 5 - 56 / Sep.   in: Journal Asiatique, 11ème Série,
                               tome 1 (1913), pg. 581 ff.
                               Paris   1913

MIMAKI, Katsumi   Deux thèses philosophiques de l'école
N 5 - 17 / Sep.   Sautrantika, discutées dans les premiers
                               traités des Vijnaptivadindu Grand Véhicule
                               K. Mimaki, Paris   1974

idem   Sur la réfutation bouddhique de la
N 5 - 18 / Sep.   permanence des choses (sthirasiddhi):
                               (I): La présomption (arthapatti) mise
                               en cause
                               K. Mimaki, Paris   1974

NORMAN, K.R.   The role of Pāli in early Sinhalese
N 5 - 49 (vide S 4 - 27)   Buddhism
                               in: Bechert, Heinz (Ed.): Buddhism in
                               Ceylon and studies on religious syncretism
                               in Buddhist countries, pg. 28 ff.
                               Vandenhoeck & Ruprecht, Göttingen   1978

NYANAPONIKA, Thera   Abhidhamma Studies
N 5 - 15   Researches in Buddhist psychology
                               Buddhist Publication Society, Kandy 1965

OBERMILLER, E.E.   A Sanskrit manuscript from Tibet:
N 5 - 32 (vide S 1 - 42)   The Bhavanakrama by Kamalasila
                               in: The Tibet Journal, Vol. II (1977),
                               No 1, pg. 28 ff.
                               Library of Tibetan Works & Archives,
                               Dharamsala   1977

OLTRAMARE, Paul   L'histoire des idées théosophiques
N 5 - 58   dans l'Inde
                               La Théosophie Bouddhique
                               (Annales du Musée Guimet, tome XXXI
                               Paul Geuthner, Paris   1923

PELLIOT, Paul   Quelques transcriptions apparantées
N 5 - 55 / Sep.   à Çambhala dans les textes chinois
                               in: T'oung Pao, Vol. XX (1921),
                               pg. 73 ff.
                               E.J. Brill, Leiden   1921

PIERIS, Aloysius
N 5 - 47 (vide S 4 - 27)

The colophon to the Paramtthamañjusā
and the discussion on the date of
Ācariya Dhammapāla
in: Bechert, Heinz (Ed.): Buddhism in
Ceylon and studies on religious syncretism
in Buddhist countries, pg. 61 ff.
Vandenhoeck & Ruprecht, Göttingen   1978

REGAMEY, Constantin
N 5 - 3

Buddhistische Philosophie
A. Francke Verlag, Bern   1950

REYNOLDS, C.H.B.
N 5 - 45 (vide S 4 - 27

Religion and social position in
British times
in: Bechert, Heinz (Ed.): Buddhism in
Ceylon and studies on religious syncretism
in Buddhist countries, pg. 134 ff.
Vandenhoeck & Ruprecht, Göttingen   1978

RUEGG, D. Seyfort
N 5 - 5 (vide S 4 - 2)

Le Dharmadhātustava de Nāgārjuna
in: 'Etudes Tibétaines', pg. 448 ff.
Librairie de l'Amérique et d'Orient,
Adrien Maisonneuve, Paris   1971

idem
N 5 - 29 (vide S 1 - 42)

On the supramundane and the divine in
Buddhism
in: The Tibet Journal, Vol. I (1976),
No 3 & 4, pg. 25 ff.
Library of Tibetan Works & Archives
Dharamsala   1976

RUELIUS, Hans
N 5 - 43 (vide S 4 - 27)

Netrapratiṣṭhāpana - eine singhalesische
Zeremonie zur Weihe von Kultbildern
in: Bechert, Heinz (Ed.): Buddhism in
Ceylon and studies on religious syncretism
in Buddhist countries, pg. 304 ff.
Vandenhoeck & Ruprecht, Göttingen   1978

SAMDHONG Rinpoche (Ed.)
N 5 - 65

Madyamika Dialectic and the Philosophy
of Nagarjuna
Sanskrit text; with contributions held
in an all-India project seminar in
Sarnatth, December 1973
(The Dalai Lama Tibetan Indology, I
Studies)
Central Institute of Higher Tibetan
Studies, Sarnath   1977

SASTRI, K.A.N.
N 5 - 6 (vide S 1 - 3)

Mahayana Buddhism in South India - Some
Aspects
in: Bulletin of Tibetology, Vol. II, No. 3,
pg. 11 ff.
Namgyal Institute of Tibetology,
Gangtok   1971

SASTRI, K.A.N.
N 5 - 7 (vide S 1 - 3)

Store Consciousness (Alaya-Vijnana) -
A Grand Concept of the Yogacara
Buddhists
in: Bulletin of Tibetology, Vol. IX,
No. 1, pg. 5 ff.
Namgyal Institute of Tibetology,
Gangtok   1972

SILACARA, Bhikkhu
N 5 - 21

The noble eightfold path
The Bauddha Sāhitya Sabhā
Colombo   1955

SMITH, Bardwell L.
N 5 - 46 (vide S 4 - 27)

Kingship, the Sangha, and the process
of legitimation in Anurādhapura Ceylon:
An interpretive essay
in: Bechert, Heinz (Ed.): Buddhism in
Ceylon and studies on religious syncretism
in Buddhist countries, pg. 100 ff.
Vandenhoeck & Ruprecht, Göttingen   1978

SOMDET PHRA NYANASAMVARA
N 5 - 64

Betrachtung des Körpers
"Kāyānupassanā"
Octopus Verlag, Wien   1980

STCHERBATSKY, Th.
N 5 - 51

La théorie de la connaissance et la
loqique chez les Bouddhistes tardifs
(traduit du russe)
(Annales du Musée Guimet, tome XXXVI)
Paul Geuthner, Paris   1926

idem
N 5 - 59

Madhyānta-Vibhanga
Discourse on discrimination between Middle
and Extremes ascribed to Bodhisattva
Maitreya and commented by Vasubandhu and
Sthiramati, translated from the Sanskrit
Oriental Books Reprint Corp.
New Delhi (1st publ. 1936)   1978

TAKEUCHI, Yoshinori
N 5 - 8

Probleme der Versenkung im Ur-Buddhismus
E.J. Brill, Leiden   1972

TARTHANG Tulku (Ed.)
N 5 - 24 (vide L 7 - 5)

Reflections of Mind
Western psychology meets Tibetan Buddhism
Dharma Publishing, Emeryville   1975

TUCCI, Giuseppe
N 5 - 42

Buddhist Logic before Dinnāga
(Asanga, Vasubandhu, Tarka-śāstras)
in: Journal of the Royal Asiatic Society,
pg. 451 ff.
London   1929

WADDELL, L.A.
N 5 - 53 / Sep.

Buddha's secret from a sixth century
pictorial commentary and Tibetan tradition
in: Journal of the Royal Asiatic Society,
Vol. XXVI (1894), pg. 367 ff.
London   1894

WELLER, Friedrich
N 5 - 54 / Sep.

Betrachtungen über einen Ratnakūta-Text
in: Forschungen und Fortschritte, Jg. 37
(1963), pg. 369 ff.
Akademie-Verlag, Berlin   1963

WINTERNITZ, M.
N 5 - 4

Der Mahayana-Buddhismus nach Sanskrit-
und Prakrit-Texten
J.C.B. Mohr, Tübingen   1930

ZIMMER, Heinrich
N 5 - 39

Der Name Avalokiteśvara
in: Zeitschrift für Indologie und
Iranistik, Vol. I (1922), pg. 73 ff.
Brockhaus, Leipzig   1922

N 6. Sekundäre Kommentarliteratur

ERACLE, Jean
N 6 - 3

La doctrine bouddhique de la terre pure
(Introduction à trois Sûtra bouddhiques)
Dervy-Livres, Paris   1973

LAMOTTE, Etienne
N 6 - 1.1 ff.

La Traité de la Grande Vertu de Sagesse
de Nāgārjuna (Mahāprajñāparamitāsastra)
Tome I, II, III, IV et V
Institut Orientaliste, Louvin 1966 - 1980

idem
N 6 - 6

L'Enseignement de Vimalakīrti
(Vimalakīrtinirdeśa)
Traduit et annoté par E'L'
Institut Orientaliste, Louvain   1962

NOBEL, Johannes
N 6 - 2 (vide J 2 - 19.1f.)

Suvarṇaprabhāsottama-Sūtra (sog. "Gold-
glanz-Sūtra")
Sanskrit-Text des Mahāyāna-Buddhismus
I-Tsing's chines. Version u. ihre tib.
Uebersetzung.
Vol. I: I-Tsing's chin. Version, über-
        setzt, eingeleitet, erläutert,
        photomech. Nachdruck des chin.
        Texts;
Vol. II: Die tibetische Uebersetzung,
         mit krit. Anmerkungen herausg.
E.J. Brill, Leiden   1958

RUELIUS, Hans
N 6 - 4 (vide S 4 - 27)

Mañjuśrībhāṣita-Citrakarmaśāstra: A
MahayanisticŚilpaśāstra from Sri Lanka
in: Bechert, Heinz (Hrg.): Buddhism in
Ceylon and studies on religious syn-
cretism in Buddhist countries, pg. 89 ff.
Vandenhoeck & Ruprecht, Göttingen   1978

STACHE-ROSEN, Valentina
N 6 - 5 (vide S 4 - 27)

Das Upāliparipṛcchāsūtra
Ein Text zur buddhistischen Ordens-
disziplin (Zusammenfassung). in:
Bechert, Heinz (Hg.): Buddhism in Ceylon
and studies on religious syncretism in
Buddhist countries, pg. 58 ff.
Vandenhoeck & Ruprecht, Göttingen   1978

N 7. Symbolik / Liturgieformen / Mysterien et al.

BAREAU, A.
N 7 - 4 (vide S 4 - 2)

La transformation miraculeuse de la
nourriture offerte au Bouddha par le
brahmane Kasibhāradvāja
in: 'Etudes Tibétaines', pg. 1 ff.
Librairie de l'Amérique et d'Orient,
Adrien Maisonneuve, Paris   1971

GLASENAPP von, Helmut
N 7 - 2

Buddhistische Mysterien
Die geheimen Riten und Lehren des
Diamant-Fahrzeuges
W. Spemann Verlag, Stuttgart   1940

HAIDAR, J R
N 7 - 9

Links between early and later Buddhist
Mythology
University of Calcutta, Calcutta   1972

KIRFEL, Willibald
N 7 - 8

Symbolik des Buddhismus
Anton Hiersemann, Stuttgart   1959

LAUF, D.I.
N 7 - 13

Symbole
Verschiedenheit und Einheit in östlicher
und westlicher Kultur
Insel Verlag, Frankfurt a.M.   1976

MENSCHING, Gustav
N 7 - 1

Buddhistische Symbolik
Mit 68 Tafeln
Leopold Klotz Verlag, Gotha   1929

MYNAK, R. Tulku
N 7 - 6 (vide S 1 - 3)

Eight Auspicious Objects
in: Bulletin of Tibetology, Vol. V,
No. 1, pg. 41 ff.
Namgyal Institute of Tibetology,
Gangtok   1968

ORTNER, Sherry B.
N 7 - 10 (vide Q 4 - 83)

Sherpas through their rituals
Cambridge University Press,
London, New York, Melbourne   1978

POTT, P.H.
N 7 - 14

Yoga and Yantra
Their interrelation and their significance for Indian archeaology; translated from the Dutch
Martinus Nijhoff, The Hague   1966

SAGASTER, Klaus   Der weisse Lotos des Friedens
N 7 - 11 (vide S 2 - 1.12)   Eine moderne mongolische Interpretation
buddhistischer Symbolik
in: Zentralasiatische Studien, Vol. XII
(1978), pg. 463 ff.
Otto Harrassowitz, Wiesbaden   1978

SCHALK, Peter   Der Paritta-Dienst in Srî-Laṃkā
N 7 - 15 (vide S 4 - 27)   (Zusammenfassung)
in: Bechert, Heinz (Ed.): Buddhism in
Ceylon and studies on religious
syncretism in Buddhist countries,
pg. 339 ff.
Vandenhoeck & Ruprecht, Göttingen   1978

SINHA, Nirmal Chandra   The Refuge: India, Tibet and Mongolia
N 7 - 5 (vide S 1 - 3)   in: Bulletin of Tibetology, Vol. V,
No. 1, pg. 23 ff.
Namgyal Institute of Tibetology,
Gangtok   1968

idem   Seven Sovereign Jewels
N 7 - 7 (vide S 1 - 3)   in: Bulletin of Tibetology, Vol. VI,
No. 3, pg. 30 ff.
Namgyal Institute of Tibetology,
Gangtok   1969

STUTTGART, Institut für   Tantra
Auslandsbeziehungen   Katalog zur Ausstellung "Tantra Art"
N 7 - 12   Institut für Auslandsbeziehungen,
Stuttgart   ca. 1973

ZIMMER, Heinrich   Mythen und Symbole in Indischer Kunst
N 7 - 3 / Sep.   und Kultur
(Lediglich fragmentar., den Buddhis-
mus betreffend, vorhanden)
Rascher Verlag, Zürich   1951

N 8. Meditations- u. Yogapraktiken et sim.

ACHARYA, Sri Ananda   Yoga of conquest
N 8 - 6   Vishveshvaranand Institute,
Hoshiarpur   1971

AMIPA, Sherab Gyaltsen   Das Aufgeben der vier Begierden
(Ed.)   "Zen-pa Zi-dral"
N 8 - 24   Kernunterweisungen von Jetsün Dhagpa
Gyaltshän; Kurzfassung von Sakya
Pandita; Meditationsanweisung von
Ngorchen Künga Zangpo
Rikon   1977

ARATÓ, István   Täglich etwas Yoga
N 8 - 16 / Sep.   Anweisung zum Selbsterlernen
                               Paracelsus-Verlag, Stuttgart   1970

AUROBINDO, Sri   Die Synthese des Yoga
N 8 - 18   A.d. Engl. übertragen
                               Hinder + Deelmann, Belnnhausen
                               ü. Gladenbach   1972

BERNARD, Theos   Hatha Yoga
N 8 - 2   Ein Erfahrungsbericht aus Indien und Tibet
                               Günther, Stuttgart   1957

BLOFELD, John   Die Macht des heiligen Lautes
N 8 - 20   O.W. Barth, Bern   1978

idem   Compassion Yoga
N 8 - 21   The mystical cult of Kuan Yin
                               Allen & Unwin, London   1977

CHANG, Garma C.C.   Teachings of Tibetan Yoga
N 8 - 13 (vide L 4 - 171)   An introduction to the spiritual, mental
                               and physical exercises of the Tibetan
                               religion
                               The Citadel Press, Secaucus   1977

CONZE, Edward   Meditazione Buddhista
N 8 - 32   Ubaldini, Roma   1977

DALAI LAMA XIV   The Key to the Middle Way
N 8 - 10 (vide L 4 - 142)   in: The Buddhism of Tibet and the Key
                               to the Middle Way
                               Allen & Unwin, London   1975

DASH, Vaidya Bhagwan   Tibetan medicine with special reference
N 8 - 14 (vide F 2 - 11)   to Yoga Sataka
                               Library of Tibetan Works & Archives,
                               Dharamsala   1976

DHIRAVAMSA   Angenommen Sie fühlen sich elend...
N 8 - 23   Meditation als Mittel zur Wandlung;
                               übers. a.d.engl. Ausgabe: "The way of
                               non-attachment"
                               Octopus-Verlag, Wien   1979

DOREN, H. Van   Transcendental Meditation
N 8 - 17 / Sep.   Aconcagua Publishers, o.O.   o.J.

ELIADE, Mircea   Yoga
N 8 - 35   Unsterblichkeit und Freiheit
                               A.d. Französ. übers.
                               Rascher, Zürich/Stuttgart   1960

EVANS-WENTZ, W.Y.
N 8 - 19 (vide J 2 - 94)

Tibetan Yoga and Secret Doctrines
Oxford University Press, London   1967
frz. Ausg.: "Le Yoga Tibétain et les
Doctrines Secrètes",
Librairie d'Amérique et d'Orient,
Paris   1977
(Sign. J 2 - 94 a)

FEUERSTEIN, Georg
N 8 - 34

The Yoga-Sūtra of Patañjali
A new translation and commentary
Dawson & Sons Ltd., Folkestone   1979

FRANK, Eduard
N 8 - 15 (vide N 5 - 36)

Stufen der Erleuchtung
Rätsel der Seele in Indien, Tibet, Japan,
China, Europa
Welt und Wissen, Büdingen-Gettenbach 1957

GRÜNERT, Eva
N 8 - 25 / Sep.

Esoterische Psychologie und tibetische
Meditation - Hoffnung auf ein neues Men-
schenbild
Separatum aus: Engadiner Kollegium,
Tagung 1978

KRISHNA, Gopi
N 8 - 9

Die neue Dimension des Yoga
O.W. Barth, Bern   1975

LOBO, Rocque (Ed.)
N 8 - 28 (vide S 2 - 3)

Jahrbuch für Yoga
Ostasiatische Meditationstechniken und
ihre Anwendung in der westlichen Welt,
Ausg. 1980: Prana
O.W. Barth, München   1980

LU K'UAN YÜ
N 8 - 3

Geheimnisse der chinesischen Meditation
Rascher, Zürich/Stuttgart   1967

MARQUÈS-RIVIÈRE, J.
N 8 - 5

Tantrik Yoga
Hindu and Tibetan
Samuel Weiser, New York 1971^2

NYANAPONIKA
N 8 - 1

Geistestraining durch Achtsamkeit
(Die buddhistische Satipatthana-Methode)
Verlag Christiani, Konstanz   1970

PENSA, Corrado
N 8 - 27

Notes on meditational states in
Buddhism and Yoga
in: East and West, Vol. XXVII (1977),
No 1 - 4, pg. 335 ff.
Istituto Italiano per il Medio ed
estremo Oriente, Roma   1977

POTT, P.H.
N 8 - 22 (vide N 7 - 14)

Yoga and Yantra
Their interrelation and their significance
for Indian archaeology; translated from
the Dutch
Martinus Nijhoff, The Hague   1966

RAI, C.E.S.
N 8 - 11

YAMA - Quattordici lezioni di Raja Yoga
Vol. I and II
Edizioni Meditarranee, Roma   1975

REITER, Udo
N 8 - 8 / Sep.

Erlösung im Lotussitz?
(Oestliche Meditation als westliche
Hoffnung)
Dokumentation des Radio-Sonderprogrammes
vom 12. 1.1972, DRS 2. Programm   1972

SAHER, P.J.K.
N 8 - 12

Wege fernöstlicher Meditation
Octopus Verlag, Wien   1973

SOMA, Bhikkhu
N 8 - 4

The way of mindfulness
Vajirarama, Colombo   1949

SPIESBERGER, Karl
N 8 - 31

Das Mantra-Buch
Wortkraft, Tongewalten, Macht der
Gebärde. Von der Vokaltiefatmung zum
Mantra-Yoga
Richard Schikowski, Berlin   1977

TARTHANG Tulku
N 8 - 26

Gesture of Balance
A guide to awareness, self-healing
and meditation
Dharma Publishing, Emeryville   1977

idem
N 8 - 26 a

Psychische Energie durch inneres
Gleichgewicht
Wege zu höherem Bewusstsein, Selbsthei-
lung und Meditation
dt. Uebers. von "Gesture of Balance"
Aurum Verlag, Freiburg i.Br.   1979

TITMUSS, Christopher /
FELDMANN, Christina
N 8 - 33

Lasst alles völlig neu für Euch sein
Ein bedeutsamer Schritt. Wege zum
meditativen Leben
Octopus Verlag, Wien   1980

WATTS, Alan /
GOVINDA, Anagarika
N 8 - 30

Die Kunst der Kontemplation
Aurum Verlag, Freiburg i.Br. 1979^2

WAYMAN, Alex
N 8 - 29 (vide L 4 - 208)

Yoga of the Guhyasamājatantra
"The Arcane Lore of Forty Verses"
A Buddhist Tantra commentary
Motilal Banarsidass, Delhi   1977

ZIMMER, Heinrich
N 8 - 7 (vide N 2 - 36)

Yoga and Buddhismus
Insel Verlag, Frankfurt a.M.   1973

BENZ, Ernst
N 9 - 3

Zen in Westlicher Sicht
Otto Wilhelm Barth Verlag,
Weilheim /Obb.   1962

CH'EN, Kenneth K.S.
N 9 - 8

Buddhism in China
A historical survey
Princeton University Press,
Princeton   1962

DUMOULIN, Heinrich
N 9 - 15

Der Erleuchtungsweg des Zen im
Buddhismus
Fischer, Frankfurt a.M.   1976

EITEL, Ernest J.
N 9 - 10

Handbook of Chinese Buddhism
Sanskrit-Chinese Dictionary of
Buddhist terms
Philo Press, Amsterdam   1970

ERACLE, Jean (Transl.)
N 9 - 7

SHŌ SHIN GE
Le poème sur la foi véritable
Institut Belge des Hautes Etudes
Bouddhiques, Bruxelles   1973

GROOT, J.J.M. de
N 9 - 13 / Sep.

Der Thupa, das heiligste Heiligtum
des Buddhismus in China
Akademie der Wissenschaften, Berlin   1919

HEINEMANN, Robert K.
N 9 - 14 (vide S 4 - 27)

Buddhistisch-schintoistischer
Synkretismus in Struktur und Praxis
des Tempels Rinnōji in Nikkō, Japan
in: Bechert, Heinz (Ed.): Buddhism in
Ceylon and studies on religious
syncretism in Buddhist countries,
pg. 199 ff.
Vandenhoeck & Ruprecht, Göttingen   1978

MERTON, Thomas
N 9 - 12

Weisheit der Stille
Die Geistigkeit des Zen und ihre Be-
deutung für die moderne christliche
Welt
O.W. Barth, München   1975

SONADA, Kokun
N 9 - 2 / Sep.

Die Eigentümlichkeiten der Jodo-Shinshu
Vortrag, gehalten vor der Buddhistischen
Gesellschaft zu Berlin am 25. September
Berlin   1962

idem
N 9 - 1

Buddhistische Religion
Die Grundlehren der Jodo Shinshu
Honpa Hongwanji Press, Kyoto   1959

SOOTHILL, W.E. N 9 - 11	The three religions of China Curzon Press Ltd., London	1973
STRONG, John N 9 - 5 / Sep.	Où en est le bouddhisme en Chine in: ICI (informations catholiques internationales), No 441, 1.10.1973 Paris	1973
STÜRMER, Ernst N 9 - 9	Zen - Zauber oder Zucht? Bildbericht Herder, Wien	1973
WEBER-SCHÄFER, Peter (compil.) N 9 - 4	Zen - Aussprüche und Verse der Meister Insel-Verlag, Frankf. a.M.	1964
YAMAZAKI, Eiichi (Ed.) N 9 - 6	Qu'est-ce que le Bouddhisme? Nichiren Shoshu Française, Paris	1971

N 10. Vedismus u. Brahmanismus / andere Systeme

ANURUDDHA, T.T. N 10 - 8	Grundlagen des Jainismus, Religion der Gewaltlosigkeit Aus indischen Quellen übersetzt Bodhisattva Csoma Institut für Buddhologie, Vũng T'âu (Süd-Vietnam)	1972
BECHERT, Heinz / DAS GUPTA, Amit / ROTH, Gustav N 10 - 23 (vide S 4 - 27)	Hindu elements in the religion of the Buddhist Baruas and Chakmas in Bengal (Summary) in: Bechert, Heinz (Ed.): Buddhism in Ceylon and studies on religious syncretism in Buddhist countries, pg. 214 ff. Vandenhoeck & Ruprecht, Göttingen	1978
BOSE, A.C. N 10 - 6	The call of the Vedas Bharatiya Vidya Bhavan, Bombay	1970
DASGUPTA, Tapan Kumar N 10 - 18 (vide G 3 - 6)	Der Vajra: eine vedische Waffe Franz Steiner, Wiesbaden	1975
DAVID-NEEL, Alexandra N 10 - 3	Astavakra-Gita Discours sur le Vedanta Advaita Adyar, Paris	1951
DESAI, Mahadev N 10 - 7	The Gospel of selfless action or the Gitâ according to Gandhi Navajivan Publishing House, Ahmedabad	1970

310

ENSINK, Jacob   Śiva-Buddhism in Java and Bali
N 10 - 24 (vide S 4 - 27)   in: Bechert, Heinz (Ed.): Buddhism in
                                   Ceylon and studies on religious
                                   syncretism in Buddhist countries,
                                   pg. 178 ff.
                                   Vandenhoeck & Ruprecht, Göttingen   1978

GELDNER, Karl F.   Die Religionen der Inder: Vedismus und
N 10 - 1   Brahmanismus
                                   J.C.B. Mohr, Tübingen   1908

GLASENAPP, Helmuth von   Die fünf Weltreligionen
N 10 - 12 (vide N 2 - 55)   Eugen Diederichs, Düsseldorf   1963

idem   Brahma und Buddha
N 10 - 15 (vide N 2 - 65)   Deutsche Buch-Gemeinschaft, Berlin   1926

KLIMKEIT, Hans-Joachim (Ed.)   Tod und Jenseits im Glauben der Völker
N 10 - 22   Otto Harrassowitz, Wiesbaden   1978

KRISHNAMURTI, Jiddu   Einbruch in die Freiheit
N 10 - 19   Ullstein, Frankfurt a.M.   1973

LIEBERT, Gösta   Iconographic dictionary of the Indian
N 10 - 16 (vide G 1 - 15)   religions
                                   (Hinduism-Buddhism-Jainism)
                                   E.J. Brill, Leiden   1976

LAYTON, Eunice and Felix   Theosophy: Key to understanding
N 10 - 20   The Theosophical Publishing
                                   House, Wheaton 1969^2

OLDENBERG, Hermann   Die Lehre der Upanishaden und die Anfänge
N 10 - 11 (vide N 2 - 43)   des Buddhismus
                                   Vandenhoeck & Ruprecht, Göttingen   1915

PURUCKER, G. de   The Esoteric Tradition
N 10 - 25.1   Vol. I
                                   Theosophical University Press
                                   Pasadena   1973
                                   (reprint of the 2nd edition 1940)

REYMOND, Lizelle   To Live Within
N 10 - 2   The Story of Five Years with a
                                   Himalayan Guru
                                   George Allen & Unwin Ltd., London   1972

SASTRI, N.A.   A New Approach to Gaudapada
N 10 - 4 (vide S 1 - 3)   in: Bulletin of Tibetology, Vol. VIII,
                                   No. 1, pg. 15 ff.
                                   Namgyal Institute of Tibetology,
                                   Gangtok   1971

SILBURN, Liliane
N 10 - 14

Le Paramārthasāra
Textes Sanskrit édités et traduits
E. Boccard, Paris   1957

SINGH, Mohan
N 10 - 17

Mystik und Yoga der Sikh-Meister
Origo Verlag, Zürich   1967

SIRCAR, D.C. (Ed.)
N 10 - 5

The Śakti Cult and Tārā
University of Calcutta   1967

SOGANI, Kamal Chand
N 10 - 9

Ethical doctrines in Jainism
Jaina Saṁskṛti Saṁrakshaka Sangha,
Sholapur   1967

STUTTGART, Institut für
Auslandsbeziehungen
N 10 - 21 (vide N 7 - 12)

Tantra
Katalog zur Ausstellung "Tantra Art"
Institut für Auslandsbeziehungen,
Stuttgart   ca. 1973

VARENNE, Jean
N 10 - 13.1 - 2

La Mahā Nārāyaṇa Upaniṣad
tome 1: Texte, traduction, notes
tome 2: Etude, tables, index et appendices
E. Boccard, Paris   1960

ZAEHNER, R.C.
N 10 - 10

Der Hinduismus
Seine Geschichte und seine Lehre
Goldmann, München   1964

N II. Varia

BENZ, Ernst
N 11 - 18 (vide S 1 - 16

Buddhismus in der westlichen Welt
in: Der Kreis, No 144 (1979), Nov./Dez.
pg. 5 ff.
Arya Maitreya Mandala, Bad Homburg   1979

COMPL. AUCT.
N 11 - 5 (vide sub
A 7 - 16)

Karte der Religionen und Missionen der
Erde (Mst. 1:23'000'000)
Herausgegeben vom Evangelischen Missions-
verlag, Stuttgart
Kümmerly & Frey, Bern   1965

COMPL. AUCT.
N 11 - 17 / Sep.

World Faiths
No 106 (1978)
The Inter-Faith Fellowship founded by
Francis Younghusband   1978

COX, Harvey
N 11 - 19

Licht aus Asien
Verheissung und Versuchung östlicher
Religiosität (A.d. Amerik. übers.)
Kreuz-Verlag, Stuttgart   1978

312

DAHM, P. Chrysostomus
N 11 - 12

Athos, Berg der Verklärung
Burda-Verlag, Offenburg   1959

FENZL, Friedrich
N 11 - 10 / Sep.

Die Situation des Buddhismus in der UdSSR
Friedrich Fenzl, Salzburg   1973

GEBSER, Jean
N 11 - 2

Asien lächelt anders
Ein Beitrag zum Verständnis östlicher
Wesensart
Verlag Ullstein, Frankfurt/Berlin   1968

GÖTTINGEN, Seminar für
Indologie und Buddhismus-
kunde
N 11 - 4 / Sep.

Jahresbericht des Seminars für Indologie
und Buddhismuskunde der Universität
Göttingen
Göttingen   1971

GOVINDA, Anagarika
N 11 - 7

Mandala
Meditationsgedichte und Betrachtungen
Origo Verlag, Zürich   1961

idem
N 11 - 22 / Sep.

Warum ich Buddhist bin...
Kasar-Devi-Ashram-Publication,
Dinapani   1979

GRABER, Gustav Hans (Ed.)
N 11 - 13

Pränatale Psychologie
Kindler, München   1974

GRIEDER, Peter
N 11 - 20 / Sep.

Christen im Spiegel buddhistischer Mönche
Interview mit den beiden Lamas Lodroe
Dahortsang und Gönsar Tulku
in: Wendekreis, Nr. 12 (1978), Jg. 83,
pg. 28 f.
Missionsgesellschaft Bethlehem
Immensee   1978

INAYAT KAHN, Hazrat
N 11 - 15

The Sufi Message
Vol. I: The way of illumination. The
inner life. The soul, whence and writer?
The purpose of life
Barrie & Jenkins, London (reprint)   1970

KLAR, H.
N 11 - 3 / Sep.

Beim ältesten historischen Baum der Welt
in: 'Medico Boehringer', No. 4, 1962
Mannheimer Grossdruckerei   1962

LADNER, Max
N 11 - 6

Nietzsche und der Buddhismus
Juchli-Beck, Zürich   1933

LEGGE, James
N 11 - 9 (vide Q 10 - 18)

The travel of Fa-Hien
A record of Buddhist kingdoms
Oriental Publishers, Delhi (reprint) 1972

MASUI, Jacques
N 11 - 16 / Sep.

Sri Aurobindo et l'universalisation
de la pensée indienne
Estratto di: Conferenze, Vol. II
Istituto italiano per il medio ed
estremo Oriente, Roma   1955

PERRY, Whitall N.
N 11 - 1

A Treasury of Traditional Wisdom
Eine philosophische Anthologie aus di-
versen Religionen und Kulturkreisen
George Allen & Unwin Ltd., London   1971

RZEPKOWSKI, Horst
N 11 - 8 / Sep.

Buddhismus in geistiger Auseinander-
setzung mit der modernen Welt
Evang. Zentralstelle für Weltanschaungs-
fragen, Stuttgart   1973

SARKAR, H.
N 11 - 11

Studies in early Buddhist architecture
of India
Munshiram Manoharlal Publ., Delhi   1966

SZCZESNY, Gerhard
N 11 - 21

Ein Buddha für das Abendland
Bericht über das Auftreten und Wirken
des Prinzen Lankavira sowie eine Auf-
zeichnung seiner Gespräche mit dem Ehrw.
Sugata Thera
Rowohlt, Reinbek   1976

THERA, Piyadassi
N 11 - 23

The Virgin's Eye
(Women in Buddhist literature)
Buddhist Public. Society, Colombo   1980

WEBER, Max
N 11 - 14

Gesammelte Aufsätze zur Religionssoziologie
Bd II: Die Wirtschaftsethik der
Weltreligionen
J.C.B. Mohr, Tübingen   1920

P. Bibliothecaria/Editionswesen

P 1. Kataloge tibetologischer Fachbibliotheken

AALTO, Pentti P 1 - 17 (vide S 4 - 9)	A catalogue of the Hedin Collection of mongolian literature in: Contributions to Ethnography, Linguistics and History of Religion, pg. 67 ff. Statens Ethnografiska Museum, Stockholm 1954
ANDERSSON, Jan P 1 - 25	Alphabetical list of books on Tibet in the library of Jan Andersson s.l. January 1980
ANIRUDDHA, Jha (Ed.) P 1 - 22	The Catalogue of the Tibetan Texts in the Bihar Research Society, Patna (Miscellaneous Series, Vol. I) The Bihar Research Society, Kalika Press, Patna o.J.
BAWDEN, C.R. P 1 - 8	A Catalogue of the Mongolian Collection at the Chester Beatty Library, Dublin Hodges, Figgis & Comp. Ltd., Dublin 1969
Choudhary, Gopi Raman P 1 - 10	The Catalogue of the Tibetan Texts in the Bihar Research Society, Patna Vol. I Bihar Research Society, Patna 1965
DAHORTSHANG, C.N.L. P 1 - 24	Tibetan Manuscripts, Blockprints and Modern Editions in the Library of the Tibetan Institute at Rikon/Zurich (Opuscula Tibetana, Fasc. 5) Tibet-Institut, Rikon/Zurich 1974
EIMER, Helmut P 1 - 15 (vide S 2 - 1. 6 - 12)	Tibetica Stockholmiensia (I - VII) Handliste der tibetischen Texte der Sven Hedin-Stiftung und des Ethnographi- schen Museums zu Stockholm in: Zentralasiatische Studien Otto Harrassowitz, Wiesbaden 1972 - 1978 Teil I: Bd 6 (1972), pg. 603 ff. Teil II: Bd 7 (1973), pg. 301 ff. Teil III: Bd 8 (1974), pg. 179 ff. Teil IV: Bd 9 (1975), pg. 37 ff. Teil V: Bd 10 (1976), pg. 625 ff. Teil VI: Bd 11 (1977), pg. 507 ff. Teil VII: Bd 12 (1978), pg. 317 ff.

GADIENT, Fred
P 1 - 13 / Sep.

Katalog der Buddhistischen Bibliothek
Zürich (Vervielfältigung)
Zürich   1970

GARUDA, Librairie
P 1 - 26 / Sep.

Tibet
Catalogue
Librairie Garuda, Aix-en-Provence 1980^2

KOLMAŠ, Josef
P 1 - 4.1 f.

Prague Collection of Tibetan Prints from
Derge
A facsimile reproduction of 5'615 book-
titles printed at the dGon-chen and dPal-
sPungs monasteries of Derge in eastern
Tibet
2 Vols.
Academia, Prague   1971

idem
P 1 - 5

Tibetan Manuscripts and Blockprints in
the Library of the Oriental Institute
Prague
Academia, Prague   1969

idem
P 1 - 16 (vide S 1 - 3)

Prague Collection of Tibetan Prints from
Derge
in: Bulletin of Tibetology, Vol. VIII,
No. 2, pg. 13 ff.
Namgyal Institute of Tibetology,
Gangtok   1971

idem
P 1 - 23

Tibetan Books and Newspapers
(Chinese Collection) with bibliographical
notes
(Asiatische Forschungen, Bd 62)
Otto Harrassowitz, Wiesbaden   1978

KUDRYK, Oleg
P 1 - 20 (vide S 1 - 33)

Tibetan acquisitions at the Library of
Indiana University
in: The Tibet Society Bulletin, Vol. VI
(1973), pg. 33 f., Bloomington   1973

KVAERNE, Per
P 1 - 21 (vide D 5 - 18)

A Norwegian Traveller in Tibet
The Sörensen and the Tibetan Collection
at the Oslo University Library
Manjusri Publishing House, New Delhi 1973

LALOU, Marcelle
P 1 - 6.1 ff.

Inventaire des Manuscrits Tibétains de
Touen-houang conservés à la Bibliothèque
Nationale
Vols. I, II et III
Bibliothèque Nationale, Paris 1939 / 1950
                                                    1961

LINDEGGER-STAUFFER, Peter /
HÜRSCH, Thomas

Katalog der Sekundärliteratur am Tibet-
Institut Rikon/Zürich mit Autorenregister
(Opuscula Tibetana Fasc. 4 und 4a)   1973
aufgearbeitete Neuauflage als Op. Tib.
12, 1981 von Lindegger, P./Küng, R.
Tibet-Institut Rikon/Zürich   1981

MEISEZAHL, R.O.
P 1 - 2
Die tibetischen Handschriften und Drucke
des Linden-Museums in Stuttgart
Sonderdruck aus: 'Tribus', Neue Folge,
Band 7   1957

idem
P 1 - 3
Alttibetische Handschriften der Völker-
kundlichen Sammlung der Stadt Mannheim im
Reiss-Museum
Munksgaard, Kopenhagen   1961

idem
P 1 - 14 / Sep.
Tibetische Prajñāpāramitā-Texte im Bern-
ischen Historischen Museum
Munksgaard, Kopenhagen   1964

idem
P 1 - 19
Die Handschriften in den City of
Liverpool Museums (I)
SA. aus: Zentralasiatische Studien,
Bd 7 (1973)
Otto Harrassowitz, Wiesbaden   1973

NAGY, L.J.
P 1 - 12
Tibetan Books and Manuscripts of
Alexander de Körös in the Library of the
Hungarian Academy of Sciences
in: 'Analecta Orientalia memoriae
Alexandri Csoma de Körös dicata' (Biblio-
theca Orientalis Hungarica), pg. 29 ff.
Budapest   1942

SCHUH, Dieter
P 1 - 1.5
Tibetische Handschriften und Blockdrucke
sowie Tonbandaufnahmen tibetischer Er-
zählungen
Teil 5: beschrieben von D'Sch' (Verzeich-
nis der orientalischen Handschriften in
Deutschland, Bd XI, 5)
Franz Steiner, Wiesbaden   1973

idem
P 1 - 1.6
Tibetische Handschriften und Blockdrucke
Teil 6: Gesammelte Werke des Koṅ-sprul
Blo-gros mtha'-yas, beschrieben von D'Sch'
(Verzeichnis der orientalischen Hand-
schriften in Deutschland, Bd XI, 6)
Franz Steiner, Wiesbaden   1976

SLEPČEVIĆ, Pero
P 1 - 27.
Buddhismus in der deutschen Literatur
Diss. an der philos. Fakultät der
Universität Freiburg/Schweiz
Carl Gerold's Sohn, Wien   1920

SMITH, E. Gene
P 1 - 7.1 f.
Tibetan Catalogue - University of
Washington
2 Vols.
University of Washington, Seattle   1969

SNELLGROVE, David L. P 1 - 8	A Catalogue of the Tibetan Collection at the Chester Beatty Library, Dublin Hodges, Figgis & Comp. Ltd., Dublin 1969
TAUBE von, Manfred P 1 - 1.1 ff.	Tibetische Handschriften und Blockdrucke (enthaltend in den ersten 4 Teilen die Bestände an Tibetica von Altenburg / Berlin / Halle / Dresden und Herrnhut) Vols. XI, 1, 2, 3, 4 des "Verzeichnisses der orientalischen Hanschriften in Deutschland", hg. v. Wolfgang Voigt. Franz Steiner, Wiesbaden 1966 (cf. Rezension v. Kolmaš, J. sub P 3 - 8 / Sep.)
idem P 1 - 28	Die Tibetica der Berliner Turfansammlung (Schriften zur Geschichte und Kultur des Alten Orients, Berliner Turfantexte, X) Akademie-Verlag, Berlin 1980
VALLÉE POUSSIN de la, Louis P 1 - 9	Catalogue of the Tibetan Manuscripts from Tun-Huang in the India Office Library with an appendix on the Chinese Manu- scripts Oxford University Press 1962
WILHELM, Friedrich / PANGLUNG, Jampa Losang P 1 - 1.7	Tibetische Handschriften und Blockdrucke Teil 7: beschrieben von F'W' und J.L. P' (Verzeichnis der orientalischen Hand- schriften in Deutschland, Bd XI, 7) Franz Steiner, Wiesbaden 1979
YAMAGUCHI, Zuiho P 1 - 11	Catalogue of the Toyo Bunko Collection of Tibetan Works on History The Toyo Bunko, Tokyo 1970

P 2. Kataloge zu einzelnen tib. Texten

EIMER, Helmut P 2 - 4	The Tibetan Indexes (dkar chag) to the Collected Works (bka' 'bum) of a kya gsaṅ 'dzin rdo rje (Bibliographia Philologica Buddhica, Series Minor, IV) The Reiyukai Library, Tokyo 1980
FILLIOZAT, Jean P 2 - 3	Catálogue des Manuscrits Sanskrits et Tibétains de la Société Asiatique in: Journal Asiatique, tome CCXXXIII (1941 - 42), pg. 1 ff. Paul Geuthner, Paris 1941 - 1942

LALOU, Marcelle   Répertoire du Tanjur d'après le
P 2 - 2   catalogue de P. Cordier
                      Préface de Paul Pelliot
                      Bibliothèque Nationale, Paris   1933

PELLIOT, Paul   Notes à propos d'un catalogue du Kanjur
P 2 - 1   in: Journal Asiatique, tome IV (1914),
                      pg. 111 ff.
                      Ernest Leroux, Paris   1914

P 3. Rezensionen et sim.

AUCT. INCERT.   Ad H. Biedermann: "Schneemensch und
P 3 - 9 (vide S 1 - 6) Bärenmythik",
                      erschienen in 'Mitteilungen der Anthro-
                      pologischen Gesellschaft in Wien', 95,
                      1965, pg. 101 ff.
                      in: "Anthropos", Vol. 60, pg. 860,
                      Paulusverlag, Freiburg/Schweiz   1965

AUCT. INCERT.   Ad M.C. Goldstein / N. Nornang: "Modern
P 3 - 29 (vide S 1 - 33) spoken Tibetan - Lhasa Dialect"
                      in: The Tibet Society Bulletin, Vol. IV
                      (1971), No 2, pg. 51
                      Bloomington   1971

AUCT. INCERT.   Ad B.C. Olschak: "Mystik und Kunst
P 3 - 30 / Sep.   Alttibets"
                      in: Schweiz. Rotes Kreuz, Nr. 3,
                      Bern   1. 4.1973

AUCT. INCERT.   Ad M. Peissel: "Die Chinesen sind da"
P 3 - 36 / Sep.   in: Neue Zürcher Zeitung
                      Zürich   25.11.1973

AUCT.INCERT.   Ad René de Nebesky-Wojkowitz: "Tibetan
P 3 - 67 (vide K 3 - 14) Religious Dances"
                      in: Asian Music, Vol. X-2, pg. 159 ff.
                      Society for Asian Music, New York   1979
BANCK, Werner   Rezente chinesische Literatur zu Ge-
P 3 - 75 (vide S 2 - 1.14 I) schichte und Kultur zentralasiatischer
                      Völker und ethnischer Minoritäten
                      in: Zentralasiatische Studien, Vol. 14
                      (1980), pg. 217 ff.
                      Otto Harrassowitz, Wiesbaden   1980

BAUMANN, Adolf   Von der Botschaft des alten Tibet
P 3 - 23 / Sep.   Ad B.C. Olschak: "Mystik und Kunst
                      Alttibets"
                      Ad D.K. Lauf: "Das Erbe Tibets"
                      in: Tages-Anzeiger, Zürich   1. 6.1973

BERESFORD, Brian   Ad Nagarjuna / Sakya Pandit: "Elegant
P 3 - 63 / Sep.   Sayings"
                      in: The Tibet Journal, Vol. III (1978),
                      No 2, pg. 62 ff.
                      Library of Tibetan Works and Archives,
                      Dharamsala   1978

BRAUEN, Martin
P 3 - 13 / Sep.

Ad B.C. Olschak: "Mystik und Kunst Alttibets"
in: Zürichsee-Zeitung, Nr. 81, pg. 27
Stäfa   6. 4.1973

idem
P 3 - 14 (vide S 1 - 8)

Ad A.E. Ott-Marti: "Tibeter in der Schweiz"
in: Ethnologische Zeitschrift Zürich,
Heft II, 1972, pg. 224 f.
H. Lang, Bern   1972

CAROE, Olaf
P 3 - 16 (vide S 1 - 32)

Ad R.D. Taring: "Daughter of Tibet"
in: Asian Affairs, Vol. 58 (1971), Part I,
pg. 100 f.
The Royal Central Asian Society,
London   1971

idem
P 3 - 17 (vide S 1 - 32)

Ad J. MacGregor: "Tibet, a chronicle of exploration"
in: Asian Affairs, Vol. 58 (1971), Part II,
pg. 213 f.
The Royal Central Asian Society,
London   1971

idem
P 3 - 25 (vide S 1 - 32)

Ad A.H. Stanton Candlin: "Tibet at Bay"
In: Asian Affairs, Vol. 60 (1973), Part
II, pg. 210 f.
The Royal Central Asian Society,
London   1973

idem
P 3 - 50 (vide S 1 - 32)

Ad Dawa Norbu: "Red Star over Tibet"
in: Asian Affairs, Vol. 62 (1975), Part
II, Pg. 217 f.
The Royal Central Asian Society,
London   1975

DENWOOD, Philip
P 3 - 18 (vide S 1 - 32)

Ad M.C. Goldstein / N.L. Nornang: "Modern spoken Tibetan: Lhasa Dialect"
in: Asian Affairs, Vol. 59 (1972), Part I,
pg. 124 f.
The Royal Central Asian Society,
London   1972

EMBREE, Ainslie T.
P 3 - 19 / Sep.

Ad P. Mehra: "The Younghusband Expedition"
in: Journal of Asian History, Vol. V
(1971), No 1, pg. 61 f.
Otto Harrassowitz, Wiesbaden   1971

FISCHER, Kurt
P 3 - 10 (vide S 1 - 27)

Ad W.Y. Evans-Wentz: "Yoga und Geheimlehren Tibets"
in: 'Buddh. Leben und Denken', Jg. VIII,
No 1 (Apr. / Juni)
Verlag des Buddhistischen Holzhauses,
Berlin   1937

FISCHER, Kurt
P 3 - 11 (vide S 1 - 27)

Ad Alexandra David-Neel: "Arjopa, die
erste Pilgerfahrt einer weissen Frau
nach der verbotenen Stadt des Dalai Lama"
in: 'Buddh. Leben und Denken', Jg. IX,
No. 2 (Juli/ Sept.)
Verlag des Buddhistischen Holzhauses,
Berlin   1938

idem
P 3 - 12 (vide S 1 - 27)

Ad W.Y. Evans-Wentz: "Das tibetanische
Totenbuch"
in: 'Buddh. Leben und Denken', Jg. VIII, 3
Verlag d. Buddh. Holzhauses, Berlin 1937

GOMBRICH, Richard F.
P 3 - 69 (vide S 4 - 27)

The Buddha's Eye, the Evil Eye, and
Dr. Ruelius
in: Bechert, Heinz (Ed.): Buddhism in
Ceylon and studies on religious
syncretism in Buddhist countries,
pg. 335 ff.
Vandenhoeck & Ruprecht, Göttingen   1978

GOVINDA, Lama Anagarika
P 3 - 44 (vide S 4 - 17 /
         Sep.)

Ad Dalai Lama XIV: "The opening of
the Wisdom Eye"
in: The American Theosophist, Vol. LX
(1972), No 5, pg. 95 f.
Wheaton, Ill.   1972

HORSCH, Paul
P 3 - 39 (vide S 1 - 2)

Ad G. Tucci: "Rati-Lila"
in: Asiatische Studien, Vol. XXVII (1973),
No 2, pg. 151 ff.
Bern   1973

idem
P 3 - 40 (vide S 1 - 2)

Ad G. Tucci / W. Heissig: "Die Religionen
Tibets und der Mongolei"
in: Asiatische Studien, Vol. XXVII (1973),
No 2, pg. 156 ff.
Bern   1973

HUMMEL, Siegbert
P 3 - 5 / Sep.

Ad Giuseppe Tucci: "Tibet - Land of
Snows"
in: 'History of Religions', Vol. 10,
No. 2   1970

idem
P 3 - 24 (vide S 1 - 2)

Ad D. Snellgrove / H. Richardson: "A
cultural history of Tibet"
in: Asiatische Studien, Vol. XXVII (1973),
I, pg. 87 f.
Francke, Bern   1973

idem
P 3 - 34 / Sep.

Ad G. Schüttler: "Die letzten tibetischen
Orakelpriester"
in: Tribus, pg. 264 f., Stuttgart   1972

HUMMEL, Siegbert P 3 - 41 (vide S 1 - 2)	Ad R.D. Taring: "Daughter of Tibet" in: Asiatische Studien, Vol. XXVIII (1973), No 2, pg. 167 f. Bern 1973
idem P 3 - 42 (vide S 1 - 2)	Ad J. v. Goidsenhoven: "Art Lamaïque - Art des Dieux" in: Asiatische Studien, Vol. XXVII (1973), No 2, pg. 169 Bern 1973
idem P 3 - 49 (vide E 6 - 12)	Ad H.R.H. Peter: "A study of polyandry" in: Tribus, No 13 (1964), pg. 160 ff. Stuttgart 1964
idem P 3 - 51 (vide S 1 - 8)	Ad Fr.W. Funke: "Religiöses Leben der Sherpa" in: Ethnologische Zeitschrift Zürich, Heft II (1974), pg. 195 ff. H. Lang, Bern 1974
idem P 3 - 52 (vide S 1 - 8)	Ad Giuseppe Tucci: "Tibet" (Archaeologica Mundi) in: Ethnologische Zeitschrift Zürich, Heft II (1974), pg. 197 ff. H. Lang, Bern 1974
idem P 3 - 58 (vide S 1 - 2)	Ad Ph. Denwood: "The Tibetan Carpet" in: Asiatische Studien, Vol. XXXI (1977), II, pg. 153 Peter Lang, Bern 1977
idem P 3 - 59 (vide S 1 - 2)	Ad Heather Karmay: "Early Sino-Tibetan Art" in: Asiatische Studien, Vol. XXXI (1977), II, pg. 162 ff. Peter Lang, Bern 1977
idem P 3 - 60 (vide S 1 - 2)	Ad Michael Hahn: "Lehrbuch der klassischen tibetischen Schriftsprache" in: Asiatische Studien, Vol. XXXI (1977), I, pg. 86 f. Peter Lang, Bern 1977
KALTENBRUNNER, Gerd-Klaus P 3 - 70 / Sep.	Ad Detlef I. Lauf: "Eine Ikonographie des tibetischen Buddhismus" in: Die Welt, Nr. 4, 5. 1.1980, pg. V, Hamburg 1980
KOLMAŠ, Josef P 3 - 1 / Sep.	Ad B.I. Kuznetsov ("In the Margin of B.I. Kuznetsov's Edition of the Clear Mirror of Royal Genealogies") in Archiv Orientální, 35; Praha 1967

KOLMAŠ, Josef
P 3 - 2 / Sep.

Ad Chanakya Sen: "Tibet Disappears"
in: Archiv Orientální, 33; Praha   1965

idem
P 3 - 3 / Sep.

Ad Giuseppe Tucci: "Tibetan Folk Songs
from Gyantse and Western Tibet"
in: Archiv Orientální, 37; Praha   1969

idem
P 3 - 4 / Sep.

Ad Claus Vogel: "Vāgbhaṭa'a Aṣṭāṅ-
gahṛdayasaṃhitā"
in: Archiv Orientální, 34; Praha   1966

idem
P 3 - 8 / Sep.

Ad Manfred von Taube: "Tibetische Handschriften und Blockdrucke"
in: Archiv Orientální, 36; Praha   1968

idem
P 3 - 26 / Sep.

Ad R.E. Emmerick: "Tibetan Texts concer-
ning Khotan"
Ad K. Sagaster: "Subud erike. Ein Rosen-
kranz aus Perlen"
Ad D.L. Snellgrove: "The Nine Ways of Bon"
Ad A. Chattopadhyaya: "Atīśa and Tibet"
in: Archiv Orientalni, No 41 (1973), pg.
90 ff.
Verlag der Tschechoslow. Akad. d. Wiss.
Prag   1973

idem
P 3 - 65 / Sep.

Ad Dieter Schuh: "Tibetische Handschriften
und Blockdrucke. Teil 6: Gesammelte Werke
des Koṅ-sprul Blo-gros mtha'-yas"
Ad Roy Andrew Miller: "Studies in the
grammatical tradition in Tibet"
in: Archiv Orientalni, Vol. 47 (1979),
I, pg. 340 ff.
Academia Praha   1979

KRÜCKEBERG-BRAUN, Helga
P 3 - 7 / Sep.

Ad G. Schüttler: "Die letzten tibetischen
Orakelpriester"
in: 'Kairos', Jg. XIV, No. 4   1972

KVAERNE, Per
P 3 - 55 (vide S 1 - 37)

Ad Rechung Rinpoche: "Tibetan Medicine"
in: Kailash, Vol. III (1975), No 1,
pg. 67 ff.
Kathmandu   1975

LINDEGGER-STAUFFER, Peter
P 3 - 31 / Sep.

Ad D.I. Lauf: "Das Erbe Tibets"
in: Der Landbote, Nr. 180, 7. 8.1972,
Winterthur   1972

idem
P 3 - 53 / Sep.

Ad E. Finckh: "Grundlagen tibetischer
Heilkunde", Bd 1
in: Anthropos, Bd 71 (1976), Heft 3/4,
Paulus Verlag, Freiburg   1976

LINDEGGER, Peter
P 3 - 54 (vide S 1 - 8)

Ad A. Marazzi: "Tibetani in Svizzera"
in: Ethnologische Zeitschrift Zürich,
Heft II (1975), pg. 141 ff.
H. Lang, Bern   1975
(Manuskript in Maschinenschrift vorhanden:
P 3 - 54 / Sep.)

MACDONALD, A.W.
P 3 - 43 (vide S 1 - 37)

Ad G.N. Roerich / L.P. Lhalungpa: "Textbook of colloquial Tibetan
in: Kailash, Vol. I (1973), No 2, pg.
172 ff.
Kathmandu   1973

MALLMANN, Marie-Thérèse de
P 3 - 35 / Sep.

Ad R.O. Meisezahl: "Die Göttin Vajravārāhī"
in: T'oung Pao, Vol. LVI (1969),
livr. 4 - 5,
E.J. Brill, Leiden   1969

MAY, Jacques
P 3 - 47 (vide S 1 - 2)

Ad "Etudes tibétaines dédiées à la mémoire
de Marcelle Lalou"
in: Asiatische Studien, Vol. XXVIII (1974),
No 1, pg. 67
Francke, Bern   1974

idem
P 3 - 62 (vide S 1 - 37 +
          vide S 1 - 2)

Ad Mireille Helffer: "Les chants dans
l'épopée tibétaine de Ge-sar d'après le
Livre de la Course de Cheval. Version
chantée de Blobzan bstan-'jin
in: Kailash, Vol. VI (1978), no 1, pg.
72 ff.
Kathmandu und in: Asiatische Studien,
Vol. XXXIV (1980), I, pg. 78 ff.
Peter Lang, Bern   1978

idem
P 3 - 68 (vide S 1 - 2)

Ad Ariane Macdonald / Yoshiro Imaeda:
"Essais sur l'art du Tibet"
in: Asiatische Studien, Vol. XXXII (1978),
II, pg. 133 ff.
Peter Lang, Bern   1978

MULLIN, Glenn H.
P 3 - 72 (vide S 1 - 42)

Ad Detlef Ingo Lauf: "Secret doctrines
of the Tibetan Books of the Dead"
in: The Tibet Journal, Vol. III (1978),
No 1, pg. 52 ff.
Library of Tibetan Works and Archives
Dharamsala   1978

idem
P 3 - 73 (vide S 1 - 23)

Ad Yeshi Dönden (Ed.): "The Ambrosia Heart
Tantra"
in: Tibetan Review, Vol. XIV (1979),
No 12, pg. 18 f.
New Delhi   1979

NAMGYAL, Jamyang
P 3 - 38 (vide S 1 - 37)

Ad S.C. Das: "An introduction to the
grammar of the Tibetan language"
in: Kailash, Vol. I (1973), No 1,
pg. 105 f.
Kathmandu   1973

idem
P 3 - 37 (vide S 1 - 37)

Ad R.A. Stein: "Vie et Chants de
'Brug-pa Kun-legs le Yogin"
in: Kailash, Vol. I (1973), No 1,
pg. 91 ff.
Kathmandu   1973

NORBOO, Samten
P 3 - 61 / Sep.

Ad L.A. Waddell: "Lhasa and its Mysteries"
in: The Tibet Journal, Vol. II (1977),
No 3, pg. 74 ff.
Library of Tibetan Works and Archives
Dharamsala   1977

POPPE, Nicholas
P 3 - 45 (vide S 1 - 1)

Ad W. Heissig: "Geschichte der Mongolischen Literatur"
in: Central Asiatic Journal, Vol. XVIII
(1974), No 1, pg. 78 ff.
Otto Harrassowitz, Wiesbaden   1974

POTT, P.H.
P 3 - 46 (vide S 1 - 1)

Ad G. Tucci: "Deb T'er dMar Po gSar Ma.
Tibetan chronicles by bSod nams grags pa"
in: Central Asiatic Journal, Vol. XVIII
(1974), No 1, pg. 81
Otto Harrassowitz, Wiesbaden   1974

RAUNIG, Walter
P 3 - 74 / Sep.

Ad Peter Lindegger: "Griechische und
römische Quellen zum peripheren Tibet.
Teil 1: Frühe Zeugnisse bis Herodot"
in: Neue Zürcher Zeitung, Nr. 167,
21. 7.1980, pg. 13
Zürich   1980

REUTIMANN, Hans
P 3 - 33 / Sep.

Ad D.I. Lauf: "Das Erbe Tibets"
in: Zürichsee-Zeitung, Stäfa   28. 7.1972

RONGE, Veronika
P 3 - 56 (vide S 2 - 1.11)

Ad Hanna Rauber-Schweizer: "Der Schmied
und sein Handwerk im traditionellen Tibet"
in: Zentralasiatische Studien, Bd 11
(1977), pg. 581 ff.
Otto Harrassowitz, Wiesbaden   1977

ROOS, Elinor
P 3 - 27 (vide S 1 - 33)

Ad A. Desjardins: "The Message of the
Tibetans"
in: The Tibet Society Bulletin, Vol. IV
(1971), No 2, pg. 36 ff.
Bloomington   1971

SAGASTER, Klaus
P 3 - 6 / Sep.

Ad G. Schüttler: "Die letzten tibetischen
Orakelpriester"
in: 'Anthropos', Vol. 66   1971

SCHUH, Dieter
P 3 - 64 / Sep.

Ad Manfred Abelein: "Shisha Pangma.
Eine deutsche Expedition bezwingt den
letzten Achttausender"
in: Frankfurter Rundschau, 28. 1.81,
Frankfurt a.M.   1981

SINOR, Denis
P 3 - 21 / Sep.

Ad Sagaster, K. (Ed.): "Subud Erike. Ein
Rosenkranz aus Perlen"
in: Journal of Asian History, Vol. V
(1971), No 2, pg. 159 f.
Otto Harrassowitz, Wiesbaden   1971

SNELLGROVE, David L.
P 3 - 15 (vide S 1 - 32)

Ad E. und R.L. Waldschmidt: "Nepal:
Art treasures from the Himalayas"
in: Asian Affairs, Vol. 58 (1971), Part I,
pg. 103 f.
The Royal Central Asian Society,
London   1971

STANGE, C.R.
P 3 - 22 / Sep.

Einführung in Tibets Kultur
Ad B.C. Olschak: "Mystik und Kunst
Alttibets"
Ad D.I. Lauf: "Das Erbe Tibets"
in: Genossenschaft, Basel   31. 5.1973

STEIN, R.A.
P 3 - 66 / Sep.

Ad Paul Demiéville: "Le Concile de Lhasa"
in: Journal Asiatique, Vol. CCXLI (1953),
pg. 277 - 279, Paul Geuthner, Paris   1953

STEWART, John Massey
P 3 - 57 (vide S 1 - 32)

Ad Donald Rayfield: "The Dream of Lhasa.
The life of Nikolay Przhevalsky,
explorer of Central Asia"
in: Asian Affairs, Vol. 63 (1976),
Part III, pg. 341 f.
The Royal Society for Asian Affairs,
London   1976

STOLL, Eva
P 3 - 32 / Sep.

Ad D.I. Lauf: "Das Erbe Tibets"
in: DU, März 1973,
Conzett & Huber, Zürich   1973

TATZ, Mark
P 3 - 71 (vide S 1 - 23)

Ad Brian C. Beresford (Ed.): "Āryaśhūra's
Aspiration" and "A meditation on
compassion by the 14th Dalai Lama"
in: Tibetan Review, Vol. XIV (1979),
No 12, pg. 17 f.
New Delhi   1979

TUCCI, Giuseppe
P 3 - 77 / Sep.

Ad H. Günther: "Buddha in der abendländi-
schen Legende"
in: Rivista Studi Orientali, pg. 610 ff.
Roma·   1921

326

TUYL, Charles D. Van   Ad C.W. Cassinelli / R.B. Ekvall:
P 3 - 20 / Sep.   "A Tibetan principality. The political
                              system of Sa sKya"
                              in: Journal of Asian History, Vol. V
                              (1971), No 1, pg. 65
                              Otto Harrassowitz, Wiesbaden   1971

idem   Ad T.V. Wylie: "The Geography of Tibet
P 3 - 28 (vide S 1 - 33)   according to the 'Dzam gLing-rGyas-bSHad"
                              in: The Tibet Society Bulletin, Vol. IV
                              (1971), No 2, pg. 50
                              Bloomington   1971

WATSON, William   Ad Holmes Welch: "Buddhism under Mao"
P 3 - 48 (vide S 1 - 32)   in: Asian Affairs, Vol. 61 (1974),
                              Part III, pg. 331 ff.
                              The Royal Central Asian Society
                              London   1974

WAYMAN, Alex   Ad Jeffrey Hopkins (Transl./Ed.): "Tantra
P 3 - 76 (vide S 1 - 37   in Tibet. The Great Exposition of Secret
                              Mantra, by Tsong-ka-pa"
                              in: Kailash, Vol. VII (1979), No 3 - 4,
                              pg. 319 ff.
                              Kathmandu   1979

P 4. Editions-Rapporte / textkrit. Monographien / Bibliographien et sim.

ASHRAF, S. (et al.)   India and Tibet: A Select Bibliography
P 4 - 8 (vide S 4 - 7)   in: 'International Studies', Vol. 10,
                              No. 4, pg. 607 ff.

BAHADUR, Uttar (Ed.)   Works on Lahaul and Spiti
P 4 - 23 (vide S 1 - 37)   in: Kailash, Vol. II (1974), No 1,
                              pg. 13 ff.
                              Kathmandu   1974

BEAUTRIX, Pierre   Bibliographie du Bouddhisme
P 4 - 11   Vol. I: Editions de Textes
                              Institut Belge des Hautes Etudes
                              Bouddhiques, Bruxelles   1970

idem   Bibliographie du Bouddhisme Zen
P 4 - 17   Institut Belge des Haute Etudes
                              Bouddhiques, Bruxelles   1969

idem   Bibligraphie de la Littérature
P 4 - 19   Prajñāpāramitā
                              Institut Belge des Hautes Etudes
                              Bouddhiques, Bruxelles   1971

BECHERT, Heinz
P 4 - 15 / Sep.

Singhalesische Handschriften
(Kleiner Auszug aus dem Verzeichnis der
orient. Handschriften in Deutschland)
Franz Steiner, Wiesbaden   1969

BISCHOFF, Friedrich A.
P 4 - 31 (vide S 2 - 1.13)

Le'u Titles and Epitome of "Le Dict de
Padma"
in: Zentralasiatische Studien, Bd 13
(1979), pg. 409 ff.
Otto Harrassowitz, Wiesbaden   1979

BLONDEAU, Anne-Marie
P 4 - 22 / Sep.

Les Etudes Tibétaines
(Extrait du Journal Asiatique)
Société Asiatique, Paris   1973

BOULNOIS, L. /
MILLOT, H.
P 4 - 21 (vide Q 4 -
       48.1 + a)

Bibliographie du Népal
Vol. 1: Sciences Humaines. Références
en langues européennes, - 1967
a: Supplément 1967 - 1973
Centre Nationale de la Recherche
Scientifique, Paris   1969, 1975

BRUXELLES, Institut Belge
des Hautes Etudes
Bouddhiques
P 4 - 16 / Sep.

Bibliographie des Publications de
l'Institut
Bruxelles   1973

CAPPELLER, C.
P 4 - 28

Noch einige Bemerkungen zu Aśvaghoṣa's
Buddhacarita
in: Zeitschrift für Indologie und
Iranistik, Vol. I (1922), pg. 1 ff.
Brockhaus, Leipzig   1922

CHAKRABARTY, P.B.
P 4 - 33 (vide S 1 - 23)

Tantric Buddhist writers of ancient
Bengal and Tibetan religious texts
in: Tibetan Review, Vol. XV (1980),
No 4,
New Delhi   1980

CHAUDHURI, Sibadas
P 4 - 12

Bibliography of Tibetan Studies
Being a record of printed publications
mainly in european languages
The Asiatic Society, Calcutta   1971

COMPL. AUCT.
P 4 - 20

A Bibliography of Nepal
The Scarecrow Press, Metuchen, N.J.   1973

DOBREMEZ, J.F. /
VIGNY, F. /
WILLIAMS, L.H.J.
P 4 - 21 (vide Q 4 - 48.3
         II)

Bibliographie du Népal
Vol. 3: Sciences Naturelles, tome II:
Botanique
Centre National de la Recherche
Scientifique, Paris   1972

EIMER, Helmut P 4 - 30 / Sep.	Einige Hinweise zur Edition tibetischer kanonischer Texte Beobachtungen zur Ueberlieferung in Blockdrucken S.A. aus: Zentralasiatische Studien, Vol. XIV (1980), Heft 1, pg. 195 ff. Otto Harrassowitz, Wiesbaden 1980
idem P 4 - 39 (vide S 4 - 25)	Life and activities of Atiśa (Dīpaṃkaraśrījnāna) A survey of investigations undertáken in: Brauen, Martin / Kvaerne, Per (Ed.): Tibetan Studies, pg. 125 ff. Völkerkundemuseum, Zürich 1978
FRANCKE, A.H. P 4 - 25	Tibetische Handschriftenfunde aus Turfan in: Sitzungsberichte der preussischen Akademie der Wissenschaften; philos.- hist. Klasse, Jg. 1924, pg. 5 ff. Verlag der Akademie der Wissenschaften Berlin 1924
GOMBRICH, Richard F. P 4 - 32 (vide S 4 - 27)	Kosala-Bimba-Vaṇṇanā in: Bechert, Heinz (Ed.): Buddhism in Ceylon and studies on religions syncretism in Buddhist countries, pg. 281 ff. Vandenhoeck & Ruprecht, Göttingen 1978
HAMBURG, Institut für Asienkunde P 4 - 9	Asien und Ozeanien behandelnde Zeit- schriften und ihre Bestände der Bundes- republik Deutschland Hamburg 1970
JOHNSTON, E.H. P 4 - 27	The Text of the Buddhacarita, Cantos IX - XIV, 32 in: The Journal of the Royal Asiatic Society, pg. 537 ff. London 1929
KASCHEWSKY, Rudolf P 4 - 4.1 (vide S 2 - 1.1)	Neuere chinesische Aufsätze zur Zentral- asienkunde (I) in: Zentralasiatische Studien, Vol. I, pg. 149 ff. Otto Harrassowitz, Wiesbaden 1947
idem P 4 - 4.2 (vide S 2 - 1.2)	Neuere chinesische Aufsätze zur Zentral- asienkunde (II) in: Zentralasiatische Studien, Vol. II, pg. 369 ff. Otto Harrassowitz, Wiesbaden 1968
idem P 4 - 5 (vide S 2 - 1.3)	Neuere chinesische Aufsätze zur Zentral- asienkunde (III) (mit einem Glossar chin. linguist. Termini) in: Zentralasiatische Studien, Vol. III pg. 257 ff. Otto Harrassowitz, Wiesbaden 1969

KASCHEWSKY, Rudolf
P 4 - 6 (vide S 2 - 1.4)

Neuere chinesische Aufsätze zur Zentralasienkunde (IV)
in: Zentralasiatische Studien, Vol. IV,
pg. 443 ff.
Otto Harrassowitz, Wiesbaden   1970

KOLMAŠ, Josef
P 4 - 2 / Sep.

On some more recent Tibetanistic Publi-
cations edited in the Chinese People's
Republic
Photokopie nach e. Artikel in: Archiv
Orientální, 29, pg. 476 ff.
Praha   1961

idem
P 4 - 3 / Sep.

Tibetan Literature in China
Photokopie nach einem Artikel in:
Archiv Orientální, 30, pg. 638 ff.
Praha   1962

idem
P 4 - 35 / Sep.

A Tibetan manuscript fragment in the
possession of the State Library in Prague
S.A. aus: Asienwissenschaftliche Beiträge
pg. 75 ff.
Akademie-Verlag, Berlin   1978

LIPTON, Barbara
P 4 - 37 / Sep.

Westerners in Tibet 1327 - 1950:
a selected annotated bibliography
The Newark Museum, Newark   1973

LÖRINCZ, L.
P 4 - 38 (vide S 4 - 30)

Zur Katalogisierung tibetischer Märchen
in: Proceedings of the Csoma de Körös
Memorial Symposium, 24. - 30. 9.1976,
pg. 285 ff.
Akadémiai Kiadó, Budapest   1978

MARTIN, Richard B.
P 4 - 13 (vide S 1 - 33)

Tibetan Bibliography
in: The Tibet Society Bulletin,
Vol. VI (1973), pg. 21 ff.
Bloomington   1973

MEISEZAHL, R.O.
P 4 - 14 / Sep.

Zwei Alttibetische Ratnaguṇasaṃcayagāthā-
Handschriften und andere Prajñāpāramitā-
Texte im Victoria und Albert Museum,
London
aus: Serta Tibeto-Mongolica (Festschrift
für W. Heissig)
Otto Harrassowitz, Wiesbaden   1973

PERRIN, Jean M.
P 4 - 10 (vide S 1 - 3)

Recent Russian Studies on Tibetology
in: Bulletin of Tibetology, Vol. I,
No 2, pg. 17 ff.
Namgyal Institute of Tibetology,
Gangťok   1964

PETER, F.A.
P 4 - 18 (vide A 7 - 30 /
    Sep.)

Bibliography for a map of Gonpas
(i.e. monasteries and shrines in
Ladakh and neighbouring territories)
Männedorf   1974

POPENOE, Cris
P 4 - 42 (vide P 5 - 13)

Buddhism / Tibetan Buddhism / Zen Buddhism
(Bibliography)
in: Inner Development. The Yes! Bookshop
Guide, pg. 147 ff.
Yes! Inc., Washington   1979

ROSSI FILIBECK, Elena de
P 4 - 40 (vide S 4 - 25)

A research report on the editing of two
Tibetan gnas-bśad
in: Brauen, Martin / Kvaerne, Per (Ed.):
Tibetan Studies, pg. 215 ff.
Völkerkundemuseum, Zürich   1978

ROWLAND, Benjamin, jr.
P 4 - 26

The Harvard outline and reading lists
for Oriental Art
Harvard University Press, Cambridge/
Mass.   revised ed. 1958

SCHUBERT, Johannes
P 4 - 1

Publikationen des modernen chinesisch-
tibetischen Schrifttums
Publ. No. 39 des Instituts für Orient-
forschung d. Deutschen Akademie der Wissenschaften zu Berlin
Akademie-Verlag, Berlin   1958

TARTHANG Tulku
P 4 - 36 / Sep.

Kanjur and Tanjur
(Information booklet for the reprint of
the Derge-Edition)
Dharma Publishing, Berkeley   ca. 1980

THOMAS, F.W. /
CLAUSON, G.L.M.
P 4 - 34

A second Chinese Buddhist text in
Tibetan characters
in: Journal of the Royal Asiatic Society,
pg. 281 - 306 and pg. 858 - 860
London   1927

UEBACH, Helga
P 4 - 41 (vide S 4 - 25)

Zur Identifizierung des Nel-pa'i č'os-
'byun
in: Brauen, Martin / Kvaerne, Per (Ed.):
Tibetan Studies, pg. 219 ff.
Völkerkundemuseum, Zürich   1978

WARIKOO, Kulbhushan
P 4 - 24

Jammu, Kashmir and Ladakh - A classified
and comprehensive bibliography
Sterling Publ., New Delhi   1976

WU CHI-YU
P 4 - 7 (vide S 4 - 2)

Quatre manuscrits bouddhiques tibétains
de Touen-houang conservés à la Bibliothèque
Centrale de T'ai-pei
in: Etudes Tibétaines, pg. 567 ff.
Librairie de l'Amérique et d'Asie,
Adrien Maisonneuve, Paris   1971

YUYAMA, Akira (Ed.) P 4 - 29	Prajñā-pāramitā-ratna-guṇa-saṃcaya-gāthā (Sanskrit Recension A) Introduction, bibliographical notes and a Tibetan version from Tunhuang Cambridge University Press, Cambridge 1976

P ʃ. Varia

ARIS, Michael P 5 - 12 (vide S 1 - 53)	Tibetan Studies and Resources in Oxford in: Tibet News Review, Vol. I (1980), No 2, pg. 18 ff. London 1980
BISHOP, E. / WALLAR, J.M. P 5 - 5	International Co-Operation in Orientalist Librarianship National Library of Australia, Canberra 1972
COEDÈS, George P 5 - 9 (vide H 11 - 21)	Catalogue des manuscripts en Pāli, Laotien et Siamois provenant de la Thailande Bibliothèque Royale, Copenhague 1966
COMPL. AUCT. P 5 - 11	Presseberichte div. loc.
DHARAMSALA, Library of Tibetan Works & Archives P 5 - 6 / Sep.	Library of Tibetan Works & Archives (Informationsbroschüre) Dharamsala ca. 1978
HEISSIG, Walther P 5 - 8 (vide Q 7 - 50)	Catalogue of Mongol books, manuscripts, and xylographs The Royal Library, Copenhagen 1971
KASCHEWSKY, Rudolf P 5 - 4 (vide S 2 - 1.4)	Bericht über eine literarische und buddhologische Sammelarbeit in Nepal 1968/69 mit Anhängen über Tibetica in Kathmandu und Gangtok in: Zentralasiatische Studien, Vol. IV, pg. 289 ff. Otto Harrassowitz, Wiesbaden 1970
LUZERN, Schweizer Tibet- hilfe P 5 - 7.1 - 3	Literatur-Anzeiger der Schweizer Tibet- hilfe Luzern No 1, 2, 3) Schweizer Tibethilfe, Luzern ca. 1973 - 75
PETER, Prinz von Griechen- land und Dänemark P 5 - 2 / Sep.	Books from Tibet Third Danish Expedition to Central Asia s.l. o.J.

POPENOE, Cris
P 5 - 13

Inner Development
The Yes! Bookshop Guide
Yes! Inc., Washington   1979

SAGASTER, Klaus
P 5 - 1 / Sep.

Zum Tibetisch-Mongolischen Buch- und
Bibliothekswesen
(Diskussionsmaterial)
Separatdruck aus den UAS, Vol. 23   1963

SCHLINGLOFF, Dieter
P 5 - 10 / Sep.

Indienforschung im deutschen Sprachraum
Institut für Indologie und Iranistik
der Universität München   1977

TSHERING, Gyatsho
P 5 - 3 / Sep.

Tibetan Library & Archives
Council of Cultural and Religious Affairs
of H.H. The Dalai Lama
Dharamsala   ca. 1971

Q. Exterritoria/Periphere Regionen Tibets

Q I. Periphere Regionen Tibets (tib.-chin. Regionen, Seidenstrasse et al.)

ASKLUND, Bror
Q 1 - 35 (vide S 4 - 16)

Zur Geologie von Ost-Pamir
in: Southern Tibet, Vol. IX (1922),
pg. 127 ff., Lithogr. Inst. of the Gen.
Staff of the Swedish Army, Stockholm 1922

AUCT. INCERT.
Q 1 - 30 / Sep.

La mission Pelliot en Asie Centrale
(Annales de la Société de Géographie
Commerciales)
Imprimerie d'Extrême-Orient, Hanoi 1909

AUCT. INCERT.
Q 1 - 77

Die Seidenstrasse
Fortsetzungsserie in 20 Teilen
in: China im Bild, No 6 (1979) -
No 2 (1981), Beijing 1979 - 1981

BABER, Colborne
Q 1 - 70

A journey of exploration in Western
Ssu-ch'uan
with 3 big maps
(Royal Geographical Society Supplemantary
Papers, Vol. I)
London 1886

BACOT, J. /
CHAVANNES, Ed.
Q 1 - 71 (vide D 4 - 116)

Ethnographie des Mo-so, leurs religions,
leur langue et leur écriture. - /
Documents historiques et géographiques
relatifs à Li-kiang
E.J. Brill, Leiden 1913

BEGUIN, Gilles
Q 1 - 51 / Sep.

La Route de la Soie
Les arts de l'Asie centrale ancienne
dans les collections publiques françaises
Réunion des Musées Nationaux, Paris 1976

BERGMAN, Folke
Q 1 - 72

Archaeological Researches in Sinkiang
Especially the Lop-Nor Region
(Reports from the Scientific Exped. to
the North-Western Provinces of China
under the leadership of Sven Hedin)
Bokförlags Aktiebolaget Thule,
Stockholm 1939 (dazugehöriges Karten-
werk: Sign. A 7 - 1)

BOULNOIS, Luce
Q 1 - 4

Die Strassen der Seide
Paul Neff Verlag,
Wien / Berlin / Stuttgart 1964

BULL, Geoffrey T.
Q 1 - 16

When Iron Gates Yield
first published 1955,
fifth paperback edition
Hodder & Stoughton, London   1967

CABLE, Mildred /
FRENCH, Francesca
Q 1 - 28

Through Jade Gate and Central Asia
An account of journeys in Kansu,
Turkestan and the Gobi Desert
Constable, London   1932

COOPER, T.T.
Q 1 - 23

Reise zur Auffindung eines Ueberland-
weges von China nach Indien
Hermann Costenoble, Jena   1877

DESSIRER, Jean
Q 1 - 29

A travers les marches révoltées
(Ouest-chinois - Yun Nan, Se-Tchouen,
Marches thibétaines)
Librairie Plon, Paris   ca. 1923

EBERHARD, Wolfram
Q 1 - 55 (vide S 4 - 28)

Kulturtypen im alten Turkestan
in: Wolfram Eberhard: China und seine
westlichen Nachbarn, pg. 181 ff.
Wiss. Buchgesellschaft, Darmstadt   1978

EKVALL, Robert B.
Q 1 - 63

Cultural relations on the Kansu-Tibetan
border
The University of Chicago Press,
Chicago   reprint 1977
                            1st publ. 1939

EMMERICK, R.E.
Q 1 - 66

A guide to the literature of Khotan
(Studia Philologica Buddhica,
Occ. Paper Series)
The Reiyukai Library, Tokyo   1979

FARRER, Reginald
Q 1 - 65 / Sep.

The Kansu Marches of Tibet
in: The Geographical Journal, Vol. XLIX
(1917), No 2, pg. 106 ff.
London   1917

FILCHNER, Wilhelm
Q 1 - 2

In China - In Asiens Hochsteppen -
Im ewigen Eis
Rückblick auf 25 Jahre der Arbeit und
Forschung
Herder & Co., Freiburg i.Br.   1930

FLEMING, Peter
Q 1 - 44

News from Tartary
A journey from Peking to Kashmir
Jonathan Cape, London   1936

idem
Q 1 - 47 (vide S 4 - 23)

Auf der Seidenstrasse von Peking nach
Indien
in: Atlantis, Jg. VIII (1936),
Heft 2, pg. 73 ff.
Zürich   1936

FORMAN, Werner /
BURLAND, Cottie A.
Q 1 - 45 (vide D 1 - 5)

Marco Polo - Mit den Augen der Entdecker
Schroll, Wien / München 1970

FORREST, George
Q 1 - 67 / Sep.

Journey on Upper Salwin
October - December 1905 (Geographische
und ethnologische Daten über das Volk
der Lissu. Periphere Regionen des ethni-
schen Tibet: China, Provinz Yünnang
und oberes Burma)
in: The Geographical Journal, Vol. XXXII
(Sept. 1908), No 3, pg. 239 ff.
London 1908

GENSCHOW, A.
Q 1 - 22

Unter Chinesen und Tibetanern
C.J.E. Volckmann, Rostock i.M. 1905

GOULLART, Peter
Q 1 - 21

The Monastery of Jade Mountain
John Murray, London 1961

idem
Q 1 - 50

Forgotten Kingdom
Readers Union, London 1957

GROPP, Gerd
Q 1 - 54

Archäologische Funde aus Khotan,
Chinesisch-Ostturkestan
Die Trinkler-Sammlung im Uebersee-
Museum, Bremen
Friedrich Röver, Bremen 1974

GROSVENOR, Gilbert
Q 1 - 62 / Sep.

The National Geographic Society's
Yünnan Province Expedition
in: The National Geographic Magazine,
Vol. XLVII (April 1925), pg. 492 ff.
Washington 1925

GUIBAUT, André
Q 1 - 27

Tibetan Venture
In the country of the Ngolo-Setas
John Murray, London 1947

HACKMANN, H.
Q 1 - 24

Vom Omi bis Bhamo
Wanderungen an den Grenzen von China,
Tibet und Birma
Gebauer-Schwetschke, Verlag
Halle an der Saale 1905

HEDIN, Sven
Q 1 - 32

Der wandernde See (Lop-nor)
F.A. Brockhaus, Leipzig 1938^2

idem
Q 1 - 31

Die Flucht des grossen Pferdes
(Expedition Mongolei-Ostturkestan)
F.A. Brockhaus, Leipzig 1935

idem
Q 1 - 33 (vide S 4 - 14)

History in the Kara-korum mountains
in: Southern Tibet, Vol. VII (1922),
pg. 1 ff., Lithogr. Inst. of the Gen.
Staff of the Swedish Army, Stockholm 1922

HEDIN, Sven Q 1 - 34 (vide S 4 - 14)	Recent exploration in the Kara-korum glaciers in: Southern Tibet, Vol. VII (1922), pg. 427., Lithogr. Inst. of the Gen. Staff of the Swedish Army, Stockholm 1922
idem Q 1 - 36 (vide S 4 - 16)	Journeys in Eastern Pamir in: Southern Tibet, Vol. IX (1922), pg. 1 ff., Lithogr. Inst. of the Gen. Staff of the Swedish Army, Stockholm 1922
idem Q 1 - 41	Auf grosser Fahrt Expedition durch die Wüste Gobi F.A. Brockhaus, Leipzig 1929
HEDIN, Sven / HERRMANN, Albert Q 1 - 37 (vide S 4 - 15)	The Ts'ung-Ling Mountains in: Southern Tibet, Vol. VIII (1922), pg. 1 ff., Lithogr. Inst. of the Gen. Staff of the Swedish Army, Stockholm 1922
HERRMANN, Albert Q 1 - 39 (vide S 4 - 15)	Zwei osttürkische Manuskriptkarten in: Southern Tibet, Vol. VIII (1922), pg. 409 ff., Lithogr. Inst. of the Gen. Staff of the Swedish Army, Stockholm 1922
HERMANNS, Matthias Q 1 - 76 / Sep.	Uiguren und ihre neuentdeckten Nachkommen (Provinz Tsinghai, Nordost-Tibet, Amdo) in: Anthropos, Vol. XXXV - XXXVI (1940 - 1941), pg. 78 ff. Freiburg 1940 - 1941
HESKE, Franz Q 1 - 10	Im heiligen Lande der Gangesquellen J. Naumann, Neudamm 1937
HOOKER, Joseph Dalton Q 1 - 1.1 f.	Himalayan Journals or Notes of a Naturalist in Bengal, the Sikkim and Nepal Himalayas, the Khasia Mountains 2 Vols. John Murray, London 1854
HÜRLIMANN, Martin Q 1 - 7 / Sep.	An der Schwelle von Tibet in: 'Atlantis', Jg. 1932, Heft No. 1, pg. 28 ff. Zürich 1932
IMHOF, Eduard Q 1 - 40 (vide D 4 - 85)	Die Grossen Kalten Berge von Szetschuan Orell Füssli, Zürich 1974
JOHNSTON, R.F. Q 1 - 56 (vide D 4 - 105)	From Peking to Mandalay A journey from North China to Burma through Tibetan Ssuch'uan and Yunnan Ch'eng Wen Publishing, Taipei, repr. 1972 (1st edition: London 1908)

KOLB, Fritz
Q 1 - 12

Einzelgänger im Himalaya
Verlag F. Bruckmann, München   1957

KUZNETSOV, B.I.
Q 1 - 73 (vide S 1 - 42)

Influence of the Pamirs on Tibetan
culture
in: The Tibet Journal, Vol. III (1978),
No 3, pg. 35 ff.
Library of Tibetan Works and Archives
Dharamsala   1978

LATTIMORE, Owen
Q 1 - 49

Pivot of Asia
Sinkiang and the Inner Asian frontiers
of China and Russia
Little, Brown, Boston   1975

idem
Q 1 - 53

The desert road to Turkestan
With new introduction by the autor
AMS PRESS, New York   reprint 1972
(1st edition Boston 1929)

LECOQ, A.v.
Q 1 - 38 (vide S 4 - 16)

Osttürkische Namenliste - mit Erklärungs-
versuch
in: Southern Tibet, Vol. IX (1922),
pg. 89 ff., Lithogr. Inst. of the Gen.
Staff of the Swedish Army, Stockholm 1922

LEIFER, Walter
Q 1 - 3

Himalaya - Mountains of Destiny
A Study in Geopolitics - Meeting place
of Russian, Chinese and Indian Sheres of
Influence
Galley Press Ltd., London   1962

MAILLARD, M.
Q 1 - 46 (vide S 1 - 41)

Essai sur la vie matérielle dans l'oasis
de Tourfan pendant le Haut Moyen Age
in: Arts Asiatiques, tome XXIX (1973)
A. Maisonneuve, Paris   1973

MAILLART, Ella K.
Q 1 - 13

Oasis Interdites
Société de la Feuille d'Avis de Lausanne
et des Imprimeries Réunies S.A.
Lausanne   1971

eadem
Q 1 - 52 (vide D 4 - 100)

Forbidden Journey
From Peking to Kashmir
Henry Colt, New York   1973

MANNERHEIM von, G.
Q 1 - 20 / Sep.

Ritt durch Asien
in: 'Atlantis', 24. Jg., Heft No. 11,
pg. 486 ff.
Zürich   1952

MAUE /
RÖHRBORN
Q 1 - 48 (vide S 1 - 1)

Ein zweisprachiges Fragment auf Turfan
in: Central Asiatic Journal, Vol. XX
(1976), No 3,
Otto Harrassowitz, Wiesbaden   1976

338

OLSCHAK, Blanche Chr. Q 1 - 19 / Sep.	Tibet - Land der Burgen in: 'Atlantis', 33. Jg., No. 9, pg. 495 ff. Zürich Sept. 1961
OSSENDOWSKY, Ferdinand Q 1 - 18	Tiere, Menschen und Götter (Mongolei - Tibet) Frankfurter Societäts-Druckerei GmbH, Frankfurt a.M. 1923
PATTERSON, George N. Q 1 - 14	Tibetan Journey Faber and Faber Ltd., London 1954[2]
PEATTIE, Donald Culross Q 1 - 8 / Sep.	Marco Polo, der grosse Abenteurer in: 'Das Beste aus Reader's Digest' Nov. 1952, pg. 57 ff. Stuttgart 1952
PRATT, A.E. Q 1 - 42	To the snows of Tibet through China Ch'eng Wen Publ., Taipei reprint 1971 (1st edition: 1892 London)
PRŽEVALSKIJ, N.M. Q 1 - 6	Ot Kjachty na istoki želtoj reki. Issledovanie severnoj okrainy tibeta i put' čerez lob-nor po bassejnu Tarima (Von Kjachta zu den Quellen des Gelben Flusses. Erforschung des nördl. Randge- bietes von Tibet und Weg durch (die Wüste) Lob-nor über das Tarim-Becken) Verlag für Geographische Literatur, Moskva 1948
RAHUL, Ram Q 1 - 26	The Himalaya Borderland Vikas Publikations, New Delhi / Bombay / Bangalore 1970
RANKIN, Sir Reginald Q 1 - 11	A Tour in the Himalayas and Beyond John Lane the Bodley Head Ltd., London 1930
ROCK, Joseph F. Q 1 - 58 (vide D 4 - 108)	The glories of the Minya Konka Magnificent snow peaks of the China- Tibetan border are in: The National Geographic Magazine, Vol. LVIII (Oct 1930), No 4, pg. 385 ff. Washington 1930
idem Q 1 - 59	Banishing the devil of disease among the Nashi Weird ceremonies performed by an aboriginal tribe in the heart of Yünnan Province, China in: The National Geographic Magazine, Vol. XLVI (Nov. 1924), pg. 473 ff. Washington 1924

ROCK, Joseph F.
Q 1 - 60 (vide D 4 - 109)
   Seeking the mountains of mystery
An expedition on the China-Tibet frontier
to the unexplored Amnyi Machen Range,
one of whose peaks rivals Everest
in: The National Geographic Magazine,
Vol. LVII (Febr. 1930), No 2, pg. 131 ff.
Washington   1930

idem
Q 1 - 61 (vide D 4 - 110)
   The Land of the Yellow Lama
National Geographic Society explorer
visits the strange kingdom of Muli, beyond
the Likian snow range of Yünnan Province,
China
in: The National Geographic Magazine,
Vol. LXVII (April 1925), No 4, pg. 447 ff.
Washington   1925

idem
Q 1 - 69 (vide D 4 -
      114.1-2)
   The ancient Na-ki Kingdom of Southwest
China (Yünnan)
2 vols (with many maps)
Harvard University Press,
Cambridge, Mass.   1947

ROCKHILL, W. Woodville
Q 1 - 43 (vide D 3 - 32)
   The Land of the Lamas
(Notes of a journey through China,
Mongolia and Tibet)
Ch'eng Wen Publ., Taipei   reprint 1972
(1st edition: New York 1891)

ROSE, Archibald
Q 1 - 74 (vide Q 3 - 150 /
      Sep.)
   Chinese frontiers of India
(Indien-China-Tibet (Kham))
in: The Geographical Journal, Vol. XXXIX
(1912), No 3, pg. 194 ff.
London   1912

ROWLAND, Benjamin Jr.
Q 1 - 25 (vide S 1 - 28)
   Art along the Silk Roads: A Reappraisal
of Central Asian Art
in: 'Harvard Journal of Asiatic Studies',
Vol. XXV, pg. 248 ff.

STEIN, Sir Aurel
Q 1 - 5
   On Ancient Central-Asian Tracks
The archaeological discovery of the
"Silk-Route" linking the Roman Empire
with Cathay
Pantheon Books, New York   1964

idem
Q 1 - 57 (vide B 3 - 24)
   Ancient Khotan
Detailed report of archaeological explo-
rations in Chinese Turkestan
Vol. I: Text; Vol. II: Plates with map
Hacker Art Books, New York   1975

idem
Q 1 - 64 / Sep.
   Central-Asian relics of China's ancient
silk trade
in: T'oung Pao, Vol. XX (1921), pg. 130 ff.
E.J. Brill, Leiden   1921

STEIN, Sir Aurel Q 1 - 68 / Sep.	Dr. Stein's expedition in Central Asia in: The Geographical Journal, Vol. XXXII (Oct. 1908), No 4, pg. 347 ff. London 1908
STÖTZNER, Walther Q 1 - 15	Ins unerforschte Tibet Tagebuch der deutschen Expedition Stötzner 1914 K.F. Köhler Verlag, Leipzig 1924
WADDELL, L.A. Q 1 - 9	Among the Himalayas (Bibliotheca Himalayica) Ratna Pustak Bhandar, Kathmandu, repr.1978
WARD, F. Kingdon Q 1 - 17	The Land of the Blue Poppy Travels of a Naturalist in Eastern Tibet (first publ. in Cambridge at the Universi- ty Press 1913) reprinted by Ch'eng Wen Publishing Company, Taipei 1971
idem Q 1 - 75 / Sep.	Through Western Yünnan (Shan, Moso and Lolo territories from Burma to Tali lake, Yungpeh and Yungning) in: Geographical Journal, Vol. LX (1922) pg. 195 ff. London 1922

Q 2. China

AUCT. INCERT. Q 2 - 78	I Ging: Text und Materialien (A.d. Chines. übers. von Richard Wilhelm) Eugen Diederichs, Düsseldorf 1980
BAUER, Wolfgang Q 2 - 2	Der Chinesische Personenname Die Bildungsgesetze und hauptsächlich- sten Bildungsinhalte von Ming, Tzu und Hsiao-Ming O. Harrassowitz, Wiesbaden 1959
BELL, Charles Q 2 - 36 (vide C 2 - 22 / Sep.)	China and Tibet Royal Central Asian Society, London 1948
BERNHARD, Hans Q 2 - 16	China heute Stocker-Schmid, Dietikon 1973
BORER, Ernst R. Q 2 - 6	China ohne Maske Neptun Verlag, Kreuzlingen/Schweiz 1972

CAPON, Edmund
Q 2 - 56 (vide G 1 - 23)

Art and Archaeology in China
MIT Press, Cambridge 1977

CAREY, Fred. W.
Q 2 - 62 / Sep.

Journeys in the Chinese Shan States
in: The Geographical Journal, Vol. XV
(May 1900), No 5, pg. 486 ff.
London 1900

CHAVANNES, Edouard
Q 2 - 67

Documents historiques et géographiques
relatifs à Li-Kiang
in: T'oung Pao, Vol. XIII (1912),
pg. 565 ff.
E.J. Brill, Leiden 1912

CH'EN, Kenneth K.S.
Q 2 - 30 (vide N 9 - 8)

Buddhism in China
A historical survey
Princeton University Press
Princeton 1964

CHENG TE-K'UN
Q 2 - 20

The prehistory of China
in: T'oung Pao, Vol. LX (1974), No 1 - 3,
pg. 1 ff.
E.J. Brill, Leiden 1974

CHRISTIE, Anthony
Q 2 - 21

Chinesische Mythologie
Emil Vollmer, Wiesbaden 1968

COMPL. AUCT.
Q 2 - 41

China's three thousand years
Macmillan Publishing, New York 1974

COMPL. AUCT.
Q 2 - 44 (vide S 4 - 20)

Oriens Extremus
Versch. Artikel über China
Otto Harrassowitz, Wiesbaden 1972

COMPL. AUCT.
Q 2 - 55

China's struggle with red peril
World Anti-Communist League, Taipei 1978

COMPL. AUCT.
Q 2 - 68

Neue archäologische Funde in China
Entdeckungen während der Kulturrevolution
Verlag für Fremdsprachige Literatur,
Peking 1974

COMPL. AUCT.
Q 2 - 80

China
Mit allen Provinzen, Tibet und der
Inneren Mongolei
Reich-Verlag, Luzern 1980

DAVIDSON-HOUSTON, J.V.
Q 2 - 10

Russia and China
From the Huns to Mao Tse-Tung
Robert Hale Ltd., London 1960

DAVIES, H.R.M.
Q 2 - 7

Yün-nan, the Link between India and the
Yangtze
University Press Cambridge 1909

DEBEAUX, J.-O.   Essai sur la Pharmacie et la Matière
Q 2 - 12 (vide F 6 - 2) médicale des Chinois
                        Baillère et Fils / Callamel, Paris   1865

EBERHARD, Wolfram   Das Toba-Reich Nordchinas
Q 2 - 4   Eine soziologische Studie
                        E.J. Brill, Leiden   1949

idem   Geschichte Chinas
Q 2 - 25   Alfred Kröner, Stuttgart   1971

idem   Kultur und Siedlung der Randvölker Chinas
Q 2 - 57   (Supplément zu Vol. XXXVI (1979) von
                        "T'oung Pao")
                        E.J. Brill, Leiden

EITEL, Ernest J.   Handbook of Chinese Buddhism
Q 2 - 42 (vide N 9 - 10) Sanskrit-Chinese Dictionary of Buddhist
                        terms
                        Philo Press, Amsterdam   1970

FEIFEL, Eugen   Geschichte der chinesischen Literatur
Q 2 - 60   Mit Berücksichtigung ihres geistesge-
                        schichtlichen Hintergrundes dargestellt
                        nach Nagasawa Kikuya: Shina Gakujutsu
                        Bungeishi
                        Wiss. Buchgesellschaft, Darmstadt 1959^2

FERGUSSON, W.N.   The tribes of North-Western Se-chuan
Q 2 - 69 / Sep.   in: The Geographical Journal, Vol. XXXII
                        (Dec. 1908), No 6, pg. 594 ff.
                        London   1908

FILCHNER, Wilhelm   Wissenschaftliche Ergebnisse der Expedi-
Q 2 - 74 (vide D 4 -   tion Filchner nach China und Tibet,
       118.1-10)   1903 - 1905
                        Bd 1 - Bd 10
                        Ernst Siegfried Mittler und Sohn,
                        Berlin   1908 - 1913

FRANKE, Herbert /   Das Chinesische Kaiserreich
TRAUZETTEL, Rolf   Fischer, Frankfurt a.M.   1968
Q 2 - 28

FRANKE, Wolfgang (Ed.) China Handbuch
Q 2 - 24   Bertelsmann Universitätsverlag,
                        Düsseldorf   1974

FUHRMANN, E.   China - Das Land der Mitte
Q 2 - 26   Folkwang, Hagen i.W.   1921

GARNIER, Francis   De Paris au Tibet
Q 2 - 8   Notes de Voyage
                        Librairie Hachette, Paris   1887

GROOT, J.J.M. de
Q 2 - 52 (vide B 3 - 16.1-2)

Chinesische Urkunden zur Geschichte Asiens
Teil 1: Die Hunnen der vorchristlichen Zeit;
Teil 2: Die Westlande Chinas in der vorchristlichen Zeit
Walter de Gruyter, Berlin   1926

GRUPPER, Samuel M.
Q 2 - 65 / Sep.

A handlist of Manchu epigraphical monuments
in: Manchu Studies Newsletter, 1977/1,
pg. 23 ff.

GUPTA, Karunakar
Q 2 - 19

The hidden history of the Sino-Indian frontier
Minerva Associates, Calcutta   1974

HAMBURG, Institut für Asienkunde
Q 2 - 13

Die Verträge der Volksrepublik China mit andern Staaten
Alfred Metzner, Frankfurt a.M.   1957

HAMM, Harry /
SCHULTHESS, Emil
Q 2 - 1

China
Bildband mit Text
Silva-Verlag, Zürich   1969

HEDIN, Sven
Q 2 - 9

Jehol, die Kaiserstadt
F.A. Brockhaus, Leipzig   1940

HENTZE, Carl
Q 2 - 61

Funde in Alt-China
Das Welterleben im ältesten China
Musterschmidt, Göttingen   1967

HO, John
Q 2 - 63

Quellenuntersuchung zur Chinakenntnis bei Leibniz und Wolff
Dissertation der Uni Zürich
Lai Hing, Hong Kong   1962

HOOK, Brian
Q 2 - 45 (vide S 1 - 32)

Historical perspectives on China's new diplomacy
in: Asian Affairs, Vol. V (1974),
part II, Royal Central Asian Society,
London   1974

HUC, E.R.
Q 2 - 22

Das Chinesische Reich
Dyk'sche Buchhandlung, Leipzig   1856

HULSEWÉ, A.F.P.
Q 2 - 79

China in Central Asia
The early stage: 125 B.C. - A.D. 23
An annotated translation of chapters
61 and 96 of the history of the former
Han Dynasty
E.J. Brill, Leiden   1979

HÜRLIMANN, Martin
Q 2 - 51 (vide S 4 - 23)

Chinesische Kunst
Zur internationalen Ausstellung chinesischer Kunst in London
in: Atlantis, Jg VIII (1936), No 2,
pg. 105 ff., Zürich   1936

HÜRSCH, Erhard Q 2 - 31 / Sep.	China - Eine kleine Führung Sauerländer, Aarau	1974
IMFELD, Al Q 2 - 11 / Sep.	China als Entwicklungsmodell Vervielfältigung Informationsdienst Dritte Welt, Bern	1972
idem Q 2 - 17	China als Entwicklungsmodell Imba Verlag, Freiburg	1974
ITEN, Alois Q 2 - 37 (vide C 4 - 35 / Sep.)	Die Volksrepublik China und Tibet in den 50-er Jahren Alois Iten, Wernetshausen	1975
JERNAKOV, V.N. Q 2 - 53 (vide S 2 - 1.10)	The Kanjur Fair in: Zentralasiatische Studien, Bd 10 (1976), pg. 327 ff. Otto Harrassowitz, Wiesbaden	1976
KAN, Lao Q 2 - 15 (vide S 1 - 7)	Les fresques de Tunhuang in: Samadhi, Vol. VII (1973), No 2, Institut Belge des Hautes Etudes Bouddhiques, Bruxelles	1973
KIRCHER, Athanasius Q 2 - 75 (vide D 2 - 16)	China Illustrata In Latin and with English translation (Bibliotheca Himalayica, I/24) Ratna Pustak Bhandar, Kathmandu (1st published 1667) reprint	1979
LAUTERER, Joseph Q 2 - 23	China - Das Reich der Mitte einst und jetzt Otto Spamer, Leipzig	1910
LEGENDRE, A.F. Q 2 - 64 (vide D 4 - 112)	Au Yunnan et dans le Massif du Kin-Ho Plon-Nourrit, Paris	1913
LEIBNIZ, Georg Wilhelm Q 2 - 81	Das Neueste von China (1697) "Novissima Sinica" Hg., übers. und erläutert von Heinz- Günther Nesselrath und Hermann Reinbothe Deutsche China-Gesellschaft, Köln	1980
LONDON, Royal Academy Q 2 - 48	The Genius of China Catalogue of the exhibition of archaeological finds of the People's Republic of China Times Newspaper Ltd., London	1973
LUCHSINGER, Fred Q 2 - 46 / Sep.	China 1976 Reisenotizen Neue Zürcher Zeitung, Zürich	1976

MAILLART, Ella
Q 2 - 34 (vide B 7 - 11 /
     Sep.)

Le Tibet et la Chine
Royal Central Asian Society,
London   1959

MARKS, Thomas A.
Q 2 - 73 (vide S 1 - 42)

Nanchao and Tibet in South-western
China and Central Asia
in: The Tibet Journal, Vol. III (1978),
No 4, pg. 3 ff.
Library of Tibetan Works and Archives,
Dharamsala   1978

MELCHERS, Bernd
Q 2 - 27

China - Der Tempelbau
Die Lochan von Ling-yän-si
Folkwang, Hagen i.W.   1921

MÜLLER-STELLRECHT, Irmtraud
Q 2 - 72 (vide Q 3 - 143)

Hunza und China (1761 - 1891)
130 Jahre einer Beziehung und ihre Bedeutung für die wirtschaftliche und
politische Entwicklung Hunzas im
18. und 19. Jahrhundert
Franz Steiner, Wiesbaden   1978

NAGEL
Q 2 - 18

China
Nagel's Encyclopaedia-Guide
Nagel Publishers, Genf   1974

NICOLAS-VANDIER, Mme
Q 2 - 70 (vide B 3 -
     28.1-2)

Bannières et peintures de Touen-Houang
Conservées au Musée Guimet
1: Catalogue descriptif
2: Planches
(Mission Paul Pelliot, Vol. XIV et XV)
Librairie Adrien-Maisonneuve,
Paris   1974, 1976

d'OLLONE, Vicomte
Q 2 - 3

In Forbidden China
The d'Ollone Mission 1906 - 1909:
China-Tibet-Mongolia
T. Fisher Unwin, London   1912

PERZYŃSKI, Friedrich
Q 2 - 58

Von Chinas Göttern
Reisen in China
Kurt Wolff, München   1920

PIASEK, Martin
Q 2 - 5

Elementargrammatik des Neuchinesischen
(Jy fa giau cai)
VEB Verlag Enzyklopädie, Leipzig 1967

PLAYFAIR, G.M.H.
Q 2 - 59

The cities and towns of China
A geographical dictionary
Ch'eng Wen Publishing Company,
Taipei   1971[2]

REICHELT, Karl Ludvig
Q 2 - 29 (vide N 2 - 41)

Truth and tradition in Chinese Buddhism
The Commercial Press, Shanghai 1927

REUSCH, Jürgen
Q 2 - 33

Die Aussenpolitik der Volksrepublik
China 1949 - 1974
Globus Verlag, Wien   1974

ROSSABI, Morris
Q 2 - 38

China and Inner Asia
From 1368 to the present day
Thames and Hudson, London   1975

SCHAFER, Edward H.
Q 2 - 14

China - Das Reich der Mitte
Rowohlt, Reinbek   1971

SHEN Ping-wen
Q 2 - 54

Chinese communist criminal acts in
persecution of religions
World Anti-Communist League, Taipei   1978

SIN-REN, Chang
Q 2 - 32

Als Chinese nach China
Pendo-Verlag, Zürich   1975

SOOTHILL, W.E.
Q 2 - 47 (vide N 9 - 11)

The three religions of China
Curzon Press, London   1973

STEIN, R.A.
Q 2 - 50.1-5 / Sep.

Etude du monde chinois: institutions
et concepts
(Extrait de l'annuaire du Collège de
France; résumé des cours de 1971 - 1976)

STUTTGART, Institut für
Auslandsbeziehungen
Q 2 - 40

Wirtschaftspartner China
Analysen, Daten, Dokumente, Hintergründe
Stuttgart 1975

SUN Zhijiang /
HE Shiyao
Q 2 - 77 / Sep.

Die Yungang-Grotten bei Datong
in: China im Bild, No 4 (1979), pg. 30 ff.
Beijing   1979

TRINKLER, Emil
Q 2 - 76 / Sep.

Eindrücke aus Chinesisch-Turkistan
Fotos von W. Bosshard
in: Atlantis, Heft 7 (1929), pg. 406 ff.
Zürich   1929

WARD, F. Kingdon
Q 2 - 71 / Sep.

Through the Lutzu country to Menkong
(Kham - China)
in: The Geographical Journal, Vol.
XXXIX (January 1912), No 1, pg. 582 ff.
London   1912

WEGGEL, Oskar
Q 2 - 39 (vide S 1 - 39)

Erneute Indisch-Chinesische Spannungen
in der Himalaya-Region
in: China Aktuell, Jg. 3 (1974), No 11,
pg. 760 ff.
Institut für Asienkunde, Hamburg   1974

WHYTE, Martin King
Q 2 - 43

Small groups and political rituals in
China
University of California Press,
Berkeley/Los Angeles   1974

WILHELM, Richard Q 2 - 49	Geschichte der chinesischen Kultur F. Bruckmann, München	1928

WILTON, E.C.
Q 2 - 66 / Sep.

Yun-nan and the West River of China
in: The Geographical Journal, Vol. XLIX
(June 1917), No 6, pg. 418 ff.
London   1917

WITHAM, P.E.
Q 2 - 35 (vide E 8 - 3 /
    Sep.)

China Tea and the trade routes
Royal Central Asian Society, London   1947

Q 3. Indien (inkl. Himalaya-Regionen, Assam, NEFA, Ladakh, Gilgit etc.)

ABERCROMBIE, Thomas J.
Q 3 - 123 / Sep.

Ladakh, das letzte Paradies
in: Das Beste, No 8, August 1979,
pg. 84 ff.
Zürich   1979

AITCHISON, C.U.
Q 3   35

India - A collection of treaties,
engagements and Sanads relating to India
and neighbouring countries
Vol. XIV: The treaties & C., relating to
Eastern Turkistan, Tibet, Nepal, Bhutan
and Siam
Kraus, Nendeln 1973 reprint   1973
(1st edition: Calcutta 1929)

ARTHAUD, J.M.
Q 3 - 71 / Sep.

Le Ladakh et ses nomades
in: Réalités, No 374, Avril 1977, Paris

ATKINSON, Edwin T.
Q 3 - 160

Kumaon Hills
Its history, geography and anthropology
with reference to Garhwal and Nepal
Cosmo Publications, New Delhi   1980

AUCT. INCERT.
Q 3 - 88 / Sep.

Opposition in Ladakh
in: Indo Asia, No 1 (1976), pg. 24 ff.
Horst Erdmann, Tübingen/Basel   1976

BAILEY, T. Grahame
Q 3 - 70 (vide H 2 - 31)

Linguistic studies from the Himalayas
Asian Publication Services India   1975

BAKSHI, S.R.
Q 3 - 37

British diplomacy and administration in
India, 1807 - 13
Munshiram Manoharlal, New Delhi   1971

BERESFORD, Brian
Q 3 - 65 (vide S 1 - 42)

Hemis Festival in Ladakh
in: The Tibet Journal, Vol. II (1977),
No 2, pg. 57 ff.
Library of Tibetan Works and Archives,
Dharamsala   1977

BERGHAUS, H.
Q 3 - 20 (vide S 4 - 5.4)

Specialkarte vom Himalaya
in: 'Asia' von H. Berghaus, 4. Lieferung,
No. 10

idem
Q 3 - 21 (vide S 4 - 5.2)

Assam mit seinen Nachbarländern
in: 'Asia' von H. Berghaus, 2. Lieferung

BETHLENFALVY, Géza
Q 3 - 147 (vide S 4 - 30)

Alexander Csoma de Körös in Ladakh
in: Proceedings of the Csoma de Körös
Memorial Symposium, 24. - 30. 9.76,
pg. 7 ff.
Akadémiai Kiadó, Budapest   1978

BHARGAVA, G.S.
Q 3 - 125

The battle of NEFA
The undeclared war
Allied Publishers, Bombay   1964

BHAVNANI, Enakshi
Q 3 - 14 / Sep.

A Journey to "Little Tibet"
Separatdruck aus: 'National Geographic
Magazine'   ca. 1950

BIDDULPH, John
Q 3 - 87

Tribes of the Hindoo Koosh
Akad. Druck- und Verlagsanstalt,
Graz   1971
(Neudruck der Ausgabe von 1880)

BIRCHER, Ralph
Q 3 - 59

Hunsa, das Volk, das keine Krankheit
kennt
Hans Huber, Bern/Stuttgart   1952

BISHOP, Isabella L.
Q 3 - 12

Among the Tibetans
The Religious Tract Society,
London   1894

BLANC, Philippe
Q 3 - 94 (vide Q 6 - 35)

Tibet vivant
Bhoutan, Sikkim, Ladakh
Guy le Prat, Paris   1978

BONN, Gisela
Q 3 - 81 / Sep.

Ladakh - geheimnisvolles Land im Himalaya
in: Indo-Asia, Heft 1 (1976), pg. 73 ff.
Horst Erdmann, Tübingen/Basel   1976

BOSSHARD, Walter
Q 3 - 133 / Sep.

Durch Tibet und Turkistan
(Teil Ladakh - Aksai Chin.)
Strecker und Schröder, Stuttgart   1930

BOULNOIS, Helen Mary
Q 2 - 11

Into Little Tibet
Simpkin, Marshall, Hamilton, Kent & Co.,
London   1923

BRAUEN, Martin
Q 3 - 139

Feste in Ladakh
In Zusammenarbeit mit dem Völkerkunde-
museum der Universität Zürich
Akad. Druck- und Verlagsanstalt, Graz 1980

BURGESS, James   The chronology of Indian history
Q 3 - 159   Medieval and modern
                              Cosmo Publications, New Delhi   1972

CHETWODE, Penelope   Kulu - The End of the Habitable World
Q 3 - 4   John Murray, London   1972

CLARK, Graham E.   Who were the Dards?
Q 3 - 83 (vide S 1 - 37)   A review of the ethnographic literature
                              of the North-western Himalaya; in:
                              Kailash, Vol. V (1977), No 4, pg. 323 ff.
                              Kathmandu   1977

CLARK, John   Hunza
Q 3 - 162   Lost Kingdom of the Himalayas
                              Hutchinson, London   1957

COMPL. AUCT.   Ladakh
Q 3 - 72 / Sep.   Sammlung von Zeitungs- und Zeitschriften-
                              artikeln in Ordnern
                              div. loc.   ab 1977 ff.

COMPL. AUCT.   Ladakh - Menschen und Kunst hinter dem
Q 3 - 101 / Sep.   Himalaya
                              in: Du, No 1 (1980), pg. 16 ff.
                              Conzett + Huber, Zürich   1980

CUNNINGHAM, Alexander   Ladak
Q 3 - 46   Physical, statistical and historical,
                              with notices of the surrounding countries
                              Sagar Publications, New Delhi   1970

idem   The ancient geography of India
Q 3 - 122   1: The Buddhist period, incl. the
                              campaigns of Alexander, and the travels
                              of Hwen-Thsang
                              Indological Book House, Varanasi   1979
                              (1st published 1871)   reprint

DAINELLI, Giotto   Buddhists and Glaciers of Western Tibet
Q 3 - 8   (with 32 plates and 1 map)
                              E.P. Dutton & Comp., New York   1934

DALTON, J.T.E.   On the Meris and Abors of Assam
Q 3 - 127 / Sep.   in: Journal of the Asiatic Society of
                              Bengal, Vol. XIV (1845), pg. 426 ff.
                              Calcutta   1845

DANG, K.R.   Scheue Kiangs stürmen durch Klein-Tibet
Q 3 - 153 (vide F 10 - 36 /   in: Das Tier, Jg 17 (1977), No 4, pg. 4 ff.
          Sep.)   Hallwag, Bern   1977

DEGLMANN-SCHWARZ, Rainer   Schlafen im Gras für drei Rupien
Q 3 - 86 / Sep.   Eine Reise in die nordindische Grenzpro-
                              vinz Ladakh
                              in: Welt am Sonntag, 20. 8.1978, Hamburg

DELACAMPAGNE, Christian /   Ladakh
GAILLARDE, Raphaël   Atlantis Verlag, Zürich   1980
Q 3 - 141

DESHPANDE, M.N.   Tabo: The Himalayan Ajanta
Q 3 - 82 (vide S 1 - 3)   in: Bulletin of Tibetology, Vol. X (1973),
                            No 3, Namgyal Institute of Tibetology
                            Gangtok   1973

DHONDUP, K.   Tibet's influence in Ladakh and Bhutan
Q 3 - 64 (vide S 1 - 42)   in: The Tibet Journal, Vol. II (1977),
                            No 2, pg. 69 ff.
                            Library of Tibetan Works and Archives
                            Dharamsala   1977

DOUGLAS, William O.   Beyond the High Himalayas
Q 3 - 76   Victor Gollancz, London   1953

DREW, Frederic   Northern Barrier of India
Q 3 - 43   Jammu and Kashmir territtories
                            Light & Life Publishers, Jammu   1971

DUFF, C. Mabel   The chronology of Indian history
Q 3 - 158   From the earliest times to the beginning
                            of the sixteenth century
                            Cosmo Publications, New Delhi   1972

DUNCAN, Davied W.M.   On the Marriage Customs of the Bangni
Q 3 - 23 (vide S 1 - 3)   in: Bulletin of Tibetology, Vol. VII,
                            No 1, pg. 21 ff.
                            Namgyal Institute of Tibetology
                            Gangtok   1970

DUNCAN, Jane E.   A Summer Ride through Western Tibet
Q 3 - 13   Collins' Clear-Type Press,
                            London   o.J.

DYRENFURTH   Die Dyrenfurthsche Himalaya-Expedition
Q 3 - 15 / Sep.   in: 'Atlantis', Jg. VII, Heft No. 1,
                            pg. 20 ff. (illustr.)
                            Zürich   1935

EDWARDES, Michael   Illustrierte Geschichte Indiens
Q 3 - 55   Droemer/Knaur, München/Zürich   1961

FILLIOZAT, Jean   Inde
Q 3 - 126   Nation et traditions
                            Horizons de France, Paris   1961

FRANCKE, A.H.   Antiquities of Indian Tibet
Q 3 - 34.1-2   Vol. I: Personal narrative
                            Vol. II: The chronicles of Ladakh and
                                     minor chronicles
                            S. Chand, New Delhi   reprint 1972

FRANCKE, A.H.
Q 3 - 95

A history of Ladakh
Sterling Publishers, New Delhi   1977

idem
Q 3 - 119 / Sep.

A Ladakhi Bonpa Hymnal
in: Indian Antiquary, Vol. XXX (1901),
pg. 359 ff.
Bombay/London   1901

idem
Q 3 - 120 / Sep.

The Ladakhi Pre-Buddhist Marriage Ritual
in: Indian Antiquary, Vol. XXX (1901),
pg. 131 ff.
Bombay/London   1901

idem
Q 3 - 136

Ladakhi Songs
(with the aid of S. Ribbach and E. Shawe)
in: The Indian Antiquary, Vol. XXXI
(1902), pg. 87 ff., 304 ff.
Bombay/London   1902

idem
Q 3 - 137 / Sep.

Notes on rock-carvings from lower Ladâkh
in: The Indian Antiquary, Vol. XXI (1902),
pg. 398 ff.
Bombay/London   1902

FÜRER-HAIMENDORF,
Christoph von
Q 3 - 3

Glückliche Barbaren
Bei unbekannten Völkern an der Nordost-
grenze Indiens
F.A. Brockhaus, Wiesbaden   1956

idem
Q 3 - 29 (vide S 1 - 32)

Recent developements in Nagaland and
the North-East Frontier Agency (NEFA)
in: Asian Affairs, Vol. 59 (1972),
part I, pg. 3 ff.
The Royal Central Asian Society
London   1972

FURTWÄNGLER, Franz Josef
Q 3 - 42

Indien
Das Brahmanenland im Frühlicht
Büchergilde Gutenberg, Berlin   1931

GANGULI, Milada
Q 3 - 92

Reise zu den Naga
A.d. Tschechischen übers.
Verlag Leipzig, DDR   1976

GERGAN, J.
Q 3 - 69 (vide J 9 - 14)

A thousand Tibetan proverbs & wise
sayings
Sterling Publ., New Delhi   1976

GERGAN, S.S.
Q 3 - 140 (vide S 1 - 42)

The Lo-sar of Ladakh, Spiti, Lahul,
Khunnu and Western Tibet
in: The Tibet Journal, Vol. III (1978),
No 3, pg. 41 ff.
Library of Tibetan Works and Archives,
Dharamsala   1978

GERNER, Manfred
Q 3 - 61

Himalaya
Reiseführer
Goldstadt-Verlag, Pforzheim   1976

GERNER, Wendelgard und
Manfred
Q 3 - 138 (vide K 6 - 16)

Hemisfest
Tibetische Tschammysterien
Indoculture, Stuttgart   1978

GILL, M.S.
Q 3 - 49

Himalayan Wonderland
Travels in Lahaul-Spiti
Vikas Publishing House, Delhi   1972

GLASENAPP, Helmuth von
Q 3 - 54

Die Literaturen Indiens
Kröner, Stuttgart   1961

GNOLI, Raniero (Ed.)
Q 3 - 146.1-2

The Gilgit Manuscript of the
Saṅghabhedavastu
Being the 17th and last section of the
Vinaya of the Mūlasarvāstivādin
2 parts
(Serie Orientale Roma, XLIX, 1+2)
Istituto Italiano per il Medio ed
Estremo Oriente, Roma   1977/1978

GOETZ, Hermann
Q 3 - 142 (vide Q 8 - 15)

Studies in the history and art of
Kashmir and the Indian Himalaya
Otto Harrassowitz, Wiesbaden   1969

GUPTA, S.P.
Q 3 - 145 (vide B 3 -
        29.1-2)

Archaeology of Soviet Central Asia,
and the Indian Borderlands
Vol. 1: Prehistory
Vol. 2: Protohistory
B.R. Publishing Corporation, Delhi   1979

GUPTA, Karunakar
Q 3 - 161 (vide Q 2 - 19)

The hidden history of the Sino-Indian
frontier
Minerva Associates, Calcutta   1974

HALDIPUR, R.N.
Q 3 - 22 (vide S 1 - 3)

NEFA - An Introduction
in: Bulletin of Tibetology, Vol. III,
No. 2, pg. 72 ff.
Namgyal Institute of Tibetology,
Gangtok   1966

HARCOURT, A.F.P.
Q 3 - 45

The Himalayan districts of Kooloo,
Lahoul and Spiti
Vivek Publishing House, Delhi   1972

HARRER, Heinrich
Q 3 - 60 / Sep.

Ladakh: Vorhof zum Nirwana
in: Geo, No 12 (1976), pg. 6 ff.
Gruner + Jahr, Hamburg   1976

idem
Q 3 - 96

Ladakh
Götter und Menschen hinterm Himalaya
Pinguin/Umschau, Frankfurt a.M.   1978

HARRER, Heinrich
Q 3 - 157 (vide F 10 - 40)

Der Himalaja blüht
Blumen und Menschen in den Ländern
des Himalaja
Pinguin/Umschau, Innsbruck/Frankfurt   1980

HEEBER, A. Reeve /
HEEBER, Kathleen M.
Q 3 - 6

In Himalayan Tibet
Seely Service & Comp. Ltd.
London   1926

HIRSCHBERG, Helga
Q 3 - 97

Ladakh, das andere Tibet
mit Zanskar, Reise- und Kulturführer
Geobuch-Verlag, München   1978

HUBER, Alfred
Q 3 - 135 / Sep.

Dörfer im westlichen Himalaya
in: Atlantis, 9. 9.1955, pg. 497 ff.
Zürich   1955

JACCARD, Pierre /
VITTOZ, Pierre
Q 3 - 91.1

Ladakh
Pour voyageurs, alpinistes et amoureux
de la culture tibétaine (Guide)
Artou, Genève   1976
English edition: Sign. Q 3 - 91.2
Deutsche Ausgabe: Sign. Q 3 - 91.3

JACQUEMONT, Victor
Q 3 - 128.1-2

Letters from India
Describing a journey in the British
Dominions of India, Tibet, Lahore and
Cashmere, 1828 - 31
2 vols.
Oxford University Press, Karachi   1979
                                           reprint
(1st edition 1834)

JETTMAR, Karl
Q 3 - 75 (vide S 2 - 1.11)

Bolor - A contribution to the political
and ethnic geography of North Pakistan
in: Zentralasiatische Studien, Bd 11
(1977), pg. 411 ff.
Otto Harrassowitz, Wiesbaden   1977

idem
Q 3 - 104 (vide S 2 - 1.13)

Forschungsaufgaben in Ladakh:
Die Machnopa
in: Zentralasiatische Studien, Bd 13
(1979), pg. 339 ff.
Otto Harrassowitz, Wiesbaden   1979

idem
Q 3 - 116

Die Religionen des Hindukusch
Mit Beitr. von Schuyler Jones und
Max Klimburg
(Die Religionen der Menschheit, 4 I)
W. Kohlhammer, Stuttgart   1975

idem
Q 3 - 144 (vide E 2 - 34 /
        Sep.)

Tibeter in Pakistan: Die Balti
in: Indo Asia, Jg 20 (1978), No 3,
pg. 246 ff.
Erdmann, Tübingen/Basel   1978

JETTMAR, Gabriele
Q 3 - 124

Die Holztempel des oberen Kulutales
in ihren historischen, religiösen und
kunstgeschichtlichen Zusammenhängen
Franz Steiner, Wiesbaden   1974

JHINGRAN, A.G. (Ed.)
Q 3 - 41 (vide A 3 -
       15.1-2)

Himalayan Geology
2 Vols.
Wadia Institute of Himalayan Geology,
Delhi   1971 - 72

JIVAKA, Lobzang
Q 3 - 16

IMJI GETSUL: An English Buddhist in
a Tibetan Monastery
Routledge and Kegan Paul, London   1962

JOHRI, Sita Ram
Q 3 - 130 (vide E 1 - 22)

Our borderlands
Travels from Leh to Lashio
Himalaya Publications, Lucknow   1964

JONAS, Rudolf
Q 3 - 118

Im Garten der göttlichen Nanda
Bergfahrten im Garhwalhimalaya
L.W. Seidel & Sohn, Wien   1948

JONG, J.W. de
Q 3 - 36 (vide S 1 - 2)

The discovery of India by the Greeks
in: Asiatische Studien, Vol. XXVII (1973),
No 2, pg. 115 ff.
Bern   1973

KANTOWSKY, Detlef
Q 3 - 112

Sarvodaya
The other development
University of Konstanz, Konstanz   1979

idem
Q 3 - 115 / Sep.

Hinduismus und Sozialisation
Ein Versuch zur Sozialpsychologie der
"Zweimalgeborenen"
in: Kantowsky, Detlef: Dorfentwicklung
und Dorfdemokratie in Indien, pg. 125 ff.
Bertelsmann, Bielefeld   1970

KAUFMANN, Hans E. /
SCHNEIDER, Marius
Q 3 - 27

Lieder aus den Naga-Bergen (Assam)
Extrait d'Ethnomusicologie II
(Colloques de Wégimont)
G. Michiels, Liège   1960

KAWAKITA, Jirō (Ed.)
Q 3 - 155

The Hill Magars and their neighbours
Hill peoples surrounding the Ganges
Plain
Tokai University Press   1974

KAZAMI, Takehide
Q 3 - 48 (vide Q 4 - 74)

The Himalayas
A journey to Nepal
Kodansha International Ltd.,
Tokyo/New York   1968

KEILHAUER, Anneliese und   Ladakh und Zanskar
Peter   Lamaistische Klosterkultur im Land
Q 3 - 121   zwischen Tibet und Indien
                            DuMont, Köln   1980

KELLERMANN, Bernhard   Der Weg der Götter
Q 3 - 32   Indien / Klein-Tibet / Siam
                            S. Fischer, Berlin   1929

KHOSLA, G.D.   Himalayan circuit
Q 3 - 31   The story of a journey to the Inner
                            Himalayas
                            Macmillan & Co Ltd., London   1956

KHOSLA, Romi   Les monastères de Ladakh
Q 3 - 57 / Sep.   in: Atlas, No 3, pg. 73 ff.
                            Istituto Geographico de Agostini,
                            Novarra   1973

KNIGHT, E.F.   Where three empires meet
Q 3 - 28   A narrative of recent travel in Kashmir,
                            Western Tibet, Gilgit, and the
                            adjoining countries
                            Longmans, Green, & Co., London   1894

KRAŠA, Miloslav   Looking towards India
Q 3 - 1   A Study in East-West Contact
                            Orbis, Prague   1969

LAL, Chaman   Laugh with Gandhi
Q 3 - 89   A. Trüb, Aarau   o.J.

LASSEN, Christian   Indische Alterthumskunde
Q 3 - 131.1-5   5 Bde
                            H.B. König, Bonn   1847 - 1862

LEIGHEB, Maurizio   Dietro il Sorriso dei Khasi
Q 3 - 5 / Sep.   (La prima documentazione della più
                            antica tribu dell'Assam)
                            in: 'Atlante', No. 55, Juli 1969,
                            pg. 54 ff.
                            Milano   1969

LINDEGGER, Peter   Klöster und klösterliches Leben
Q 3 - 102 (vide Q 3 - 101 / in: Du, No 1 (1980), pg. 45,
          Sep.)   Conzett + Huber, Zürich   1980

LINDEGGER, Peter   Die goldgrabenden "Ameisen" im Ladakh
Q 3 - 103 (vide Q 3 -   in: Du, No 1 (1980), pg. 28 f.
          101 / Sep.)   Conzett + Huber, Zürich   1980

LOHIA, Rammanohar   India, China and Northern Frontiers
Q 3 - 129   Navahind, Hyderabad   1963

LORENZO, Giuseppe de   The Himalaya in Art and Science
Q 3 - 38 / Sep.   in: East and West, Vol. VIII (1957),
                            No 2, pg. 136 ff.
                            Istituto Italiano per il Medio ed
                            Estremo Oriente, Roma   1957

356

LOUIS, J.A.H.
Q 3 - 44

The gates of Thibet
Vivek Publishing House, Delhi   1972

MACINTYRE, Donald
Q 3 - 17

Hindu-Koh
Wanderings and Wild Sport on and beyond
the Himalayas
William Blackwood and Sons
Edinburgh/London   1891

MARKS, Thomas A.
Q 3 - 66 (vide S 1 - 42)

History and Religion in the Ladakhi
Kingdom
in: The Tibet Journal, Vol. II (1977),
No 2, pg. 38 ff.
Library of Tibetan Works and Archives,
Dharamsala   1977

MOULES, Leonard
Q 3 - 77

Three miles high - Northward to Tibet
Christian Literature Crusade, London 1951

MÜLLER-STELLRECHT,
Irmtraud
Q 3 - 143

Hunza und China (1761 - 1891)
130 Jahre einer Beziehung und ihre Bedeutung für die wirtschaftliche und
politische Entwicklung Hunzas im 18. und
19. Jahrhundert
Franz Steiner, Wiesbaden   1978

NICOLSON, Nigel
Q 3 - 52

Der Himalaya
Time-Life International
(Amsterdam)   1975

PANT, Sushila
Q 3 - 78

Stupa Architecture in India
The origin and development
Bharata Manisha, Varanasi   1976

PARDINI, Edoardo
Q 3 - 107 (vide S 4 - 29)

The human remains from Aligrāma
settlement (Swāt, Pakistan)
in: East and West, Vol. XXVII (1977),
No 1 - 4, pg. 207 ff.
Istituto Italiano per il Medio ed Estremo
Oriente, Roma   1977

PEISSEL, Michel
Q 3 - 51

Le grand passage de l'Himalaya
Editions Robert Laffont, Paris   1974

PETECH, Luciano
Q 3 - 110

The Kingdom of Ladakh
c. 950 - 1842 A.D.
(Serie Orientale Roma, LI)
Istituto Italiano per il Medio ed Estremo
Oriente, Roma   1977

idem
Q 3 - 132

A study on the chronicles of Ladakh
Thesis
Abetina (Sondrio), 1937
in: The Indian Historical Quarterly
(Supplement), Vol. XV (1939)
Calcutta   1939

PETECH, Luciano
Q 3 - 134 / Sep.

Notes on Ladakhi History
in: The Indian Historical Quarterly,
Vol. XXIV (1948), pg. 213 ff.
Calcutta   1948

PETER, F.A.
Q 3 - 67 (vide S 1 - 42)

Glossary of place names in Western Tibet
in: The Tibet Journal, Vol. II (1977),
No 2, pg. 5 ff.
Library of Tibetan Works and Archives,
Dharamsala   1977
(auch in: Ethnologische Zeitschrift,
1975, II, pg. 5 ff., Zürich (sub S 1 - 8))

PETER OF GREECE AND
DENMARK
Q 3 - 39 / Sep.

The P'a-spun of Leh Tehsil in Ladak,
Eastern Kashmir
in: East and West, Vol. VII (1956), No 2,
pg. 138 ff.
Istituto Italiano per il Medio ed Estremo
Oriente, Roma   1956

PISANI, Vittore /
MISHRA, L.P.
Q 3 - 40

Le letterature dell'India
con un profilo della letteratura del
Tibet, die G. Tucci
Sansoni-Accademia, Firenze/Milano   1970

PRAKASH, Buddha
Q 3   24 (vide S 1 - 3)

Gilgit in Ancient Times
in: Bulletin of Tibetology, Vol. VII,
No. 3, pg. 15 ff.
Namgyal Institute of Tibetology
Gangtok   1970

RANDHAWA, M.S.
Q 3 - 79

Travels in the Western Himalayas in
search of paintings
Thomson Press India, Delhi   1974

RATHJENS, C. / TROLL, C. /
UHLIG, H. (Ed.)
Q 3 - 33

Vergleichende Kulturgeographie der
Hochgebirge
(Erdwissenschaftliche Forschung, 5)
Franz Steiner, Wiesbaden   1973

REIST, Werner
Q 3 - 90

Anarkali
Wege in Indien
Rascher, Zürich   1941

ROSE, Archibald
Q 3 - 150 / Sep.

Chinese Frontiers of India
(Indien-China-Tibet (Kham))
in: The Geographical Journal, Vol.
XXXIX (1912), No 3 / March, pg. 194 ff.
London   1912

ROTHERMUND, Dietmar
Q 3 - 154

Grundzüge der indischen Geschichte
Wiss. Buchgesellschaft, Darmstadt   1976

ROULIN, Michel
Q 3 - 93

Lahaul Spiti
Für Reisende, Alpinisten und Liebhaber
der tibetischen Kultur (Reiseführer)
Artou, Genf   1977

RUSTOMJI, Nari
Q 3 - 18

Enchanted Frontiers
Sikkim, Bhutan and India's North-Eastern
Borderlands
Oxford University Press, London   1971

RÜTTING, Hans
Q 3 - 56

Indien er anderledes
Carit Andersens Forlag o.O.   1972

SAVOIA-AOSTA, Aimone von
Q 3 - 100 / Sep.

Die italienische Karakorum-Expedition
in: Atlantis, Heft 12 (1930), pg. 725 ff.
Zürich   1930

SCHÄTZ, Jos. Jul.
Q 3 - 114 (vide D 4 - 107)

Heiliger Himalaya
Menschen und Berge; Götter, Geister und
Dämonen
F. Bruckmann, München   1952

SCHETTLER, Margret /
SCHETTLER, Rolf
Q 3 - 74

Kaschmir und Ladakh
Reiseführer
Globetrotter Verlag, Hattorf a.H.   1977

SENFT, Willi /
KATSCHNER, Bert
Q 3 - 98 (vide Q 6 - 37)

Bhutan - Ladakh - Sikkim
Bergwandern im tibetischen Kulturkreis
Stocker, Graz / Stuttgart   1979

SEVERN, Forepoint
Q 3 - 10

The Blind Road
(Assam)
William Blackwood and Sons,
Edinburgh / London   1938

SHAH, Umakant P.
Q 3 - 109 (vide S 4 - 29)

A rare relief sculpture from North
Gujarat
in: East and West, Vol. XXVII (1977),
No 1 - 4, pg. 285 ff.
Istituto Italiano per il Medio ed Estremo
Oriente, Roma   1977

SHAW, Robert
Q 3 - 7

Reise nach der Hohen Tatarei, Yarkand
und Kashghar und Rückreise über den
Karakoram-Pass
Herman Costenoble, Jena   1876

SHERRING, Charles A.
Q 3 - 53

Western Tibet and the Indian Borderland
Cosmo Publications, Delhi   1974

SHOR, Jean Bowie
Q 3 - 163 / Sep.

Hunzaland: Reich der Genügsamen
in: Das Beste aus Reader's Digest,
Mai 1956, pg. 117 ff.
Stuttgart   1956

SHUTTLEWORTH, H. Lee   Border countries of the Punjab Himalaya
Q 3 - 149 / Sep.   (Indien, West-Tibet, Spiti + Lahul)
in: The Geographical Journal, Vol. LX
(1922), No 4 / Oct., pg. 241 ff.
London   1922

SIEBECK, Fred. C.   Gebetsmühle und Radarschirm: Ladakh
Q 3 - 58 / Sep.   in: Westermanns Monatshefte, Januar 1976,
Braunschweiz   1976

SINHA, Nirmal Chandra   Gilgit (and Swat)
Q 3 - 25 (vide S 1 - 3)   in: Bulletin of Tibetology, Vol. VIII,
No. 1, pg. 47 ff.
Namgyal Institute of Tibetology,
Gangtok   1971

SLEEN, W.G.N. van der   Vier Maanden Kampeeren in den Himalaya
Q 3 - 19   Nijgh & Van Ditmar's Uitgevers
Rotterdam   1927

SNELLGROVE, David L. /   The Cultural Heritage of Ladakh
SKORUPSKI, Tadeusz   2 Vols.
Q 3 - 68.1-2   Aris & Phillips, Warminster   1977 / 1980

SNOY, Peter   Bagrot
Q 3 - 117   Eine dardische Talschaft im Karakorum
Akad. Druck- u. Verlagsanstalt, Graz   1975

STACUL, Giorgio   Dwelling- and storage-pits at Loebanr III
Q 3 - 108 (vide S 4 - 29)   (Swāt, Pakistan)
in: East and West, Vol. XXVII (1977),
No 1 - 4, pg. 227 ff.
Istituto Italiano per il Medio ed Estremo
Oriente, Roma   1977

STACUL, Giorgio /   Report on the excavations at Aligrāma
TUSA, Sebastiano   (Swāt, Pakistan) 1974
Q 3 - 106 (vide S 4 - 29)   in: East and West, Vol. XXVII (1977),
No 1 - 4, pg. 151 ff.
Istituto Italiano per il Medio ed Estremo
Oriente, Roma   1977

STEIN, Aurel   On Alexander's Track to the Indus
Q 3 - 111   Personal narrative of explorations on
the north-west frontier of India
Benjamin Blom, New York 1972^2

SUMI, Tokan D. / OKI,   Ladakh: The Moonland
Masato / HASSNAIN, Frida M.   Light & Life Publishers
Q 3 - 62   New Delhi   1975

TAYLOR, Bayard   Travels in Cashmere, little Thibet and
Q 3 - 63 (vide Q 10 - 22)   Central Asia
Scribner's Sons, New York   1892

360

TERRA, Helmut de   Durch Urwelten am Indus
Q 3 - 73   Erlebnisse und Forschungen in Ladakh,
                          Kaschmir und im Pandschab
                          Brockhaus, Leipzig   1940

THOMSON, Thomas   Western Himalayas and Tibet
Q 3 - 113 (vide D 3 - 37) A narrative on Ladakh and mountains of
                          Northern India
                          Cosmo Publications, New Delhi,reprint 1978
                          (1st edition: 1852)

TICHY, Herbert   Himalaya
Q 3 - 30   Robert Hale, London   1971

TROTTER, H.   Account of the Pundit's journey in Great
Q 3 - 148 (vide D 3 - 47 / Tibet from Leh in Ladákh to Lhása, and
       Sep.)   of his return to India via Assam
                          in: Journal of the Royal Geographical
                          Society, Vol. XLVII (1877), pg. 86 ff.
                          London   1877

TUCCI, Giuseppe   La Via della Swat
Q 3 - 84   Una civiltà di grandi confluenze, un
                          arte dal fascino segreto nel cuore dell'
                          Asia
                          Newton Compton editori, Roma   1978

idem   On Swāt
Q 3 - 105 (vide S 4 - 29) The Dards and connected problems
                          in: East and West, Vol. XXVII (1977),
                          No 1 - 4, pg. 9 ff.
                          Istituto Italiano per il Medio ed Estremo
                          Oriente, Roma   1977

idem   Poeti ed asceti dell'India medievale
Q 3 - 151 / Sep.   in: Asiatica, Vol. IV (1938), pg. 89 ff.
                          Roma   1938

idem   Leopardi e l'India
Q 3 - 152 / Sep.   in: Asiatica, Anno IX (1943), No 3,
                          pg. 161 ff.
                          Roma   1943

UJFALVY, Karl Eugen von   Aus dem Westlichen Himalaja
Q 3 - 9   (Pamir, Afghanistan etc.)
                          Erlebnisse und Forschungen
                          F.A. Brockhaus, Leipzig   1884

VAIDYA, K.L.   Cultural heritage of the Himalayas
Q 3 - 50 (vide E 1 - 27) National Publishing House, New Delhi 1977

WALKER, Anthony R.
Q 3 - 156 (vide S 1 - 2)

Lahu Nyi (Red Lahu) rites to propitiate
the hill spirit
Ethnographic notes and Lahu texts
in: Asiatische Studien, Vol. XXXI (1977),
I, pg. 55 ff.
Peter Lang, Bern   1977

WARIKOO, Kulbhushan
Q 3 - 80 (vide P 4 - 24)

Jammu, Kashmir and Ladakh - A classified
and comprehensive bibliography
Sterling Publ., New Delhi   1976

WEGGEL, Oskar
Q 3 - 47 (vide S 1 - 39)

Erneute Indisch-Chinesische Spannungen
in der Himalaya-Region
in: China aktuell, Jg 3 (1974), No 11,
pg. 760 ff.
Institut für Asienkunde, Hamburg   1974

WIELE, Hermann
Q 3 - 99

Für Hagenbeck im Himalaya und den Ur-
wäldern Indiens
30 Jahre Forscher und Jäger
Verlag Deutsche Buchwerkstätten,
Dresden   1925

WOODCOCK, George
Q 3 - 2

Faces of India
Faber and Faber Ltd., London   1964

YOUNGHUSBAND, Sir Francis
Q 3 - 26 (vide C 2 - 9)

India and Tibet - A History of the Relations which have subsisted between the
two countries etc.
Oriental Publishers, New Delhi
                                 reprint   1971

Q 4. Nepal (inkl. Mustang; Sherpas)

AGANINA, L. /
SRESTOK, K.
Q 4 - 38

Zivoj v carstve mertvych / Skazki
narodov Nepala
("Lebend im Reiche der Toten" -
Nepalesische Volksmärchen)
Chudozestvennaja Literatura, Moskva   1971

ATKINSON, Edwin T.
Q 4 - 97 (vide Q 3 - 160)

Kumaon Hills
Its history, geography and anthropology
with reference to Garhwal and Nepal
Cosmo Publications, New Delhi   1980

BEHR, H.-G.
Q 4 - 77

Nepal - Geschenk der Götter
Begegnungen in und mit dem erstaun-
lichsten Land der Welt
Econ Verlag, Wien/Düsseldorf   1976

BERGLIE, Per-Arne
Q 4 - 79 (vide S 1 - 37)

Preliminary remarks on some Tibetan
"Spirit - Mediums" in Nepal
in: Kailash, Vol. IV (1976), No 1,
pg. 85 ff.
Kathmandu   1976

BISTA, K.B.
Q 4 - 78

Le culte du Kuldevata au Népal en
particulier chez certains Ksatri de
la vallée de Kathmandu
Editions Nove, Paris   1972

BOECK, Kurt
Q 4 - 2

Durch Indien ins verschlossene Land Nepal
Ethnographische und photographische
Studienblätter
Ferd. Hirt & Sohn, Leipzig   1903

BOON, Jan
Q 4 - 36

Nepal und Sikkim
Mai's Weltführer No. 18
Verlag "Volk und Heimat"
Buchenhain vor München   1972

BOULNOIS, L. /
MILLOT, H.
Q 4 - 48.1 + a

Bibliographie du Népal
Vol. 1: Sciences Humaines. Réferences
en langues européennes, - 1967
a: Supplément 1967 - 1973
Centre National de la Recherche
Scientifique, Paris   1969 / 1975

BOULNOIS, L.
Q 4 - 48.3 I

Bibliographie du Népal
Vol. 3: Sciences Naturelles
tome I: Cartes du Népal dans les
bibliothèques de Paris et de Londres

CAPLAN, Lionel
Q 4 - 6

Land and Social Change in East Nepal
A Study of Hindu-Tribal Relations
Routledge & Kegan Paul, London   1970

COMPL. AUCT.
Q 4 - 23 / Sep.

Nepal
Sonderheft der 'Schweizerischen
Lehrerzeitung', Heft 42, 22. Okt.   1965

COMPL. AUCT.
Q 4 - 66 / Sep.

Nepal: Ewiger Pufferstaat
in: Wendekreis, No 6 (1974), pg. 6 ff.
Missionsgesellschaft Bethlehem
Immensee   1974

COMPL. AUCT.
Q 4 - 70 (vide P 4 - 20)

A bibliography of Nepal
The Scarecrow Press, Metuchen, N.J.   1973

DOBREMEZ, Jean-François
Q 4 - 73

Le Népal
Ecologie et Biogéographie
(Cahiers Népalais)
Editions du Centre National de la
Recherche Scientifique, Paris   1976

DOBREMEZ, J.F. /
JEST, C.
Q 4 - 86

Manaslu
Hommes et milieux des vallées du Népal
Central
(Cahiers Népalais)
Editions du Centre National de la
Recherche Scientifique, Paris   1976

DOBREMEZ, J.F. /
VIGNY, F. /
WILLIAMS, L.H.J.
Q 4 - 48.3 I + II

tome II: Botanique
Centra National de la Recherche
Scientifique, Paris   1972 - 1973

DOIG, Desmond
Q 4 - 27

Sherpaland, My Shangri-La
in: 'National Geographic Magazine',
Vol. 130, No. 4
National Geographical Society,
Washington   1966

DONNER, Wolf
Q 4 - 65

Nepal
Raum, Mensch und Wirtschaft
Otto Harrassowitz, Wiesbaden   1972

DUTT, N.
Q 4 - 39 (vide S 1 - 3)

Buddhism in Nepal
in: Bulletin of Tibetology, Vol. III,
No 2, pg. 27 ff.
Namgyal Institute of Tibetology,
Gangtok   1966

ESKELUND, Karl
Q 4 - 34

Zeitenwende in Nepal
Ein Reisebericht
Wilh. Goldmann, München   o.J.

FUNKE, Friedrich W
Q 4 - 33

Religiöses Leben der Sherpa
(Khumbu Himal, 9. Vol.)
Universitätsverlag Wagner,
Innsbruck / München   1969

idem
Q 4 - 89

Die Sherpa
und ihre Nachbarvölker im Himalaya
Hg. u. eingel. von Wilhelm Ziehr
Wolfgang Krüger, Frankfurt a.M.   1978

FÜRER-HAIMENDORF von, Chr.
Q 4 - 44

The Sherpas of Nepal
John Murray, London   1964
Reprint   1972

idem
Q 4 - 69

Himalayan Traders
Life in Highland Nepal
John Murray, London   1975

idem
Q 4 - 80 (vide S 1 - 37)

A nunnery in Nepal
in: Kailash, Vol. IV (1976), No 2,
pg. 121 ff.
Kathmandu   1976

364

FÜRER-HAIMENDORF von, Chr.   Contributions to the anthropology of Nepal
(Ed.)   Proceedings of a Symposium held at the
Q 4 - 90   School of Oriental and African Studies,
                                 University of London, June/July 1973
                                 Aris & Phillips, Warminster   1974

GANSKE, Nikolaus   Münzen in Nepal
Q 4 - 59 / Sep.   Deutsch-Nepalische Gesellschaft
                                 Köln   1971

GHOSE, J. Chandra   Nepal - Her Art and Architecture
Q 4 - 42 (vide S 1 - 26)   in: 'The Maha Bodhi', Vol. 60, No. 2,
                                 pg. 74 ff. (Febr.)
                                 The Maha Bodhi Society, Calcutta   1952

GRUBER, Ulrich   Pagoden, Yaks und Lamaklöster
Q 4 - 14   Wanderungen in Nepal
                                 Universitas Verlag, Bern   1970

idem   Siedlungsgeographie der Bergstämme
Q 4 - 29 / Sep.   Ostnepals
                                 in: 'Atlantis', 35. Jg., No. 12 (Dez.),
                                 pg. 788 ff.
                                 Artemis-Verlag, Zürich   1963

HAGEN, Toni   Nepal, Königreich am Himalaya
Q 4 - 67   Kümmerly & Frey, Bern   1960

HAMBURG, Institut für   Nepal
Asienkunde   Nr. 4 der Auslands-Anschriften
Q 4 - 60 / Sep.   (Reihe Asien und Ozeanien)
                                 Hamburg   1972

idem   Nepal - Chinas neuer Kummer in Südasien
Q 4 - 72 (vide S 1 - 39)   in: China aktuell, Jg 1 (1972), No 5,
                                 pg. 23
                                 Hamburg   1972

HARDIE, Norman   Im höchsten Nepal
Q 4 - 10   Leben mit den Sherpas
                                 Nymphenburger Verlagsbuchhandlung,
                                 Nymphenburg   1959

HARRER, Heinrich   Die Götter sollen siegen!
Q 4 - 8   Ullstein Verlag GmbH.
                                 Frankfurt am Main   1968

HELPS, Francis   Himalayan Folk
Q 4 - 28 / Sep.   Drawings and Paintings
                                 in: 'Asia Magazine', Vol. XXVI, No. 6
                                 New York   1926

HILLARY, Sir Edmund   Schoolhouse in the Clouds
Q 4 - 31   Hodder & Stoughton, London   1964

HODGSON, B.H.
Q 4 - 37 (vide S 4 - 4)

Essays on Nepal and Tibet
Philo Press, Amsterdam (Repr.)   1972

HÖFER, András /
SHRESTHA, Bishnu P.
Q 4 - 51 (vide S 1 - 1)

Ghost exorcism among the Brahmans
of Central Nepal
in: Central Asiatic Journal, Vol. XVII
(1973), No 1, pg. 51 ff.
Otto Harrassowitz, Wiesbaden   1973

HÖGGER, Rudolf
Q 4 - 81 / Sep.

Die Schweiz in Nepal
Haupt, Bern   1975

HÜRLIMANN, Martin
Q 4 - 21 / Sep.

Nepal, das verschlossene Himalaya-
Königreich
mit 12 photographischen Aufnahmen
in: 'Atlantis', 23. Jg., No. 1, pg. 1 ff.
Atlantis-Verlag, Zürich   1951

JEEVES, Stanley
Q 4 - 9

Land of the Sherpa
University of London Press   1962

JERSTAD, Luther G.
Q 4 - 47 (vide K 6 - 4)

Mani-Rimdu
Sherpa Dance-Drama
University of Washington Press,
Seattle / London   1969

JEST, Corneille
Q 4 - 12

Mission au Népal (Dolpo)
in: Objets et Mondes du Musée de
l'Homme, Tome II, Fasc. 2 (Juin), pg. 107
Paris   1962

eadem
Q 4 - 71

Tarap, une vallée dans l'Himalaya
Editions du Seuil, Paris   1974

eadem
Q 4 - 87

Dolpo
Communautés de langue tibétaine du Népal
Editions du Centre National de la
Recherche Scientifique, Paris   1975

eadem
Q 4 - 88 / Sep.

Die heiligen Stätten von Ober-Nepal
in: Unesco-Kurier, Jg 20 (1979), No 12,
pg. 9 ff.
Hallwag, Bern   1979

KATHMANDU, National
Planning Commission
Q 4 - 56 / Sep.

Nepal and the Colombo Plan - A review
National Planning Commission
Kathmandu   1971

KATHMANDU, Ministry of
Economic Planning
Q 4 - 57 / Sep.

Technical and voactional training in
Nepal (1966 - 67)
Ministry of Economic Planning,
Kathmandu   1968

KAWAKITA, Jirō (Ed.) The Hill Magars and their neighbours
Q 4 - 96 (vide Q 3 - 155) Hill peoples surrounding the Ganges
Plain
(Synthetic research of the culture of
ricecultivating peoples in Southeast
Asian countries, III)
Tokai University Press,   1974

KAZAMI, Takehide The Himalayas
Q 4 - 74 A journey to Nepal
Kodansha International, Tokyo/
New York   1968

KUSTERMANN, Peter Das Bergland im Himalaja (Nepal)
Q 4 - 58 / Sep. in: Zeitschrift für Kulturaustausch,
Heft 3 (1971), pg. 39 ff.
Institut für Auslandsbeziehungen
Stuttgart   1971

LEUCHTAG, Erika Erika und der König von Nepal
Q 4 - 25 / Sep. in: 'Das Beste aus Reader's Digest',
vom April 1957, pg. 85 ff.
Stuttgart   1957

LOBSINGER, Marguerite Népal - Catalogue de la Collection
Q 4 - 20 d'Ethnographie Népalaise du Musée
d'Ethnographie de la Ville de Genève
(1 Karte, 31 Tafeln mit 134 Objekten)
Genève   1954

MAINALI, Thakur Prasad Nafa Art Magazine 1970
Q 4 - 61 Short biographies and art works of
contemporary artists
Nepal Assoc. of Fine Art (NAFA)
Kathmandu   1970

MARHATTA, Hari Prasad Fundamentals of Nepalese income tax
Q 4 - 55 S.P. Marhatta & A.P. Khatioda,
Kathmandu   1970

MASSIEU, Isabelle Népal et Pays Himalayens
Q 4 - 13 Librairie Félix Alcan, Paris   1914

MATTHIESSEN, Peter The Snow Leopard
Q 4 - 95 The astonishing spiritual Odyssey of
a man in search of himself
Bantam Books, New York 1979^3

idem Auf der Spur des Schnee-Leoparden
Q 4 - 95 a Expedition in ein vergessenes Land -
eine Reise in Grenzbereiche der Erfahrung; a.d. Amerikan. übers.
Scherz Verlag, Bern/München   1980

MURPHY, Devla
Q 4 - 5

The Waiting Land (A Spell in Nepal)
John Murray, London   1967

NEBESKY-WOJKOWITZ von, R.
Q 4 - 35

Where Gods are Mountains
Three years among the people of the
Himalayas
Weidenfeld and Nicolson, London   1956

idem
Q 4 - 35.a

Wo Berge Götter sind
Drei Jahre bei unerforschten Völkern
des Himalaya
Deutsche Verlagsanstalt, Stuttgart   1955

ORTNER, Sherry B.
Q 4 - 83

Sherpas through their rituals
Cambridge University Press
London/New York/Melbourne   1978

PAL, Pratapaditya
Q 4 - 84.1-2

The Arts of Nepal
Part I: Sculpture. With 300 plates
Part II: Painting. With 220 plates
(Handbuch der Orientalistik, 7. Abt.,
Bd. 3 /III/2. Lfg.)
E.J. Brill, Leiden   1974 , 1978

PANT, Y.P.
Q 4 - 53

Planning for prosperity - A study in
Nepal's experiences
Sahayagi Prakashan, Kathmandu   1969[3]

PEISSEL, Michel
Q 4 - 17

Mustang - Royaume Tibétain Interdit
B. Arthaud, Paris   1970

idem
Q 4 - 6?

Tibet - Pays où les enfants sont rois
Editions CD, Paris   1972

idem
Q 4 - 18

Das Verbotene Königreich im Himalaya
Abenteuerliche Expedition in eine mystische
Hochkultur zwischen Indien und China
(Mustang)
Safari Verlag, Berlin   1968

PETECH, Luciano
Q 4 - 43

Mediaeval History of Nepal
Serie Orientale Roma Vol. X
Istituto Italiano per il Medio ed Estremo
Oriente, Roma   1958

PITT, Peter
Q 4 - 7

Surgeon in Nepal
John Murray, London   1970

RATHJENS, C. / TROLL, C. /
UHLIG, H. (Ed.)
Q 4 - 49 (vide Q 3 - 33)

Vergleichende Kulturgeographie der
Hochgebirge des Südlichen Asien
(Erdwissenschaftliche Forschung, V)
Franz Steiner, Wiesbaden   1973

REGMI, Jagadish, C.
Q 4 - 63 (vide P 4 - 43.1)

Bibliographical series of the "Nepal-Antiquary"
No 1: A comprehensive bibliography on the ethnology and anthropology of Nepal (including Sikkim, Darjeeling and Kumaon)
Office of the Nepal Antiquary
Kathmandu   ca. 1980

SAMUEL, Geoffrey
Q 4 - 82 (vide S 1 - 37.6)

Religion in Tibetan society: a new approach
Part one: A structural model
Part two: The Sherpas of Nepal: A case study
in: Kailash, Vol. VI (1978), No 1, pg. 45 ff., and No 2, pg. 99 ff.
Kathmandu   1978

SANVAL, B.D.
Q 4 - 40 (vide S 1 - 3)

Nepal - An Introduction
in: Bulletin of Tibetology, Vol. III, No. 2, pg. 60 ff.
Namgyal Institute of Tibetology
Gangtok   1966

SCHMID, Toni
Q 4 - 45 (vide L 3 - 4)

Shamanistic Practice in Northern Nepal
in: 'Studies in Shamanism', ed.
Edsman, C.-M., pg. 82 ff.
Almqvist & Wiksell, Stockholm   1967

SEN, Jahar
Q 4 - 41 (vide S 1 - 3)

India's Trade with Central Asia via Nepal
in: Bulletin of Tibetology, Vol. VIII, No. 2, pg. 21 ff.
Namgyal Institute of Tibetology,
Gangtok   1971

SMART, John /
WEHRHEIM, John
Q 4 - 76 (vide S 1 - 42)

Dolpo, Nepal
in: The Tibet Journal, Vol. II (1977), No. 1, pg. 50 ff.
Library of Tibetan Works and Archives
Dharamsala   1977

SNELLGROVE, David L.
Q 4 - 22 / Sep.

Die Bergvölker von Nepal
in: 'Atlantis', 31. Jg., No. 10, pg. 461 ff.
Atlantis-Verlag, Zürich   1959

idem
Q 4 - 32

Himalayan Pilgrimage
A Study of Tibetan Religion by a Traveller through Western Nepal
Bruno Cassirer, Oxford   1961

idem
Q 4 - 64.1 f. / Sep.

Shrines and temples of Nepal
in: Arts Asiatiques, tome VIII (1961), Fasc. I + II, pg. 3 ff. and 93 ff.
Presses Universitaires de France
Paris   1961

SNELLGROVE, David L.
Q 4 - 91 (vide S 1 - 37)

Places of Pilgrimage in Thag (Thakkhola)
Tibetan Manuscripts
Edited and translated by D'S'
in: Kailash, Vol. VII (1979), No 2,
pg. 70 ff.
Kathmandu   1979

STEINMETZ, Heinz /
WELLENKAMP, J.
Q 4 - 16

Nepal - Ein Sommer am Rande der Welt
Schweizer Druck- und Verlagshaus AG
Zürich   1962

STEINMETZ, Heinz
Q 4 - 19

Land der Tausend Gipfel
Expedition zu den Menschen und Bergen
Nepals
F.A. Brockhaus, Leipzig   1959

STONOR, Charles
Q 4 - 26

The Sherpa and the Snowman
Hollis & Carter, London   1955

TREICHLER, R.
Q 4 - 30 / Sep.

Das Hotel am Mount Everest
aus: 'Sie und Er' vom 10. Februar
Verlag Ringier, Zofingen/Schweiz   1972

TUCCI, Giuseppe
Q 4 - 1

Tra Giungle e Pagode
Nepal
Libreria dello Stato, Roma   1953

idem
Q 4 - 4

Preliminary Report on two Scientific
Expeditions in Nepal
Istituto Italiano per il Medio ed Estremo
Oriente, Roma   1956

idem
Q 4 - 46 (vide G 4 - 44)

Rati Lila
Essai d'interprétation des représent-
ations tantriques des temples du Népal
Les Editions Nagel
Paris / Genève / Munich   1969

idem
Q 4 - 50

Nepal: alla scoperta del regno dei Malla
Un leggendario impero nell'Asia
misteriosa
Newton Compton editori, Roma   1977

idem
Q 4 - 85

Journey to Mustang, 1952
transl. from the Italian
Ratna Pustak Bhandar, Kathmandu   1977

idem
Q 4 - 92 / Sep.

La rivolta nel Nepal
in: Le Vie del Mondo, anno XIII (1951),
No 7, pg. 753 ff.
Roma   1951

idem
Q 4 - 93 / Sep.

Il Nepal
in: Sapere, Anno XV, Vol. XXX (1949),
pg. 321 ff.
Milano   1949

TULADHAR, Daman R. (Ed.)   Pronouncements of King Mahendra
Q 4 - 54   (On Pnachayatcracy)
                                Sandesh Griha, Kathmandu   1968

TÜTING, Ludmilla   Nepal für Globetrotter
Q 4 - 75   Tüting Verlag, Hagen   1976

UNESCO Courier, Paris   Prachtvolles Nepal
Q 4 - 68.1 / Sep.   Unesco, Paris   1974
                                engl. Ausgabe sub. Ziffer: Q 4 - 68.2/Sep.

WALDSCHMIDT, E. und R.-L.   Nepal - Art Treasures from the Himalayas
Q 4 - 11   Elek Books, London   1969

WALDSCHMIDT, Ernst   Nepal - Kunst aus dem Königreich im
Q 4 - 15   Himalaja
                                Katalog der Ausstellung in der Villa
                                Hügel, Essen, vom 16. Febr. bis 9. April
                                1967
                                Aurel Bongers, Graph. Kunstanstalt
                                Recklinghausen BRD   1967

WEBER, Hans   Katmandu, die Stadt der Tempel und
Q 4 - 24 / Sep.   Schreine
                                in: 'Aargauer Tagblatt', No. 132 vom
                                7. Juni 1968
                                Aarau / Schweiz   1968

WOLGENSINGER, Michael /   Nepal
WOLGENSINGER, Luzzi /   Bildband mit Text
DÜRST, Arthur   Silva-Verlag, Zürich   1966
Q 4 - 3

WYLIE, Turrell   A Tibetan religious geography of Nepal
Q 4 - 52 (vide L 6 - 16)   (Serie Orientale Roma, XLII)
                                Istituto Italiano per il Medio ed Estremo
                                Oriente, Roma   1970

(Für Nepal cf. auch Ziffern Q 1 und Q 3!)

Q 5. Sikkim

BASNET, Lal Bahadur   Sikkim - A short political history
Q 5 - 18   S. Chand, New Delhi   1974

BLANC, Philippe   Tibet Vivant
Q 5 - 19 (vide Q 6 - 35)   Bhoutan, Sikkim, Ladakh
                                Guy le Prat, Paris   1978

BOON, Jan   Nepal und Sikkim
Q 5 - 11 (vide Q 4 - 36)   Mai's Weltführer No. 18
                                Verlag "Volk und Heimat"
                                Buchenhain vor München   1972

COELHO, V.H.
Q 5 - 2

Sikkim und Bhutan
Indian Council for Cultural Relations
New Delhi   1971

COMPL. AUCT.
Q 5 - 17

The Gazetteer of Sikhim
Edited by the Bengal Governement
(Bibliotheca Himalayica, I, 8)
Mañjuśrī Publishing House,
New Delhi   reprint   1972
(1st edition: 1894)

EDGAR, John Ware
Q 5 - 9

Report on a Visit to Sikhim and the Ti-
betan Frontier in October, November
and December, 1883
First published: 1874; Reprint
In der Reihe: Bibliotheca Himalayica,
Ser. I, Vol. 2
Mañjuśrī, Publishing House,
New Delhi   1969

EASTON, John
Q 5 - 21 (vide D 4 - 34)

An unfrequented highway
Through Sikkim and Tibet to Chumolaori
The Scholartis Press, London   1928

HECKER, Hellmuth
Q 5 - 3

Sikkim und Bhutan
Die verfassungsgeschichtliche und politische Entwicklung der Himalaya Pro
tektorate
A. Metzner Verlag, Hamburg   1970

KOLMAŠ, Josef
Q 5 - 6 / Sep.

Země v klínu Himálaje
(The Land in the Lap of the Himalayas)
betrifft Sikkim
in: 'Lidé a Země' (Peoples and Countries)
Vol. 19, No. 3, March 1970, pg. 113 ff.
Tschechoslowakische Akademie der
Wissenschaften, Prag   1970

LOUIS, J.A.H.
Q 5 - 15 (vide Q 3 - 44)

The gates of Thibet
Vivek Publishing House, Delhi   1972

NAMGYAL, Hope H.R.H.
Q 5 - 10 (vide S 1 - 3)

The Sikkimese Theory of Land-Holding
and the Darjeeling Grant
in: Bulletin of Tibetology, Vol. III,
No. 2, pg. 46 ff.
Namgyal Institute of Tibetology
Gangtok   1966

OLSCHAK, Blanche Chr.
Q 5 - 5

Sikkim - Himalayastaat zwischen
Gletschern und Dschungeln
Schweizer Verlagshaus AG, Zürich   1965

eadem
Q 5 - 7 / Sep.

Vorgeschichtliche Legenden aus dem
"verborgenen Land" Sikkim
Sonderabdruck aus dem 4. Quartals-
heft 'Die Alpen'   1965

372

OLSCHAK, Blanche Chr. Q 5 - 8 / Sep.	Sikkim - Himalajastaat zwischen Gletschern und Dschungeln in: 'Neue Zürcher Zeitung' vom 28. August 1963 Zürich 1963
PARES, Bip Q 5 - 4	Himalayan Honeymoon (Beschreibung Sikkims) Hodder & Stoughton, London 1940
PETER, Prinz von Griechen- land und Dänemark (et al.) Q 5 - 12 (vide E 2 - 34 / Sep.)	Anthropological researches from the 3rd Danish expedition to Central Asia Physical anthropological observations on 5'000 Tibetans Munksgaard, København 1966
SENFT, Willi / KATSCHNER, Bert Q 5 - 20 (vide Q 6 - 37)	Bhutan - Ladakh - Sikkim Bergwandern im tibetischen Kulturkreis Stocker, Graz / Stuttgart 1979
WADDELL, L. Austine Q 5 - 14 (vide L 4 - 122)	Lamaism in Sikkim Oriental Publishers, Delhi, reprint 1973
WEGGEL, Oskar Q 5 - 16 (vide S 1 - 39)	Zu den Unruhen in der Pufferzone Sikkim in: China aktuell, Jg 2 (1973), No 4, pg. 235 f. Institut für Asienkunde, Hamburg 1973
WHITE, John Claude Q 5 - 1	Sikhim and Bhutan Twenty-one Years on the North-East Frontier F.C. Sharma at Lakshmi Printing Works New Delhi 1971
ZAHARA, Helen V. Q 5 - 13 (vide S 4 - 17 / Sep.)	Himalayan Journey (Sikkim) in: The American Theosophist, Vol. LX (1972), No 5, pg. 129 ff. Wheaton 1972

Q 6. Bhutan

ARIS, Michael Q 6 - 40	Bhutan The early history of a Himalayan Kingdom Aris & Phillips, Warminster 1979
idem Q 6 - 42 (vide S 4 - 25)	Some considerations on the early of Bhutan in: Brauen, Martin / Kvaerne, Per (Ed.): Tibetan Studies, pg. 5 ff. Völkerkundemuseum Zürich 1978

AUCT. INCERT.
Q 6 - 11 / Sep.

Das "Land des Donnerdrachen" ist noch
geheimnisvoll und unerforscht
evtl. aus: 'Sie und Er'
Ringier Verlag, Zofingen   post 1967

BÄNZIGER, Andreas
Q 6 - 15 / Sep.

Drachenland Bhutan
aus: 'Tages-Anzeiger', Sonntagsmagazin,
wohl November (1972 (?)
Zürich   (?) 1972

BLANC, Philippe
Q 6 - 35

Tibet Vivant
Bhoutan, Sikkim, Ladakh
Guy le Prat, Paris   1978

COELHO, V.H.
Q 6 - 22 (vide Q 5 - 2)

Sikkim and Bhutan
Vikas Publications, New Delhi   1971

DAS, Nirmala
Q 6 - 28

The dragon country
A history of Bhutan
Orient Longman, New Delhi   1973

DEB, A.
Q 6 - 19 (vide S 1 - 3)

George Bogle's Treaty with Bhutan
in: Bulletin of Tibetology, Vol. VIII,
No. 1, pg. 5 ff.
Namgyal Institute of Tibetology
Gangtok   1971

Idem
Q 6 - 27 (vide S 1 - 37)

Cooch Behar and Bhutan in the context
of the Tibetan trade
in: Kailash, Vol. I (1973), No 1,
pg. 80 ff.
Kathmandu   1973

DENWOOD, Philip
Q 6 - 24 (vide S 1 - 32)

Bhutanese Architecture
in: Asian Affairs, Vol. LVIII (1971)
part I, pg. 24 ff.
The Royal Central Asian Society,
London   1971

DHONDUP, K.
Q 6 - 43 (vide S 1 - 42)

Tibet's influence in Ladakh and Bhutan
in: The Tibet Journal, Vol. II (1977),
No 2, pg. 69 ff.
Library of Tibetan Works and Archives
Dharamsala   1977

FLETCHER, Harold R.
Q 6 - 41 (vide F 10 - 33)

A quest of flowers
The plant explorations of Frank Ludlow
and George Sherriff told from their diaries
and other occasional writings
Edinburgh University Press,
Edinburgh   reprint 1976

GANSSER, Ursula und Augusto
/OLSCHAK, Blanche Chr.
Q 6 - 4

Bhutan - Land der verborgenen Schätze
Verlag Hallwag, Bern/Stuttgart   1969

GERSTER, Richard
Q 6 - 33 / Sep.

Zum Beispiel Bhutan: Von der Wohltätigkeit
zur Politik
in: Der Brückenbauer, No 35 (1978)
Spreitenbach   1978

GRIFFETH, William
Q 6 - 36

Bhutan 1837 - 1838
Journals of travels
Ratna Pustak Bhandar, Kathmandu   1975

GROUSSET, René
Q 6 - 39 (vide B 3 - 12)

L'Empire des Steppes
Attila, Gengis-Khan, Tamerlan
Payot, Paris   1969

HAAB, Armin /
VELLIS, Ninon
Q 6 - 20

Bhutan - Fürstenstaat am Götterthron
Siegbert Mohn Verlag, Gütersloh   1961

HECKER, Hellmuth
Q 6 - 21 (vide Q 5 - 3)

Sikkim und Bhutan
Die verfassungsgeschichtliche und poli-
tische Entwicklung der Himalaya-Protektorate
Hamburg   1970

KARAN, Pradyumna
Q 6 - 5

Bhutan
A physical and cultural Geography
University of Kentucky Press
Lexington   1967

KOLMAŠ, Josef
Q 6 - 25 / Sep.

Bhútán - stoosmadvacátý člen OSN
(Bhutan - das 128. Mitglied der UNO)
in: Novy Orient, Jg 26 (1971), No 10,
pg. 289 ff.
Verlag d. Tschech. Akad. d. Wiss.
Prag   1971

LAUF, Detlef Ingo
Q 6 - 34 (vide S 1 - 8)

Vorläufiger Bericht über die Geschichte
und Kunst einiger lamaistischer Tempel
und Klöster in Bhutan
in: Ethnologische Zeitschrift, Zürich,
No 2, 1972, pg. 79 ff.
Zürich   1972

LOUIS, J.A.H.
Q 6 - 29 (vide Q 3 - 44)

The gates of Thibet
Vivek Publishing House, Delhi   1972

MARKS, Thomas A.
Q 6 - 31 (vide S 1 - 42)

Historical observations on Buddhism
in Bhutan
in: The Tibet Journal, Vol. II (1977),
No 2, pg. 74 ff.
Library of Tibetan Works and Archives
Dharamsala   1977

NYFFELER, S.
Q 6 - 44 / Sep.

Jüngster König der Welt
Bhutan - vergessenes Königreich im
Himalaja
in: Sonntag, 27. 8.80, pg. 32 ff.
Otto Walter, Olten   1980

OLSCHAK, Blanche Chr. /
GANSSER, U.
Q 6 - 8 / Sep.

Bhutan
aus: 'Schweizer Illustrierte' vom
Januar (No. 2)
Verlag Ringier, Zofingen/Schweiz   1968

OLSCHAK, Blanche Chr.
Q 6 - 12 / Sep.

Masken und Legenden aus Ost-Bhutan
in: 'Color Image' der Fa. Hoffmann-La
Roche, No. 42, pg. 1 ff.
Hoffmann-La Roche, Basel   1971

eadem
Q 6 - 13.1 f. / Sep.

Patrons bouddhistes route vers les
monts de l'Himalaya au Bhoutan / Some
Buddhist Patron Saints Encountered on
Travels through Bhutan in the Himalayas
Separata in Franz. und Engl. aus:
'Bulletin Sandoz', No. 8 vom Frühling 1967
Basel   1967

eadem
Q 6 - 14 / Sep.

Bhutan, das Land der unbestiegenen
Gletscher, als neues UNO-Mitglied
Separatum aus dem 4. Quartalsheft der
Zeitschrift 'Die Alpen'
Stämpfli & Cie., AG., Bern   1971

eadem
Q 6 - 39

Ancient Bhutan
A study on early Buddhism in the
Himalayas
Birkhäuser, Basel   1979

PEISSEL, Michel
Q 6 - 1

Zu Fuss durchs Mittelalter
(Wunderland Bhutan)
Paul Zsolnay Verlag, Wien/Hamburg   1970

idem
Q 6 - 2

Lords and Lamas
A Solitary Expedition across the Secret
Himalayan Kingdom of Bhutan
Heinemann, London   1970

idem
Q 6 - 6 / Sep.

Nel Bhutan inaccessibile
in: 'Atlante', Febr. 1970, pg. 14 ff.
Istituto Geografico De Agostino,
Novara   1970

idem
Q 6 - 7 / Sep.

Himalaya - Guerre et Paix
(Bhoutan, dernier royaume féodal)
in: 'Atlas', No. 47, Mai 1970, pg. 14 ff.
Atlas, Paris   1970

RAHUL, Ram
Q 6 - 16

Modern Bhutan
Vikas Publications
New Delhi   1971

RENNIE, David F.
Q 6 - 17

Bhotan and the Story of the Doar War
Bibliotheca Himalayica, Ser. I, Vol. 5
Mañjusrī Publishing House, New Delhi   1970

RUSTOMJI, N.K.
Q 6 - 18 (vide S 1 - 3)

Bhutan today
in: Bulletin of Tibetology, Vol. III,
No. 2, pg. 64 ff.
Namgyal Institute of Tibetology,
Gangtok   1966

SCHATZ, Ruedi
Q 6 - 26 / Sep.

Schweizer Hilfe für Bhutan
in: Neue Zürcher Zeitung, 14.11.1973,
Zürich   1973

SCHULTHESS von, Fritz
Q 6 - 9 / Sep.

BHUTAN - Unbekanntes Königreich am
Himalaya
Farbbericht mit Aufnahmen v. J. Gansser
in: 'Die Woche', Schweiz. illustr. Zeitschr.
vom 27. Oktober, No. 43
Olten / Zürich   1971

idem
Q 6 - 10 / Sep.

Freundschaft mit Bhutan
in: 'Schweizer Spiegel' vom Januar 1969,
44. Jg., No. 4
Schweizer Spiegel Verlag, Zürich   1969

SCOFIELD, John
Q 6 - 38 / Sep.

Bhutan crowns a new Dragon King
A picture story
in: National Geographic, Vol. CXLVI
(1974), No 4/Oct., pg. 546 ff.
Washington   1974

SENFT, Willi /
KATSCHNER, Bert
Q 6 - 37

Bhutan - Ladakh - Sikkim
Bergwandern im tibetischen Kulturkreis
Stocker, Graz / Stuttgart   1979

SONNENSCHEIN, Stella
Q 6 - 32 / Sep.

Zu den Klöstern und Dzongs von Bhutan
in: Neue Zürcher Zeitung, 18. 5.78, S. 49
Zürich   1978

STEELE, Peter
Q 6 - 3

Two and two halves to Bhutan
A family journey in the Himalayas
Hodder and Stoughton, London   1970

WEGGEL, Oskar
Q 6 - 30 (vide S 1 - 39)

Bhutan als Operationsbasis zur Schaffung
eines "chinesischen Vietnam" in Tibet
in: China aktuell, Jg 3 (1974), No 7,
pg. 476 ff.
Institut für Asienkunde, Hamburg   1974

WHITE, John Claude
Q 6 - 23 (vide Q 5 - 1)

Sikhim and Bhutan
Twenty-one Years on the North-East
Frontier
F.C. Sharma at Lakshmi Printing Works,
New Delhi   1971

ANDREWS, Roy Chapman
Q 7 - 3

Auf der Fährte des Urmenschen
Abenteuer und Entdeckungen dreier Ex-
peditionen in die mongolische Wüste
A. Brockhaus, Leipzig   1927

BAWDEN, C.R.
Q 7 - 30 (vide S 3 - 3)

A Tibetan-Mongol bilingual text of popular
religion
in: Serta Tibeto-Mongolica, Festschrift für
W. Heissig, pg. 15 ff.
Otto Harrassowitz, Wiesbaden   1973

BERGMANN, Benjamin
Q 7 - 83. 1 - 4

Benjamin Bergmann's nomadische Streife-
reien unter den Kalmüken in den Jahren
1802 und 1803
4 Teile
C.J.G. Hartmann, Riga   1804

BERTAGAEV, T.A.
Q 7 - 44 (vide H 5 - 30)

Leksika sovremennych mongol'skich
literaturnych jazikov
Verlag "Nauka", Moskau   1974

BEZZOLA, Gian Andri
Q 7 - 33

Die Mongolen in abendländischer Sicht
(1220 - 1270)
Ein Beitrag zur Frage der Völkerbegegnungen
Francke Verlag, Bern   1974

BIRA, Sh.
Q 7 - 15

Mongolian Historical Literature of
XVII - XIX Centuries written in Tibetan
The Mongolia Society Occasional Papers
translated from the Russian by Stanley
N. Frye
The Mongolian Society, Bloomington/
                              Indiana   1970

BITSCH, Jörgen
Q 7 - 6

Zwischen China und Sibirien
Unbekannte Mongolei
Ullstein Verlag
Berlin / Frankfurt a.M. / Wien   1963

idem
Q 7 - 18

Terre Inconnue
Voyage en Mongolie
Albin Michel, Paris   1964

BOSSHARD, Walter
Q 7 - 2

Kühles Grasland Mongolei
Büchergilde Gutenberg, Zürich   1950

BOYLE, John Andrew (Tr.)
Q 7 - 47

The successors of Genghis Khan
Translated from the Persian of
Rashīd Al-Dīn
Columbia University Press, New York   1971

378

BOYLE, John Andrew
Q 7 - 77 (vide S 1 - 1)

Alexander and the Mongols
in: Central Asiatic Journal,
Vol. XXIV (1980), No 1 - 2, pg. 18 ff.
Otto Harrassowitz, Wiesbaden   1980

BRENT, Peter
Q 7 - 57

Das Weltreich der Mongolen
Dschingis Khans Triumph und Vermächtnis
Gustav Lübbe, Bergisch Gladbach   1977

BRIDIA de, C. Monachus
Q 7 - 9

Hystoria Tartarorum (sic!)
ed.   Alf Gennerfors in der Reihe:
'Kleine Texte für Vorlesungen und
Uebungen' No. 186
Walter de Gruyter & Co., Berlin   1967

COMPL. AUCT.
Q 7 - 86 (vide Q 2 - 80)

China
Mit allen Provinzen, Tibet und der
Inneren Mongolei
Reich-Verlag, Luzern   1980

DANZAN, Lubsan (Ed.)
Q 7 - 51

Altan Tobci (Goldene Sage, Epos)
Russische Uebersetzung aus dem Mongoli-
schen, Einführung und Kommentar und
Anhänge von N.P. Sastinaja; engl.
Zusammenfassung
Verlag "Nauka", Moskau   1973

DOERFER, Gerhard
Q 7 - 63 (vide S 2 - 1.9)

Mongolica aus Ardabil
in: Zentralasiatische Studien, Bd 9
(1975), pg. 187 ff.
Otto Harrassowitz, Wiesbaden   1975

ENGELBRECHT, Uwe
Q 7 - 71 / Sep.

Die Mongolei - ein sowjetisches
Entwicklungsmuster
in: Tages-Anzeiger Magazin, Nr. 43,
vom 27.10.1979
Zürich   1979

EWING, Thomas E.
Q 7 - 66 (vide S 1 - 32)

The mongolian people's republic today
in: Asian Affairs, Vol. XI (1980),
part III, pg. 309 ff.
London   1980

FRANKE, Herbert
Q 7 - 30 (vide S 3 - 3)

Ein mongol.-chines. Buchfragment der
Yüan-Zeit
in: Serta Tibeto-Mongolica, Festschrift
für W. Heissig, pg. 97 ff.
Otto Harrassowitz, Wiesbaden   1973

GROUSSET, René
Q 7 - 62 (vide B 3 - 15)

Die Steppenvölker
Attila - Dschingis Khan - Tamerlan
Magnus Verlag, Essen   1975

HAHN, Michael
Q 7 - 64 (vide S 2 - 1.9)

Zur mongolischen Version von
Milaraspas mGur 'bum
in: Zentralasiatische Studien, Bd 9
(1975), pg. 479 ff.
Otto Harrassowitz, Wiesbaden   1975

HALTOD, M.M. /
SAGASTER, Klaus (Transl.)
Q 7 - 30 (vide S 3 - 3)

"Der Siebziglügner". Ein mongol. Lustspiel von Tsch. Oidow
in: Serta Tibeto-Mongolica, Festschrift für W. Heissig, pg. 105 ff.
Otto Harrassowitz, Wiesbaden   1973

HAMBIS, Louis
Q 7 - 23 (vide S 4 - 2)

L'histoire des Mongols à l'époque de Gengis-Khan et le dPag-bsam ljon-bzań de Sumpa qutuqtu
in: 'Etudes Tibétaines', pg. 149
Librairie de l'Amérique et d'Orient, Adrien Maisonneuve, Paris   1971

idem
Q 7 - 33 / Sep.

The Mongols in the Ming Era (1368 - 1644)
in: East and West, Year VII (1956), No 2, pg. 119 ff.
Istituto Italiano per il Medio ed Estremo Oriente, Roma   1956

HASLUND-CHRISTENSEN,
Henning
Q 7 - 54

Zajagan - Menschen und Götter in der Mongolei
Union Deutsche Verlagsgesellschaft, Stuttgart   ca. 1940

HEISSIG, Walther
Q 7 - 1

Ein Volk sucht seine Geschichte
Die Mongolen und die verlorenen Dokumente ihrer grossen Zeit
Econ Verlag, Düsseldorf / Wien   1964

idem
Q 7 - 7

Helden-, Höllenfahrts- und Schelmenge-schichten der Mongolen
Manesse Verlag (Conzett & Huber)
Zürich   1962

idem
Q 7 - 10 / Sep.

Die Mongolen - Volk zwischen Mittelalter und Morgen
Separatum aus: 'Die Grünenthal Waage', Bd. 4, No. 3 und aus Bd. 4, No. 5 (Moderne Dichtung I)
Chemie Grünenthal GmbH.
Stolberg /Rhld.   1965

idem
Q 7 - 11 / Sep.

Die Mongolen (II); Die Ballade vom roten Helden
aus: 'Grünenthal Waage', Bd. 4, No. 4, pg. 161 ff.
Chemie Grünenthal GmbH.
Stolberg/Rhld.   1965

idem
Q 7 - 12 / Sep.

Die Mongolen: Moderne mongolische Kurzgeschichten
aus: 'Die Waage', Bd. 4, No. 5
Chemie Grünenthal GmbH.
Stolberg/Rhld.   1965

HEISSIG, Walther
Q 7 - 21 (vide S 1 - 1)
	Materialien zum Druck- und Ueber-
	setzungswesen der Mongolen
	I: Eine lamaistische Klosterdruckerei
	   der K'ang-Hsi-Zeit bei den ost-
	   mongolischen Aukhan
	in: 'Central Asiatic Journal', Vol. V,
	No. 3, pg. 165 ff.
	Mouton, The Hague / O. Harrassowitz
	Wiesbaden 1960

idem Q 7 - 24 (vide G 1 - 6)	Tibet und die Mongolei als literarische Provinzen Westdeutscher Verlag, Köln 1967
idem (und TUCCI, Giuseppe) Q 7 - 25 (vide L 1 - 1)	Die Religionen Tibets und der Mongolei W. Kohlhammer, Stuttgart et al. 1970

idem
Q 7 - 28.1-2
	Geschichte der mongolischen Literatur
	Bd I: 19. Jahrhundert bis zum Beginn
	      des 20. Jahrhunderts
	Bd II: 20. Jahrhundert bis zum Einfluss
	      moderner Ideen
	Otto Harrassowitz, Wiesbaden 1972
	(Rezension siehe: Poppe, N.: P 3 - 45
	(vide S 1 - 1))

idem Q 7 - 35 / Sep.	Mongolistik an deutschen Universitäten Franz Steiner, Wiesbaden 1968
idem Q 7 - 38 (vide S 2 - 1.8)	Ein innermongolisches Gebet zum ewigen Himmel in: Zentralasiatische Studien, Bd 8 (1974) pg. 525 ff. Otto Harrassowitz, Wiesbaden 1974
idem Q 7 - 50	Catalogue of mongol books, manuscripts and xylographs The Royal Library, Copenhagen 1971
idem Q 7 - 65 (vide S 2 - 1.9)	Toyin guosi - guisi alias Toyin čoytu guisi (Versuch einer Identifizierung) in: Zentralasiatische Studien, Bd 9 (1975), pg. 361 ff. Otto Harrassowitz, Wiesbaden 1975
idem Q 7 - 68	'Erdeni-Yin Erike' Mongolische Chronik der lamaistischen Klosterbauten der Mongolei von Isibaldan (1835); in Faks. mit Einleitung und Namensverzeichnis von W'H' Ejnar Munksgaard, Kopenhagen 1961

HEISSIG, Walther   Die mongolischen Heldenepen - Struktur
Q 7 - 69 / Sep.   und Motive
                          Westdeutscher Verlag, Opladen   1979

idem   Die Zeit des letzten mongolischen
Q 7 - 70 / Sep.   Grosskhans Ligdan (1604 - 1634)
                          Westdeutscher Verlag, Opladen   1979

idem   Mongolische Epen
Q 7 - 75   8. Uebersetzung von sechs ostmongolischen
                          Epen nach Aufzeichnungen von Lhisürün,
                          Ganȷuurȷab, Orgil, Doronqya und Paȷai
                          (Asiatische Forschungen, 60)
                          Otto Harrassowitz, Wiesbaden   1979

idem (Ed.)   Die Mongolischen Epen
Q 7 - 76   Bezüge, Sinndeutung und Ueberlieferung
                          (Ein Symposium)
                          (Asiatische Forschungen, 68)
                          Otto Harrassowitz, Wiesbaden   1979

idem (Ed.)   Mongolische Ortsnamen
Q 7 - 78. 1 - 2   Teil 1: Aus mongolischen Manuskriptkarten
                          zus.gest. von Magadbürin Haltod.
                          Einleitung von W'H'
                          Teil 2: Mongolische Manuskriptkarten in
                          Faksimilia
                          (Verzeichnis der orientalischen Hand-
                          schriften in Deutschland, Suppl. bde 5,
                          1 + 2)
                          Franz Steiner, Wiesbaden   1966, 1978

idem   Gesei Khan als Heilsgottheit
Q 7 - 80 (vide S 4 - 30) in: Proceedings of the Csoma de Körös
                          Memorial Symposium, 24. - 30. 9.1976
                          pg. 125 ff.
                          Akadémiai Kiadó, Budapest   1978

idem   Ein moderner mongolischer Beitrag zur
Q 7 - 85 / Sep.   mongolischen Literaturgeschichte:
                          Baldan Sodnam's "Abriss der mongolischen
                          Literaturentwicklung"
                          in: Central Asiatic Journal, Vol. II
                          (1956), No 1, pg. 44 ff.
                          Otto Harrassowitz, Wiesbaden   1956

HOYOS-SPRINZENSTEIN, Ernst   Mit der Büchse in der Mongolei, im
Q 7 - 59   Altai und Thian-Shan
                             J. Neumann, Neudamm   1930

HUC, R.P.   Tartarie et Thibet Inconnus
Q 7 - 41 (vide D 4 - 89)   Les Oeuvres Représentives, Paris 1932

382

HÜRSCH, Erhard
Q 7 - 16 / Sep.

Die Innere Mongolei
Einblick in ein Randgebiet Chinas
aus: 'Neue Zürcher Zeitung'
Zürich   1965

IPSIROGLU, M.S.
Q 7 - 52

Malerei der Mongolen
Hirmer Verlag, München   1965

IWANOWSKI, Alexis
Q 7 - 48 / Sep.

Die Mongolei
Ethnographische Skizze
Dissertation
Universität Leipzig, Leipzig   1895

JONSCHEBU, Rintschen
Q 7 - 84 (vide S 4 - 30)

"Isspolniteli rezitazii na usstnom
mongoljisskom jisyke"
(Interpreten der Rezitationen in mongolischer Sprache)
in: Proceedings of the Csoma de Körös
Memorial Symposium, 24. - 30. 9.1976,
pg. 353 ff.
Akadémiai Kiadó, Budapest   1978

JUDGER, Ch.
Q 7 - 13 / Sep.

Buddhism in Present Day Mongolia
Separatum aus nicht eruierbarer Quelle
Ulan Bator   post 1967

KASCHEWSKY, Rudolf /
SAGASTER, Klaus /
WEIERS, Michael (Ed.)
Q 7 - 30 (vide S 3 - 3)

Serta Tibeto-Mongolica
Festschrift für Walther Heissig zum
60. Geburtstag
Otto Harrassowitz, Wiesbaden   1973

KRAUSE, F.E.A.
Q 7 - 56

Cingis Han - Die Geschichte seines Lebens
nach den chinesischen Reichsannalen
Heidelberger Akten der 'von Portheim-
Stiftung'
Carl Winters Univers.buchh.,
Heidelberg   1922

LIPKIN, S. (Transl.)
Q 7 - 40

Džangar, kalmyckij narodnyj epos
(Dschangar, das kalmückische Nationalepos)
Kalmyckoe knižnoe izdetal'stro Elista 1971
(Kalmückischer Buchverlag, Elista 1971)

idem (Transl.)
Q 7 - 42 (vide K 4 - 10)

Gèsèr, burjatskij geroičeskij epos
(Gèsèr, das burjätische Heldenepos)
Chudožestvennaja Literature, Moskva   1973
(Verlag Schöne Literatur, Moskau 1973)

MAJDAR, D.
Q 7 - 73

Mongolyn Aržitektür ba žot bajguulalt
(Mongolische Architektur)
TOJM (mit vielen Abb.)
Redaktor akademič Š. Naragdorž,
Ulaanbaatar   1972

MANDEL, Gabriele
Q 7 - 5

Dschingis Khan und seine Zeit
Emil Vollmer Verlag, Wiesbaden   1968

MEHRA, Parshotam
Q 7 - 74 (vide C 3 - 32 /
      Sep.)

The Mongol-Tibetan treaty of
January 11, 1913
in: Journal of Asian History, Vol. III
(1969), No 1, pg. 1 ff.
Otto Harrassowitz, Wiesbaden   1969

MILLER, Robert James
Q 7 - 20

Monasteries and Cultur Change in Inner
Mongolia
in: 'Asiatische Forschungen', Vol. II,
Utto Harrassowitz, Wiesbaden   1959

MONTAGU, Ivor
Q 7 - 45 / Sep.

A recent visit to Mongolia
Royal Central Asian Society, London   o.J.

PANEK, A.
Q 7 - 43 / Sep.

Gandatek Tschinling
(Eines der letzten buddhistischen
Klöster in der Mongolei)
in: Der Landbote, Mai 1975, Winterthur1975

PELLIOT, Paul
Q 7 - 29

Histoire secrète des Mongols
Restitution du texte mongol et traduction
françaises des chapitres I à VI
Adrien Maisonneuve, Paris   1949

PINKS, Elisabeth
Q 7 - 72

Die Uiguren von Kan-Chou in der frühen
Sung-Zeit (960 - 1028)
(Asiatische Forschungen, 24)
Otto Harrassowitz, Wiesbaden   1968

PLAN CARPIN, Jean de
Q 7 - 45

Histoire des Mongols
Enquête d'un envoyé d'Innocent IV dans
l'empire tartare; traduit par Clément
Schmitt
Editions Franciscaines, Paris   1961

idem
Q 7 - 58

Histoire des Mongols
Traduit et annoté par Jean Becquet et
Louis Hambis
Librairie d'Amérique et d'Orient
Paris   1965

POPPE, Nikolaus
Q 7 - 30 (vide S 3 - 3)

Zwei mongol. Uebersetzungen des Kūṭāgāra
Sūtra
in: Serta Tibeto-Mongolica, Festschrift
für W. Heissig, pg. 237 ff.
Otto Harrassowitz, Wiesbaden   1973

idem (Transl.)
Q 7 - 36 (vide N 1 - 14)

The Twelve Deeds of Buddha
A mongolian version of the Lalitavistara
Otto Harrassowitz, Wiesbaden   1967

PRSCHEWALSKI von, N.
Q 7 - 17

Reisen in der Mongolei
Im Gebiete der Tanguten und den Wüsten
Nordtibets
Hermann Costenoble, Jena   1877

384

RINTCHEN, B.
Q 7 - 27. 1 - 3

Les matériaux pour l'étude du chamanisme
mongol
Vol. I: Sources littéraires
Vol. II: Textes chamanistes bouriates
Vol. III: Textes chamanistes mongols
(Asiatische Forschungen, 3, 8, 40)
Otto Harrassowitz, Wiesbaden   1959, 1961

ROCKHILL, William Wood-
ville
Q 7 - 82 (vide D 3 - 50)

Diary of a journey through Mongolia
and Tibet in 1891 and 1892
Smithsonian Institution, Washington   1894

ROTH, Hans
Q 7 - 30 (vide S 3 - 3)

Zur Erfassung mongolischer und tibetischer
Sachkultur in europäischen Museen und Samm-
lungen
in: Serta Tibeto-Mongolica, Festschrift für
W. Heissig, pg. 255 ff.
Otto Harrassowitz, Wiesbaden   1973

RUBEL, Paula G.
Q 7 - 67

The Kalmyk Mongols
A study in continuity and change
Indiana University, Bloomington   1967

SAGASTER, Klaus /
HALTOD, M.M.
Q 7 - 14 / Sep.

Ueber einige Ausdrücke für "Sterben"
im Mongolischen
PIAC, Sitzungsbericht   1963

SAGASTER, Klaus
Q 7 - 32 (vide S 2 - 1.7)

Der mongolische Dichter D. Nacagdorž
(1906 - 1937)
in: Zentralasiatische Studien, Bd 7 (1973)
pg. 525 ff.
Otto Harrassowitz, Wiesbaden   1973

idem (Ed. & Transl.)
Q 7 - 55

Die Weisse Geschichte (Cayan teüke)
Eine mongolische Quelle zur Lehre von
den beiden Ordnungen Religion und Staat
in Tibet und der Mongolei
(Asiatische Forschungen, 41)
Otto Harrassowitz, Wiesbaden   1976

idem
Q 7 - 61 / Sep.

Das mongolische Epos Khüwei Buidar Khü
SA. aus: Central Asiatic Journal,
Vol. XXI (1977), No 3 - 4
Otto Harrassowitz, Wiesbaden   1977

SARKÖZI, Alice
Q 7 - 81 (vide S 4 - 30)

A thanka from Mongolia
in: Proceedings of the Csoma de Körös
Memorial Symposium, 24. - 30. 9.1976
pg. 393 ff.
Akadémiai Kiadó, Budapest   1978

SCHRÖDER, Dominik Q 7 - 26	Aus der Volksdichtung der Monguor 1. Teil: Das Weisse Glücksschaf (Mythen, Märchen, Lieder) (Asiatische Forschungen, 6) Otto Harrassowitz, Wiesbaden 1959
SERRUYS, Henry Q 7 - 37 (vide S 2 - 1.8 + 9)	Four manuals for marriage ceremonies among the Mongols two parts; in: Zentralasiatische Studien, Bd 8 (1974), pg. 247 ff., and Bd 9 (1975), pg. 275 ff. Otto Harrassowitz, Wiesbaden 1974, 1975
SHARMA, P.N. (Fotos) Q 7 - 79 / Sep.	Die Mongolische Volksrepublik in: Atlantis, No 2, Februar 1959 pg. 51 ff. Zürich 1959
SLATKIN, I.J. Q 7 - 19	Die Mongolische Volksrepublik Dietz Verlag, Berlin 1954
SPULER, Bertold Q 7 - 4	Geschichte der Mongolen Nach östlichen und europäischen Zeug- nissen des 13. und 14. Jahrhunderts Artemis Verlag, Zürich / Stuttgart 1968
STRASSER, Roland Q 7 - 60	Mongolen, Lamas und Dämonen Reiseberichte aus Tibet und der Mongolei Deutsche Buchgemeinschaft, Berlin 1932
VEIT, Veronika Q 7 - 22 (vide S 2 - 1.6)	Siregetü-yin mergen qa an, ein Epos aus der Inneren Mongolei in: 'Zentralasiatische Studien', Vol. VI, pg. 63 ff. Otto Harrassowitz, Wiesbaden 1972
eadem Q 7 - 30 (vide S 3 - 3)	Die Ermordung Dambijžancans in: Serta Tibeto-Mongolica, Festschrift für W. Heissig, pg. 351 ff. Otto Harrassowitz, Wiesbaden 1973
VIETZE, Hans-Peter Q 7 - 8	Deutsch-Mongolisches Gesprächsbuch (Mongolisch in russischer Umschrift) VEB Verlag Enzyklopädie, Leipzig 1953
idem Q 7 - 34 (vide H 11 - 19)	Lehrbuch der mongolischen Sprache VEB Verlag Enzyklopädie, Leipzig 1974
WALN, Nora Q 7 - 46	Sommer in der Mongolei Wolfgang Krüger, Berlin 1936
WEIERS, Michael Q 7 - 30 (vide S 3 - 30)	Das Verhältnis des Ligdan Khan zu seinen Völkerschaften in: Serta Tibeto-Mongolica, Festschrift für W. Heissig, pg. 365 ff. Otto Harrassowitz, Wiesbaden 1973

WEIERS, Michael Q 7 - 31 (vide S 2 - 1.7)	Eine fünfsprachige Wörtersammlung aus dem Gebiet der Moghol von Herat in Afghanistan in: Zentralasiatische Studien, Bd 7 (1973) pg. 503 ff. Otto Harrassowitz, Wiesbaden 1973

Q 8. Kashmir

AHMAD, Aziz Q 8 - 7 (vide S 1 - 1)	Conversions to Islam in the valley of Kashmir in: Central Asiatic Journal, Vol. XXIII (1979), No 1 - 2, pg. 3 ff. Otto Harrassowitz, Wiesbaden 1979
DHAVALIKAR, M.K. Q 8 - 14 (vide S 1 - 55)	Proto-Paśupati in Western India in: East and West, Vol. XXVIII (1978), No 1 - 4, pg. 203 ff. Istituto per il Medio ed Estremo Oriente, Roma 1978
DREW, Frederic Q 8 - 3 (vide Q 3 - 43)	Northern Barrier of India Jammu and Kashmir territtories Light & Life Publishers, Jammu 1971
GOETZ, Hermann Q 8 - 15	Studies in the history and art of Kashmir and the Indian Himalaya Otto Harrassowitz, Wiesbaden 1969
GOLDMAN, Bernard Q 8 - 13 (vide S 1 - 55)	Parthians at Gandhara in: East and West, Vol. XXVIII (1978), No 1 - 4, pg. 189 ff. Istituto per il Medio ed Estremo Oriente, Roma 1978
HAUSER, Ernest O. Q 8 - 10 / Sep.	Kaschmir: Traumland im Himalaja in: Das Beste, No 5, pg. 120 ff. Zürich
JACQUEMONT, Victor Q 8 - 12 (vide Q 3 - 128.1-2)	Letters from India Describing a journey in the British Dominions of India, Tibet, Lahore and Cashmere, 1828 - 31, 2 vols Oxford University Press, Karachi 1979 (reprint of the edition of 1834)
JETTMAR, Karl Q 8 - 11 (vide S 1 - 1)	Felsbilder und Inschriften am Karakorum Highway in: Central Asiatic Journal, Vol. XXIV (1980), No 3 - 4, pg. 185 ff. Otto Harrassowitz, Wiesbaden 1980

KLAPROTH, M. Q 8 - 17 / Sep.	Histoire de Kachmir Traduite de l'original sanskrit du Râdjâ Taringin'i, par M.H. Wilson; extraite et communiquée par M.K' in: Journal Asiatique, tome VII (1825), pg. 3 ff. Paris 1825
MORGENSTIERNE, Georg Q 8 - 9 / Sep.	The spring festival of the Kalash Kafirs in: G'M': Irano-Dardica (Beiträge zur Iranistik, 5), pg. 317 ff. Ludwig Reichert, Wiesbaden 1973
MURPHY, Dervla Q 8 - 6	Where the Indus is young A winter in Baltistan John Murray, London 1977
PAL, Pratapaditya Q 8 - 8 (vide G 1 - 24)	Bronzes of Kashmir (with 120 illustr.) Akad. Druck- und Verlagsanstalt, Graz 1975
TAYLOR, Bayard Q 8 - 5 (vide Q 10 - 22)	Travels in Cashmere, Little Thibet and Central Asia Scribner's Sons, New York 1892
TUCCI, Giuseppe Q 8 - 16 / Sep.	Il Kashmir, oggi in. Le Vie del Mondo, Anno XIV (1952), No 5, pg. 537 ff. Roma 1952
WARIKOO, Kulbhushan Q 8 - 4 (vide P 4 - 24)	Jammu, Kashmir and Ladakh A classified and comprehensive biblio- graphy Sterling, Publ., New Delhi 1976

Q 9. Russland / Sibirien (inkl. Kalmücken, Burjäten et al.)

BYRON, Robert Q 9 - 3 (vide D 4 - 90)	First Russia then Tibet Macmillan, London 1933
CLAVIGO, Ruy Gonzalez de Q 9 - 13 / Sep.	Am Hof Timurs in Samarkand Reise als Gesandter des Königs von Kastilien an den Hof Timurs in den Jahren 1403 - 1406 in: Atlantis, 16. Jg. (1944), Heft 10/11, pg. 485 ff. Zürich 1944
DÉCSY, Gyula / GABAIN, Annemarie von (Ed.)	Mitteilungen der Societas Uralo-Altaica Heft 1: Westturkestan. Referate zur turkologischen Exkursion 1966 (versch. Beitr.) Finnisch-Ugrisches Seminar der Universität Hamburg 1968

388

DIÓSZEGI, Vilmos   Tracing Shamans in Siberia
Q 9 - 9   The story of an ethnographical research
                                expedition
                                transl. from the Hungarian
                                Anthropological Publicat., Ousterhout 1968

DYLYKOF, S.   "Buddhism v Rossin i SSSR"
Q 9 - 12 (vide S 4 - 30)   (Buddhismus in Russland und der UdSSR)
                                in: Proceedings of the Csoma de Körös
                                Memorial Symposium, 24. - 30. 9.1976,
                                pg. 85 ff.
                                Akadémiai Kiadó, Budapest   1978

GEORGE, St. George   Russland: Wüsten und Berge
Q 9 - 1   Fotos von Lew Ustinow
                                Time-Life, Amsterdam   1974

GUPTA, S.P.   Archaeology of Soviet Central Asia,
Q 9 - 11 (vide B 3 -   and The Indian Borderlands
         29.1-2)   Vol. 1: Prehistory
                                Vol. 2: Protohistory
                                B.R. Publishing Corp., Delhi   1979

HOYOS-SPRINZENSTEIN, Ernst   Mit der Büchse in der Mongolei im Altai
Q 9 - 4 (vide Q 7 - 59)   und Thian-Shan
                                J. Neumann, Neudamm   1930

MAILLART, Ella   Des monts célestes aux sables rouges
Q 9 - 6   Bernard Grasset, Paris   1935

MERHART, Gero von   Bronzezeit am Jenissei
Q 9 - 10   Ein Beitrag zur Urgeschichte Sibiriens
                                (Bücher zur Ur- und Frühgeschichte, 1)
                                Anton Schroll, Wien   1926

OKLADNIKOW, Alexej   Der Mensch kam aus Sibirien
           Pawlowitsch   Russische Archäologen auf den Spuren
Q 9 - 5   fernöstlicher Frühkulturen
                                Fritz Molden, Wien / München   1974

RONALDSHAY, The Earl of   On the outskirts of empire in Asia
Q 9 - 2   William Blackwood, Edinburgh   1904

RUDENKO, Sergei I.   Frozen tombs of Siberia
Q 9 - 8   The Pazyryk burials of Iron Age Horsemen
                                transl. from the Russian and preface by
                                M.W. Thompson
                                University of California Press,
                                Berkeley   1970

389

Q 10. Andere asiat. Regionen | Asien generell | Zentralasien

AMBOLT, Nils
Q 10 - 14

Karawanen
Im Auftrag Sven Hedins durch Innerasien
F.A. Brockhaus, Leipzig   1941

BARCATA, Louis
Q 10 - 2

Roter Drache über Asien
China erobert einen Kontinent
Henry Coverts Verlag, Stuttgart   1964

BONN, Gisela
Q 10 - 26 / Sep.

Reisen in Asien: Die Tempel von
Prambanan und Borobudur
in: Indo-Asia, 19. Jg. (1977), Heft 3,
Erdmann, Tübingen / Basel   1977

BOURLIÈRE, François
Q 10 - 43

Eurasien
Flora und Fauna
Rowohlt, Reinbek   1975

BOYLE, John Andrew
Q 10 - 31 (vide B 7 - 15)

The Alexander Romance in Central Asia
in: Zentralasiatische Studien, Bd 9
(1975), pg. 265 ff.
Otto Harrassowitz, Wiesbaden   1975

CHADWICK, Nora K. /
ZHIRMUNSKY, Victor
Q 10 - 39

Oral epics of Central Asia
The epic poetry of the Turkic peoples
of Central Asia, by N'K.Ch';
Epic songs and singers in Central Asia,
by V'Z'
Cambridge University Press
Cambridge   1969

COMPL. AUCT.
Q 10 - 34 / Sep.

Afghanistan Journal
No 4 (1978), Remote sensing of Afghanistan;
Ikat in Afghanistan; Horses and women;
Afghan musical instruments: Dutar and
Tambur
Akad. Druck- und Verlagsanstalt, Graz 1978

DEASY, H.H.P.
Q 10 - 42 / Sep.

Journeys in Central Asia
in: The Geographical Journal, Vol. XVI
(1900), No 5, November, pg. 501 ff.
London   1900

DENWOOD, Philip (Ed.)
Q 10 - 44

Arts of the Eurasien Steppelands
A colloquy held 27 - 29 June 1977
University of London, School of Oriental
and African Studies, London   1978

DIEZ, Ernst
Q 10 - 8

So sahen sie Asien
Reiseberichte von Herodot bis Moltke
Zsolnay Verlag Karl H. Bischoff
Berlin / Wien / Leipzig   1942

EBERHARD, Wolfram
Q 10 - 33 (vide S 4 - 28)

China und seine westlichen Nachbarn
Beiträge zur mittelalterlichen und
neueren Geschichte Zentralasiens
Wiss. Buchgesellschaft, Darmstadt   1978

idem
Q 10 - 36 (vide S 4 - 28)

Nachrichten über Pferderassen und
Pferdezucht in Zentralasien nach
chinesischen Quellen
in: China und seine westlichen Nachbarn,
pg. 143 ff.
Wiss. Buchgesellschaft, Darmstadt   1978

FAZY, Robert
Q 10 - 48 / Sep.

Introduction aux études asiatiques
in: Mitteilungen der Schweiz. Gesellschaft
der Freunde ostasiatischer Kultur, No I
(1939), pg. 3 ff.
H. Tschudy, St. Gallen   1939

GOBINEAU, Comte de
Q 10 - 15

Les Religions et les Philosophies dans
l'Asie Centrale
Ernest Leroux, Paris   1900

GORDON, T.E.
Q 10 - 20 (vide D 3 - 33)

The roof of the world
Ch'eng Wen Publ., Taipei, reprint   1971
(1st edition: Edinburgh 1876)

GRAY, Basil (Ed.)
Q 10 - 52

The Arts of the Book in Central Asia,
14th - 16th Centuries
Shambala / Unesco, Boulder / Paris   1979

GROUSSET, René
Q 10 - 19 (vide B 3 - 12)

L'empire des steppes
Attila, Gengis-Khan, Tamerlan
Payot, Paris   1969

idem
Q 10 - 28 (vide B 3 - 15)

Die Steppenvölker
Attila, Dschingis-Khan, Tamerlan
Magnus Verlag, Essen   1975

GÜBELIN, E. /
GÜBELIN, Marie Helen
Q 10 - 3

Burma - Land der Pagoden
Silva-Verlag, Zürich   1967

GUPTA, R. Sen
Q 10 - 5 / Sep.

The Buddha in Afghanistan
India's Aid to Bring Bamiyan Back to
Life
Archaeological Survey of India   1970

HAMBIS, Louis (Ed.)
Q 10 - 46

L'Asie Centrale
Histoire et civilisation. Ouvrage publié
avec le concours du Centre de Recherches
sur l'Asie Centrale et la Haute-Asie
(Collège de France)
Collection orientale de l'Imprimerie
Nationale, Paris   1977

HAMBIS, Louis /
HAMAYON, Roberte (Ed.)
Q 10 - 35 / Sep.

Asie Centrale
Actes du XXIXe Congrès international
des Orientalistes, Paris, Juillet 1973
L'Asiathèque, Paris   1974

HARMATTA, J. (Ed.)
Q 10 - 47

Prolegomena to the sources on the
history of pre-islamic Central Asia
Akadémiai Kiadó, Budapest   1979

HEDIN, Sven
Q 10 - 17.1-2

Zu Land nach Indien - durch Persien,
Seistan, Belutschistan
2 Bde
F.A. Brockhaus, Leipzig   1910

HERBST, Hermann (Ed.)
Q 10 - 9

Der Bericht des Franziskaners Wilhelm
von Rubruk über seine Reise in das Innere
Asiens in den Jahren 1253 - 1255
(Uebersetzung aus dem Latein)
Griffel Verlag, Leipzig   1925

HUTTON, James
Q 10 - 40

Central Asia: from the Aryan to the
Cossack
Kraus-Thomson, Nendeln, reprint   1977
(1st edition: London 1875)

KÄMPFE, Hans-Rainer
Q 10 - 32 (vide S 2 - 1.10)

Zentralasienkunde als Geschichts- und /
oder Sozialwissenschaft
in: Zentralasiatische Studien, Bd 10
(1976), pg. 385 ff.
Otto Harrassowitz, Wiesbaden   1976

KNOBLOCH, Edgar
Q 10 - 12

Beyond the Oxus
Archaeology, Art and Architecture of
Central Asia
Ernest Benn, London   1972

KONRAD, N.I.
Q 10 - 6

Zapad i Vostok (West und Ost)
Aufsätze über Japan, China und Bezie-
hungen zum Westen
Verlag Nauka, Moskva   1972

KRADER, Lawrence
Q 10 - 13

Peoples of Central Asia
Uralic and Altaic Series, Vol. 26,
Indiana University Publications,
Bloomington/Indiana   1966

LEGGE, James (Transl.)
Q 10 - 18

The travels of Fa-hien
A record of Buddhist Kingdoms
Oriental Publishers, Delhi, reprint   1972

LOWENTHAL, Richard (Ed.)
Q 10 - 24

Issues in the future of Asia
Communist and non-communist alternatives
Frederick A. Praeger, New York   1969

MAEDER, Herbert
Q 10 - 11

Berge, Pferde und Bazare
Afghanistan, das Land am Hindukusch
Ex Libris, Zürich   1972

MESSINA, Giuseppe
Q 10 - 51

Cristianesimo, Buddhismo, Manicheismo
nell'Asia Antica
Nicola Ruffolo, Roma   1947

MICHAUD, Sabrina u. Roland
Q 10 - 16 / Sep.

Winterkarawane zum "Dach der Welt"
(NO-Afghanistan)
in: 'Schweizer Jugend', No. 13 vom
29. März 1973
Luzern/Schweiz   1973

MORGAN, Gerald
Q 10 - 29

Ney Elias - Explorer and envoy extra-
ordinary in High Asia
Allen & Anwin, London   1971

MÜLLER, Hans-Peter
Q 10 - 27 / Sep.

Schmelztiegel der Religionen
in: Indo-Asia, 19. Jg. (1977), Heft 3,
Erdmann, Tübingen / Basel   1977

PELLIOT, Paul
Q 10 - 41 / Sep.

Chrétiens d'Asie Centrale et Extrême-
Orient
in: T'oung Pao, Vol. XV (1914), pg. 623 ff.
E.J. Brill, Leiden   1914

PFEFFER, Pierre
Q 10 - 1

Asien
Knaurs Kontinente in Farben
Mit Photographien und 15 Karten
Ex Libris, Zürich   1969

RAUNIG, Walter
Q 10 - 25 (vide S 1 - 8)

Kurzbericht über das "Oesterreichische
Forschungsunternehmen 1975 in den
Wakhan-Pamir/Afghanistan"
in: Ethnologische Zeitschrift Zürich,
Heft II, 1975, pg. 105 ff.
Herbert Lang, Bern   1975

RAYFIELD, Donald
Q 10 - 30 (vide D 4 - 95)

Lhasa war sein Traum
Die Entdeckungsreisen von Nikolai
Prschewalskij in Zentralasien
F.A. Brockhaus, Wiesbaden   1977

REISCH, Max
Q 10 - 45

Karawanenstrassen Asiens
Welsermühl, Wels   1974

SALZMANN von, Erich
Q 10 - 10

Im Sattel durch Zentralasien
Dietrich Reimer, Berlin   1903

SKRINE, C.P.
Q 10 - 7

Chinese Central Asia
Barnes & Nobles, New York /   1926
Methuen & Co., Ltd., London, reprint   1971

STEIN, R.A.
Q 10 - 23 (vide S 1 - 41)

Architecture et pensée religieuse en Extrême-Orient
in: Arts Asiatiques, tome IV (1957), pg. 163 ff.
Paris   1957

SWAAN, Wim
Q 10 - 21

Lost Cities of Asia
Ceylon, Pagan, Angkor
G.P. Putnam's Sons, New York   1966

TAYLOR, Bayard
Q 10 - 22

Travels in Cashmere, Little Thibet and Central Asia
Scribner's Sons, New York   1892

TUCCI, Giuseppe
Q 10 - 49 / Sep.

Lo Zen e il carattere del popolo Giapponese
in: Asiatica, Vol. V (1939), pg. 1 ff.
Roma   1939

idem
Q 10 - 50 / Sep.

Nuove scoperte archeologiche nell' Afghanistan e l'arte del Gandhara
in: Asiatica, Vol. V (1939), pg. 497 ff.
Roma   1939

WESTPHAL-HELLBUSCH, Sigrid /Mützen aus Zentralasien und Persien
SOLTKAHN, Gisela   Muccum für Völkerkunde, Berlin   1976
Q 10 - 38

WOLGENSINGER, Michael /   Wunderland Siam (Thailand)
WENING, Rudolf / SOOM, A.F. Silva-Verlag, Zürich, o.J.   ca. 1963
Q 10 - 4
WOOD, John   A journey to the source of the river
Q 10   37   Oxus
                             With an essay on the geography of the
                             valley of the Oxus by Henry Yule and
                             an introduction by G.E. Wheeler
                             Oxford University Press, Karachi, rep.1976
                             (1st edition: London 1872)

Q 11. Varia

BARZINI, Luigi
Q 11 - 1

Peking-Paris im Automobil
F.A. Brockhaus, Leipzig   1908

BOSSARD, M.-P.
Q 11 - 2

Quer durch Asien über die Alte Seiden-strasse (Citroen Zentralasienfahrt)
Delphin Verlag, Stuttgart / Zürich   1967

GABAIN, Annemarie von
Q 11 - 4

Einführung in die Zentralasienkunde
Wiss. Buchgesellschaft, Darmstadt   1979

LE COQ, Albert v.
Q 11 - 3 (vide H 7 - 28)

Sprichwörter und Lieder aus der Gegend von Turfan
Mit einer dort aufgenommenen Wörterliste
Johnson Reprint Co., London   1968
(1. Auflage Leipzig/Berlin 1911)

R. Belletristik/Curiosa

R 1. Romane, Novellen, Erzählungen, Poesie et sim.

BRAUMANN, Franz R 1 - 9	Ritt nach Barantola Die Abenteuer des Tibetreisenden Pater Johannes Grueber (3. Aufl.) Verlag Herder, Wien

		1963

BRÄUTIGAM, Herbert
R 1 - 38
Märchen aus Tibet
A.d. Chines. übers. u. frei nacherzählt
von H'B'
Fischer Taschenbuch Verlag
Frankfurt a.M.   1977

BRENT, Madeleine
R 1 - 35
Wenn im Tal der Mondbaum blüht
Marion von Schröder, Düsseldorf   1978

CABLE, Mildred /
FRENCH, Francesca
R 1 - 5
Something Happened
Hodder & Stoughton, London   1947

CESCO, Federica de
R 1 - 27
Die goldenen Dächer von Lhasa
Neptun Verlag, Kreuzlingen   1974

CONSTEN, Hermann
R 1 - 8
Der rote Lama
Verlag Strecker und Schröder
Stuttgart   1928

DAVID-NEEL, Alexandra /
YONGDEN Lama
R 1 - 18
Mipam
Der Lama mit den Fünf Weisheiten
F.A. Brockhaus, Leipzig   1935

DAVID-NEEL, Alexandra
R 1 - 39
Im Land der Dämonen
Arena-Verlag Georg Popp, Würzburg   1977

DELATTRE, Pierre
R 1 - 12
Tales of a Dalai Lama
Houghton Mifflin Company, Boston   1971

DUNCAN, Marion H.
R 1 - 3
The Cycle of Existence
The Mitre Press, London   1965

FLEMING, Peter
R 1 - 2
A Story to Tell
with a chapter: "A Tent in Tibet",
pg. 213 ff.
Jonathan Cape, London   1942

GODDEN, Rumer
R 1 - 25
Thus Far and No Further
Macmillan, London   1961

GOVINDA, Li Gotami
R 1 - 37

Tibetan Fantasies
Paintings, poems and music
Dharma Publishing, Emeryville   1976

HILTON, James
R 1 - 1

Irgendwo in Tibet
(Originaltitel: "Lost Horizon")
Fischer-Bücherei
Frankfurt a.M. / Hamburg   1958

HUCHEL, Monika (Ed.)
R 1 - 22

Der Fächer des Lebens
Märchen aus Asien (enthält 3 Märchen
aus Tibet, pg. 171 ff.)
Verlag Neues Leben, DDR (Berlin?)   1972

JANSON, Marguerite
R 1 - 10

Die grosse Ueberraschung
Verlag Huber & Co. AG.
Frauenfeld/Schweiz   1964

JUNGBAUER, Gustav (Ed.)
R 1 - 29

Märchen aus Turkestan und Tibet
Eugen Diederichs, Jena   1923

KERN, Maximilian
R 1 - 19

Unter der Klaue des Drachen
Eine Geschichte aus Tibet
Union Deutsche Verlagsgesellschaft,
Stuttgart / Berlin / Leipzig   1890

LÜDERS, Else (Transl.)
R 1 - 23

Buddhistische Märchen aus dem alten
Indien
Ex Libris, Zürich   1972

O'DRIAN, Patrick
R 1 - 7

The Road to Samarcand
Rupert Hart-Davis, London   1954

O'CONNOR, W.F. (Transl.)
R 1 - 36

Folk tales from Tibet
Ratna Pustak Bhandar, Kathmandu   1977

PELLIOT, Marianne
R 1 - 26

Le sorcier du Lac Vert
Adrien-Maisonneuve, Paris   1950

RAMPA, Lobsang (Pseud.)
R 1 - 4

Das Dritte Auge
Ein tibetischer Lama erzählt sein Leben
Piper & Co., München   1957

idem
R 1 - 15

Living with the Lama
Corgi Books, ed. by Transworld
Publishers Ltd., London   1964

idem
R 1 - 16

Doctor from Lhasa
Corgi Books, ed. by Transworld
Publishers Ltd., London   1959

idem
R 1 - 17

The Cave of the Ancients
Transworld Publishers Ltd., London   1963

RAMPA, Lobsang T.   The Rampa Story
R 1 - 21   Souvenir Press, London   1960

ROELLINGER, Léa   Contes pimentés de vérité
R 1 - 31   Les Paragraphes Littéraires de Paris,
                           Paris   1974

RÜTIMANN, Hansheinrich   Der Wahre Pfad
R 1 - 14   Geschichte einer Flucht aus Tibet
                           Eugen Rentsch Verlag,
                           Erlenbach-Zürich   1969

SCHIEL, Ruth   Hochzeit in Tibet
R 1 - 6   Rainer Wunderlich Verlag, Tübingen   1964

SEUFERT, Karl Rolf   Die vergessenen Buddhas
R 1 - 33   Herder, Freiburg i.Br.   1965

STOVICKOVA, D. und M.   Tibetische Märchen
R 1 - 30   Mythen und Legenden anderer Völker des
                           Fernen Ostens; illustriert von
                           E. Bednarova
                           Werner Dausien, Hanau/M.   1974

TELSCOMBE, Anne   Oma reist aufs Dach der Welt
R 1 - 20   Roman
                           Rowohlt Verlag, Reinbek b. Hamburg   1972

THURLOW, Clifford   Stories from beyond the clouds
R 1 - 32   An anthology of Tibetan folk tales
                           Library of Tibetan Works and Archives
                           Dharamsala   1975

TSEWANG PEMBA   Tibet im Jahre des Drachens
R 1 - 11   Roman
                           (engl. Originaltitel: "Idols on the Path")
                           Herder, Freiburg / Basel / Wien   1968

TSULTIM, Yeshe   Re topo - Racconto popelare tibetano
R 1 - 34   Aldo Garzanti, Italia   1976

WILHELM, Richard   Chinesische Märchen
R 1 - 24   Ex Libris, Zürich   1973

WINDSOR, John   Girl from Tibet
R 1 - 13   Loyola University Press, Chicago   1971

WITTE, Victor   Abenteuer am Rande der Welt
R 1 - 28   (mit zwei Geschichten aus Tibet)
                           Drei Masken Verlag, Berlin   1936

BARBORKA, Geoffrey A.
R 2 - 1

H.P. Blavatsky, Tibet and Tulku
The Theosophical Publishing House
Madras   1969

GRANI, Bert
R 2 - 6

Nürnberger Spiele
Ein utopischer Zeitroman
Bert Grani, Selbstverlag,
Hüttenberg/Kärnten   1963

HERGÉ
R 2 - 2

Tim in Tibet
(Comic Strips)
Carlsen Verlag, Reinbek bei Hamburg   1967

ILLION, Theodore
R 2 - 3

Darkness over Tibet
Rider & Comp., London   ca. 1938

NOTOVITCH, Nicolas
R 2 - 5

The Unknown Life of Christ
from the French by Violet Crispe;
with maps and 14 illustrations
Hutchinson & Comp., London   1895

WALLNER, Albert
R 2 - 4

Mönch Story
Hitlers Flucht aus Berlin und sein
Fallschirmabsprung über Tibet
Verlag F. Berger und Söhne,
Horn / Austria   1968

R 3. Varia

BURANG
(Pseud. f. Illion, Theodor)
R 3 - 1

Tibeter über das Abendland
Stimmen aus dem geheimnisvollen Tibet
Igonta Verlag, Salzburg   1947

DISNEY, Walt
R 3 - 2 / Sep.

Zio Paperone e la Sentenza Tibetana
in: Almanacco Topolino, No 271, Luglio
1979, pg. 103 ff.
Arnoldo Mondadori, Milano   1979

S. Periodica/Serien/Kompendien/Enzyklopädien/Festschriften

S 1. Periodika

AMSTERDAM, Vereniging van Vrienden der Aziatische Kunst S 1 - 52	Bulletin van de Vereniging van Vrienden der Aziatische Kunst 3. Serie, No 21 - 23 (1972 - 75) Amsterdam 1972 - 1975
AWIRS (Belgique) Editor: M. Bury S 1 - 35	Le Contact Bouddhique ab No 15 - 16 (März-April 1973), compl. Awirs (Belgique) ab 1973
BADEN, Editor: Gyaltsen Gyaltag S 1 - 44	Chinang Sheja Dreisprachige Publikation des Vereins Tibeter Jugend in Europa ab Jg. 1 (1975) No 1 bis Jg. 5 (1980), No 2, compl. Baden/Schweiz 1975 - 1980 ab Jg. 5 (1980), No 3 neuer Titel: JUNGES TIBET, Editor: Kelsang Gyaltsen, Spreitenbach
BEIJING, Guozi Shudian S 1 - 50	Mi-dMaṅs brNYan-Par ("Volks-Illustrierte") tibetische Edition von "China im Bild", ab Jan. 1979 compl. Beijing ab 1979
BERLIN-FROHNAU, Neu-Buddhistischer Verlag	Die Brockensammlung Zeitschrift für angewandten Buddhismus u.a. 5 Hefte, 1933 - 1937, vorhanden Berlin-Frohnau 1933 - 1937
BERLIN, Verlag des Buddhistischen Holzhauses S 1 - 27.1 ff.	Buddhistisches Leben und Denken incompl. Hefte der Jahrgänge 1930 - 1933 und 1935 - 1939 in 3 Volumina gebunden. Verlag des Buddhistischen Holzhauses, Berlin ab 1930
BERN, Schweizerisches Ost-Institut S 1 - 18.1 ff.	Der Klare Blick (bis Ende 1968, später:) Zeitbild compl. Sämtliche Jahrgänge seit Erscheinen mit No. 1 des 1. Jahrgangs; gebunden Bern ab 1960

BLOOMINGTON, The Tibet Society S 1 - 33	The Tibet Society Bulletin ab Vol. 3 (1969), Vol. 1 (1967) und Vol. 2 (1968): The Tibet Society Newsletter ab Vol. 1 (1967), compl. Bloomington ab 1967
BRUXELLES, Institut des Hautes Etudes Bouddhiques S 1 - 7	Samadhi Cahiers d'Etudes Bouddhiques compl. ab Vol. I, 1 Bruxelles ab 1967
BRUXELLES, Centre Bouddhique Tibétain "Ljan'na" S 1 - 30	L'Ecole d'Or Bulletin périodique de la Section Belge du Centre Bouddhique Tibétain "LJAN'NA" Editeur: 'Maison du Bouddhisme', Bruxelles incompl. ab Jg. 12 (Nos. 129/30) vom Sept./Okt. 1971 ff. Bruxelles ab 1971
BUDAPEST, Alexander Csoma de Körös- Institut S 1 - 5.1 ff.	Körösi Csoma Archivum incompl. Vol. I: 1921 - 1925 Vol. II: 1926 - 1932 Supplementum Vol. I: 1935 - 1939 Vol.III: 1941 - 1943 Neu aufgelegt bei E.J. Brill, Leiden 1967
BUDAPEST, Alexander Scoma de Körös Institute for Buddhology S 1 - 38	Communications of the Alexander Csoma de Körös Institute for Buddhology ab 1972, compl. Buddhist Mission, Budapest ab 1972
CALCUTTA, The Maha Bodhi Society S 1 - 26.1 ff.	The Maha Bodhi International Buddhist Monthly incompl. ab 1952; gebunden in Volumina nach Jahrgängen (10 Vols.) Calcutta ab 1952
CALCUTTA, Eastend Printers S 1 - 23.1	The Voice of Tibet Tibetische Monatszeitung in englischer Sprache (incompl.) (Vorgängerin von "The Tibetan Review", ab Jan. 1968, ed. in Dharamsala ab 1971) Editor: T.N. Takla; in Jge. gebunden Calcutta 1967 - 1968
DARJEELING, The Freedom Press S 1 - 21	Rań dPań gSar SHog / Freedom Wochenzeitung in tibetischer Sprache, (post März 1965 neuer Titel: Bod Mi'i Rań dPań / Tibetan Freedom) ab März 1964 (fast compl.) bis März 1965 Darjeeling 1964 - 1965

400

DARJEELING, Tibetan Freedom Press S 1 - 22.1 ff.	Bod Mi'i Rań dPań / Tibetan Freedom Tageszeitung, resp. später Halbmonats- blatt in tibetischer Sprache; Früher unter der Bezeichnung: Rań dPań gSar SHog bis März 1965 als Wochenzeitung erschienen (cf. Ziffer S 1 - 21!) (fast compl.), gebunden in Volumina nach Jahrgängen (ab No. 3 vom 11. 3.1965) Darjeeling ab 1965
DHARAMSALA, Temporary Headquarters of H.H. The Dalai Lama S 1 - 14	News Letter Monatliches Informationsblatt aus der derzeitigen Residenz S.H. des Dalai Lamas XIV. in Dharamsala H.P. (incompl.) ab Vol. I, No. 4 (Juni 1965) Ab Januar 1968 unter dem neuen Titel "Tibetan Bulletin" Dharamsala ab 1965
DHARAMSALA, Sheja Publications S 1 - 23.1 ff.	Tibetan Review Tibetische Monatszeitung in englischer Sprache (gebunden) (vordem "The Voice of Tibet" (bis Jan. 1968); cf. oben unter 'Calcutta') Editoren: 1968 - 1970: T.N. Takla, 1971 adhuc: Tenzin Tethong Von 1968 -1971 in Calcutta gedruckt, ab 1971 in Dharamsala (fast compl.) Dharamsala ab 1968
DHARAMSALA, Sheja Publications S 1 - 24	SHEJA Kulturelle und lehrhafte Monatszeitschrift in tibetischer Sprache, illustriert (fast compl.), gebunden Dharamsala ab 1968
DHARAMSALA, Library of Tibetan Works & Archives S 1 - 28	News Letter of Library of Tibetan Works and Archives at the Headquarters of H.H. The Dalai Lama, Dharamsala ab Vol. I, No. 1 (November 1972) Dharamsala ab 1972
DHARAMSALA, Library of Tibetan Works & Archives S 1 - 42	The Tibet Journal An international publication for the study of Tibet ab Vol. I (1975), compl. Dharamsala ab 1975
FREIBURG / SCHWEIZ, Anthropos-Institut, Posieux S 1 - 6.1 ff.	Anthropos Internationale Zeitschrift für Völker- und Sprachenkunde Lediglich 7 Einzel-Volumina (incompl.) Paulusverlag, Freiburg/Schweiz

GANGTOK, Namgyal Institute of Tibetology S 1 - 3.1 ff.	**Bulletin of Tibetology** compl. ab 1964 (in Bände zu je 4 Jahrgängen gebunden) Namgyal Institute of Tibetology, Gangtok/Sikkim ab 1964
HAMBURG, Orden Ārya Maitreya Maṇḍala, Zweig für West-Europa S 1 - 16	**Der Kreis** Informationsblatt des Ordens Ārya Mai- treya Maṇḍala (Zweig für West-Europa) Ab No. 81, Mai/Juni 1969; von da an compl. gebunden Hamburg ab 1969
HAMBURG, Buddhistische Gesellschaft e.V. S 1 - 49	**Mitteilungsblatt der Buddhistischen** **Gesellschaft e.V.** Jg 6 (1960), no 12 Jg 7 (1961), No 1 - 4, 6, 9 und 10 (ab Jg 8 (1962) neuer Titel: Buddhistische Monatsblätter)
HAMBURG, Buddhistische Gesellschaft e.V. S 1 - 49	**Buddhistische Monatsblätter** ab Jg 8 (1972), incompl. Hamburg ab 1972 (früher: Mitteilungsblatt der buddhisti- schen Gesellschaft e.V.)
HAMBURG, Institut für Asienkunde S 1 - 39	**China aktuell** ab 1972 compl. Hamburg ab 1972
HARVARD, resp. CAMBRIDGE, Harvard-Yenching Institute, Cambridge/Mass. S 1 - 25	**Harvard Journal of Asiatic Studies** Lediglich Einzelband 25 Harvard Yenching Institute, Cambridge/Massachusetts 1964 / 1965
KALIMPONG, Tibet Mirror Press S 1 - 20	**Yulchog Sosoi Sargyur Melong (sic!) /** **The Tibetan Newspaper** Einzelnes Exemplar dieser Zeitung in Kopie Vol. XVI, No. 10 vom Juli 1948 Tibet Mirror Press, Kalimpong 1948
KATHMANDU, Editor: H.K. Kuloy S 1 - 37	**Kailash** A journal of Himalayan studies ab Vol. I (1973), compl. Kathmandu ab 1973
LAUSANNE, Groupement Bouddhiste (Ed. G. Bex) S 1 - 10	**Cahiers Bouddhistes** Zeitschrift des Groupement Bouddhiste de Lausanne compl. (gebunden) Lausanne ab 1970

LEIDEN,
Editor: Mr. Van Walt
S 1 - 12

Tibetan Messenger / Bod-kyi Bañ-chen
compl.
Ab Vol. I, No. 1 (Jan. 1972)
Leiden   ab 1972

LEIDEN,
E.J. Brill
S 1 - 36

T'oung Pao
Archives concernant l'histoire, les
langues, la géographie, l'éthnographie et
les arts de l'Asie Centrale
ab Vol. LIX (1973), livr. 1 - 5, compl.
Leiden   ab 1973
(frühere Bände einzeln katalogisiert unter
den betr. Autoren)

LONDON,
Tibetan News Agency (TNA)
S 1 - 15

Features and News from behind the
Iron Curtain
Zeitungsmeldungen und Mitteilungen
betr. Tibet und Tibetisches
(incompl.), gebunden
F.C.I. News Agency, London   ab 1967

LONDON,
The Tibet Society of the
United Kingdom / The Tibet
Relief Fund
S 1 - 31

Newsletter
incompl. bis Dezember 1971; ab 1972
compl.
London   ab 1972

LONDON,
Tibet News Review
S 1 - 53

Tibet News Review
ab Vol. I (1980), No 1 compl.
London   ab 1980

LONDON,
The Royal Central Asian
Society
S 1 - 32

Asian Affairs
Journal of the Royal Central Asian
Society
ab Vol. 58 (1971), part I, compl.
London   ab 1971

LUZERN,
Schweizer Tibethilfe
(Deutsche Tibethilfe)
S 1 - 11.1 ff.

Tibet im Exil / Le Tibet en Exil
(zudem Sonderedition für Deutschland)
compl. ab No. 1 vom April 1962, gebunden
Solothurn (Buchdruckerei Habegger) ab 1962

MUNDGOD,
Drepung Loseling Library
Society
S 1 - 54

Dreloma
Drepung Loseling Magazine
ab Vol. I (1978), No 1, compl.
Mundgod   ab 1978

NAGOYA / Japan,
Societas Verbi Divini /
Society of the Divine Word
at Nanzan, University of
Nagoya
S 1 - 4

Monumenta Serica
Einzelband (incompl.)
Gedruckt in Tokyo   1961

NEW DELHI, American Libraries Book Procurement Center S 1 - 19	Accession List "India" Accession List "Nepal" ab Vol. 9, No. 1 (Jan. 1970) compl. New Delhi 1970 ff.
PARIS, Editor: Patrick Kauffmann S 1 - 29	La Pensée Bouddhique Revue trimestrielle compl. ab No. 1 (Juni 1972) Paris ab 1972
PARIS, Annales du Musée Guimet S 1 - 45	Revue de l'Histoire des Religions ab tome CLXXVII (1970), No 1, compl. Paris ab 1970
PARIS, Musée Guimet et Musée Cernuschi S 1 - 41	Arts Asiatiques Revue publiée par l'Ecole Française d'Extrême-Orient avec le concours de C.N.R.S. ab tome II (1955) - tome XXIX (1973) incompl. A. Maisonneuve, Paris ab 1955
RIEHEN BL/Schweiz, Editor: Tashi Buser S 1 - 47	Lam (Zeitschrift der Tibeter Jugend) No 1 - 3 (1973 - 1974) Erscheinen eingestellt Tashi Buser, Riehen 1973 - 1974
ROMA, Istituto Italiano per il Medio ed Estremo Oriente Editor: Giuseppe Tucci O 1 - 56	East and West ab Vol. XXVIII (1978), New Series compl. Roma ab 1978 (frühere Bände einzeln katalogisiert unter den betr. Autoren)
SALZBURG, Buddhistische Gemeinschaf- ten Jodo Shin in Europa Editor: Friedrich Fenzl S 1 - 17	Mahāyāna Informationsorgan der Buddhistischen Gemeinschaften Jodo Shin in Europa incompl. (ab No. III, 3) Salzburg ab 1967
SCHEIBBS, Verein der Freunde des Buddhistischen Kultur- u. Meditationszentrums S 1 - 43	Bodhi Baum Zeitschrift für Buddhismus ab Jg. 1 (1976) compl. Octopus Verlag, Wien ab 1976
SCHWEIZ, Schweizerische Gesell- schaft für Asienkunde / Société Suisse d'Etudes Asiatiques S 1 - 2	Asiatische Studien / Etudes Asiatiques Jahrgänge 1947 bis 1951 compl., sodann ab Vol. XVIII/XIX, 1965, wiederum compl. Verlag A. Francke, Bern ab 1965

SINGAPORE,
Editor: Ngawang Samten
Chophel
S 1 - 57

Newsletters of His Holiness Sakya
Trizin
ab No 1 (1979)
Sakya Tenphel Ling, Singapore   ab 1979

SPREITENBACH/Schweiz,
Editor: Kelsang Gyaltsen
S 1 - 44

Junges Tibet
Zeitschrift des Vereins Tibeter Jugend
in Europa
ab Jg. 5 (1980), No 3, compl.
Spreitenbach   ab 1980
(früherer Titel: Chinang Sheja,
Editor: Gyaltsen Gyaltag, Jg. 1 (1975),
No 1 bis Jg. 5 (1980), No 2,
Baden/Schweiz   1975 - 1980

TORONTO,
Tibetan Cultural Society
S 1 - 34

Snowflower
Newsletter of the Tibetan Cultural Society
ab No 1 (Jan. 1973), compl.
Toronto   ab 1973

TOULON-SUR-ARROUX,
Kagyu Ling
S 1 - 46

Les Cahiers du Bouddhisme
ab No 1 (1979), compl.
Toulon-sur-Arroux   ab 1979

UTTING, a.A.,
Buddhistisches Haus Georg
Grimm
S 1 - 58

Yana
Zeitschrift für Buddhismus und religiöse
Kultur auf buddhistischer Grundlage
ab Jg XXI (1968), compl.
Utting a.A.   ab 1968

WELLINGTON,
Tibetan Children Relief
Society of New Zealand
S 1 - 13

Tibetan Bulletin for New Zealand
Informationsblatt;
incompl. ab Sept. 1969 bis Nov. 1971
Wellington   ab 1969

WESTERBORK,
St. Tijdschrift Tibet
S 1 - 55

Tibet
Tijdschrift over Maatschappij, Cultuur
en Religie van Tibet
ab Vol. I (1980), No 1, compl.
Westerbork   ab 1980

WIEN,
Octopus Verlag
S 1 - 40

Octopus-Information
Hauszeitschrift der Octopus-Buchhandlung
für Buddhismus und Grenzgebiete
ab No 0 (1972) compl.
Wien   ab 1972

WIESBADEN,
Otto Harrassowitz Verlag
S 1 - 1

Central Asiatic Journal
International Periodical for the Language,
Litterature, History and Archaeology of
Central Asia
(Früher erschienen bei Mouton & Co.,
The Hague und Otto Harrassowitz, Wies-
baden, nunmehr nur noch bei O. Harrassowitz,
Wiesbaden)
compl. ab Vol. I, No. 1
Wiesbaden   ab 1956

ZÜRICH,   Ethnologische Zeitschrift Zürich
Sammlung für Völkerkunde   compl. ab Vol. I, No. 1 (Okt. 1971)
der Universität Zürich   Lang Druck AG., Liebefeld-Bern   ab 1971
S 1 - 8

ZÜRICH,   Buddhistisches Informationsblatt der
Informationsbureau für   Schweiz
Buddhismus / ab Jan. 1970:   (Titel bis Dezember 1969: "Mitteilungen
Fred Gadient, Zürich   für Buddhisten in der Schweiz", hrsg.
S 1 - 9.1 ff.   vom Informationsbureau für Buddhismus,
                                Zürich)
                                Redaktion: Alfred Gadient, Postfach 681,
                                CH-8021 Zürich
                                compl., gebunden
                                Zürich   ab 1967

ZÜRICH,   Mitteilungen der Buddhistischen Gemein-
Buddhistische Gemeinschaft   schaft Zürich
Editor: Raoul von Muralt   No 1 (1943) - No 24 (1947)
S 1 - 51   es fehlen: Nos 2, 12, 17 und 18
                                Zürich   1943 - 1947

S 2. Jahrbücher / Annalen

BONN,   Zentralasiatische Studien
Seminar für Sprach- und   Jahrbücher
Kulturwissenschaft Zentral-   compl. ab Vol. I (1967)
asiens der Universität   Otto Harrassowitz, Wiesbaden   1967 ff.
S 2 - 1.1 ff.

JETTMAR, Karl (Ed.)   Jahrbuch des Südasien-Instituts der
S 2 - 4   Universität Heidelberg 1966
                                Yearbook of the South Asia Institute
                                Heidelberg University
                                Otto Harrassowitz, Wiesbaden   1967

LOBO, Rocque (Ed.)   Jahrbuch für Yoga
S 2 - 3.1 ff.   Ostasiatische Meditationstechniken und
                                ihre Anwendung in der westlichen Welt
                                ab (Jahrgang 1) 1980
                                O.W. Barth Verlag, München   ab 1980

MAINZ,   Gutenberg Jahrbuch
Gutenberg-Gesellschaft   Band für das Jahr 1950
S 2 - 2   Redaktion: Aloys Ruppel
                                Verlag der Gutenberg-Gesellschaft
                                Mainz   1950

S 3. Jubiläumsschriften

ARIS, Michael /
AUNG SAN SUU KYI (Ed.)
S 3 - 7 (vide S 4 - 31)

Tibetan Studies in honour of Hugh
Richardson
Proceedings of the International Seminar
on Tibetan Studies, Oxford 1979
Arix & Phillips, Warminster   1980

COMPL. AUCT.
S 3 - 2

Wege zur Ganzheit
Festschrift zum 75. Geburtstag von
Lama Anagarika Govinda
Kasar-Devi-Ashram-Publication,
Almora/Indien   1973

COMPL. AUCT.
S 3 - 3

Serta Tibeto-Mongolica
Festschrift für Walther Heissig zum
60. Geburtstag
Otto Harrassowitz, Wiesbaden   1973

COMPL. AUCT.
S 3 - 4

Des Geistes Gleichmass
Festschrift zum 75. Geburtstag des
Ehrw. Nyānaponika Mahāthera
Verlag Christiani, Konstanz   1976

GULIK, W.R. van /
VAN DER STRAATEN, H.S. /
WENGEN, G.D. van (Ed.)
S 3 - 6

From Field-Case to Show-Case
Research, acquisition and presentation in
the Rijksmuseum voor Volkenkunde
(National Museum of Ethnology), Leiden.
In tribute to Prof. P.H. Pott on the
25th Anniversary of his directorship of
the Rijksmuseum voor Volkenkunde, Leiden.
J.C. Gieben, Amsterdam / Uithoorn   1980

ROY, Kshitis (Ed.)
S 3 - 1

Liebenthal Festschrift
Sino-Indian Studies
Vol. V, parts 3 and 4
Visvabharati, Santiniketan   1957

SCHUBERT, Johannes /
SCHNEIDER, Ulrich (Ed.)
S 3 - 5

Asiatica
Festschrift Friedrich Weller.
Zum 65. Geburtstag
Otto Harrassowitz, Leipzig   1954

S 4. Kompendien / Sammelwerke / Enzyklopädien et sim.

ARIS, Michael /
AUNG SAN SUU KYI (Ed.)
S 4 - 31

Tibetan Studies in honour of Hugh
Richardson
Proceedings of the International
Seminar on Tibetan Studies, Oxford 1979
Aris & Phillips, Warminster   1980

BECHERT, Heinz (Ed.)
S 4 - 27

Buddhism in Ceylon and studies on
religious syncretism in Buddhist
countries: Report on a symposium in
Göttingen
(Symposien zur Buddhismusforschung, 1
phil.-hist. Kl., 3 Flge, 108)
Vandenhoeck & Ruprecht, Göttingen   1978

BERGHAUS, H.
S 4 - 5.1 ff.

Asia
Sammlung von Denkschriften in Beziehung
auf die Geo- und Hydrographie dieses Erd-
teils
4 Lieferungen
Justus Perthes, Gotha   1832

BRAUEN, Martin /
KVAERNE, Per (Ed.)
S 4 - 25

Tibetan Studies
Presented at the Seminar of Young
Tibetologists Zurich, June 26 - July 1,
1977
Völkerkundemuseum der Universität
Zürich   1978

COMPL. AUCT.
S 4 - 7

Tibet
als Vol. 10 der "International Studies",
No. 4
Asia Publishing House,
New Delhi et alibi   1969

COMPL. AUCT.
S 4 - 9

Contributions to Ethnography, Linguistics
and History of Religion
Statens Etnografiska Museum,
Stockholm   1954

COMPL. AUCT.
S 4 - 18

Asia Major
Vol. III (1926), mit 25 Artikeln, betr.
meist chines. Themen
Johnson Reprint, New York, reprint 1964

COMPL. AUCT.
S 4 - 20

Oriens Extremus
Verschiedene Artikel über China
Otto Harrassowitz, Wiesbaden   1972

COMPL. AUCT.
S 4 - 24

Etudes Tibétaines
Actes du XXIXe Congrès International
des Orientalistes
L'Asiathèque, Paris   1976

408

COMPL. AUCT.
S 4 - 32

Proceedings of Symposium on Qinghai-
Xizang (Tibet) Plateau (Abstracts)
May 25 - Juni 1, 1980
Organizing Committee Symposium on
Qinghai-Xizang (Tibet) Plateau,
Academia Sinica, Beijing   1980

EBERHARD, Wolfram
S 4 - 28

China und seine westlichen Nachbarn
Beiträge zur mittelalterlichen und
neueren Geschichte Zentralasiens
Wiss. Buchges ., Darmstadt   1978

HEDIN, Sven
S 4 - 14

Southern Tibet - Discoveries in former
times compared with my own researches
in 1906 - 1908
Vol. VII: History of exploration in the
Kara-korum mountains/Recent exploration
in the Kara-korum glaciers/Hydrography,
Orography and geomorphology of Tibet
Lithogr. Inst. of the Gen. Staff of the
Swedish Army, Stockholm   1922

idem
S 4 - 15

Southern Tibet - Discoveries in former
times compared with my own researches
in 1906 - 1908
Vol. VIII: The Ts'ung-Ling mountains/
Die Westländer in der chinesischen
Kartographie/Zwei osttürkische Manuskript-
karten/Chines. Umschreibungen von älteren
geogr. Namen
Lithogr. Institute of the General Staff
of Swedish Army,
Stockholm   1922

idem
S 4 - 16

Southern Tibet - Discoveries in former
times compared with my own researches
in 1906 - 1908
Vol. IX: Journeys in Eastern Pamir/
Osttürkische Namenliste/Zur Geologie von
Ost-Pamir/Eine chinesische Beschreibung
von Tibet/General Index
Lithogr. Institute of the General Staff
of the Swedish Army,
Stockholm   1922

HODGSON, B.H.
S 4 - 4

Essays on Nepal and Tibet
Languages, Literatur and Religion
Philo Press
Amsterdam   Reprint 1972

HOFFMANN, Helmut (et alii)
S 4 - 22

Tibet: A Handbook
Indiana University Publications,
Bloomington   1975

HONG KONG, Arts of Asia
Publ.
S 4 - 26 / Sep.

Arts of Asia
Vol. V (1975), No 6: enthält diverse
Artikel zur tibetischen Ikonographie
Hong Kong   1975

KANDY, Buddhist Publi-
cation Society
S 4 - 21

The Wheel
Selected Buddhist texts
ab Vol. I (1969), No 1, compl.
Kandy   ab 1969

LALOU, Marcelle
S 4 - 2

Etudes Tibétaines
dédiées à mémoire de Marcelle Lalou
(mit 21 Beiträgen von div. Gelehrten)
Adrien Maisonneuve, Paris   1971

LIGETI, Louis (Ed.)
S 4 - 30

Proceedings of the Csoma de Körös
Memorial Symposium
Held at Mátrafüred, Hungary,
24 - 30 September 1976
(Bibliotheca Orientalis Hungarica, XXIII)
Akadémiai Kiadó, Budapest   1978

MACDONALD, Ariane /
IMAEDA, Yoshiro (Ed.)
S 4 - 23

Essais sur l'art du Tibet
J. Maisonneuve, Paris   1977
(Rezension siehe Sign. P 3 - 68,
vide S 1 - 2)

MANN, Ulrich
S 4 - 11 / Sep.

Indien
4 Arbeiten, u.a. "Begegnung mit dem Dalai",
"Alt-Tibet in der Schweiz"
in: Die Karawane, Jg. 14 (1973), Heft 1
Ludwigsburg   1973

PETECH, Luciano (Ed.)
S 4 - 1.1 f.

Tucci, Giuseppe: Opera Minora
in 2 Volumina
Giovanni Bardi, Roma   1971

idem
S 4 - 8 / Sep.

Notes on Tibetan History of the 18th
Century
Separatdruck aus: T'oung Pao, Vol. LII,
Livraisons 4 - 5,
E.J. Brill, Leiden   1966

R(O)ERICH, J.N.
S 4 - 3

Izbrannye trudy (Ausgewählte Werke)
Verlag 'Nauka', Moskva   1967

ROMA, Istituto Italiano
per il Medio ed Estremo
Oriente
S 4 - 19 / Sep.

East and West
Year VII (1957), No 4: enthält mehrere
Artikel betr. buddh. Themen
Roma   1957

ROMA, Istituto Italiano per il Medio ed Estremo Oriente S 4 - 29	East and West New Series, Vol. XXVII (1977), No 1 - 4 Roma 1977

SCHWEIZERISCHES
ROTES KREUZ
S 4 - 6 / Sep.

Das Schweizerische Rote Kreuz
Heft No. 5 vom Juli 1972 unter dem
General-Thema: 'Tibeter unter uns'
(Exilfragen etc.)
12 div. Artikel verschiedener Autoren
Bern   1972

idem
S 4 - 12 / Sep.

Das Schweizerische Rote Kreuz
Heft No 8, Nov. 1961: enthält 5 Artikel
über Hilfe an Tibeter
Bern   1961

SEMICOV, B.V. (et al.)
(Ed.)
S 4 - 13

Tibetika
Materialy tibeticeskogo seminara
(12 Aufsätze linguistischer Art; in
russ.)
Akademie der Wiss. der UdSSR, Sibir. Abt.,
Burjät. Sektion, Ulan-Ude   1971

SNELLGROVE, David L. /
PALLIS, Marco
S 4 - 10 / Sep.

The Tibetan Tradition
in: Catalogue to the Exhibition of Tibetan
Art and Culture, 2. - 14.12.1965, in
London
E.W. Wormald, London   1965

WHEATON, The Theosophical
Society in America
S 4 - 17 / Sep.

Tibet and Tibetan Buddhism
in: The American Theosophist,
Vol. LX (1972), No 5, special issue,
Wheaton   1972

S 5. Varia

BAD DÜRKHEIM,
Lotus-Studio
(Ed. Thilo Goetze)
S 5 - 3

Garuda
Informationsblatt mit originaler Druck-
graphik als Beilage
hrg. von Thilo Goetze, Kurgartenstrasse,
D-6702 Bad Dürkheim BRD
Ab Mai 1969 bis November 1970.
Erscheint nicht mehr   1969 - 1970

PEKING,
Guozi Shudian
S 5 - 4

China im Bild
Chinesisch-kommunistische Propaganda-
Illustrierte (nahezu compl.)
Peking   ab 1965

PEKING, Guozi Shudian S 5 - 5	China Reconstructs Chinesisch-kommunistische Monats- illustrierte in englischer Sprache incompl. ab Vol. XIV, No. 11 (Nov. 1965) Peking ab 1965
TRING / England, Institute of Tibetan Studies / Tibet House S 5 - 1 / Sep.	Shambhala Occasional Papers of the Institute of Tibetan Studies Tring/England Pandect Press, London (Jan.) ab 1971
ZÜRICH, Gruppe der Tibeter Jugend im Raume Zürich S 5 - 2	Mitteilungen der Tibeterschule Zürich unregelmässig erscheinendes Periodicum, redigiert von Thupten Wullschleger et al. Zürich ab 1968

T. Magnettonbänder

T 1. *Radioprogramme zur «Sendung für die Tibeter in der Schweiz»*

DAHORTSHANG, Champa N.
Lodro (Redaktion)
T 1 - 1 ff.

Sendung für die Tibeter in der Schweiz
Magnettonband-Kopien der vierteljähr-
lichen Emissionen des Zweiten Programms
des Schweizer Radios
ab Mai 1970 compl.
Radio Studio Zürich   ab 1970

T 2. *Lehrbänder zur Sprache / Didaktisches Material*

AMIPA, Sherab Gyaltsen
T 2 - 4.1-2

Textbook of Colloquial Tibetan Language
2 Kassetten zum Buch gleichnamigen
Titels (vide sub H 6 - 7), Dauer ca.
1 h 25 Min.
Tibet-Institut, Rikon   1974

GOLDSTEIN, Melvyn C. /
NORNANG, N.
T 2 - 1

Modern Spoken Tibetan
Magnettonband zum gleichnamigen Sprach-
lehrbuch
2-track Mono; sides 1 & 2; 3 ¾ IPS
Multi-Media Productions,
Seattle   1970

JONGCHAY, Champa T.
T 2 - 3

Kleine Phraseologie der tibetischen
Umgangssprache
Originales Magnettonband zum gleichnamigen
Buch (vide sub H 6 - 6)
Tibet-Institut, Rikon/Zürich   1972

KUN CHANG /
SHEFTS, Betty
T 2 - 2.1 f.

A Manual of Spoken Tibetan (Lhasa Dialect)
2 Magnettonbänder zum Buch gleichen
Titels
Seattle   1964

T 3. Reden, Lehrreden / Zeremonien, Feiern, Feste (sakral u. profan)

LING RINPOCHE Yongzin T 3 - 1	Tibetische Lehrrede (Exegese) Dharamsala/Indien	1970
NEUWIRTH, Jiři (Aufn.) T 3 - 2	Geburtstagsfeier S.H. des Dalai Lamas XIV. am 10. Juli 1971 am Klösterlichen Tibet- Institut in Rikon/Zürich Rikon/Zürich	1971
OTT, Anna E. (Aufn.) T 3 - 3	Lha babs dus chen (Feier zur Niederfahrt des Buddha aus dem Paradies) Ganden Namchoe (Feier zum 552. Todestag des Tsongkhapa) Magnettonband; aufgenommen in Rikon am 9. Nov. 1971 und 12. Dez. 1971 Rikon/Zürich	1971
eadem (Aufn.) T 3 - 4	Sa-ga zLa-ba (Feier zu Buddhas Erleuch- tung, Eingehen ins Nirwana und Niederfahrt auf Erden) Ganden Namchoe (Feier zum 553. Todestag des Tsongkhapa; mit Laien) Magnettonband; aufgenommen in Rikon am 28. Mai 1972 und 30. Nov. 1972 Rikon/Zürich	1972
eadem (Aufn.) T 3 - 5	Ganden Namchoe Feier zum 553. Todestag Tsongkhapas (ohne Laien); Magnettonband; aufgenommen in Rikon am 30.11.1972 Rikon/Zürich	1972
SA-SKYA TRIZIN T 3 - 6	Kulthandlung und Lehrrede gehalten am Tibet-Institut Rikon am 18. Mai 1974 Rikon/Zürich	1974

T 4. Sakralmusik (vokal u. instrumental)

BRITISH BROADCASTING CORPORATION (BBC London) T 4 - 2	Tibetische Kultmusik (vokal) 11 Gesänge Magnettonband-Kopie vom BBC-Original No. 27574-5; Laufdauer: 24 Min. (Kopie: Radio Studio Zürich)	1970

CROSSLEY-HOLLAND, Peter   Music of Tibet
(Aufn.)   (Rundfunk-Vortrag)
T 4 - 5)   Tonband, Mono (Geschw. 9,5)
   4-spurig; Begleittext siehe T 4-5.1/Sep.
   Musikethnologisches Institut
   Berlin   1961

GÖTTINGEN, Institut für den   Tonband zu Film (E 263):
Wissenschaftlichen Film   Tscham-Tänze ("Sikkim-Lama"
T 4 - 4   siehe Film: Sign. U 2 - 16
   Göttingen   ca. 1972

POMAIA, Istituto   Collegio Tantrico del Gyuto:
Lama Tzong Khapa   Musica per Meditazione
(Aufn.)   Guiasamaja/Yamantaka/Rabne/Mahakala;
T 4 - 6   condotto dal Lama Tara Rimpoce; Kassette
   Pomaia   1975

POMAIA, Istituto   Meditazione Buddhista Tibetana
Lama Tzong Khapa   Gaden Lakiema/21 Lodi a Tara/
(Aufn.)   Avalokitesvara/Vajrapani/Mahakala
T 4 - 7   (tägliche Rezitation von der 'Comunita
   Buddhista di Pomaia'), Kassette
   Pomaia   ca. 1980

SMITH, Prof. (Aufn.)   Tibetische Ritualgesänge aus dem Tantric
T 4 - 3   College, Dalhousie/Indien
   Magnettonband-Kopie
   Dalhousie   ca. 1970

WOLFMAYR, Robert   Tibetische Ritualmusik der Mönchs-
(Aufn.)   gemeinschaft am Klösterlichen Tibet-
T 4 - 1   Institut Rikon/Zürich
   Rikon/Zürich   1970

T 5. Profanmusik (vokal u. instrumental)

BRAUEN, Martin (Aufn.)   Tibetische Volksmusik
T 5 - 2   instrumental und vokal
   Magnettonband
   Ausführende: Spiel- und Tanzgruppe der
   Tibeter im Schweizer Exil
   Bern   1970

BRITISH BROADCASTING   Tibetische Instrumentalmusik für
CORPORATION (BBC London)   Flöte, Gyaling und Trommeln
T 5 - 3   Magnettonband-Kopie vom BBC-Original
   No. 529; Laufdauer: 7' 50"
   (Kopie: Radio Studio Zürich)   1970

GÄHWYLER, Karl (Aufn.) 7 tibetische Tänze
T 5 - 4   Instrumental, teilw. mit Gesang
                        Magnettonband-Kopie
                        Ausführende: Tibetische Tanz- und
                        Spielgruppe
                        Dharamsala   1970

VAHRMAN, S. (Aufn.)   Tibetan Folk Songs and Music
T 5 - 5   Produced by The Tibetan Community in
                        Britain in conjunction with The Tibetan
                        Dance and Drama Group, Switzerland;
                        Kassette
                        Örgyen Chö Ling, London   1979

WOLFMAYR, Robert (Aufn.) Instrumentale Volksmusik der Tibeter
T 5 - 1   14 Stücke für Dramnyè (Langhals-Guitarre),
                         tib. Querflöte, Metallophon.
                         Ausführende: Lhakpa Tsering, Turbenthal ZH,
                         Gonpo Namgyal Dotchung, Münchwilen TG.
                         Magnettonband-Aufnahmen vom 11. 9.1970
                         Rikon/Zürich   1970

T 6. Gesar Epos

HELFFER, Mireille (Aufn.) Einzelne Gesänge aus dem Gesar-Epos
T 6 - 1 ff.   vorgetragen durch den Rhapsoden
                         'Gyurmed, Uster/Zürich
                         Bänder I bis VI: Khruns gLin-Gesang
                         Bänder VI bis X: rTa rGyin-Gesang
                         Magnettonband-Kopien der Originale im
                         Musée Guimet, Paris   1971 / 1972

T 7. Varia

BRAUEN, Martin   Tibet im Umbruch
T 7 - 2   Interview am Radio Studio Bern vom
                        7. 4.1976; Kassette; Dauer: 1 h 40 Min.
                        Radio DRS, Bern   1976

LAUF, D.I.   Radiosendung zum tibetischen Totenbuch
T 7 - 1   Vortrag vom 19. 4.1973; mit liturg.
                        Beispielen; Magnettonband
                        Schweiz. Radio-Gesellschaft, Bern   1973

U. Film

U 1. Filme aus dem Alten Tibet (vor 1959)

FILCHNER, W.
U 1 - 4

Tscham-Tänze in einem tibetischen Lama-
Kloster (Kumbum Dschamba Ling)
schwarz-weiss, 16 mm, ohne Ton, 105 m
(Göttinger Filmarchiv Nr. D 940)
Mit Kommentarheft (vide sub U 3 - 17/Sep.)
Institut für den Wissenschaftl. Film,
Göttingen   1967

idem
U 1 - 5

Feste und Gebete in einem tibetischen
Lama-Kloster (Kumbum Dschamba Ling)
Aufnahmen der Jahre 1926/27 in Amdo
schwarz-weiss, ohne Ton, 16 mm, 102 m
(Göttinger Filmarchiv Nr. D 941)
Mit Kommentarheft (vide sub U 3 - 18/Sep.)
Institut für den Wissenschaftl. Film
Göttingen   1967

SCHÄFER, Ernst
U 1 - 3.1-4

Durch den Himalaja nach Tibet
4 Filme, 16 mm, schwarz-weiss, ohne Ton,
Aufnahmen: Deutsche Tibet-Expedition
Dr. Ernst Schäfer 1938/39

(F 1501) Ueberquerung des Himalaja
(F 1502) Durch das Hochland Tibet
(F 1503) Volksleben in Tibet
(F 1504) Götter und Dämonen in Tibet

mit Kommentarheft (vide sub U 3 - 22/Sep.)
Institut für Film und Bild in Wissenschaft und Unterricht, München   1951

TSHARONG, Dadul Namgyal
U 1 - 1

Gon-sa mTSHog-gi dGe-bSHes mTSan-rTags
mZad sGo'i gLog brNYan / Film über die
Geistlichen Examina S.H. des XIV.
Dalai Lamas
Farbfilm, 16 mm, ohne Ton; Dauer: ca.
45 Min.
Aufnahmen aus den Jahren 1958 und 1959 in
Lhasa und Umgebung
Kopie des Originals (mit kurzen engl.
Zwischentexten)
Kopie: Vancouver   1968

WILLIAMSON, David U 1 - 2.1-12	Diverse Szenen aus Sikkim und Zentral- tibet 12 Filme in Schwarz-weiss, ohne Ton, aufgenommen wohl 1933, 16 mm; Stichwortförmige Inhaltsangaben von Mrs. Williamson zu diesen 12 Filmen vide sub U 3 - 21 / Sep. (Kopien: London) 1971

U 2. Filme aus dem Exil d. Tibeter (nach 1959)

ALBRECHT, Reinhard U 2 - 22	Tibeter in der Schweiz Protokoll einer Eingliederung Videokassette VHS 4 - 60 der Fernseh- sendung des Südwestfunks 3. Programm vom 25.10.1980; Dauer 30 Min., mit Kommentar (vide sub U 3 - 26/Sep.) Südwestfunk, Baden-Baden 1980
BOSSHARD, Peter U 2 - 26.1-2	Hochzeit Pema Tsewang in Rikon 2 Farbfilme, 8 mm, ca. 130 m und 60 m Rikon 1975
BOSSHARD, Peter U 2 - 27	Die Liturgie S.H. Sakya Trizin am Tibet- Institut, Rikon vom 18. Mai 1974 Farbfilm, 8 mm Super, ca. 24 m Rikon 1974
BRAUEN, Martin (Aufn.) U 2 - 21.1 f.	Das Erbe Tibets Aspekte tibetischer Kultur im indischen Exil 2 Farb-Tonfilme, mit Kommentar in dtsch. Sprache und tibetischer Musik (Magnet- ton), von je ca. 25 Min. Spieldauer Kommentar von Martin Brauen Originale, 8 mm Super Bern 1970
CHANUDAUD, Jean Pierre U 2 - 30	A la recherche d'une identité Farbfilm, Magnetton, 16 mm, 35 Min. Paris 1978
DAUER, A.M., resp. INSTITUT FÜR DEN WISSENSCHAFTLICHEN FILM, GÖTTINGEN U 2 - 1	Kon-gZhas mDsad-Pa'i rLabs-'Phren (Volkstanz nach einer Melodie aus der Landschaft Kongpo) Aufn. in Rikon Farb-Tonfilm, 16 mm / 49 m (Göttinger Filmarchiv No. E 1409) Mit Kommentarheft: vide sub U 3 - 1/Sep. Göttingen 1967

DAUER, A.M. resp. INSTITUT FÜR DEN WISSENSCHAFTLICHEN FILM, GÖTTINGEN U 2 - 2	mDo-stod - mDo-sMad Volkstanz Farb-Tonfilm, 16 mm / 51 m (Göttinger Filmarchiv No. E 1412) Aufnahme in Rikon Mit Kommentarheft: vide sub U 3 - 2/Sep. Göttingen 1967
idem U 2 - 3	bSil-lDan Gaňs-Ri Kindertanz (Aufn. in Rikon) Schwarz-weiss-Tonfilm, 16 mm / 24 m (Göttinger Filmarchiv No. E 1413) Mit Kommentarheft: vide sub U 3 - 3/Sep. Göttingen 1967
idem U 2 - 4	spu-gu'i rTsed-thaň - rGyug-rTsed Kindertänze (Aufnahmen in Rikon) Farb-Tonfilm, 16 mm / 65 m (Göttinger Filmarchiv No. E 1608) Mit Kommentarheft: vide sub U 3 - 4/Sep. Göttingen 1968
idem U 2 - 5	Phye-ma Leb - Saň-ge Zwei Tiertänze Aufgenommen in Rikon/Zürich Farb-Tonfilm, 16 mm / 43 m (Göttinger Filmarchiv No. E 1609) Ohne Kommentarheft Göttingen 1967
idem U 2 - 6	Zla-ba'i gZhon-nu'i gZhas Tshig tib. Orchestermusik Aufgenommen in Rikon/Zürich Farb-Tonfilm, 16 mm / 45 m (Lichttonkopie) (Göttinger Filmarchiv No. E 1408) Mit Kommentarheft: vide sub U 3 - 6/Sep. Göttingen 1967
idem U 2 - 7	sNaň-sa'i 'Khruň-sa Volkstheaterstück "Hochzeit der Nangsa" Aufgenommen in Rikon/Zürich Farb-Tonfilm, 16 mm / 124 m (Göttinger Filmarchiv No. E 1606) Mit Kommentarheft: vide sub U 3 - 7/Sep.) Göttingen 1968
idem U 2 - 8	Bras-dkar-gyi bSad-pa Auftritt eines Glückbringers; Volks- theater-Szene Aufgenommen in Rikon/Zürich Farb-Tonfilm, 16 mm / 77 m (Göttinger Archiv No. E 1607) Mit Kommentarheft: vide sub U 3 - 8/Sep. Göttingen 1968

DAUER, A.M., reps. INSTITUT FÜR DEN WISSENSCHAFTLICHEN FILM, GÖTTINGEN U 2 - 9	**Zal-zas rGya-mTsho-ma Che-ba** Das Herstellen einer Opfergabe Aufgenommen am Tibet-Institut Rikon Farb-Stummfilm, 16 mm, 81 m (Göttinger Filmarchiv No. E 1610) Mit Kommentarheft: vide sub U 3 - 9/Sep. Göttingen 1969
idem U 2 - 10	**Zal-zas rGya-mTsho-ma Chuṅ-ba** Herstellen einer Opfergabe Aufgenommen am Tibet-Institut Rikon Farb-Stummfilm, 16 mm / 60 m (Göttinger Filmarchiv No. E 1611) Mit Kommentarheft: vide sub U 3 - 10/Sep. Göttingen 1969
idem U 2 - 11	**Zal-zas** Herstellen einer Opfergabe Schwarz-weiss-Stummfilm, aufg. am Tibet-Institut Rikon/Zürich 16 mm / 73 m (Göttinger Filmarchiv No. E 1612) Mit Kommentarheft: vide sub U 3 - 11/Sep. Göttingen 1969
idem U 2 - 12	**Sa-gShi Byin-rLob** "Erdweihung", Zeremonie der tibet. Geistlichen zur Gründung des Klöster- lichen Tibet-Instituts Rikon/Zürich Farb-Tonfilm, 16 mm / 220 m, Magnet- tonkopie (Göttinger Filmarchiv No. E 1511) Mit Kommentarheft (illustr.). vide sub U 3 - 12/Sep. Göttingen 1967
idem U 2 - 13	**sGo-'Byed mDshed-sGo** "Feierliche Türöffnung", Zeremonie zur Einweihung des Klösterlichen Tibet- Instituts Rikon/Zürich Farb-Tonfilm, 16 mm, 415 m, Lichttonkopie (Göttinger Filmarchiv No. E 1591) Mit Kommentarheft: vide sub U 3 - 13/Sep. Göttingen 1968
idem U 2 - 14	**Zeremonie zur Eröffnung des Klösterlichen Tibet-Instituts Rikon/Zürich** Farb-Tonfilm, 16 mm, Magnettonkopie (Göttinger Filmarchiv No. V 1377) Ohne Kommentarheft Göttingen 1968

420

DAUER, A.M., resp. INSTITUT
FÜR DEN WISSENSCHAFTLICHEN
FILM, GÖTTINGEN
U 2 - 15

gSo-sByon
Zeremonie der Beichte im Klösterlichen
Tibet-Institut Rikon/Zürich
Farb-Tonfilm, 16 mm / 447 m, Magnet-
tonkopie
(Nicht für öffentliche Vorführungen
bestimmt! Steht unter Verschluss!)
(Göttinger Filmarchiv No. E 1592)
Mit Kommentarheft: vide sub U 3 - 15/Sep.
Göttingen   1968

idem
U 2 - 16

Tscham-Tänze (Sikkim-Lama)
Farbfilm, 16 mm, ohne Ton, 129 m
Magnettonkopie (Göttinger Filmarchiv
No. E 263)
Mit Kommentarheft: vide sub U 3 - 16/Sep.
dazu Tonband: T 4 - 4
Institut für den Wissenschaftlichen Film,
Göttingen   1962

idem
U 2 - 17

Besuch des XIV. Dalai Lama am Klösterlichen
Tibet-Institut Rikon (Schweiz) 1973
schwarz-weiss, Lichtton, 16 mm, 22 Min.,
237 m (Göttinger Filmarchiv No. B 1161)
Mit Kommentarheft: vide sub U 3 - 19/Sep.
Institut für den Wissenschaftlichen Film,
Göttingen   1976

idem
U 2 - 18

dGe-slon phyir-bchos
Zeremonie der Beichte, zelebriert vom XIV.
Dalai Lama im Klösterlichen Tibet-Institut
Rikon (Schweiz)
Schwarz-weiss Film, Lichtton, 16 mm, 192 m
(Göttinger Filmarchiv No. E 2200)
Mit Kommentarheft: vide sub U 3 - 20/Sep.
Institut für den Wissenschaftlichen Film,
Göttingen   1976

idem
U 2 - 19.1-2

br Tan-bzugs
Zeremonie 'Festes Verweilen'. Bitte an den
Dalai Lama um langes Verbleiben im gegen-
wärtigen Leben
1: bLa-ma mchod-pa 'Opfer zum Ansammeln
   von Tugend und Weisheit'
2: brTan-bzugs / mJal-kha 'Bitte zum Festes
   Verweilen' und 'Feierliches Vorbeigehen
   am Dalai Lama'
2 Schwarz-weiss-Filme, Lichtton, 16 mm,
365 m / 523 m (zus. 81 ½ Min.)
(Göttinger Filmarchiv Nr. E 2201/2202)
Mit Komentarheften: vide sub U 3 - 21.1-2/
Sep.
Institut für den Wissenschaftlichen Film,
Göttingen   1976

DAUER, A.M., resp. INSTITUT FÜR DEN WISSENSCHAFTLICHEN FILM, GÖTTINGEN U 2 - 20.1-4	Weihezeremonien im Klösterlichen Tibet-Institut Rikon durch Mönche der Tantra-Schule Gyütö 1: bdag-'jug 'Eintritt in das Mandala' 2: rab-gnas-dnos-gzi 'Hauptweihe' Zwei Farbfilme, Magnetton, 600 m / 580 m (Göttinger Filmarchiv No. 2350/2351) 3: zi-ba'i sbyin-sreg 'Brandopfer zur Besänftigung feindlicher Mächte' 4: mjug-chog 'Schlusszeremonie' Zwei Schwarz-weiss-Filme, Lichtton, 475 m / 225 m (Göttinger Filmarchiv No. E 2360/2361) Institut für den Wissenschaftlichen Film, Göttingen 1977
DESJARDINS, Arnaud U 2 - 28.1-2	Le Message des Tibétains 2 Farbfilme, Magnetton, 16 mm 1: Le Bouddhisme, ca. 600 m 2: Le Tantrisme, ca. 600 m Télévision Française, Paris 197 ?
idem U 2 - 29	Le Bouddhisme, Bon-Religion (Geisterbeschwörungen) Farbfilm, Magnetton, 16 mm, ca. 20 Min. Paris 197 ?
FRIBOURG, Selecta-Film U 2 - 31	Mönche im Exil Farbfilm, Magnetton, 16 mm, 123 m, 13 Min. Selecta-Film, Fribourg 196 ?
HAGEN, Toni U 2 - 24.1-2	Tibeter im Exil (Nepal und Schweiz) 2 Farbfilme, ohne Ton, aus den Jahren 1959 - 1973 (Kopien), 16 mm Teil 1: 340 m, Teil 2: 485 m Toni Hagen, Rapperswil 1974
LUZERN, Schweiz. Tibet-hilfe U 2 - 25	Tibetisches Schicksal Farb-Tonfilm, 16 mm, 357 m Luzern o.J.
NUSSBAUMER, Heinz U 2 - 32.1-2	7 Tage in Tibet Reise in ein verbotenes Land 2 Farb-Tonfilme, 16 mm, 45 Min., 2 Teile gedreht 1979 in Tibet, Kopie Oesterreichischer Rundfunk (ORT) Wien 1979
ROCHLIN, Sheldon U 2 - 23	Tantra of Gyü-tö Sacred Rituals of Tibet Aufgenommen 1973 in Indien und während einer Europa-Reise; Farb-Tonfilm, 16 mm, 638 m, Dauer ca. 50 Min. Kurze Kommentare vide sub U 3 - 23/Sep. Allied Artists, London 1974

ROCHLIN, Sheldon   <u>Tibetan Medicine</u>
U 2 - 33   Farbfilm, Lichtton, 16 mm, Kopie, 40 Min.
                          Kopie
                          London / Dharamsala   1964 - 1965

U 3. Kommentare zu Filmen

ALBRECHT, Reinhard   <u>Kommentar zum Fernsehfilm "Tibeter in</u>
U 3 - 26 / Sep.   <u>der Schweiz", Protokoll einer Einglie-</u>
                          <u>derung (sub U 2 - 22)</u>
                          Südwestfunk, Baden-Baden   1980

DAUER, A.M. /   <u>Kommentarhefte zu den Filmen (U 2 - 1 bis</u>
BECHERT, Heinz   <u>U 2 - 19) des Instituts für den Wissen-</u>
JONGCHAY   <u>schaftlichen Film, Göttingen</u>
U 3 - 1 ff. / Sep.   Einleitungen: partim <u>Dauer, A.M.</u>;
                          partim <u>Bechert, Heinz</u>;
                          Tib. Texte: geschrieben von <u>Jongchay</u>
                          Institut für den Wissenschaftlichen Film,
                          Göttingen   ab 1970

KOLDRT, Josef   <u>Kommentar zum Film "Das Fest von Piwang</u>
U 3 - 25 / Sep.   <u>(Ladakh)"</u> (sub U 4 - 3)
                          Zürich   1980

ROCHLIN, Sheldon   <u>Kurze Kommentare zum Film "Tantra of</u>
U 3 - 23 / Sep.   <u>Gyü-tö"</u>
                          (sub U 2 - 23)
                          London   1974

SCHÄFER, Ernst   <u>Kommentarheft zu den 4 Filmen der Deut-</u>
U 3 - 22 / Sep.   <u>schen Tibet-Expedition Dr. E. Schäfer:</u>
                          <u>"Durch den Himalaja nach Tibet"</u>
                          (Kommentar zu allen 4 Filmen in <u>einem</u>
                          Heft)
                          Institut für Film und Bild in Wissenschaft
                          und Unterricht, München   1951

WILLIAMSON, David   <u>Kurze Inhaltsangaben zu den 12 Filmen</u>
U 3 - 24 / Sep.   <u>in Schwarz-weiss, wie sie von Mr. und Mrs.</u>
                          <u>Williamson wohl 1933 in Sikkim und</u>
                          <u>Zentraltibet gedreht wurden.</u>
                          London   o.J.

U 4. Varia

HUNTER, Ross
U 4 - 1 / Sep.

Prospekt zum Film "Lost Horizon"
(nach dem Buch von James Hilton)
Souvenir Book Publishers, London   o.J.

KOLDRT, Josef
U 4 - 3

Das Fest von Piwang (Ladakh)
Farb-Tonfilm, Super 8 mm, 30 Min.
gedreht 1979 (Kommentar: U 3 - 25/Sep.)
Josef Koldrt, Zürich   1980

VALMARANA, Paolo
U 4 - 2.1-2 / Sep.

L'avventura di Milarepa
2 Artikel (in ital.) über einen Film
in: Radiocorriere TV, anno LI (1974),
no 24, Roma   1974

Alphabetisches Autorenregister

Chang, Kun (vel Kun Chang) 162 / 171 / 174 / 179 / 412
Chanudaud, Jean Pierre 417
Chapman, F. Spencer 78
Chatterji, B.R. 239
Chattopadhyaya, Alaka 239
Chattopadhyay, P.K. 101
Chaudhuri, Sibadas 327
Chavannes, Edouard 77 / 94 / 333 / 341
Chekawa, Geshe 191
Ch'en, Kenneth K.S. 308 / 341
Chetwode, Penelope 349
Chhodak, Tenzing 39 / 276
Chhöphel, Tenzin 192
Chimpa, Lama 239
China-Bohlken, Berlin 128
Chi-Yun, Chang 15
Choisy, Maryse 239 / 276
Chopel, N. (vel Chophel, Ngawang Samten) 185 / 196
Choudhary, Gopi Raman 314
Chow, Fong 151
Christie, Anthony 341
Christinger, Raymond 134
Clark, Graham E. 349
        John 349
        Robert W. 189
        Walter Eugene 138
Clarke, Sir Humphrey 191
Clausen, G.L.M. 168 / 295 / 330
Clavadetscher, Richard 62
Clavigo, Ruy Gonzalez de 387
Coedes, Georges 9 / 186 / 331
Coelho, V.H. 371 / 373
Combe, G.A. 97
Compluribus Auctoribus (Compl. auct.) 11 / 13 / 15 / 24 / 38 / 39 /
        43 / 46 / 50 / 51 / 54 / 59 / 60 / 62 / 66 / 91 / 97 /
        105 / 122 / 129 / 136 / 138 / 151 / 217 / 224 / 239 /
        276 / 282 / 291 / 296 / 311 / 327 / 331 / 341 / 349 /
        362 / 371 / 378 / 389 / 406 / 407 / 408
Consten, Hermann 394
Conze, Edward 191 / 239 / 282 / 291 / 292 / 305
Cools, Jean 283
Coomaraswamy, Ananda K. 138 / 280
Cooper, Rhonda 138
        T.T. 334
Corlin, Claes 51
Couchoud, Paul-Louis 129 / 270
Cowell, E.B. 191
Cowling, Herford Tynes 224
Cox, E.H.M. 122
        Harvey 311
Craiova de, Nana 151
Crispe, Violet 397
Croizier, Ralph C. 125
La Croix Rouge Suisse, Bern 60

446

454